Przepaść

Seria π

NICHOLAS EVANS

Przepaść

Z angielskiego przełożył
JACEK MANICKI

Wydawnictwo
A. Kuryłowicz

WARSZAWA 2006

Tytuł oryginału:
THE DIVIDE

Redakcja: Jacek Ring
Ilustracja na okładce: Jacek Kopalski
Projekt graficzny okładki i serii: Andrzej Kuryłowicz

ISBN-13: 978-83-7359-430-2
ISBN-10: 83-7359-430-2

Dystrybucja
Firma Księgarska Jacek Olesiejuk
Kolejowa 15/17, 01-217 Warszawa
tel./fax (22)-631-4832, (22)-535-0557/0560

Sprzedaż wysyłkowa – księgarnie internetowe
www.merlin.pl
www.ksiazki.wp.pl
www.empik.com

WYDAWNICTWO ALBATROS
ANDRZEJ KURYŁOWICZ
Wiktorii Wiedeńskiej 7/24, 02-954 Warszawa

Wydanie I
Skład: Laguna
Druk: B.M. Abedik S.A., Poznań

Dla Charlotte

W powstanie tej książki swój znaczący wkład wniosły następujące osoby: Charles Fisher, Glenys Carl, Blaine Young, Bruce Geiss, Alexandra Eldridge, Buck i Mary Brannamanowie, Daisy Montfort, Andrew Martyn-Smith, Jill Morrison, Dennis Wilson, Sarah Pohl, Barbara Theroux, Doug Hawes-Davis, Dan Pletscher, Tom Roy, Elizabeth Powers, Sara Walsh, Jake Kreilick, Jeff Zealley, Gary Dale, Roger Seewald, Rick Branzell, Sandi Mendelson, Deborah Jensen, Sonia Rapaport, Richard Baron, Pat Tucker i Bruce Weide, Fred i Mary Davis oraz George Anderson. Jestem im wszystkim niezmiernie wdzięczny za życzliwość, cierpliwość i pomoc w zbieraniu materiałów.

Dziękuję też bardzo za pomoc w paru szczególnych kwestiach Ronni Berger, Rachael Harvey, Elizbeth Davis, Gordonowi Stevensowi, Larry'emu Finlayowi, Caradocowi Kingowi, Sally Gaminara, Carole Baron oraz Charlotte Evans.

I dopiero kiedy uczynił już wszystkie inne stworzenia ziemi, Stwórca uczynił mężczyznę i kobietę. I uformował ich ciała tak, by mogli je wzajem poznawać, lecz dusze tak, by na zawsze pozostały sobie obce. Bo tylko w ten sposób rozróżnieni mogli odnaleźć każde swoją drogę.

Calvin Sashone, *Mitologia kreatywna*

Część I

Orestes

Rozdział 1

Wstali przed świtem i wyszli w mroźną, bezksiężycową rozgwieżdżoną noc. Pod nogami chrzęścił zmarznięty żwir a przy każdym oddechu z ust buchały im obłoczki pary. Na parkingu stało tylko ich stare kombi, dach i maskę powlekała warstewka szronu. Chłopiec zamocował na dachu dwie pary nart, ojciec tymczasem wrzucił do bagażnika plecaki, obszedł wóz i wyciągnął zza wycieraczki zatkniętą tam przez kogoś gazetę. Sztywna od lodu zatrzeszczała, kiedy miął ją w rękach. Nie wsiadali jeszcze, stali przez chwilę przy samochodzie wsłuchani w ciszę, wpatrzeni w rysujący się na tle gwiazd masyw pasma górskiego.

Miasteczko jeszcze spało. Jechali w ciszy główną ulicą na północ przez kałuże bladego światła rozlewające się pod latarniami. Minęli budynek sądu, stację benzynową, stare kino; odbicie samochodu ślizgało się po szybach ciemnych witryn sklepowych. Psu, który stał z opuszczonym łbem przy drodze na skraju miasteczka, ślepia zalśniły w blasku reflektorów upiorną zielenią. Był jedynym naocznym świadkiem ich wyjazdu.

Zaczynał się ostatni dzień marca i na poboczach piętrzyły się poszarzałe pryzmy odgarniętego z jezdni śniegu. Poprzedniego popołudnia, gdy jechali przez równiny na zachód, widzieli wśród wyblakłej trawy pierwsze zalążki świeżej zieleni. A kiedy przed zachodem słońca wyszli z motelu na przechadzkę po okolicy, słyszeli śpiew wojaka żółtogardłego. Można by pomyśleć, że zima odeszła na dobre. Ale Czoło Gór Skalistych — tę ścianę prastarego wapienia rysującą się w dali za sfałdowanymi polami podgórza i ciągnącą przez sto mil — nadal pokrywał całun bieli i ojciec zapewniał chłopca, że na pewno znajdą tam dobry wiosenny śnieg.

Milę za miastem skręcili z głównej szosy w lewo, w boczną drogę biegnącą prosto jak strzelił w kierunku Czoła. Przed maską przebiegł im długouchy mulak, potem kojot, a kiedy asfaltową nawierzchnię zastąpił żwir, z topoli poderwała się wielka, jasnoskrzydła sowa i długo leciała przed nimi w światłach reflektorów nisko nad ziemią, zupełnie jakby ich pilotowała. A góry, tajemnicze, wszechwiedzące, błękitne, przez cały czas rosły w oczach, aż w końcu jakby się przed nimi rozstąpiły i wjechali w kręty wąwóz o wysokich na tysiące stóp ścianach koloru kości, którym między kępami bezlistnych osik i wierzb spływał ze szczytów wartkim strumieniem tający śnieg.

Robiło się coraz stromiej, koła zaczynały buksować na pokrytej ubitym śniegiem nawierzchni, jazda stawała się niebezpieczna. Ojciec zatrzymał wóz, żeby założyć łańcuchy. Wysiedli w mroźny, bezwietrzny przedświt rozbrzmiewający ogłuszającym szumem strumienia. Rozwinęli przed tylnymi kołami łańcuchy, ojciec zajął znowu miejsce za kierownicą, najechał na nie, wysiadł i ukląkł, żeby spiąć najpierw jeden, potem drugi. Chłopiec czekał, przytupując w miejscu i chuchając w marznące dłonie.

— Spójrz — powiedział w pewnej chwili.

Ojciec wstał z klęczek i otrzepując ręce ze śniegu, spojrzał. Daleko przed nimi, za uformowaną w kształt litery V doliną, w pierwszych promieniach wschodzącego słońca rozbłyskiwał właśnie wierzchołek ogromnej, pokrytej śniegiem góry. Na ich oczach cień nocy zaczął zsuwać się z jej zboczy pod naporem poszerzającego się pasma różu, złota i bieli.

Zaparkowali wóz u wejścia na szlak. Brak śladów na śniegu świadczył, że nie było tu przed nimi nikogo. Przysiedli obok siebie pod otwartymi drzwiami bagażnika i zmienili buty. Właściciel motelu zrobił im kanapki na drogę. Zjedli teraz po jednej, popijając parującą słodką kawą z termosu i patrząc, jak cienie wokół stopniowo jaśnieją. Czekało ich kilka mil stromego podejścia, przykleili więc do nart foki. Ojciec sprawdził stan wiązań i pracę krótkofalówek. Potem zarzucili na ramiona plecaki i przypięli deski.

— Ty przodem — zakomenderował ojciec.

Planowali zatoczyć dzisiaj pętlę długości pięćdziesięciu mil. Przed dwoma laty, pokonując tę samą trasę, odkryli wymarzone warunki zjazdowe. Najgorsze były trzy pierwsze godziny — najpierw długa wspinaczka przez las, potem niebezpieczne podejście zakosami pod północno-wschodnią stronę grani. Ale warto było. Południowa strona stanowiła idealne, bezdrzewne zbocze opadające w żleb trzema następującymi po sobie stokami o różnych nachyleniach. Jeśli dobrze pójdzie, dotrą na szczyt, kiedy słońce, oświetlając go pod kątem, rozmiękczy już śnieg na głębokość pół cala, podczas gdy ten pod spodem pozostanie nadal zmrożony i twardy.

Te wyprawy narciarskie w mało uczęszczane miejsca stały się ich dorocznym zwyczajem i chłopiec przepadał teraz za nimi tak samo jak ojciec. Uprawiający snowboarding koledzy z Great Falls pukali się w czoło. Niech już ci będą te narty, ale nie możecie na nie jeździć gdzieś, gdzie jest wyciąg? I prawdę mówiąc, kiedy przed czterema laty ojciec zabierał go na pierwszą taką eskapadę w góry Tetons, przyznawał im w duchu rację. Dwunastolatkowi wkładany wysiłek wydawał się niewspółmierny do przyjemności; za długo pod górkę, za krótko z niej. Czasami był bliski łez. Nadrabiał jednak miną i następnego roku też pojechał.

Zapracowany ojciec rzadko gościł w domu i niewiele rzeczy robili wspólnie, tylko we dwóch. Czasami chłopiec odnosił wrażenie, że prawie się nie znają. Obaj nie grzeszyli rozmownością. Ale w tych wspólnych podróżach do dzikich, odludnych okolic było coś takiego, co zbliżało ich bardziej niż słowa. I z czasem zrozumiał, dlaczego podejście sprawia ojcu taką samą frajdę jak zjazd. Była to osobliwa formuła przemiany energii fizycznej w psychiczną, spalanie pierwszej podsycało jakby tę drugą. Niemające końca rytmiczne powtarzanie ruchów, przesuwanie jednej narty przed drugą, wprowadzało człowieka w rodzaj transu. Radość i poczucie satysfakcji, kiedy osiągnęło się wreszcie upragniony szczyt i spoglądało na stok przysypany dziewiczym, wiosennym śniegiem, graniczyły z euforią.

Zapewne zrozumiał to dlatego, że z każdym rokiem stawał się silniejszy. Był teraz wyższy od ojca i na pewno sprawniejszy fizycznie. I chociaż nie miał jeszcze takiego doświadczenia w poruszaniu się po górach, to narciarzem stał się lepszym. Może dlatego dzisiaj ojciec po raz pierwszy puścił go przodem.

Przez pierwszą godzinę wspinaczki na szlak pnący się południową stroną krętego kanionu padał cień rosnących tu gęsto sosen i jodeł. Pomimo cienia spocili się szybko, a kiedy przystawali, żeby zaczerpnąć tchu, napić się albo zrzucić kolejną warstwę wierzchniej odzieży, słyszeli stłumiony ryk rwącego dołem strumienia. W pewnej chwili ich uszu doleciał trzask powodowany przez jakieś wielkie zwierzę buszujące w lesie powyżej.

— Myślisz, że co to było? — spytał chłopiec.

— Jeleń. Może łoś.

— A niedźwiedzie już się aby nie budzą?

Ojciec pociągnął łyk z manierki i otarł usta grzbietem dłoni w rękawicy. Obaj wiedzieli, że to kraina grizzly.

— Całkiem możliwe. Dni od tygodnia są ciepłe.

Godzinę później wyszli z lasu w słońce i przecięli żleb wypełniony bryłami zmrożonego śniegu, skałami, połamanymi drzewami, rumowiskiem pozostałym po lawinie, która tędy zeszła.

Grań osiągnęli przed dziesiątą. Stanęli obok siebie i kontemplowali w milczeniu widok, który się przed nimi roztaczał:

ośnieżone zbocza, las i płowe równiny hen, w dali. Chłopiec miał wrażenie, że wystarczy mu wytężyć dostatecznie wzrok, a wbrew prawom nauki sięgnie nim poza wszystkie widnokręgi świata i zobaczy plecy swoje i ojca, dwie maleńkie figurki na jakimś odległym, przykrytym śnieżną czapą szczycie.

Stok, który mieli przed sobą, spełniał bez reszty ich oczekiwania. Był już nasłoneczniony i skrzył się niczym biały aksamit usiany cekinami. Zdjęli narty oraz ściągnęli z nich foki, które otrzepali starannie ze śniegu i schowali do plecaków. Tu, na górze, wiał zimny wiatr, włożyli więc kurtki, usiedli na skalnym garbie, żeby napić się gorącej kawy i zjeść ostatnie kanapki. Na tle lazulitowego nieba krążyła nad nimi krakająca para kruków.

— I co ty na to? — spytał ojciec.

— Wygląda całkiem nieźle.

— Moim zdaniem lepszych warunków nie można sobie wymarzyć.

Nie skończył jeszcze mówić, kiedy cień jednego z kruków przemknął mu przez twarz. Ptak wylądował na grani kilka jardów od nich i chłopiec rzucił mu skórkę od chleba. Spłoszony kruk załopotał skrzydłami i wzbił się z powrotem w powietrze, ale tylko na chwilę. Zaraz usiadł ponownie i przekrzywiając łepek, popatrywał to na skórkę, to na chłopca. Już-już zbierał się na odwagę, by przyjąć poczęstunek, kiedy jego towarzysz zanurkował i w przelocie porwał mu skórkę sprzed dzioba. Pierwszy kruk zakrakał rozjuszony i puścił się w pogoń za złodziejem. Chłopiec i ojciec parsknęli śmiechem i patrzyli, jak ptaki zakosami zlatują w dolinę, krakając rozdzierająco.

Chłopiec, który prowadził podczas podchodzenia, teraz też zjeżdżał pierwszy. Śnieg pod nartami był dokładnie taki, na jaki wyglądał. Słońce rozmroziło jego powierzchnię akurat na tyle, by dawał odpowiednią przyczepność i chłopiec szybko złapał rytm. Rozrzuciwszy ramiona, tak jakby chciał porwać w objęcia i przytulić do piersi cały stok, upajał się błogim dla ucha chrzęstem śniegu pod nartami przy każdym skręcie. Ojciec miał rację. Lepszych warunków zjazdowych nie można sobie było wymarzyć.

U podnóża pierwszego z trzech stoków, gdzie kąt nachylenia zbocza nieco się zmniejszał, chłopiec wyhamował i obejrzał się, by nasycić oczy śladami, które zostawił. Ojciec sunął równolegle do nich, sumiennie powtarzając każdy skręt. Po chwili był już na dole. Zatrzymał się koło chłopca, obaj wydali triumfalny okrzyk i przybili piątki.

— Dobry zjazd!

— Twój też niezgorszy.

Ojciec roześmiał się i oświadczył, że ze stoku, który mają przed sobą, on zjeżdża pierwszy i zrobi chłopcu z dołu kilka fotografii. Chłopiec obserwował ojca, a kiedy ten krzyknął z dołu, puścił się w ślad za nim, dając z siebie wszystko, by jak najlepiej wypaść na zdjęciach.

Stojąc u podnóża drugiego stoku, widzieli w dole parów, do którego słońce jeszcze nie dotarło. Byli tu już kiedyś na nartach i wiedzieli, że płynący jego dnem strumień tworzy ciąg małych rozlewisk i małych wodospadów. Wówczas było cieplej, śniegu o wiele mniej, i nie licząc cienkiej warstewki lodu na obrzeżach rozlewisk, widać było płynącą wodę. Teraz zamarznięty strumień został zasypany przez śnieg i jego istnienie zdradzały tylko ledwie rysujące się kontury i prążki zdradliwych pęknięć w śnieżnej pokrywie.

Ojciec spojrzał na zegarek, a potem, osłaniając oczy, na słońce. Chłopiec wiedział, o czym myśli. Połowa stoku przed nimi znajdowała się nadal w cieniu. Tam, w dole, powietrze było chłodniejsze i śnieg jeszcze nie zdążył odtajać. Może należałoby trochę odczekać.

— Wygląda mi na trochę zlodowaciały — mruknął ojciec.

— Będzie dobry. Ale jak strach cię obleciał, to zaczekajmy.

Ojciec spojrzał na niego sponad okularów przeciwsłonecznych i uśmiechnął się.

— Taki z ciebie chojrak, to wal pierwszy.

Wręczył chłopcu aparat.

— Tylko żeby dobrze wyszły.

— Wyjdzie na nich jak na dłoni, jaki z ciebie narciarz. Czekaj tu, dopóki nie zawołam.

Schował aparat do kieszeni kurtki, uśmiechnął się do ojca, i pomknął w dół. Przez pierwszych kilkadziesiąt jardów śnieg był jeszcze spulchniony. Ale w miarę zbliżania się do granicy cienia stopniowo twardniał. Przy skrętach deski zaczynały tracić przyczepność, nie słyszało się już chrzęstu białego puchu, lecz chrobot obitych stalą krawędzi szorujących po lodzie. Chłopiec zatrzymał się na granicy cienia i spojrzał w górę na ojca stojącego na tle nieba.

— No i jak? — zawołał ojciec.

— Trochę ślisko. Ale ujdzie.

— Czekaj tam na mnie. Ruszam.

Chłopiec ściągnął rękawice i wyjął z kieszeni aparat. Zdążył zrobić szusującemu z fantazją ojcu dwa zdjęcia. Na trzecim, jak się potem okaże, utrwalił dokładnie moment, w którym ojciec popełnił błąd.

Kiedy podczas skrętu przenosił ciężar ciała na prawą nartę, krawędź odciążonej lewej nie wgryzła się wystarczająco w śnieg i ześlizgnęła gwałtownie w dół. Ojciec próbował skorygować błąd, ale za mocno nacisnął na prawą deskę i ta również spod niego uciekła. Balansując ciałem i wymachując w powietrzu kijkami, usiłował ratować się przed upadkiem. Przyniosło to taki skutek, że utrzymał się, co prawda, na nogach, ale jednocześnie obrócił twarzą ku szczytowi i sunął teraz tyłem. Przez chwilę wyglądał niemal komicznie, zupełnie jakby udawał, że podjeżdża pod górkę. Zaraz jednak stracił równowagę, runął na wznak i nabierając szybkości, zaczął się ześlizgiwać na plecach ze stoku.

Chłopcu przemknęło przez myśl, żeby ustawić się na drodze ojca i jeśli go nie zatrzymać, to przynajmniej przyhamować. Szybko jednak doszedł do wniosku, że zderzenie ścięłoby go z nóg i sam poleciałby w dół. Zresztą i tak było już za późno. Ojciec przyśpieszał w takim tempie, że chłopiec nie zdążyłby

17

przeciąć mu drogi. Jedna narta już się odpięła i pędziła po zboczu niczym torpeda, teraz odpięła się druga. Chłopiec wyciągnął odruchowo kijek i omal nie stracił równowagi. Udało mu się dotknąć narty, ale ta sunęła za szybko i przemknęła obok jak rakieta.

— Podnieś się! — wrzasnął. — Spróbuj się podnieść!

Tak krzyczał kiedyś do niego ojciec, kiedy to on się przewrócił. Nie udało się to wtedy jemu, nie udało się teraz ojcu. Mijając go — obrócony już twarzą do dołu, z rozrzuconymi rękami i nogami — krzyknął coś, ale chłopiec nie zrozumiał. Wlókł za sobą przymocowane do nadgarstków kijki — w tym jeden mocno wygięty — za nim, niczym ciekawski krab, podążały okulary przeciwsłoneczne. I wciąż przyśpieszał.

Chłopiec ruszył w dół. Choć wciąż zszokowany, roztrzęsiony, z walącym sercem, zachowywał jednak świadomość, że najważniejsze to się nie przewrócić. Powtarzał sobie, że nie wolno mu tracić zimnej krwi, i starał się stosować wszystkie zasady narciarstwa zjazdowego, jakich się nauczył. Nie trać wiary w niższą nartę, nawet jeśli się ślizga. Kontruj krawędzią. Pierś od zbocza, nie ku niemu. Kończ każdy skręt. Kontruj, kontruj! Patrz, idioto, przed siebie, nie pod nogi, nie na narty.

Teraz przyczepności nie było już żadnej, ale po kilku pierwszych niepewnych skrętach przejął kontrolę nad ślizgającymi się deskami i zaczęła mu wracać wiara w swoje umiejętności. Jak zahipnotyzowany patrzył za ciemną, malejącą figurką ześlizgującą się w cień doliny. Ojciec, znikając mu z oczu, krzyknął po raz ostatni. Był to nie tyle krzyk, ile raczej mrożący krew w żyłach wrzask zwierzęcia stojącego w obliczu śmiertelnego zagrożenia.

Chłopiec zatrzymał się z poślizgiem. Dyszał ciężko, nogi mu drżały. Rozsądek podpowiadał, że najważniejsze, to zapamiętać dokładnie miejsce, w którym zniknął ojciec, chociaż dlaczego zniknął, nie potrafił sobie wytłumaczyć. Czyżby znajdował się tam jakiś nagły uskok, którego z góry nie widać? Spróbował sobie przypomnieć, jak wygląda profil zbocza, bo przecież już kiedyś tędy zjeżdżali, nie pamiętał jednak nawet tego, czy nachylenie stoku w dolnych partiach wzrasta, czy maleje. A jeśli ojciec spadł na samo dno parowu? Czy śnieg przykrywający strumień zdołałby zamortyzować upadek, czy może jest zmrożony na kamień i ojciec w zderzeniu z nim pogruchocze sobie wszystkie kości? Z nerwów chłopiec zapomniał już, gdzie stracił go z oczu. W zalegającym poniżej cieniu wszystko wyglądało tak samo. Może na lodzie pozostały jakieś ślady, które go tam zaprowadzą? Wziął głęboki oddech i odepchnął się kijkami. Przy pierwszym skręcie uciekła mu niższa narta i o mało nie upadł. Kolana miał jak z waty, resztę ciała napiętą i upłynęło trochę czasu, zanim odważył się ruszyć dalej. I nagle, kilka jardów przed sobą zobaczył na lodzie ciemną, długą na stopę plamę. Podjechał do niej ledwie kontrolowanym bocznym ześlizgiem.

To była krew. Poniżej było jej więcej. W lodzie widniały też dwie równoległe bruzdy. Prawdopodobnie ojciec usiłował hamować czubkami butów.

Przy dobrym śniegu chłopiec zjechałby z tego stoku w cztery, pięć minut. Teraz, kiedy na trzęsących się nogach i z duszą na ramieniu zmuszony był schodzić bokiem po śliskiej, oblodzonej powierzchni, zajęło mu to blisko pół godziny. Słońce tymczasem dogoniło go, wyprzedziło, i cień przed nim kurczył się, odsłaniając krwawy trop na śniegu.

Widział teraz, że trop znika za krawędzią, a na jego końcu coś leży. Zbliżywszy się, stwierdził, że to okulary przeciwsłoneczne ojca, które tkwiły w śniegu, jakby obserwowały finał przedstawienia. Chłopiec pochylił się i podniósł je. Jedno szkło było pęknięte, brakowało jednego zausznika. Schował okulary do kieszeni.

Zbocze opadało stromo dwieście stóp w wypełniający się właśnie słońcem parów. Spojrzał w dół przygotowany na to, że na dnie zobaczy zmaltretowane ciało. Ale ojciec jakby się pod ziemię zapadł. Pozostała po nim tylko oślepiająco biała cisza. Znikły nawet ślady krwi i bruzdy wyryte w zlodowaciałym śniegu przypuszczalnie czubkami butów. W powietrzu zakotłowało się nagle i para kruków przemknęła tuż nad głową chłopca, nurkując z krakaniem w kierunku strumienia. Czyżby wskazywały mu drogę? Śledząc ich cienie przecinające strumień, dostrzegł tam jedną z nart ojca i czarną dziurę w sfałdowanej śnieżnej pokrywie.

Pięć minut później był już na dole. Zmrożony śnieg popękał w tym miejscu i zarwał się, tworząc krater o poszarpanych krawędziach i średnicy jakichś trzech jardów.

— Tato?! — zawołał chłopiec.

Nie było odpowiedzi. Słyszał tylko przytłumiony plusk przepływającej gdzieś pod spodem wody. Podchodził powoli, ostrożnie, bokiem, kroczek za kroczkiem, przygotowany na to, że śnieg w każdej chwili może się pod nim zarwać. Ale ten sprawiał wrażenie solidnie ubitego. W pewnej chwili przypomniał sobie o krótkofalówce. Do tego właśnie była, miała pomagać w odszukiwaniu zagrzebanych pod śniegiem ludzi. Ściągnął rękawice, rozpiął kurtkę, wyciągnął radio i zaczął manipulować gałkami. Ale ręce mu się trzęsły i ogarnięty paniką miał w głowie taki zamęt, że nie mógł sobie przypomnieć, jak się to cholerne urządzenie obsługuje.

— Kurwa! Kurwa! Kurwa!

— Tutaj! Tutaj jestem!

Chłopcu serce omal nie wyskoczyło z piersi.

— Tato?! Nic ci nie jest!

— Nic. Uważaj.

— Widziałem krew.

— Rozharatałem sobie policzek. Ale poza tym wszystko w porządku. Nie podchodź za blisko krawędzi.

Ale było już za późno. Pod chłopcem zatrzeszczało przeciągle, poczuł, jak śnieg usuwa mu się spod nart i po chwili już spadał. Mignęła mu przez moment zakrwawiona twarz ojca patrzącego z dna dziury na zarywającą się krawędź, a potem nie widział już nic prócz walących w dół wraz z nim kaskad białego śniegu.

Ocknął się, kiedy ojciec wyciągał go spod osypiska, pytając, czy nic mu się nie stało. Nie znał jeszcze odpowiedzi, ale wykrztusił, że chyba nie. Ojciec uśmiechnął się.

— Dobra robota, synu. Usypałeś nam właśnie wyjście na świat.

Wskazał głowę i chłopiec, obejrzawszy się, zrozumiał, o co mu chodzi. Śnieżny zawał utworzył coś w rodzaju pochylni, po której można było wygramolić się na powierzchnię. Siedzieli, patrząc na siebie. Ojciec wciąż się uśmiechał i przykładał do policzka zakrwawioną chusteczkę. Rozcięcie było długie, ale chyba niezbyt głębokie, a krwawienie już prawie ustało. Chłopiec pokręcił głową.

— Nie myślałem, że znajdę cię żywego.

— Tylko mi nie mów, że nie masz tego na zdjęciu.

— Kurczę, tato. To ci był upadek.

W ściany dziury, w której siedzieli, powbijały się tafelki błękitno-białego lodu pokruszonego w wyniku obu upadków. Wyglądała jak przekrój gigantycznego, zamarzniętego gniazda os. Dno było twarde, sprawiało wrażenie solidnego i kiedy chłopiec odgarnął śnieg, okazało się, że tworzy je gruby lód. Narty odpięły mu się, kiedy spadał, i leżały teraz na wpół przysypane śniegiem. Wstał i odgrzebał je. Ojciec też powoli wstał, krzywiąc się przy tym trochę. Do dziury zaczynało już zaglądać słońce.

— Trzeba będzie chyba poszukać moich nart — powiedział ojciec.

Jego plecak leżał na dnie obok miejsca, z którego chłopiec odgarnął przed chwilą śnieg. Padała na niego smuga słońca. Chłopiec schylił się, żeby go podnieść, i w tym momencie coś przyciągnęło jego wzrok — jakiś blady zarys w przezroczystym błękicie lodu. Ojciec zauważył jego zawahanie.

— Co jest?

— Spójrz. Tu, pod spodem.

Uklękli i zajrzeli w lodowe dno dziury.

— Jezu — sapnął cicho ojciec.

21

Była to ludzka dłoń z rozcapierzonymi palcami, zwrócona wnętrzem do góry. Ojciec otrząsnął się z pierwszego szoku i oczyścił ze śniegu większą powierzchnię. Ich oczom ukazała się wewnętrzna strona przedramienia. Spojrzeli na siebie, a potem bez słowa rzucili się do pracy. Odgarniając, zeskrobując, spychając śnieg z dna, tworzyli lodowe okno, przez które z każdym ruchem rękawic widać było coraz więcej tego, co w nim ugrzęzło.

W końcu zobaczyli twarz zasłoniętą częściowo przez nagi bark i popatrującą na nich spod pachy jednym martwym okiem. Sądząc po burzy długich włosów utrwalonych jak na fotografii, była to młoda kobieta. Leżała pod kątem, wygięta w pasie, nogi nikły w ciemniejszym głębiej lodzie. Karmazynowa bluzka czy kurtka, którą na sobie miała, była pofałdowana i skręcona, zerwana, chyba w pośpiechu, z barku do połowy ramienia. Ciągnęła się za dziewczyną, tak jakby ta zamarzła w trakcie jej zdejmowania. Ciało miało barwę pergaminu.

Rozdział 2

Szeryf Charlie Riggs spojrzał na zegarek. Miał jeszcze piętnaście minut na przekopanie się przez tę nieszczęsną stertę teczek, która piętrzyła się przed nim na nieludzko zabałaganionym biurku. Jeśli nie uwinie się z papierkową robotą do drugiej, to nie ma siły, żeby robiąc jeszcze kurs do Great Falls i z powrotem, dotarł na urodzinowe przyjęcie córki, która kończy dzisiaj dziesięć lat. A do Great Falls musi pojechać, bo ma tam do odebrania prezent. Powinien był to załatwić wczoraj, ale jak zwykle w ostatniej chwili wyskoczyło mu tuzin innych pilnych spraw i, cholera, nie zdążył. Tym prezentem było ręcznie profilowane i szyte siodło, które w przypływie ekstrawagancji zamówił przed dwoma miesiącami. Sam nie wiedział, co mu strzeliło do łba, że może sobie na nie pozwolić. Skrzywił się na myśl, jak go to uderzy po kieszeni.

Przysunął się z krzesłem bliżej biurka, odgarnął przedramieniem dwa brudne kubki po kawie i sięgnął po pierwszą z wierzchu teczkę. Zawierała konspekt jeszcze jednego raportu o zwiększonej podaży metamfetaminy w Montanie. Drzwi jego ciasnego pokoiku były otwarte, a w dyspozytorce dzwoniły chyba wszystkie telefony naraz. Nikt ich nie odbierał, bo Liza miała dzisiaj wolne, a ta nowa, Mary-Lou (dziewczyna się jeszcze nie wciągnęła), stała przy barierce i rozmawiała z wiekową

23

panią Lawson, której znowu zginął pies. Babcia zostawiła chyba aparat słuchowy w domu, bo Mary-Lou musiała krzyczeć i powtarzać wszystko po dwa razy. Za oknem Tim Heidecker, jeden z jego niezbyt rozgarniętych zastępców, parkował właśnie pick-upa. Charlie szedł o zakład, że chłopak wpadnie tu za chwilę i zarzuci go gradem durnych pytań. Wysunął się zza biurka i cicho zamknął drzwi. Była już za dziesięć druga.

Gnębiło go nie tyle to, że sprawi zawód córeczce — dobrze ze sobą żyli i wiedział, że Lucy zrozumie — ile fakt, że poda jej matce na tacy jeszcze jedną broń przeciwko sobie. Byli już prawie pięć lat po rozwodzie, Sheryl w tym czasie wyszła ponownie za mąż i wszystko wskazywało na to, że jest szczęśliwa, tylko jak można znaleźć szczęście u boku takiego wymoczka, z jakim dzieliła teraz łoże, pozostawało tajemnicą. Dla Charliego niepojęty pozostawał również fakt, że chociaż tyle lat już minęło — i chociaż to nie on ją, lecz ona jego zostawiła — Sheryl nigdy nie przepuściła najmniejszej okazji do wbicia mu szpili. A każde jego potknięcie wobec Lucy wychwytywała skwapliwie ze źle maskowaną satysfakcją. Nie wystarczało jej, że przypięła mu już łatkę marnego męża, nie spocznie, dopóki nie zrobi z niego jeszcze wyrodnego ojca.

„Udział metamfetaminy w rynku narkotyków wykazuje tendencję wzrostową", przeczytał. No, no. Kto by pomyślał? Zastanawiał się często, ile też płacą ludziom sporządzającym te zakichane raporty za powtarzanie tego, co nawet ślepy widzi. Cholera jasna, wystarczy wejść na pięć minut do sieci albo do pierwszej lepszej księgarni i już się wie, jak przyrządzić to świństwo we własnej kuchni. A może na starość robi się cyniczny?

— Na pewno się znajdzie, pani Lawson! — krzyczała przy barierce Mary-Lou.

— Że co?

— Powiedziałam, ŻE PIESEK NA PEWNO SIĘ ZNAJDZIE!

24

Charlie usłyszał, jak Tim Heidecker odbiera któryś z telefonów. Szansa, że poradzi sobie z załatwieniem sprawy samodzielnie, była jak jeden do miliona. No i jasna sprawa, po minucie rozległo się pukanie i zanim Charlie zdążył się schować, drzwi uchyliły się i do pokoju głowę wsunął podenerwowany Tom.

— Hej, szefie...

— Jestem teraz bardzo zajęty, Tim. I proszę, nie nazywaj mnie szefem.

— Był właśnie telefon od Drummondów, no, wie pan, tych, co mieszkają na Czele Gór...

— Wiem, gdzie mieszkają Drummondowie, Tim. Później mi wszystko opowiesz, dobrze?

— Jak pan chce. Pomyślałem tylko, że to może pana zainteresować.

Charlie z ciężkim westchnieniem odrzucił teczkę na biurko.

— Mów.

— Zawitało do nich dwóch narciarzy, i mówią, że znaleźli trupa w strumieniu Goat Creek. Młodą kobietę zamrożoną w lodzie.

Małe ranczo Neda i Val Drummondów leżało nieopodal północnego rozwidlenia strumienia. Dalej, nie licząc dwóch czy trzech chat wykorzystywanych jedynie w lecie, było już tylko odludzie. Dotarcie na miejsce zajęło Charliemu i Timowi Heideckerowi ponad pół godziny, ponad pół następnej trwało przesłuchanie dwóch narciarzy. Wyglądali na ludzi rozgarniętych i doskonale zdawali sobie sprawę, jakie mieli szczęście. Gdyby nie znaleźli drugiej narty, ojciec miałby poważne trudności z powrotem. Syn musiałby sam zejść na dół po pomoc. Ale byli inteligentni i dobrze przygotowani, czego nie da się powiedzieć o tych tabunach durni pakujących się w górach w kłopoty, z których trzeba ich potem wyciągać.

25

Ojciec potrafił dokładnie wskazać na mapie miejsce, gdzie znaleźli zwłoki. Charlie przywiózł na lorze dwa skutery śnieżne i przez chwilę rozważał nawet ewentualność udania się tam od razu na rekonesans. Ale słońce chowało się już za górskie szczyty, a kiedy zupełnie za nimi zniknie, szybko zrobi się ciemno i gwałtownie spadnie temperatura. Skoro ciało, jak twierdzili, jest zamrożone w lodzie, to nigdzie nie ucieknie. Lepiej zostawić je tam do rana, doszedł do wniosku, spokojnie opracować plan działania i rano ruszyć w góry z odpowiednim sprzętem. Zresztą zamierzał zabrać ze sobą ojca chłopca, a rozcięcie na jego policzku, chociaż Val opatrzyła je, jak umiała, wymagało jednak zszycia.

Siedzieli wszyscy u Drummondów w mrocznej kuchni o ścianach z drewnianych bali i pili mokkę. Charlie znał Val od dziecka i zawsze miał do niej słabość. Bądź co bądź przeżyli ze sobą kiedyś kilka romantycznych chwil po szkolnej potańcówce. Do tej pory pamiętał tamten incydent ze szczegółami. Teraz Val przekroczyła już czterdziestkę, ale wciąż dobrze się trzymała, była wysoka, zgrabna, pełna gracji. Ned był od niej niższy, o dziesięć lat starszy i gadatliwy, jak to ludzie, którzy mają za wiele wolnego czasu, ale poza tym nie dało mu się nic zarzucić. Val zaproponowała ojcu chłopca, że zawiezie go do przychodni na założenie szwów, i powiedziała, że chętnie ich przenocuje. Obie oferty przyjęte zostały z wdzięcznością. Umówili się, że spotykają się o ósmej rano i ruszą po ciało.

Kiedy się żegnali, Charlie z nieprzyjemnym skurczem w dołku przypomniał sobie o urodzinowym przyjęciu Lucy. Jego komórka nie miała tutaj zasięgu, zapytał więc Val, czy może skorzystać z telefonu stacjonarnego. Wprowadziła go do living roomu i dyskretnie się wycofała. Charlie ocenił, że przyjęcie jeszcze trwa, ale nie było siły, żeby zdążył przed jego zakończeniem. Wybrał numer Sheryl i wstrzymał oddech.

— Halo?

Głos miała nawet miły, ale tylko do momentu, kiedy zorientowała się, z kim rozmawia.

— Cześć, Sheryl. Słuchaj, naprawdę przepraszam, ale...

— Miło, że chociaż zadzwoniłeś.

— Coś mi wyskoczyło i nie mogłem...

— Coś ważniejszego niż przyjęcie z okazji dziesiątych urodzin córki? Rozumiem. Tak, to właśnie cały ty.

— Mogę porozmawiać z Lucy?

— Jest teraz zajęta. Powiem jej, że dzwoniłeś.

— Mógłbyś...

— Odebrałeś siodło?

— No... nie miałem czasu...

— Dobrze. W porządku. To też jej powtórzę.

— Sheryl, proszę cię...

— Stara śpiewka, co, Charlie? Muszę już kończyć. Na razie.

Usłyszeli skutery śnieżne na długo przedtem, nim je zobaczyli. W końcu między drzewami daleko w dole zamigotały światła reflektorów. Skutery wyłoniły się z lasu i podskakując na nierównościach terenu, zaczęły piąć się brzegiem strumienia w ich kierunku. Żółte snopy światła cięły zapadający w dolinie niebieski mrok.

Wóz techniczny musieli zostawić na dole, u wejścia na szlak, prawie trzy mile stąd; bliżej nie dało się nim podjechać. Był to przystosowany do potrzeb ratownictwa górskiego autobus szkolny załadowany specjalistycznym sprzętem. Zwyczajne radia źle działały w głębokich górskich kanionach, a więc w autobusie zainstalowano krótkofalówkę ze studziesięciowatowym wzmacniaczem, służącą do komunikowania się z odległym o trzydzieści mil biurem szeryfa. Wszystko, czego potrzebowali na miejscu, trzeba było przetransportować od wejścia na szlak skuterami śnieżnymi. Te, które teraz nadjeżdżały, wiozły piły łańcuchowe, palniki acetylenowe i kilka silnych lamp, żeby Charlie i jego ekipa nie musieli przerywać pracy po zapadnięciu zmroku.

Miał do dyspozycji dziesięciu ludzi, w tym trzech swoich

27

zastępców i siedmiu ratowników-ochotników. Towarzyszył im też funkcjonariusz Służby Leśnej, który miał dobre chęci, ale był młody, niedoświadczony i w zasadzie tylko plątał się pod nogami. Przepisy wymagały jednak jego obecności, bo zwłoki dziewczyny znaleziono na terenie podległym Służbie Leśnej. Pracowali na zmiany, schodząc co kilka godzin do autobusu na odpoczynek i posiłek — wszyscy prócz Charliego, który nie odstępował zwłok. Przynosili mu co jakiś czas coś do zjedzenia i do picia, ale był już zmęczony, przemarznięty i teraz, po blisko godzinnym czekaniu na sprzęt, trochę zły.

Pracowali od rana. Najpierw ogrodzili cały rejon, a potem systematycznie go przeszukali, fotografując i filmując ze wszystkich stron. Nie znaleźli niczego, co by wyjaśniało, skąd wzięły się tu zwłoki. Śniegu i lodu było tyle, że Charlie od początku się tego spodziewał. Natrafią może na coś, kiedy nadejdzie odwilż. Na część garderoby, but, plecak. Przy odrobinie szczęścia może nawet na ślady stóp zachowane w spodniej warstwie śniegu albo w błocie.

Dwaj narciarze przyprowadzili ich tu rano i pokazali, gdzie spoczywa ciało. Charlie w życiu nie widział czegoś tak upiornego jak ta uwięziona w lodzie dziewczyna, a przecież będąc od lat nie tylko szeryfem, ale również koronerem okręgowym, naoglądał się już trupów. Narciarze zostali z nimi tylko tyle, ile musieli. Ojcu założono szesnaście szwów i policzek spurpurowiał mu jak burak. Pilno mu było do domu. Chłopiec był blady i jeszcze niezupełnie otrząsnął się z szoku. Wróci do domu bardziej mężczyzną, niż go opuszczał.

Dopiero wczesnym popołudniem byli gotowi do pierwszej próby wycięcia dziewczyny. Okazało się to bardziej kłopotliwe, niż Charlie przewidywał. Ciało po wydobyciu trzeba było przewieźć przez góry do stanowego laboratorium medycyny sądowej w Missouli, a to zajmie dobre trzy godziny. Ponieważ zapowiadano ocieplenie, wszyscy zgodzili się, że najlepszym sposobem zabezpieczenia zwłok przed podwyższoną temperaturą będzie pozostawienie ich w lodzie. Do tej pory pracowali przecinakami, wydłubując lód ostrożnie, kawałek po kawałku, żeby nie przeoczyć albo nie zniszczyć żadnego dowodu rzeczowego, jaki mógł w nim zamarznąć. Ale przypominało to koszenie łąki nożyczkami i Charlie uznał, że jeśli nie zmienią metody, to ugrzęzną tu na wiele tygodni.

Skutery śnieżne zbliżające się brzegiem strumienia — każdy ciągnący sanie wyładowane sprzętem — miały jeszcze do przebycia sto jardów. Charlie i jego ludzie ruszyli im naprzeciw. Żółto-zielone kamizelki odblaskowe nałożone na czarne kurtki fosforyzowały w światłach reflektorów. Nadejściu nocy towarzyszył spadek temperatury. Charliemu nawet w ocieplanych butach drętwiały z zimna nogi. Ileż by dał, żeby siedzieć teraz w domu przed kominkiem z książką, którą zaczął niedawno czytać. Nie czuł palców u rąk. Brnąc przez kopny śnieg, ściągnął rękawice i pochuchał w zgrabiałe dłonie. Humoru nie poprawił mu widok Tima Heideckera zsiadającego z pierwszego skutera.

— Co tak długo?

— Sorry, szefie. Skuter nam utknął w dole strumienia.

— Dlaczego nie meldowaliście przez radio.

— Próbowaliśmy. Nikt się nie zgłaszał.

— Dobra, do roboty.

Przywieźli mu gorącą zupę i kilka czekoladowych batonów, co trochę go udobruchało. Siorbał na stojąco zupę i wydawał polecenia ludziom, którzy rozmieszczali lampy i podłączali je do małego przenośnego generatora. Nad nim, na tle wieczornego nieba wypełniającego się powoli gwiazdami, majaczył zarys gór.

Krater, do którego wpadli narciarze, znalazł się wkrótce w kokonie blasku otoczonym mrokami nocy. Całe jego dno oczyszczono ze śniegu i dziewczyna z rozwianymi włosami, wyciągniętą ręką, w ciągnącej się za nią, zdartej do połowy czerwonej kurtce, wyglądała w lśniącym czarnym lodzie jak tancerka w trakcie skoku uwięziona w obsydianie.

Wycięcie jej zajęło kolejnych sześć godzin. Jedna z pił

łańcuchowych zakleszczyła się i dwa razy musieli zamawiać z dołu przez radio nowe ostrza. Cięty piłami lód kruszył się i matowiał, żeby więc widzieć, w co się wcinają, musieli odstawić piły i topić go palnikami acetylenowymi. Wycięli szeroki kanał równoległy do bloku lodu z zamarzniętą dziewczyną, i drewnianymi drągami zaczęli podważać ten blok, by umieścić go na podstawionych saniach. Ale lodowy sarkofag był za ciężki. Lód pod saniami zatrzeszczał przeraźliwie i te zapadły się jednym końcem w przepływający pod spodem strumień. Przez kilka długich dramatycznych minut wydawało się, że dziewczyna zsunie się z sań i zniknie w powstałej przerębli, ale udało się opasać blok linami i utrzymać ją do czasu wyprostowania i wyciągnięcia sań. Obłupali z bloku trochę lodu, żeby ująć mu ciężaru, ale ten nadal nie mieścił się w worku na zwłoki, poprosili więc przez radio o przysłanie z dołu brezentowej płachty. Owinęli nią blok jak paczkę i zabezpieczyli taśmami i linami. Tuż przed północą trzem skuterom śnieżnym i sześciu ludziom ciągnącym z całych sił za liny udało się w końcu wywlec z dziury sanie z ich spowitym w czarny całun ładunkiem.

Zwiezienie zwłok na dół do autobusu zajęło kolejną godzinę i dochodziła już trzecia nad ranem, kiedy obłożone kocami i arkuszami tektury spoczęły wreszcie na skrzyni ładunkowej półciężarówki Charliego. Jego trzej zastępcy chcieli z nim jechać do Missouli, ale Charlie im podziękował i odesłał do łóżek. Bądź co bądź harowali od blisko dwudziestu czterech godzin. Sam znajdował się w tym osobliwym stanie pobudzenia, w który popada człowiek skrajnie przemęczony, a poza tym z przyczyn, których nie potrafiłby wyjaśnić w tej chwili, wolał samotność.

Zostawił za sobą Augustę i skręcił w drogę numer 200 na opustoszałym skrzyżowaniu, gdzie przed zaledwie miesiącem pomagał wydobywać z rozbitego samochodu dwoje martwych nastolatków. Dwie proste jak strzelił szosy przecinające się w szczerym polu, a regularnie dochodziło tu do wypadków, w których ginęli ludzie, i to pomimo działającej sygnalizacji świetlnej. Przygnębiony tym wspomnieniem wrócił myślami do zastygłej w pozie baletnicy dziewczyny, którą wiózł na skrzyni. Miał ją wciąż przed oczyma, nie mógł się pozbyć tego widoku.

Nie dawało mu spokoju, kim była i jak się tam znalazła. Pamiętał samobójstwo, do którego doszło kiedyś w górach, niedaleko Goat Creek. Pewien siedemnastolatek rozebrał się do naga, złożył starannie ubranie, zapakował je do plecaka wraz z bełkotliwym wierszem swojego autorstwa, mającym wyjaśnić powody, dla których odbiera sobie życie, i skoczył w przepaść. Jego szczątki znalazł miesiąc później jakiś myśliwy. Czy ta młoda kobieta to jeszcze jedna taka desperatka? A może to był nieszczęśliwy wypadek? Nie zgłaszano ostatnio zaginięcia żadnego turysty ani narciarza, ale to jeszcze o niczym nie świadczy. Najprawdopodobniej wybrała się w góry sama, a przyjechała pewnie z daleka i nie przyszło jej do głowy, żeby powiedzieć komuś, dokąd idzie. To się zdarza. Szczęście w nieszczęściu, że ciało zachowało się w stanie na tyle dobrym, że nie powinno być problemów z identyfikacją.

Charlie aż wzdrygnął się na myśl, co muszą przeżywać jej rodzice albo bliscy, ta niepewność, to zadawane sobie codziennie pytanie, gdzie jest, co się z nią dzieje. Wyobraził sobie, jak by się czuł, gdyby coś takiego stało się z Lucy. Gdyby w ten sposób przepadło bez wieści jego jedyne dziecko, a on i matka zachodziliby w głowę, czy żyje, czy może leży gdzieś tam, w jakimś rowie zamordowana. Jak by to zniósł? Cholera, każdego rodzica wpędziłoby to w obłęd.

Na przełęczy Rogers Pass przeciął Wododział Kontynentalny i biegnącą zakosami szosą zaczął zjeżdżać w stronę Lincoln. Zatopiony w mrocznych rozważaniach za szybko wziął zakręt i o mało nie staranował pary jeleni z białymi ogonkami. Dał po hamulcach i półciężarówka wpadła w poślizg, ustawiając się w poprzek drogi. Słyszał, jak ciało na skrzyni sunie po przekąt-

31

nej do przodu; po chwili walnęło w tył kabiny dokładnie za jego plecami z taką siłą, że głowa odskoczyła mu do tyłu i zobaczył gwiazdy.

Siedział przez kilka chwil, dochodząc do siebie i czekając, aż uspokoi się walące serce. Wóz zatrzymał się na samym skraju przepaści i gdyby droga nie była posypana piaskiem, spadałby teraz na wierzchołki drzew w dole. Resztę trasy przejechał z szybkością czterdziestu mil na godzinę i żeby odpędzić złe myśli, słuchał na cały regulator stacji radiowej nadającej stare przeboje. Obolały kark pulsował mu w rytm muzyki.

Stanowe laboratorium medycyny sądowej mieściło się w murowanym budynku przy ulicy prowadzącej na lotnisko. Charlie przed wyruszeniem w trasę kazał swoim ludziom zadzwonić tutaj z biura, powiedzieć, że jedzie z ciałem, i uprzedzić, że jest ciężkie. Najwyraźniej wiadomość dotarła i wzięto sobie do serca to ostrzeżenie, bo wyszło mu naprzeciw dwóch facetów postury olimpijskich ciężarowców.

— Swoje waży ta nasza N.N. — stęknął jeden, kiedy we trójkę w pocie czoła przeładowywali ją na wózek. — Człowieku, toż tu więcej lodu niż ciała.

— Świeżość naszą dewizą — wysapał Charlie.

Wtoczyli ją prosto do chłodni i Charlie, podpisawszy stosowne formularze, pożegnał się.

Kiedy dojeżdżał do swojego miasteczka, niebo na wschodzie jaśniało już odcieniami różu i gołębiej szarości. Ulice były opustoszałe. Zastanawiał się przez chwilę, czy nie pojechać do domu, szybko jednak uznał, że nie byłoby to roztropne. Teraz, po wykonaniu zadania, nieludzkie zmęczenie dawało wreszcie znać o sobie, a kark rwał jak diabli. Znalazł motel przy międzystanowej i wynajął pokoik niewiele większy od stołu bilardowego. Ale było w nim łóżko i tylko to się liczyło. Zamknął beżową plastikową okiennicę, zrzucił kurtkę i buty i wpełzł pod koc. Potem przypomniał sobie, że nie wyłączył komórki. Zwlókł się z łóżka i wyciągnął ją z kieszeni kurtki. Ekran wyświetlał komunikat, że ma wiadomość w poczcie głosowej. Wrócił do łóżka i złożył ostrożnie obolały kark na poduszce. Zgasił nocną lampkę i odsłuchał wiadomość. Była od Lucy. Córka mówiła, że ma nadzieję, że u niego wszystko w porządku, i że jej przykro, że nie mógł przyjść na przyjęcie. Na koniec powiedziała, że za nim tęskni i bardzo go kocha. Charlie wiedział, że to niepoważne i zupełnie do niego niepodobne, a nachodzi go tylko dlatego, że jest tak potwornie skonany, ale leżąc samotnie w ciemnościach, czuł, że trochę mniej samokontroli i popłakałby się jak bóbr.

Rozdział 3

Czekała już blisko kwadrans i czuła się coraz bardziej skrępowana. Z drugiej strony małego *piazza* wyłożonego białymi kamiennymi płytami przyglądała się jej, polizując lody, grupka nieprzyzwoicie ładnych uczennic i Sarah, chociaż nie znała włoskiego, była przekonana, że ją obgadują. Dziewczęta nie słuchały nauczycielki o ciasno upiętych włosach, która z przejęciem czytała im coś z książki. Bez wątpienia coś o galerii, którą — podobnie jak Sarah, jeśli nie zostanie wystawiona do wiatru — miały za chwilę zwiedzić.

Wyjęła z torebki paczkę papierosów i zapaliła. Da mu jeszcze dwadzieścia minut. Tak mawiał Benjamin. Jeśli ktoś się spóźnia na spotkanie, daj mu dwadzieścia minut, a potem idź. Zachowasz się kulturalnie, a jednocześnie wykażesz asertywnością. Dłuższe czekanie będzie świadczyło, że się nie szanujesz. Denerwowało ją, że wciąż, po czterech i pół roku od rozstania, stosuje się do zasad, które jej wpajał. Ale zbytnio weszło jej to w krew.

W tylu rozmaitych sytuacjach — czy to kupując ubrania, czy wybierając coś z menu, czy wyrażając swoje zdanie na jakiś temat — przyłapywała się na tym, że zastanawia się, co by na to powiedział Benjamin. I wtedy, z czystej przekory, postępowała wbrew samej sobie, wybierając kolor, który jej nie odpowiadał, albo przystawkę, na którą nie miała ochoty, albo wygłaszając opinię, która wywołałaby u niego okrzyk zgrozy. Sęk w tym, że po tylu latach pożycia ich upodobania i poglądy niemal zawsze były zbieżne. Te próby buntu miały swoją cenę w postaci pełnej szafy nowych ubrań, których ani razu nie włożyła.

Był to jej ostatni dzień w Wenecji i ani myślała go marnować, czekając na wirtualnego nieznajomego, mężczyznę co najmniej o dwadzieścia lat młodszego od niej, któremu zresztą wyleciało prawdopodobnie z głowy, że się z nią umówił. Zaplanowała, że pochodzi dzisiaj po sklepach i kupi parę upominków dla znajomych w kraju. Żeby to spokojnie załatwić i nie spóźnić się na spotkanie, wstała skoro świt, zjadła śniadanie i przed ósmą wyszła z hotelu.

Poznali się poprzedniego ranka na promie na Torcello. Członkowie jej grupy mieli ten dzień dla siebie, ale tylko kilka osób zdecydowało się na godzinną wycieczkę po lagunie. Grupa składała się głównie z małżeństw emerytów i par znajomych z Nowego Jorku albo New Jersey. Wszyscy byli przynajmniej o dziesięć lat od niej starsi i Sarah nie miała jakoś ochoty nawiązywać z nimi bliższej znajomości. Za bardzo wybrzydzali na hotelową kuchnię i na drożyznę. Przez cały tydzień trzymała się na uboczu, grzecznie odrzucając propozycje lepszego poznania się. Jej najlepsza przyjaciółka Iris, z którą zapisała się na tę wycieczkę, wycofała się w ostatniej chwili ze względu na matkę, która doznała wylewu krwi do mózgu. Sarah w pierwszym odruchu też chciała zrezygnować, ale żal jej było przepuścić taką okazję. Nigdy nie była w Wenecji.

Na promie pogawędziła chwilę z wesołymi wdówkami — dwiema kobietami z Newark, które wciąż się śmiały jak najęte — a potem wycofała się na rufę i usiadła tam, żeby spokojnie poczytać książkę i pogapić się na *vaporetty* prujące zieloną toń laguny.

Prom przybił do przystani w Lido i na pokład wszedł młody mężczyzna. Zajął miejsce w tym samym rzędzie ławek, ale po drugiej stronie przejścia. Na oko dobiegał trzydziestki, miał na sobie białą koszulę i starannie odprasowane czarne spodnie. Przechwycił spojrzenie Sarah i obdarzył ją pięknym uśmiechem. Odwzajemniła z uprzejmości ten uśmiech i szybko spuściła wzrok na książkę z nadzieją, że fala gorąca, która uderzyła jej do policzków, nie objawiła się rumieńcem. Kątem oka widziała, jak mężczyzna wyciąga z czarnej skórzanej torby szkicownik. Przerzucił kilka kartek, znalazł tę, której szukał, wyjął piórko i przystąpił do pracy.

Był to precyzyjny, wykonany czarnym tuszem rysunek przedstawiający stary *palazzo* z połaciami obłupanego tynku i zdobnymi obramowaniami okien. Mężczyzna, czy to z pamięci, czy puszczając wodze wyobraźni, uzupełniał szczegóły. Praca, cokolwiek przedstawiała, robiła wrażenie. Znowu przechwycił spojrzenie Sarah i wspaniałomyślnie pokazał jej swoje dzieło. Zaczęli rozmawiać. Powiedział jej nieco kulawą angielszczyzną, że pochodzi z Rzymu i każdej wiosny przyjeżdża do Wenecji do wiekowej ciotki. A rysunek przedstawia jej dom.

— Musi być bardzo wiekowa — zauważyła Sarah.

— Postarzam go. Tak mi kazała.

— Bardzo dobrze pan rysuje.

— Dziękuję, ale wiem, że podchodzę do tego zbyt technicznie. Jestem studentem... architettura.

— Architektury. Mój mąż był architektem.

— Mhm. I już nie jest?

— Nie, architektem jest nadal, ale nie jest już moim mężem.

Wysiedli razem na wysepce Torcello i ruszyli krętą ścieżką prowadzącą z portu do starej bizantyjskiej katedry Santa Fosca. Wczesnowiosenne słońce mocno przygrzewało i oślepiało, odbijając się w białych tynkach. Sarah zdjęła sweter i zawiązała go na biodrach, jak zwykły czynić nastolatki. Została w różowym bezrękawniku i białej płóciennej spódnicy.

Młodzieniec powiedział, że przypłynął na Torcello rysować słynną dzwonnicę. Dobrze znał historię wyspy. Została zasiedlona w piątym wieku naszej ery, na długo przed założeniem samej Wenecji. Był tu kiedyś kwitnący ośrodek miejski z dwudziestotysięczną populacją. Ale malaria przepędziła stąd ludzi, większość budynków popadła w ruinę i przestała istnieć. Teraz na Torcello mieszkało zaledwie kilkadziesiąt osób. Pokazał jej stojący przed katedrą, wyciosany z kamienia tron, który należał podobno do wodza Hunów, Attyli.

— Myślisz, że on naprawdę na nim siadywał? — spytała Sarah.

— Jeśli nawet, to zaraz wstawał. Nie wygląda na najwygodniejszy.

— Może dlatego chodził taki wściekły.

Weszli do katedry. Chłodne, mroczne wnętrze wypełniała podniosła cisza. Stali długo oczarowani przed złotą mozaiką przedstawiającą Madonnę z Dzieciątkiem. Młodzieniec szepnął Sarah na ucho, że jego zdaniem jest to najpiękniejsza rzecz w całej Wenecji, może z wyjątkiem galerii Scuola Grande di San Rocco. Spytał, czy już tam była, a kiedy zaprzeczyła, zaproponował, że nazajutrz ją zaprowadzi. Mile połechtana i ubawiona, że interesuje się nią taki przystojny, nieśmiały mężczyzna o idealnej cerze, nieskazitelnych zębach i przejrzystych brązowych oczach, który, zważywszy na różnicę wieku, mógłby być jej synem, przyjęła propozycję. Umówili się. Zostawiła go, gdy przygotowywał się do rysowania dzwonnicy. Wymieniając pożegnalny uścisk dłoni, wreszcie się sobie przedstawili. On, a jakżeby inaczej, miał na imię Angelo.

No i czeka teraz jak głupia przed Scuola Grande, czy jak to się tam, cholera, zwie, obśmiewana przez gromadę smarkul, które prawdopodobnie — widząc, że pali papierosa i szpanuje modnymi okularami przeciwsłonecznymi oraz przykusą granatową sukienką od Armaniego — biorą ją za jakąś podstarzałą dziwkę. Spojrzała znowu na zegarek. Dała mu już dwadzieścia dwie minuty (te dodatkowe dwie w żałosnym akcie przekory wymierzonym w byłego męża) i wystarczy. Rzuciła niedopałek na ziemię, przydeptała go, pokazała język najbezczelniejszym z uczennic i ruszyła przed siebie z wysoko uniesioną głową. Trzy minuty później usłyszała swoje imię i obejrzała się. Przez most, który właśnie za sobą zostawiła, biegł Angelo. Zatrzymała się, a kiedy ją dogonił, uśmiechnęła się lodowato. Zdyszany, z trudem łapiąc powietrze, wyjaśnił, że ciotka mu się rano rozchorowała. Akurat, pomyślała Sarah, mogłeś wymyślić coś lepszego. Ale sprawiał wrażenie tak autentycznie skruszonego i zawstydzonego, że kazał jej czekać, że mu wybaczyła. Zgoda, ma słaby charakter, ale pal to licho. Lepsze już towarzystwo tego młodzieńca niż wesołych wdówek, które i tak już ją uważają za zadzierającą nosa i spisały na straty.

Scuola Grande wypełniały dzieła słynnego Tintoretta. Górna sala była ogromna, mroczna i urządzona z przepychem. Wszędzie czerwony aksamit i polerowany orzech połyskujący w blasku kinkietów. Znajdowało się w niej około sześćdziesięciu osób i wszyscy, nawet uczennice, które też już tu weszły, stali w ciszy i z zachwytem podziwiali malowidła zdobiące ściany i sufit. Same obrazy były słabo oświetlone i Sarah musiała założyć okulary, żeby rozróżnić przedstawione na nich religijne sceny.

Angelo, tak jak poprzedniego dnia na wyspie, wcielił się w rolę dyskretnego i dobrze poinformowanego przewodnika. Szepnął jej na ucho, że budowlę tę wzniesiono na początku szesnastego stulecia i poświęcono świętemu Rocco, patronowi chorób zakaźnych, w płonnej nadziei, że ten z wdzięczności uchroni miasto przed zarazą. Tintoretto, opowiadał Angelo, ozdabiał te wnętrza malowidłami przez blisko ćwierć wieku. Tego rodzaju informacje można było znaleźć bez trudu w każdym przewodniku turystycznym i Sarah przemknęło przez myśl nieprzyjemne przypuszczenie, że być może Angelo z podrywania turystek w pewnym wieku uczynił sobie sposób na życie.

Najsłynniejszy obraz Tintoretta — *Ukrzyżowanie* — znajdował się w małej przyległej salce i długo przed nim stali.

Sarah sama nie wiedziała, jaki ma stosunek do religii. Matka była niepraktykującą katoliczką, ojciec nawróconym ateistą, który niedawno, przekroczywszy siedemdziesiątkę, odkrył ni stąd, ni zowąd amorficzne do tej pory królestwo wiary. Benjamin określał zawsze każdą formę religijnych wierzeń jako wygodny pretekst do niemyślenia. I chociaż Sarah nie była aż tak kategoryczna w swoim sceptycyzmie, to jej pogląd na tę kwestię został — jak w wielu innych sprawach — zainfekowany jego przekonaniami.

Niewykluczone więc, że dając się temu dziełu poruszyć, podejmowała kolejną daremną, podświadomą próbę wyzwolenia się spod wpływu eksmałżonka, wykazania się niezależnością myślenia. Miała przed sobą paletę cierpienia i piękna, osobnych dramatów każdej grupy postaci. A patrzący z krzyża Chrystus, uskrzydlony, w świetlistej koronie, na tle kamiennego nieba, promieniował takim spokojem, że wypełniła ją nieokreślona, nienazwana tęsknota.

Do oczu napłynęły jej łzy, ledwie zdołała je powstrzymać. Była jednak pewna, że towarzyszący jej młodzieniec to zauważył. Mówił właśnie, że Tintoretto miał w zwyczaju umieszczać na malowanych przez siebie obrazach swoje autoportrety, ale urwał, odszedł kilka kroków i stanął przed innym obrazem. Sarah była mu za to wdzięczna. Gdyby próbował jej dotknąć albo pocieszać, z pewnością straciłaby nad sobą panowanie i rozpłakała się. A dosyć już się napłakała przez ostatnie lata. Frapowało ją, a nawet trochę irytowało, że jakiś tam obraz potrafi ją tak poruszyć, i ta irytacja pomogła jej wziąć się w garść.

Z ulgą wychodziła w słoneczny dzień. Nad Grand Canal złapali *vaporetto* do mostu Rialto, przy którym, według Angela, mieściła się dobra restauracyjka. Stołują się tam wenecjanie, powiedział, nie turyści. Był to skromny lokal w połowie wąskiej uliczki. Między stolikami uwijali się z tacami dań ze świeżych owoców morza i parującego makaronu kelnerzy w białych fartuchach, z których wszyscy wydawali się Sarah dziwnie

39

mali. Ten, który przyjmował od nich zamówienie, czynił to z szorstką uprzejmością.

Sarah poprosiła Angela, żeby wybrał za nią, bo ona lubi właściwie wszystko. Zamówił sałatkę ze słodkich pomidorów posypanych bazylią i mozzarellą, a do tego smażoną białą rybę, której nazwa nic jej nie mówiła, ale która wyglądała i smakowała jak okoń. Opróżnili całą butelkę białego wina, podobno z winogron rosnących na wschodnim brzegu jeziora Garda. Było chłodne i Sarah, która za dużo go wypiła, zaszumiało w głowie.

Nigdy nie lubiła mówić o sobie. Wychodziła z założenia, że nie ma na ten temat do powiedzenia nic, co ewentualnie mogłoby kogoś zainteresować. Po odejściu Benjamina musiała się przemóc. Iris i kilka bliskich przyjaciółek nie dały jej wielkiego wyboru, zleciały się i zaczęły ciągnąć za język, przymuszać do wspólnej analizy przyczyn rozpadu jej małżeństwa, brania pod lupę każdego zakrętu i wykrotu, w końcu jednak, kiedy wszystko już chyba zostało powiedziane, znudziło się im i dały jej spokój.

Ale dużo wcześniej, tak dawno, że ledwie sięgała do tamtych czasów pamięcią, kiedy pozostawali jeszcze z Benjaminem w szczęśliwym — przynajmniej z jej punktu widzenia — związku małżeńskim, opracowała prostą technikę unikania zbytniego odkrywania się przed ludźmi. Pierwsza zadawała pytania i szybko stwierdziła, że im bardziej są bezpośrednie i osobiste, tym większe prawdopodobieństwo, że pytana osoba (zwłaszcza jeśli jest to obcy mężczyzna) zacznie mówić o sobie, a jej o nic nie spyta. I do tej techniki uciekła się teraz w rozmowie z Angelem.

Pytała go o Rzym, o studia, o rodzaj architektury, którym się interesuje; o jego ciotkę (która, o dziwo, chyba rzeczywiście istniała i była chora); na koniec zaś wyciągnęła z niego, że ma dziewczynę, Niemkę imieniem Claudia, z którą zamierza się żenić. W tym miejscu dysproporcja pomiędzy jego otwartością a jej niemal całkowitą powściągliwością stała się tak wielka, że

40

Angelo wsparł się dłońmi o biały, zasłany okruchami obrus i stanowczo zażądał, by z kolei ona odpowiedziała mu na parę pytań.

Zapytał, czy pracuje. Powiedziała, że sprzedała właśnie księgarnię i pozbywszy się jej, wreszcie, po tylu latach, czuje się wolna.

— Nie lubiłaś jej?

— Uwielbiałam. Książki to moja pasja. Ale przy dzisiejszej konkurencji takie małe, niezależne sklepiki nie mają racji bytu. No i teraz nie sprzedaję książek, tylko je czytam.

— Coś cię jeszcze pasjonuje?

— Hmmm. Niech się zastanowię. Ogród. Pielęgnacja roślin.

— To teraz, po sprzedaniu księgarni, masz na to czas. Jesteś... Jak to się mówi? Kobietą niezależną.

— Chciałeś chyba powiedzieć — kobietą niepracującą.

Sarah uśmiechnęła się i pociągając kolejny łyczek wina, spojrzała na niego zalotnie sponad wrąbka kieliszka. Chyba już ze sto lat z nikim nie flirtowała. Myślała, że nie pamięta, jak to się robi. Ale teraz czuła się w swoim żywiole i gdyby w tej chwili zapytał, czy zaprosi go do hotelu na wspólną sjestę, to kto wie, może by się nawet zgodziła.

— A więc byłaś zamężna — powiedział.

— Byłam.

— Ale już nie jesteś.

— Nie jestem.

— Długo trwało to małżeństwo?

— Całe życie. Dwadzieścia trzy lata.

— I mieszkasz w Nowym Jorku.

— Na Long Island.

— Masz dzieci?

Skinęła powoli głową. No i proszę. Oto najlepszy powód, dla którego powinno się unikać pytań. Poczuła, jak cały dobry nastrój wycieka z niej przez dziurę, którą właśnie odkorkował. Odchrząknęła i starając się panować nad głosem, odparła spokojnie:

41

— Parkę. Chłopca i dziewczynkę. Dwadzieścia jeden i dwadzieścia trzy lata.
— Co robią? Studiują, tak?
— Mhm.
— W college'u?
— Tak. Coś w tym stylu. Możemy poprosić o rachunek?

Musi stąd wyjść, znaleźć się znowu na otwartej przestrzeni. I zostać sama. Zauważyła, że jest zaskoczony tą nagłą zmianą w jej zachowaniu. Jak to możliwe, żeby niewinne pytanie o dzieci tak raptownie zepsuło nastrój kobiecie? Ten temat zwykle je roztkliwiał. Biedny chłopiec na pewno opacznie to sobie wytłumaczy. Prawdopodobnie pomyśli, że krępuje ją fakt posiadania dzieci niewiele młodszych od niego. Albo dojdzie do wniosku, że tak naprawdę nie jest wcale rozwiedziona, tylko wyrwała się na jakiś czas z domu, żeby zaszaleć, a pytanie o dzieci obudziło w niej poczucie winy. Żal jej go było, żałowała też tej zerwanej nici porozumienia, jakie się już między nimi zaczynało nawiązywać. Ale trudno, nic na to nie poradzi. Wstała, wyjęła z torebki kartę kredytową i nie zważając na jego protesty, położyła ją na stoliku. Potem przeprosiła i wyszła do toalety.

Przed restauracją, zbity trochę z tropu, zapytał ją, czy chce zwiedzić jeszcze jedną galerię. Odparła, że dziękuje, ale nie, bo źle się czuje po winie, którego nie zwykła pić w takich ilościach. Podziękowała mu za miłe towarzystwo i za pokazanie tylu cudownych rzeczy. Zaproponował, że odprowadzi ją do hotelu, ale powiedziała, że dziękuje, wolałaby wrócić sama. Kiedy się żegnali, miał tak strapioną minę, że zamiast podać rękę, położyła mu obie dłonie na ramionach i cmoknęła w policzek, co wprawiło go w jeszcze większą konfuzję. Odprowadzał ją wzrokiem zupełnie zdezorientowany.

Hotelowy hol świecił pustką. W recepcji meldowała się jakaś angielska para. Roztaczali wokół siebie zwiewną aurę szczęścia tak charakterystyczną u nowożeńców w podróży poślubnej. Sarah poprosiła o klucz i stukając obcasami o białą marmurową posadzkę, skierowała się do windy.

— Pani Cooper?

Zawróciła. Konsjerżka wręczyła jej kopertę. Nacisnęła guzik windy; liny za szybką drzwi drgnęły i zakołysały się. Czekając na kabinę, otworzyła kopertę. Była to wiadomość od Benjamina z Santa Fe, gdzie mieszkał teraz z tą kobietą. Dzwonił o ósmej rano, a potem jeszcze raz o dziesiątej. Prosił, żeby oddzwoniła. Zaznaczał, że to sprawa niecierpiąca zwłoki.

Rozdział 4

Telefon od agenta Kendricka zastał Bena i Eve w łóżku, oglądających stary film z Cary Grantem. Minęła właśnie dziewiąta. Eve zapaliła świece i ich płomyki, poruszane ledwie wyczuwalnym przeciągiem, rzucały rozkołysane, chybotliwe cienie na chropawe, białe ściany, obrazy i zasłony w oknach. Pablo spał w swoim pokoiku obok. Ben zaglądał do niego niedawno. Potykając się o porozrzucane po podłodze zabawki, podszedł do łóżeczka i otulił jeszcze jednym kocem wątłe ramionka. Chłopczyk poruszył się, wymruczał coś z jakiegoś bliżej nieokreślonego zakamarka snu i na powrót znieruchomiał. Jego długie, czarne kędziory rozsypały się po poduszce jak aureola.

Była sobota i mieli za sobą idealnie spędzony wiosenny dzień, jeden z tych, które starzy mieszkańcy Santa Fe uważają za coś naturalnego, ale które Bena nadal wprawiały w zachwyt. Suche pustynne powietrze przetykane wonią lilii i wiśni, czyste, soczyście błękitne niebo i światło — to ostre, intensywne, zapierające niemal dech w piersiach światło Nowego Meksyku, rzucające czarne cienie na ceglane ściany, światło, które nawet w ślepym na barwy filistrze budzi odruch chwycenia za pędzel — wciąż jeszcze, choć mieszkał tu już od czterech lat, potrafiły wywołać u niego coś graniczącego z euforią.

Pojechali w trójkę jeepem do Tesuque Village Market na spóźnione śniadanie, potem buszowali po straganach pchlego targu. Pablo biegł przodem jak zwiadowca, wynajdując rozmaite rzeczy i wołając, żeby podeszli popatrzeć. Eve kupiła starą suknię w purpurowe, brązowe i pomarańczowe zawijasy, skrojoną ze skosu. Była rozpruta pod jedną pachą i Eve, wybrzydzając na to rozprucie, zbiła cenę do trzydziestu dolarów. Kiedy odchodzili od straganu, szepnęła mu na ucho, że rozprucie łatwo będzie zaszyć, a kiecka warta jest co najmniej setkę.

Po południu, kiedy słońce już tak nie paliło, urządzili sobie barbecue w małym ogródku za domem, gdzie pod absurdalną obfitością różowych kwiatków uginało się drzewo wiśni. Piekli steki z tuńczyka przyprawione słodką czerwoną papryką i cukinią, a Pablo bawił się w berka z małą Szwedką z sąsiedztwa. Dom Eve należał do enklawy sześciu podobnych i stał na skierowanym ku południowi stoku porośniętej szałwią i piniami doliny, na której wschodnim krańcu rozłożyło się miasto. Był piętrowy, wzniesiony z popękanej cegły, miał zaokrąglone narożniki i drzwi ze starej, posiwiałej sośniny. Trzy takie domki wraz z ogródkami zmieściłyby się w domu na Long Island, w którym Ben przemieszkał tyle lat z Sarah i w którym Sarah mieszkała teraz sama, ale on wolał już ten. Lubił go za oszczędną, niewyszukaną funkcjonalność, za to, że tak idealnie wkomponowuje się w okoliczny krajobraz. Lubił go też za to, że należy do Eve, a jeszcze bardziej za to, że nie jest jego. Dawał mu — podobnie jak Pablo — błogie poczucie zwolnienia z wszelkich zobowiązań, poczucie, że jest tu tylko i wyłącznie z własnego wyboru. Dzięki temu czuł się młodszy i nieprzyzwoicie wolny, jak na pięćdziesięciodwuletniego mężczyznę.

Posiłek był już gotowy do podania, kiedy ścieżką nadbiegły podniecone dzieci, wołając z daleka, że w ogródku są kolibry. Widziały jednego przy pracowni Eve, gdzie ogródek przeradzał się w dżunglę. Eve spytała, jak wyglądał. Orzekła, że za wcześnie na rudaczka, i na podstawie opisu dzieci doszli do wspólnego wniosku, że musiał to być koliberek czarnobrody.

45

Po kolacji, kiedy Pablo był już wykąpany i przebrany w piżamę, wyszperali w szafce szklane poidełka, napełnili je wodą z cukrem i zawiesili na najniższej gałęzi wiśni.

Pablo bardzo chciał zobaczyć, czy ptaszki przylecą, kiedy więc Eve poszła się wykąpać, Ben usiadł z nim na kanapie, objął ramieniem i zaczął czytać *Wyspę skarbów*, wdychając ciepły, słodki zapach dziecka innego mężczyzny, które pokochał jak własne. Chłopiec miał już prawie osiem lat, ale był niski i chudy, wskutek czego wyglądał na młodszego. Kolibry nie przyleciały, Pablo zasnął, i kiedy było już ciemno, Ben zaniósł lejącego się przez ręce malca do łóżka.

Telefon odebrała Eve. Z jej miny i tonu Ben domyślił się, kto dzwoni. Oddała mu słuchawkę, ściszyła pilotem telewizor i spuszczając nogi z łóżka, usiadła. Ben wyciągnął rękę, żeby ją zatrzymać. Zawsze wychodziła i wynajdywała sobie jakieś zajęcie, ilekroć odzywało się jego poprzednie życie. Kiedy któregoś razu o tym wspomniał, powiedziała, że robi tak, bo nie chce, żeby czuł się skrępowany, ale on podejrzewał, że w ten sposób stara się również chronić siebie. Tym razem szepnęła, że idzie zaparzyć herbatę i zaraz wraca.

Agent specjalny Dean Kendrick z biura terenowego w Denver stał się z czasem głównym łącznikiem Bena z FBI. W ciągu ostatnich trzech i pół roku, czyli od zniknięcia Abbie, kontaktował się też z paroma innymi, a był przekonany, że o wiele więcej jest takich, którzy chodzą za nim, dyskretnie go obserwują, zakładają podsłuchy w telefonach, przechwytują e-maile i śledzą stan jego kont bankowych; że zajmuje się tym cała armia anonimowych mężczyzn i kobiet znających jego zwyczaje lepiej niż on sam.

Ci, których nazwiska znał i do których dzwonił co kilka tygodni, żeby zasięgnąć aktualnych informacji, traktowali go stosunkowo uprzejmie, ale rzadko z wyrozumiałością. Kendrick był inny. On zdawał się szczerze mu współczuć i niemal się zaprzyjaźnili, chociaż osobiście spotkali się tylko raz. Od jakiegoś czasu mówili sobie nawet po imieniu. Może Kendrick był po prostu lepszy w tej robocie od innych. W rozmowach z nim Ben czuł się swobodniej, a kiedy tak się czuł, wzrastało prawdopodobieństwo, że coś mu się wymknie, jakiś strzępek zatajanej informacji, który może im dopomóc w zatrzymaniu i postawieniu przed sądem jego córki. Ben bardzo by chciał dysponować takimi użytecznymi informacjami.

— Co u ciebie, Ben?

— Nie narzekam. A u ciebie?

— Też obleci. Jest tam ktoś z tobą?

Dziwne pytanie, zważywszy na fakt, że telefon odebrała przed chwilą Eve.

— Tak. Oglądamy właśnie film. A co?

— Mam wiadomość. O Abbie. Chcieli wysłać któregoś z naszych chłopaków z Albuquerque, żeby przekazał ci ją osobiście, ale pomyślałem sobie, że lepiej będzie, jeśli usłyszysz to ode mnie.

Zawiesił na chwilę głos. W głowie Bena zakłębiło się od czarnych myśli.

— Przykro mi, ale nie jest to dobra wiadomość.

Serce jednak nie dawało jeszcze za wygraną. Tak, tylko co w przypadku Abbie można nazwać złą, a co dobrą wiadomością? I złą albo dobrą dla kogo? Nie dzwoniła do nich — ani do niego, ani do Sarah, nawet do swojego brata Josha — już niemal trzy lata. Jeśli FBI ją ujęło, to byłaby to z pewnością dobra wiadomość, nieprawdaż? Przełknął z trudem.

— Mhm?

— Znaleźli jej zwłoki na Czele Gór Skalistych w Montanie, na zachód od Great Falls. Leżała tam od jakiegoś czasu. Bardzo mi przykro Ben, naprawdę.

Cary Grantowi spuści zaraz manto dwóch osiłków. Usiłuje rozbroić ich swoim osobistym urokiem, ale to nie skutkuje. Ben miał pustkę w głowie. Jego córka nie żyje? Rozpamiętywał to prawie beznamiętnie jako pewne abstrakcyjne pojęcie, którego ani myślał dopuszczać do świadomości. Nie może być. W drzwiach pojawiła się Eve z dwoma kubkami zielonej herbaty. Zatrzymała się i znieruchomiała — rozpuszczone włosy, kruczoczarne na tle alabastrowych ramion, smużki pary unoszące się z kubków, blask świec igrający po fałdach jej brzoskwiniowego szlafroka. Patrzy mądrze tymi nieruchomymi brązowymi oczami.

— W jakim stanie...

Ben nie pozwolił sobie na dokończenie tej myśli. Jego mała dziewczynka w rozkładzie, tułów nadgryziony przez dzikie zwierzęta. Nie.

— Znaczy, jesteście pewni, że to ona?

— Na sto procent. Linie papilarne i DNA. Przykro mi, Ben.

Milczenie się przedłużało. Ben miał wrażenie, że cały jego świat wyskakuje z zawiasów i wirując ospale, powoli się od niego oddala. Eve odstawiła herbatę i usiadła obok na łóżku. Objęła go chłodnym ramieniem. Kendrick czekał i kiedy Ben ochłonął, podjęli rozmowę. Mówili o rzeczach praktycznych, z których Ben zaczął kuć kruchą tarczę mającą go osłonić przed szokiem. Kendrick zapytał delikatnie, czy ma powiadomić Sarah, na co Ben odparł, że sam to zrobi, zresztą ona jest teraz we Włoszech. Dwa dni temu dzwonił, jak co tydzień, do Josha i dowiedział się, że Sarah ma wrócić najwcześniej w poniedziałek.

Kendrick jeszcze raz powtórzył, jak mu przykro, i zapowiedział, że zadzwoni rano. Ustalą wtedy, co z pogrzebem i co powiedzieć mediom. Trzeba będzie, rzecz jasna, wystosować jakieś oświadczenie.

— Rzecz jasna — mruknął Ben. — Trzeba będzie.

Podziękował Kendrickowi, rozłączył się i siedział dalej na łóżku wpatrzony tępo w telewizor. Film się skończył, przez ekran przewijały się napisy. Namacał pilota i wyłączył odbiornik. I dopiero teraz się rozpłakał.

Doszedł do siebie godzinę później. Leżał z głową na piersiach Eve, której koszula nocna była mokra od jego łez. Zaczęli się naradzać, co robić. Ben rzucił myśl, czy nie lepiej by było nie mówić Sarah, dopóki nie wróci. Oszczędzić jej tych długich samotnych godzin w samolocie, gdzie nikt jej nie pocieszy, zamkniętej w klasztorze osobistej tragedii. Może powinien polecieć do Nowego Jorku, wyjść po nią na lotnisko i tam jej powiedzieć. Ale Eve myśląca od niego trzeźwiej i jako matka obdarzona lepszym wyczuciem w takich sprawach orzekła, że nie powinien tego odkładać. Sarah ma prawo dowiedzieć się od razu i nigdy mu nie daruje, jeśli jej teraz nie powiadomi. Obliczyli, że w Wenecji jest teraz szósta rano. Za wcześnie na telefon. Niech się wyśpi, pomyślał Ben. Niech ma jeszcze te dwie godziny bez bólu. Bez nowego bólu. Zadzwoni o północy. Zastanowią się wtedy wspólnie, jak to powiedzieć Joshowi, dziadkom i innym, których należy zawiadomić.

Kiedy czekali, powiedział jej, czemu Kendrick w ogóle wspomniał o tym oświadczeniu dla mediów. Otóż do połowy ubiegłego roku Abbie Cooper, dziewczyna z zamożnego domu, która stała się ekoterrorystką, poszukiwana w całej Ameryce za morderstwo, była na ustach wszystkich. W telewizji poświęcano jej całe programy z fabularyzowanymi rekonstrukcjami wyczynów, których się jakoby dopuściła. Przez wiele miesięcy Ben odbierał tygodniowo pół tuzina telefonów od dziennikarzy, którzy prześcigali się w pomysłach na zaprezentowanie społeczeństwu całej tej historii po swojemu. Ale czas płynął, do aresztowania nie dochodziło, sprawa się zdezaktualizowała i cyrk skończył. Może nie zainteresuje ich zbytnio, że znaleziono ją martwą. Ale nigdy nic nie wiadomo.

Kiedy zadzwonił do Wenecji o północy, powiedziano mu, że signora Cooper opuściła już hotel. Kiedy zadzwonił tam dwie godziny później, jeszcze nie wróciła. Czekali objęci, to przysypiając, to znowu się budząc. Świece tymczasem dopalały się, migotały i jedna po drugiej gasły. Za którymś razem ocknął się i widząc, że wtulona w niego Eve drzemie, zapłakał znowu cicho, za jedynego świadka mając przesuwający się za oknem sierp księżyca.

Tuż przed siódmą coś wyrwało go raptownie ze snu. Przy łóżku stała Eve i podawała mu telefon komórkowy.

— To Sarah — powiedziała.

Odczytał imię z wyświetlacza i rozespany zastanawiał się przez chwilę, czegóż to ona może od niego chcieć o tej porze. Ale szybko oprzytomniał. Ich córka nie żyje. Eve była już ubrana. Przez okno za jej plecami wpadała do pokoju pod kątem upstrzona pyłkami kurzu smuga światła słonecznego. Usiadł i wziął od Eve telefon. Pocałowała go w czoło i wyszła, zostawiając na nocnym stoliku kubek z kawą. Słyszał Pabla wołającego z kuchni. Wdusił zielony przycisk komórki.

— Halo?

— Benjamin?

Głos miała spięty, gardłowy, ledwie go rozpoznał. Ona jedna na świecie zwracała się do niego Benjamin.

— Słonko...

Dostało mu się już nieraz za to „słonko" — *czymkolwiek dla ciebie jestem, Benjaminie, to na pewno nie słonkiem* — ale trudno zerwać z wieloletnim przyzwyczajeniem. Tym razem wpadła mu w to słowo, zanim zdążył je do końca wypowiedzieć.

— O co chodzi? — spytała. — O Abbie? Znaleźli ją?

Niesamowite, pomyślał, skąd wie? Ale przecież ostatnio, jeśli w ogóle ze sobą rozmawiali, to tylko o dzieciach. Poza tym pytając, czy ją znaleźli, miała pewnie na myśli żywą Abbie. Przełknął z trudem, usiłując zebrać myśli.

— Sarah...

— Na litość boską, Benjaminie! Mówże!

— Ona nie żyje.

— Co?

Był to bardziej spazmatyczny wdech niż słowo. Jak mógł to powiedzieć tak brutalnie? Nawet taki Kendrick, przekazując tę tragiczną wiadomość jemu, wykazał się większą finezją. Brnął dalej.

— Znaleźli jej ciało. W Montanie. Gdzieś w górach.

— Tylko nie to. Abbie. Och, nie, nie, tylko nie to...

Wydała z siebie cichy, jękliwy skowyt, potem chciała coś powiedzieć, ale nie mogła. Żeby zagłuszyć ten pełen udręki lament, zaczął mówić. Mówił i mówił, siląc się na spokój i rzeczowość, opowiadał jej wszystko, co wiedział — o DNA, o liniach papilarnych, o tym, gdzie przechowywane są zwłoki, i o decyzjach, które będą musieli podjąć, aż w końcu wrzasnęła, żeby przestał. Wtedy głos mu się załamał i stracił nad sobą kontrolę, tak jakby wszystkie te słowa, które przed chwilą z siebie wyrzucił, wyciągnęły z niego całą energię.

I oddzieleni od siebie tyloma tysiącami mil, a do tego o wiele większą odległością innego rodzaju, płakali jak jedno, a zarazem każde sobie, za młodym życiem, które wspólnie spłodzili, kochali i osobno stracili.

Dom pogrzebowy, jak go poinformowano, znajdował się niedaleko portu lotniczego w Missouli i Ben postanowił jechać tam prosto z lotniska. Nie tak umawiali się z Sarah, która leciała tu z Nowego Jorku. Miał na nią zaczekać. Kiedy jednak po wylądowaniu włączył komórkę, znalazł w poczcie głosowej wiadomość, że spóźniła się na samolot i przyleci następnym. W Missouli będzie dopiero wieczorem, już po zamknięciu domu pogrzebowego. Musieliby odłożyć tę wizytę do jutra. Nie mógł czekać tak długo.

Pomimo zapewnienia Kendricka, że identyfikacji dokonano ze stuprocentową pewnością, w Benie tliła się jeszcze iskierka nadziei, że mimo wszystko mogła zajść pomyłka. Czytał kiedyś o takim przypadku. Ktoś pomylił dwa zestawy próbek i opatrzył je nie tymi co trzeba nazwiskami. Musi ją zobaczyć, przekonać się na własne oczy, że to Abbie.

Miał ze sobą tylko podręczny bagaż i pierwszy wysiadł z samolotu. Obrotna młoda kobieta w punkcie wynajmu samochodów Hertza powitała go jak starego znajomego, ale ich tak prawdopodobnie szkolono.

— Na urlop? — spytała.

— Nie, przyleciałem... zobaczyć córkę.

— To miło. Studiuje na naszym uniwerku?

— Owszem, studiowała.

Formalności zajęły zaledwie kilka minut. Kobieta podała mu numer miejsca parkingowego, wręczyła dokumenty i kluczyki do samochodu.

— To wszystko. Przyjemnego pobytu.

Ben podziękował i wyszedł podwójnymi szklanymi drzwiami. Niebo zasnuwały ołowiane chmury, było parno i w powietrzu wyczuwało się jakiś niepokój, tak jakby lada chwila miał lunąć deszcz. Abbie mawiała, że pogoda w Montanie jest jak pudełko czekoladek Forresta Gumpa: nigdy nie wiadomo, na co się trafi. Pamiętał, jak przed pięciu laty po raz pierwszy przylecieli z Sarah do Missouli obejrzeć uniwersytet. Był koniec października i termometry pokazywały dwadzieścia pięć stopni. Kiedy obudzili się nazajutrz, śniegu na ulicach napadało po kostki i musieli sobie sprawić cieplejsze ubrania. W sklepie na North Higgins kupili wtedy Abbie wiśniową patagońską kurtkę narciarską za ponad dwieście dolarów. Boże, jak pięknie wyglądała tamtego dnia. Taka pewna siebie, tryskająca radością życia...

Stop. Nie wolno mu myśleć o niej w ten sposób. Tyle spraw do załatwienia, tyle decyzji do podjęcia, z tyloma osobami trzeba porozmawiać — z szeryfem, z ludźmi z terenowego biura FBI — wysondować, co ich zdaniem się wydarzyło. Jeśli taką będzie ją wspominał, rozpromienioną i szczęśliwą, na pewno niczego się nie dowie, nie potrafi jasno myśleć. A nade wszystko Sarah będzie szukała w nim oparcia. Nie może jej zawieść, bo jeszcze bardziej go znienawidzi.

Znalazł samochód. Było to małe, srebrne japońskie jeździdełko i musiał odsunąć fotel do oporu, żeby nogi zmieściły mu się pod kierownicą. Sarah pomyśli pewnie, że nie wynajął czegoś większego ze skąpstwa. Nie widzieli się ponad rok i już ściskało go w dołku z przejęcia. Zapuścił silnik, wycofał wóz z miejsca parkingowego i powoli wyjechał na ulicę.

Kiedy drugi raz rozmawiali przez telefon, jeszcze przed jej powrotem z Włoch, Sarah doszła już w pełni do siebie. Była chłodna, niemal formalna. Żadne z nich nie uroniło choćby jednej łzy. Ben nastawiał się na dyskusję, tymczasem jego rola w tej rozmowie ograniczyła się praktycznie do wysłuchania listy oświadczeń. Ciało zostanie przewiezione do Nowego Jorku, powiedziała kategorycznym, nieznoszącym sprzeciwu tonem, i tam gdzie mieszkają wszyscy bliscy Abbie, odbędzie się pogrzeb. Z tych „wszystkich" jego najwyraźniej wykluczała, ale udał, że mu to umknęło. I będzie to pochówek, bo tak jest przyjęte w jej, Sarah, rodzinie. Ben zamierzał zasugerować kremację i rozsypanie prochów tutaj, w Montanie, którą Abbie, jak często powtarzała, ukochała ponad wszystko. Ale tak stanowcze postawienie sprawy zamknęło mu usta.

To nie było jeszcze wszystko. Sarah dzwoniła już do Nowego Jorku do Josha. Poinformowała Bena, że chłopiec „jest zdruzgotany, ale się trzyma". Sposób, w jaki powiedzą synowi, Ben też zamierzał przedyskutować. Szlag go trafiał. Miał już lecieć do Nowego Jorku, by zrobić to osobiście, i teraz nie mógł sobie darować, że tak długo zwlekał. Co więcej, Sarah poprosiła swoich rodziców, żeby zabrali chłopca na jakiś czas do siebie, do Bedford. Pojechali już po niego do miasta. Sarah zobaczy się z nim po powrocie, a potem przyleci do Missouli. Josha ze sobą nie zabierze.

Takim sposobem Ben został całkowicie zignorowany i odsunięty. Jak zwykle przełknął gniew i nic nie powiedział. Sarah, od kiedy od niej odszedł, stosowała wielokrotnie tę technikę i opanowała ją już do perfekcji, wyłączając go ze wszystkich ważnych decyzji w sprawie dzieci w takim niedbałym — czasami nawet przyjacielskim — stylu, że nie wypadało nawet protestować. Podtekst był zawsze ten sam: odchodząc, dał świadectwo, że ich nie kocha, a tym samym pozbawił się wszelkich praw do konsultacji na ich temat.

Czasami załatwiała to tak genialnie, że mimo woli ją podziwiał. I chociaż zaskoczyło go, że robi to teraz, kiedy oboje pogrążeni są w rozpaczy, to po zastanowieniu musiał przyznać, że przeszła samą siebie. Bo teraz, dzwoniąc do Josha, zastanie go we wrogim obozie byłych teściów. George i Ella Davenportowie od początku uważali, że niewart jest ich cudownej córeczki, a jego dezercję uznali za koronny dowód na to, że słusznie nim pogardzali. Zaliczali go teraz pewnie do jakiejś podlejszej kategorii oszustów, kłamców i nieudaczników. Wysłuchawszy listy podjętych przez Sarah decyzji, natychmiast zadzwonił do Josha na komórkę.

— Cześć, Joshie.

— Cześć.

— Wybierałem się do ciebie, żeby ci powiedzieć o Abbie, ale mama mówi, że już cię powiadomiła.

— Tak.

— Jak się czujesz?

— Zwyczajnie.

Nastąpiła długa pauza. Benowi wydało się, że słyszy w tle szepty.

— Jesteś z dziadkiem i babcią?

— Tak. W samochodzie.

— Aha. Rozumiem. No nic, pozdrów ich ode mnie.

— Dobrze.

— Mama mówi, że nie przylatujesz z nią do Missouli.

— Bo i po co?

Głos miał taki matowy i bezbarwny, jakby zażył za dużo tych tabletek antydepresyjnych, które brał od kilku miesięcy. Możliwe też, że nie otrząsnął się jeszcze z szoku albo krępował się z nim rozmawiać w obecności Elli i George'a. Ben nie mógł sobie darować, że nie poleciał do Nowego Jorku. To on powinien być teraz z synem, nie tych dwoje.

— No nic, trzymaj się. Aha, słuchaj, zadzwonisz do mnie, jak będziesz miał chwilę dla siebie?

— Dobrze.

— To na razie. Kocham cię, synu.

— Mhm. Cześć.

Dom Pogrzebowy i Krematorium Nad Doliną — „Służący pogrążonym w żałobie mieszkańcom Missouli od roku 1964" — stał między parkingiem autokomisu i obskurnym barem o nazwie Mountain Jack's. Otaczał go wąski trawnik mający udawać Pola Elizejskie. Ben zostawił wóz na pustym parkingu, wcisnął ręce w kieszenie i ruszył w stronę recepcji. Budynek, cały w kolumienkach i sztukaterii o zawiłych wzorach, stanowił osobliwe skrzyżowanie świątyni z hacjendą i w innych okolicznościach wywołałby u niego, architekta, uśmiech politowania. Na zachodzie błysnęło w ciemnoszarych chmurach wiszących nisko nad górami. W powietrzu rozszedł się zapach wilgotnego kurzu i ledwie Ben wszedł pod osłonę portyku, pierwsze tłuste krople zaczęły uderzać o asfalt, pstrząc mu nogawki spodni mokrymi plamkami.

Recepcję, spore, wyciszone pomieszczenie o ścianach w kolorze magnolii, wyłożone różowym dywanem, zdobiły wyszukane kompozycje ze sztucznych kwiatów i oprawione w ramki reprodukcje. W rogu stał telewizor z wyłączoną fonią, a przed nim stolik i dwie sofy obite granatowym welurem. Ben nacisnął guzik bezdźwięcznego przywołania na biurku i czekał, przechadzając się bezgłośnie po tłumiącym kroki dywanie i oglądając reprodukcje. Wszystkie przedstawiały krajobrazy i na każdym występowała jakiegoś rodzaju woda — rzeka, jezioro bądź ocean. Ich główną cechę wspólną stanowiły jednak stonowanie i spokój, nic chwytającego za serce, nic kojarzącego się z zagrożeniem, żadnych zachodów słońca, chmur burzowych, żadnej sugestii piekła ani wiecznego potępienia. Benowi przemknęło przez myśl, czy aby nie cenzuruje się tej ekspozycji pod kątem widoków, na które klienci są szczególnie uwrażliwieni. Może nawet przeprowadzono już taki zabieg z myślą o nim, bo na ścianach nie było ani jednej ośnieżonej góry.

— Czym mogę służyć?

Po różowym dywanie zmierzał ku niemu młody człowiek o sympatycznej, pyzatej twarzy i nieproporcjonalnie długim w stosunku do nóg tułowiu. Ben przedstawił się i zauważył, że mężczyzna wprowadza minimalną korektę do swego uśmiechu, przyprawiając go o ściśle odmierzoną dozę zawodowego współczucia. Nazywał się Jim Pickering i to z nim zarówno Ben, jak i Sarah rozmawiali wcześniej przez telefon.

— Żona dzwoniła niedawno, że dzisiaj państwo nie przyjdziecie.

— Spóźniła się na samolot. Ja przyleciałem rano z Albuquerque. Nie jesteśmy już małżeństwem.

Sam nie wiedział, czemu się z tym wyrwał, ale mężczyzna kiwnął głową i znowu przekalibrował uśmiech, tym razem wprowadzając do niego szczyptę ubolewania.

— Czy nie sprawię kłopotu, jeśli poproszę o pokazanie mi...? — Ben urwał, nie wiedział, jak dokończyć to pytanie. Miał powiedzieć Abbie? Mojej córki? Zwłok?

— Najmniejszego. Zawsze do usług.

— Chciałem tylko... no, wie pan... upewnić się...

— Doskonale to rozumiem.

Przeprosił Bena na chwilę i oddalił się śpiesznie po własnych śladach. Zniknął w korytarzu i w recepcji znowu zapanowała cisza. Ben dawno już nie przebywał w tak idealnie wyciszonym pomieszczeniu. Przyłapał się na zastanawianiu, jakich materiałów tu użyto. Co z nim? Czeka na okazanie zwłok córki, a jakaś przeklęta akustyka mu w głowie?

Jim Pickering wrócił i skinął na Bena. Kiedy szli labiryntem korytarzy, powiedział mu, że zgodnie z życzeniem pani Cooper ciało zostało zabalsamowane i że dzięki ratownikom górskim, którzy wydobyli je i przetransportowali w bryle lodu, rezultat jest nadspodziewanie dobry, o wiele lepszy, niżby można się było w tych okolicznościach spodziewać. Ben nie bardzo wiedział, czy ten mężczyzna skromnie podkreśla swoją fachowość, czy tylko stara się zagłuszyć zawodową tremę.

— Nie mieliśmy odzieży, ubraliśmy ją więc w tak zwaną szpitalną suknię. No i, oczywiście, nie mieliśmy żadnych wskazówek co do fryzury i makijażu, w związku z czym, jak sam pan zaraz zobaczy, zdecydowaliśmy się na wygląd naturalny. Gdyby państwo sobie życzyli, istnieje jeszcze możliwość wprowadzenia pewnych niewielkich korekt. A trumna jest zastępcza. Pani Cooper nie powiedziała, czy są państwo zainteresowani zakupem takiej u nas, czy w domu pogrzebowym u siebie, na wschodzie. Mamy dosyć szeroki asortyment.

— Nie wątpię.

— No, jesteśmy. To nasza salka prezentacyjna.

Zatrzymał się przed białymi dwuskrzydłowymi drzwiami i zastygł z ręką na gałce. Patrzył na Bena, czekając na sygnał.

— Gotowi?

Ben kiwnął głową.

Było to pomieszczenie o wymiarach czternaście na dziesięć stóp, oświetlone różowym blaskiem czterech wysokich lamp stojących z kloszami w kształcie rozkwitających lilii. Na podwyższonym stole stała prosta, jasna drewniana trumna. Od progu Ben nie widział wnętrza, tylko pasek różowej atłasowej wyściółki.

— Zostawiam pana samego — szepnął Jim Pickering. — Zaczekam na korytarzu. Proszę się nie śpieszyć.

— Dziękuję.

Drzwi zamknęły się za nim cicho. Ben stał przez chwilę, usiłując wyczarować choć ślad wcześniejszej, absurdalnej nadziei, że to ciało kogoś innego. Ale wiedział, że to Abbie. Czuł w uszach pulsującą szybko krew i lodowaty ciężar w żołądku. Przełknął z trudem i ruszył.

Mijały już trzy lata od czasu, kiedy widział ją po raz ostatni. Włosy miała wtedy ufarbowane na czarno, obcięte krótko, najeżone, manifestowała nimi swój bunt. Ale teraz powróciły do swojej naturalnej, rudoblond barwy, odrosły i starannie uczesane okalały szczupłą twarz, łagodząc jej rysy. Na twarzy z zadartym noskiem i wygiętymi wdzięcznie brwiami malował się wyraz o lata świetlne odległy od wrogości, od grymasu, który wykrzywiał ją, kiedy na niego wtedy wrzeszczała, i który prześladował go od tamtej strasznej nocy. Śmierć, o ironio, przywróciła tej twarzy ciepło. Pogrzebowy makijaż nadał skórze stonowanego zdrowego połysku. A z tą uniesioną bródką i dołeczkami w kącikach ust wyglądała tak, jakby coś rozbawiło ją we śnie i miała się lada chwila uśmiechnąć albo obudzić i opowiedzieć mu, co jej się przyśniło. I otworzyć te oczy — szarozielone, upstrzone orzechowymi cętkami. Ileż by dał, żeby choć raz jeszcze je zobaczyć.

Wcześniej Ben widział tylko jedno ciało, ciało zmarłego ojca. Było to przed dwudziestoma laty i przygotowujący go do pochówku pracownicy domu pogrzebowego wszystko sfuszerowali — fryzurę, wyraz twarzy, węzeł krawata, dosłownie wszystko. Pudru, tuszu do rzęs i szminki nałożyli tyle, że ojciec wyglądał jak odrażający transwestyta bez peruki.

Ale jego córka w białej sukni, niczym panna młoda, którą już nigdy nie zostanie, wyglądała pogodnie, niewinnie i absolutnie pięknie.

— Och, słoneczko — wyszeptał. — Moje małe słoneczko.

Uchwycił się krawędzi trumny, pochylił głowę i zamknął oczy. Nie próbował nawet walczyć ze szlochem, który zaczął wstrząsać całym jego ciałem. Teraz, bez świadków, mógł sobie na to pozwolić; tym silniejszy będzie potem, przy Sarah.

Nie wiedział, jak długo tak stał. Kiedy nie mógł już płakać, wyprostował się i podszedł do małego stolika, na którym położono pudełko chusteczek higienicznych. Ocierając mokrą od łez twarz i doprowadzając się do porządku, wrócił do trumny, pochylił się i pocałował córkę w policzek. Niczym nie pachniała, a pod wargami poczuł zimne jak kamień ciało.

Rozdział 5

Sarah, czekając, aż kelnerka po raz trzeci napełni jej filiżankę kawą, starała się nie patrzeć na dwóch mężczyzn kończących śniadanie po drugiej stronie stolika. Widok i zapach jajecznicy, bekonu i podsmażanych ziemniaków przyprawiały ją o mdłości.

Zmiana stref czasowych zawsze wybijała ją z rytmu. Po północy zażyła tabletkę nasenną i zapadła w płytki półletarg urozmaicany niespokojnymi, męczącymi snami. Obudziła się okręcona w prześcieradło jak mumia, z ciężką głową pulsującą bólem, którego nie zdołały uśmierzyć nawet dwa silne proszki. Na zewnątrz wciąż lało. Deszcz padał nieprzerwanie, od kiedy tu wylądowała.

Benjamin spotkał ją na lotnisku i zawiózł do hotelu śmiesznym, małym samochodzikiem, który wynajął. Od kiedy zrobił się taki oszczędny, pomyślała z przekąsem. Ale pozostawiła to bez komentarza. W samolocie podjęła solenne zobowiązanie, że będzie się kontrolowała. Jezu, trudne to było. Nawet teraz, gdy widziała, jak je śniadanie i wymienia uwagi o pogodzie z tym pożal-się-Boże szeryfem, działał jej na nerwy. Zapuścił sobie dłuższe włosy i nosił modne ostatnio małe okulary w drucianej oprawie. Człowiek z Santa Fe się znalazł, szkoda tylko że przeflancowany.

Benjamin zarezerwował dla nich sąsiadujące ze sobą pokoje w Holliday Inn Parkside. Poprzedniego wieczoru, po zameldowaniu się, pożyczyli parasol i poszli do japońskiej restauracji na North Higgins. Posiłek był smaczny, ale konwersacja beznadziejnie wymuszona, może dlatego, że oboje tak bardzo starali się nie wspominać o Abbie. Benjamin unikał jej wzroku i wypytywał jak najęty o Wenecję. Chciała już krzyknąć, żeby się wreszcie zamknął. Co to, u licha, za jeden? Ten układny nieznajomy, który przez tyle lat był jej mężem, teraz zaś traktuje ją jak namolną babę, która przyczepiła się na cocktail party, a on z grzeczności cierpliwie znosi jej towarzystwo.

Zdawała sobie sprawę, że jest niesprawiedliwa, bo prawdopodobnie z jej winy on tak się zachowuje. W jej głowie włączył się jakiś osobliwy mechanizm obronny dyktujący, że musi być wobec niego chłodna, szorstka i wyniosła, bo inaczej już po niej. Pozwoli sobie na okazanie odrobiny ciepła albo stanie się bardziej przystępna, a straci oparcie, ześlizgnie się poza krawędź i wessie ją czyhający tam czarny wir. Jej dziewczynka nie żyje, leży zimna w skrzyni... Nie, nie pozwoli myślom biec w tym kierunku. Ale kiedy w drodze powrotnej do hotelu otoczył ja ramieniem, omal się nie zapomniała. A potem jeszcze raz, kiedy pocałował ją na dobranoc w obskurnym korytarzu przed drzwiami jej pokoju. Ale rozeszli się do swoich pustych, osobnych małżeńskich łóżek przedzielonych ścianą tak cienką, że jedno słyszało, jak drugie chodzi po pokoju, pokasłuje, spuszcza wodę w toalecie.

Szeryf Charlie Riggs nie miał biura w Missouli, w związku z czym zaproponował, żeby spotkali się na śniadaniu tutaj, w Shack. Była to knajpka, do której przyprowadziła ich kiedyś Abbie, schowana na West Main niedaleko hotelu; jeszcze jeden krótki spacer pod parasolem.

Szeryf już tam na nich czekał. Obok niego, na ławeczce małego drewnianego boksu, leżał nasiąkły deszczem stetson i biała plastikowa torba. Wstał, żeby się przywitać. Był wysoki, wyższy nawet od Benjamina, a przy tym potężniej zbudowany i miał siwiejące, sumiaste wąsy. Z jego łagodnych oczu wyzierał smutek i Sarah podejrzewała, że nie został przywołany tylko przez wzgląd na nich, lecz gości tam na stałe. Miał te staroświeckie zachodnie maniery, które tak ją zawsze ujmowały. Skinęła uprzejmie głową, kiedy podał jej rękę i nazwał „pszepanią".

Obwieścił na wstępie, jak mu przykro z powodu Abbie.

— Sam mam córkę — powiedział. — Wolę nie myśleć, co by ze mną było, gdyby to ją spotkał taki los.

— Mam nadzieję, że nie jest jeszcze poszukiwana za morderstwo — wyrzuciła z siebie Sarah i zaraz ugryzła się w język. Biedak stropił się, a Benjamin odwrócił wzrok.

— Nie, pszepani — odparł cicho szeryf.

Usiedli. Mężczyźni zaczęli rozmawiać o pogodzie i kontynuowali ten temat, dopóki kelnerka nie odebrała od nich zamówień. Dopiero wtedy szeryf Riggs pochylił się nad stolikiem i zniżając głos, żeby nikt ich nie podsłuchał, zaczął opowiadać, jak to było. Abbie znaleźli w lodzie dwaj narciarze. Autopsja przeprowadzona w laboratorium kryminalistyki nie pozwoliła ustalić, jak Abbie się tam znalazła ani co było przyczyną śmierci. Spytał, czy nie domyślają się przypadkiem, co Abbie mogła robić w tej okolicy, i Benjamin odparł, że nie. Abbie odniosła obrażenia głowy, ciągnął szeryf, miała też złamaną nogę i wybity bark. W jej płucach wykryto wodę, co sugeruje, że mogła utonąć. Na tę chwilę zakłada się, że obrażenia nastąpiły wskutek upadku z dużej wysokości, którego przyczyny pozostają niewyjaśnione.

— Chce pan przez to powiedzieć, że ktoś mógł ją zepchnąć? — spytał Benjamin.

— Owszem, proszę pana, taka możliwość też jest brana pod uwagę. — Szeryf zerknął na Sarah, bez wątpienia szacując, czy można przy niej rozmawiać o takich drastycznych szczegółach. Odebrała to jako afront.

— A samobójstwo? — wypaliła.

Benjamin spojrzał na nią z zaskoczeniem.

— Abbie nigdy by czegoś takiego nie zrobiła — powiedział.

— A ty skąd wiesz?! — warknęła.

Wytrzeszczyli na nią oczy, zdumieni tym nieoczekiwanym wybuchem. Musi czym prędzej złagodzić jego wydźwięk.

— Skąd oboje możemy wiedzieć? Od miesięcy nie dawała znaku życia. Nie wiemy, co się z nią działo.

— Ma pani rację, pani Cooper — rzekł pojednawczo Charlie Riggs. — Taka możliwość istnieje i nie możemy jej na obecnym etapie wykluczyć.

Sarah widziała, że stara się ocenić, jak stoją sprawy między nią a Benjaminem. Prawdopodobnie uznał ją już za jędzę nad jędzami. Że też w porę nie ugryzła się w język.

— Tak czy owak — ciągnął szeryf — zapewniam państwa, że sprawa ma najwyższy priorytet. Wybieramy się jeszcze raz tam w góry, jak tylko śnieg zacznie topnieć. Może znajdziemy coś, co pomoże nam odtworzyć przebieg wydarzeń.

Gdyby któreś z nich chciało zobaczyć miejsce, gdzie znaleziono Abbie, powiedział z pewnym zażenowaniem, to on chętnie zaprowadzi. Benjamin podziękował mu i obiecał, że przyjedzie specjalnie w tym celu za tydzień, najdalej dwa. Jakież to absurdalne i bezsensowne, pomyślała z rozdrażnieniem Sarah, ale udało jej się nie wyrzucić tego z siebie. Nie wyobrażała sobie niczego gorszego — nie licząc, oczywiście, oglądania samego ciała, którego też jeszcze nie widziała. Do domu pogrzebowego wybierali się później i wcale nie była pewna, jak to zniesie.

Szeryf chciał chyba jeszcze coś powiedzieć, ale do stolika podeszła kelnerka z zamówionymi daniami. Jeśli nawet chciał, to się rozmyślił, i zabrali się z Benjaminem do jedzenia. Sarah poprosiła o pszenny tost, ale nawet go nie tknęła. Najchętniej by zapaliła, ale zdecydowała, że wychodzenie w deszcz na papierosa byłoby poniżej jej godności.

Kiedy skończyli, Charlie Riggs powiedział, że jeśli nie mają nic przeciwko, to podwiezie ich do budynku federalnego przy Pattee Street, gdzie czeka agent terenowego biura FBI, który ma do nich kilka rutynowych pytań mogących pomóc w ustaleniu, co spotkało Abbie. Sarah powiedziała, że nie ma nic przeciwko. Potem szeryf z pewnym skrępowaniem sięgnął po leżącą obok plastikową torbę.

— Mam tu rzeczy, w które była ubrana córka państwa, kiedy ją znaleziono — powiedział. — Nie wiedziałem, czy będą je państwo chcieli zatrzymać, ale jedna z dziewcząt z mojego biura wszystko na wszelki wypadek uprała i wyprasowała. Kurtka jest bardzo zniszczona. Przypuszczam, że wskutek upadku.

Podał torbę Benjaminowi i ten, zamiast podziękować i odłożyć ją na bok, wyciągnął ze środka i rozpostarł przed sobą czerwoną kurtkę narciarską. Na litość boską, pomyślała Sarah, widząc w jego oczach łzy. Nie tutaj, nie teraz. Jeśli on straci nad sobą kontrolę, to ona na pewno pójdzie w jego ślady. Wyjęła mu kurtkę z rąk i wepchnęła z powrotem do torby.

Charlie Riggs odchrząknął.

— Jeszcze jedna ważna rzecz, o której powinienem państwu powiedzieć... — Zawiesił głos, tak jakby szukał właściwych słów.

— Podczas sekcji stwierdzono coś, o czym państwo prawdopodobnie nie wiedzieli. Otóż w chwili śmierci Abbie była w drugim miesiącu ciąży.

Charlie współpracował już z wieloma agentami FBI i niemal z wszystkimi ta współpraca dobrze mu się układała. Na palcach jednej ręki policzyłby tych, którym woda sodowa uderzyła do głowy, resztę wspominał jako ludzi skromnych i znających się na swojej robocie. Bardzo lubił Jacka Andrewsa z biura w Missouli, z którym miał do czynienia i z którym rozmawiali Cooperowie, kiedy zniknęła ich córka. Z jego następcą, tym młodym bubkiem, Waynem Hammlerem, sprawa przedstawiała się zgoła inaczej.

Siedzieli w jego zagraconym małym pokoiku już prawie

godzinę, a on jeszcze nie dopuścił nikogo do głosu. Nawet z tymi przystrzyżonymi na zapałkę włosami i w odjazdowym niebieskim blezerze wyglądał na pięćdziesięciolatka. W tej chwili przybliżał Cooperom tematy *współdziałania międzyagencyjnego* oraz *systemu obiegu i analizy informacji w medycynie sądowe*j, cokolwiek to, cholera, znaczyło. Poza powtórzeniem tego, co wiedzieli już od Charliego, nic sensownego jeszcze nie powiedział. Pan Cooper słuchał uprzejmie, ale jego była żona od dziesięciu minut ostentacyjnie patrzyła w okno.

Charlie przyglądał się jej dyskretnie. Bo i było na co popatrzeć. Ciekawiło go, ile też może mieć lat. Kobiety z miast Wschodniego Wybrzeża dbają o siebie. Na oko czterdzieści parę. Wysoka, elegancka i kiedyś bez wątpienia bardzo atrakcyjna. W bardziej sprzyjających okolicznościach nawet i teraz, gdyby tylko przybrała trochę na wadze i dała odrosnąć tym krótko ściętym blond włosom, byłaby niczego sobie. Do twarzy było jej w tej granatowej sukience i Charlie założyłby się o każde pieniądze, że te diamenciki w uszach są prawdziwe. Podsumowując, Sarah Cooper była, jak to określał jego ojciec, „kobietą z klasą". Swoim ciętym językiem wyraźnie starała się pognębić byłego męża. Charlie wiedział z własnych doświadczeń z Sheryl, jak ten biedak musi się czuć. Ale widział już matki zachowujące się w ten sposób po stracie dziecka. Agresja prawdopodobnie ratowała ją przed utratą zmysłów.

Jednak od czasu do czasu ta maska chłodu opadała na moment i wtedy widział, jak Sarah jest delikatna i przybita. Imponowała mu swoją postawą w obliczu takiej osobistej tragedii. W jej oczach, kiedy usłyszała o ciąży córki, pojawiło się coś chwytającego za serce i to coś pozostawało w nich nadal, kiedy patrzyła teraz na deszcz. Od kiedy Charlie dobił ją tą rewelacją, nie odezwała się słowem.

Ben Cooper nie krył się tak ze swoimi uczuciami. Wyglądał Charliemu na porządnego faceta. Musieli być kiedyś wzorcowym małżeństwem, z tych, które widuje się na zdjęciach w czasopismach poświęconych życiu wyższych sfer, jak siedzą na jachcie albo nad basenem, szczęśliwych, idealnych i... prawdopodobnie o krok od rozwodu. Charlie był ciekaw, co ich poróżniło, czy poszło o córkę, czy też przebyli jakąś inną szczególną drogę, na której końcu się rozstali, bo innego wyjścia już nie było. Podejrzewał, że to długa historia, taka sama stara historia, jaką miał za sobą on i niezliczone rzesze jemu podobnych, historia poczucia winy, wzajemnych pretensji i rozwianych złudzeń.

Pobiegł za wzrokiem kobiety. Deszcz przechodził w ulewę, zerwał się wiatr. Drzewa puszczały dopiero pierwsze listki i poprzez plątaninę praktycznie nagich jeszcze gałęzi widział, jak fale nawałnicy sieką dachy trzech pocztowych furgonetek zaparkowanych na ulicy. Młoda kobieta w przezroczystej pelerynie pchała przed sobą wózek inwalidzki, osłaniając siedzącego na nim chłopca czerwoną parasolką. Charlie spojrzał znowu na panią Cooper i napotkał jej wzrok. Uśmiechnął się i przeprosił oczami za Hammlera, który tokował wciąż zza swojego nienagannie uporządkowanego biurka. Stał tam chromowany kubek z idealnie zatemperowanymi ołówkami i chromowana tacka na spinacze i zszywki do papieru. Ten bufon miał nawet srebrną podstawkę pod filiżankę. Charlie słyszał kiedyś od kogoś, że nie wolno ufać człowiekowi, który ma porządek na biurku. Hammler przejawiał na tym punkcie obsesję.

Pani Cooper nie odwzajemniła uśmiechu. Odwróciła głowę i obrzuciła byłego męża wściekłym spojrzeniem. Trudno orzec, czy była na niego zła za to, że poświęca tyle uwagi paplaninie Hammlera, czy też podpadł jej za coś innego.

— I tak na tym etapie śledztwa przedstawiają się sprawy — mówił agent. — Teraz, jeśli państwo pozwolą, zadam kilka pytań.

— Dobrze — powiedział pan Cooper. — Jeśli to ma w czymś pomóc. Słuchamy.

Hammler miał te pytania skrzętnie wypisane w notatniku, który leżał przed nim wraz z nowym ołówkiem. Na początek chciał wiedzieć, kiedy Cooperowie ostatni raz widzieli córkę, ewentualnie dostali od niej jakąś wiadomość. Charlie wtrącił, że już ich o to pytał, ale Hammler puścił jego uwagę mimo uszu. Pan Cooper odpowiadał cierpliwie, może tylko z pewnym znużeniem, ale Charlie widział, że jego była żona zgrzyta zębami. Kiedy agent zaczął wypytywać o charakter i osobowość Abbie i dociekać, czy ich zdaniem miała skłonności do popadania w stany depresyjne, nerwy jej puściły.

— Słuchaj no pan. Pytaliście nas o to wszystko Bóg jeden wie ile razy. Przyszliśmy tu dowiedzieć się, co z kolei wy macie nam do powiedzenia, a nie wałkować w kółko jedno i to samo. Jak to pana tak bardzo interesuje, to zajrzyj pan do akt. Tam jest wszystko. Wszyściutko. Co Abbie kiedykolwiek zrobiła, powiedziała, co jadała na śniadanie. Wystarczy zajrzeć.

Hammler spiekł raka. Charlie bił w duchu brawo.

— Pani Cooper, doskonale rozumiem, co państwo teraz przeżywacie...

— Co przeżywamy? Co przeżywamy! Gówno pan rozumie.

— Pani Cooper...

— Za kogo pan się, u diabła, uważa?

Zerwała się z krzesła i ruszyła do drzwi.

— Dosyć mam tego cyrku.

Mężczyźni też wstali. Hammler miał minę dziecka, które przyłapano na kradzieży cukierka. Chciał coś powiedzieć, ale pani Cooper otworzyła z rozmachem drzwi, odwróciła się w progu i nie dopuściła go do słowa.

— Jak będzie miał pan dla nas coś nowego, Wayne, chętnie posłuchamy. Ale dzisiaj czas nas goni. Musimy odebrać zwłoki naszej córki i załatwić ich transport na pogrzeb do domu. Wybaczy pan więc, na nas już pora. Benjaminie, idziemy.

I wyszła. Jej kroki odbijały się gniewnym echem w korytarzu. Hammler wysunął szczękę i sprawiał takie wrażenie, jakby chciał się rzucić za nią w pogoń. Charlie zastąpił mu drogę.

— Zostaw ją — powiedział cicho.

— Ale ja mam jeszcze tyle...

66

— Później. To nie jest właściwy moment.

Ben Cooper stał ze spuszczoną głową, smutny i zakłopotany. Charlie zdjął z wieszaka jego płaszcz i położył mu dłoń na ramieniu.

— Chodźmy — powiedział. — Podwiozę państwa.

Szeryf zatrzymał swoją półciężarówkę pod hotelem, ale oni nie wysiadali, zasłuchani w bębnienie deszczu o dach kabiny, toteż pierwszy przerwał milczenie. Zapewnił ich jeszcze raz, że uczyni, co w jego mocy, żeby wyjaśnić okoliczności śmierci Abbie. Siedzący z przodu Ben obejrzał się na Sarah, która się nie odzywała. Zobaczył ją skuloną na tle zalewanej deszczem szyby, pogrążoną w myślach. Włosy miała wilgotne i rozwichrzone, kołnierz białego płaszcza postawiony tak wysoko, jakby lada moment miała zniknąć.

Kiedy wysiadali, szeryf przeprosił jeszcze raz za agenta FBI i obiecał, że gdyby ustalono coś nowego, od razu do nich zadzwoni. Podziękowali mu i weszli do holu, żeby się wymeldować i zabrać bagaże. W czasie gdy Ben regulował rachunek, Sarah stała samotnie na zewnątrz pod daszkiem. Kiedy dopełniwszy wszystkich formalności, odwrócił się, zamiast na niego zaczekać, ruszyła z założonymi na piersiach rękami w kierunku samochodu, nie zważając na deszcz. Ben zauważył, że łydki ma ochlapane błotem i wzruszył go ten widok, zapragnął powiedzieć coś, co by ją podniosło na duchu, choćby pochwalić styl, w jakim usadziła tego dupka z FBI. Ale był już nią trochę zmęczony i obawiał się, że nie uda mu się znaleźć odpowiednich słów ani przybrać stosownego tonu.

Jechali wolno Broadwayem do domu pogrzebowego, a rytmiczne postukiwanie i świst wycieraczek czynił panujące między nimi milczenie tak ogłuszającym, że Ben nie mógł go już dłużej znieść.

— Jak to, u diabła, możliwe, żeby była w ciąży? — wybuchnął.

Nawet gdyby miał na to tydzień, nie wymyśliłby idiotyczniejszego pytania. Sarah spojrzała na niego dziwnie. Ścisnął mocniej kierownicę, gotując się na jakąś kąśliwą reprymendę. Ale nic nie powiedziała.

Jim Pickering czekał na nich w recepcji. Miał na sobie elegancki garnitur w idealnie dobranym odcieniu granatu, w którym wyglądał formalnie, ale nie nazbyt ponuro. Wystarczył mu jeden rzut oka na Sarah i od razu wiedział, że wskazana jest oszczędność w słowach. Po chwili prowadził ich już do salki prezentacyjnej.

Ben spytał Sarah, czy chce, żeby z nią tam wszedł. Nie zdziwiło go ani nie uraziło, kiedy odparła, że woli zobaczyć Abbie sama. Wprost przeciwnie, poczuł ulgę. Widok dziewczyny w białej sukni wrył mu się w pamięć i wolał nie dodawać do niego sceny pożegnania matki z córką. Poszedł z Jimem Pickeringiem do biura załatwić formalności.

Trzeba było podpisać kilka dokumentów, podać dane do aktu zgonu oraz wypełnić formularze wymagane przy transporcie zwłok. Jedyną linią lotniczą oferującą transport zwłok z Missouli była Northwest, co oznaczało konieczność przesiadki w Minneapolis. Jim Pickering wszystko już załatwił. Trumna z Abbie, wyjaśnił, zostanie umieszczona na tak zwanej palecie lotniczej, czyli w kartonowym pudle z dnem wzmocnionym sklejką.

Poprzedniego wieczoru, przy kolacji, Sarah napomknęła mimochodem, że na lotnisku La Guardia będzie na nią czekał ojciec i najlepiej by było, gdyby Ben wrócił z Minneapolis do siebie, do Nowego Meksyku.

— Zamierzałem lecieć z tobą do Nowego Jorku i zostać tam do pogrzebu — powiedział. — No wiesz, pomógłbym w przygotowaniach, pobył trochę z Joshiem.

— Poradzimy sobie.

— Wiem, że poradzicie. Chciałem tylko wnieść coś od siebie.

— Proszę cię, nie rób z tego problemu.

— Nie robię, ja tylko...

— Nie ma takiej rzeczy, której nie dałoby się załatwić przez telefon. Ale leć, jeśli ci tak•na tym zależy. Już sobie wyobrażam scenę, jaką urządzi tato, kiedy zobaczy cię na lotnisku.

— Ale na pogrzeb wolno mi będzie przyjść?

— Musisz być taki zgryźliwy?

Ben o mało nie powiedział czegoś, czego by później żałował. Dosyć miał już jednak tego pomiatania i ostracyzmu, i w tym wypadku nie zamierzał ustępować. Postawi na swoim. Poza tym chciał się zobaczyć z Joshem; musi się z nim zobaczyć. Każdy ojciec na jego miejscu by do tego dążył.

— Zrozum — powiedział jak najspokojniej — to również moja córka. I nie będzie żadnych scen. Umiem postępować z twoimi rodzicami. Mam w tym wieloletnie doświadczenie. Pozwól mi ze sobą lecieć. Proszę.

Westchnęła i uniosła brwi, ale nic więcej nie powiedziała.

Formalności zostały już załatwione, a ponieważ Sarah nie wyszła jeszcze z salki prezentacyjnej, Ben zajrzał do pomieszczenia, w którym wystawiano urny i trumny. Oglądając je, dochodził powoli do przekonania, że powinien się jednak zdecydować na coś bardziej okazałego niż ta prosta drewniana skrzynia. W tej chwili Sarah znowu pewnie myśli, że poskąpił pieniędzy. Bardziej wyrafinowane trumny kosztowały około czterech tysięcy dolarów. Ale wyglądały zbyt pretensjonalnie i dorosło. Powinni mieć tu specjalną kolekcję modeli dla młodszych zmarłych, pomyślał ponuro. Z wystawionych eksponatów podobała mu się tylko ozdobna mosiężna urna w kształcie góry z sosnami i trzema jeleniami — rogatym samcem, łanią i małym jelonkiem. Była trochę disneyowska, ale najbardziej pasowałaby do Abbie. Tyle że przecież nie poddają jej kremacji.

— Możemy już iść?

W progu stała Sarah, za nią, w dyskretnej odległości, czekał Jim Pickering. Była w okularach przeciwsłonecznych, twarz miała bladą jak płaszcz. Ben podszedł do niej. Chciał ją objąć — najnaturalniejszy pod słońcem gest. Ale zorientowała się w porę, co zamierza, i ledwie zauważalnym ruchem dłoni dała mu znak, żeby tego nie robił.

— Dobrze się czujesz? — spytał ni w pięć, ni w dziewięć.

— Wspaniale.

— Rozglądałem się tu właśnie i zastanawiałem, czy nie powinniśmy kupić ładniejszej trumny — brnął dalej. — To znaczy, podoba mi się ta prosta, ale...

Nie zdejmując okularów, rozejrzała się krytycznie po pomieszczeniu.

— Nie widzę tu nic ciekawego. Kupię trumnę w domu.

Samolot wystartował o czasie i wzbił się w bezchmurne, błękitne niebo. Przestało padać, gdy tylko znaleźli się na lotnisku. Zupełnie jakby ktoś zamówił ten deszcz tylko i wyłącznie na czas ich pobytu. Przez okna hali odlotów widzieli, jak wózek akumulatorowy wiezie Abbie po mokrym asfalcie do samolotu, gdzie czterej młodzi mężczyźni, nie przerywając beztroskiej pogawędki, dźwignęli ją i wsunęli do luku bagażowego.

Teraz, kiedy maszyna położyła się na skrzydło, obierając kurs na wschód, i za oknem przesunęła się zielona połać skąpanego w słońcu lasu, Sarah przemknęło przez myśl, że tam pod nią, w mrokach ładowni, przechylają się również w wąskiej trumnie zwłoki Abbie. Śmierć córki była dla niej ciosem tak dotkliwym, że nie zdążyła jeszcze ogarnąć tego faktu umysłem, i może dlatego ślizgała się na razie myślami po jego obrzeżach, rejestrując takie mało znaczące szczegóły.

Stojąc samotnie nad otwartą trumną w domu pogrzebowym, była wstrząśnięta, jednak nie widokiem ciała tak ładnie, tak wdzięcznie przygotowanego, lecz własną obojętnością. Myślała, że będzie to chwila, kiedy puszczą ostatecznie tamy jej rozpaczy. A tymczasem odnosiła wrażenie, że ogląda siebie na filmie, przez grubą szybę, która nie przepuszcza żadnych emocji. Założyła okulary przeciwsłoneczne, których do tej pory nie zdjęła, nie po to, by zasłonić czerwone, opuchnięte od płaczu oczy, lecz żeby ukryć, że takie nie są. Czuła się jak ostatnia oszustka. I prawdopodobnie dlatego z takim okrucieństwem powstrzymała Benjamina, kiedy ten chciał ją objąć. Widziała, jak go to zabolało, i nawet mu współczuła.

Biedny, nieszczęsny Benjamin. Zerknęła na niego z ukosa. Siedział po drugiej stronie przejścia. Samolot nie był nawet w połowie wypełniony, a fotele miały podnoszone podłokietniki. Sarah zaproponowała, żeby przesiadł się na drugą stronę, dzięki czemu będą mieli oboje więcej swobody. Zatopiony w myślach patrzył teraz na góry. Był wciąż przystojnym mężczyzną, chociaż z tymi długimi włosami wyglądał tak, jakby próbował się na siłę odmłodzić. Przytył trochę od czasu, kiedy go ostatnio widziała, nawet mu było z tym do twarzy. Cieszyło ją, że jest teraz w stanie tak go oceniać, niemal obiektywnie, na chłodno, nie pragnąc już, by do niej wrócił. Prawdę mówiąc, nie pałała już do niego nienawiścią.

Musiał poczuć na sobie jej wzrok, bo odwrócił głowę i spojrzał na nią ostrożnie. Sarah zamaskowała swoje myśli uśmiechem, a on, jak skarcony pies, który wyczuwa, że pani mu już przebaczyła, odwzajemnił ten uśmiech. Wstał i przesiadł się do niej. Sarah zabrała z siedzenia torebkę, żeby zrobić mu miejsce.

— Przelecieliśmy właśnie nad Wododziałem Kontynentalnym — powiedział.

Sarah zerknęła przez okno.

— Tak — mruknęła. — W takim razie gdzieś tu niedaleko musi leżeć Divide.

— Nie. Divide jest kawałek na południowy zachód.

Mówili o miejscu, w którym wszystko się zaczęło. Czy może raczej zaczęło się kończyć. Na agroturystyczne ranczo Divide przyjeżdżali przez kilka lat i spędzili tam najwspanialsze w swoim życiu urlopy. Tam właśnie Abbie rozkochała się w Montanie i zapragnęła studiować na tamtejszym college'u. I tam przed sześcioma laty, choć teraz wydawało się, że nie wiadomo jak dawno temu, Benjamin zakochał się (czy jak to nazwać) w Eve Kinselli, co w rezultacie doprowadziło do rozpadu ich małżeństwa.

Zamilkli na chwilę. Przejściem między fotelami zbliżała się stewardesa, pchając przed sobą wózek z napojami i kanapkami. Oboje poprosili o wodę. Powietrze w kabinie było zimne, pachniało sztucznością i aseptycznością.

— Porozmawiaj ze mną — odezwał się cicho Benjamin.

— Słucham?

— Proszę cię, Sarah. Porozmawiajmy. O Abbie.

Wzruszyła ramionami.

— Jak chcesz. Tylko o czym tu mówić?

— Sam nie wiem. Pomyślałem sobie, że jeśli będziemy o tym rozmawiać, to może uda nam się... nawzajem pocieszyć.

— Aha.

— Widzisz, Sarah, nie wolno nam się obwiniać...

— Nam?

— Nie, nie chodziło mi...

— Benjaminie, ja nie mam sobie nic do zarzucenia. Zupełnie nic.

— Wiem, ja tylko...

— Obwiniam ciebie. Tylko i wyłącznie ciebie... — Urwała i uśmiechnęła się. Tę kobietę, oczywiście też. Dostrzegła w jego oczach, że odczytał tę myśl. — No, może nie wyłącznie.

— Sarah, jak możesz tak mówić?

— Bo to prawda. Abbie nie zginęła wskutek upadku, skoku, zepchnięcia z urwiska, czy jak to się tam odbyło. Ją, Benjaminie, zabiło to, co nam wszystkim zrobiłeś.

Część II

Część II

Rozdział 6

Można było odnieść wrażenie, że ranczo Divide stara się utrzymać swoje istnienie w tajemnicy przed światem. Kryło się u szczytu rozpołowionej, krętej doliny opadającej w drugą, o wiele rozleglejszą dolinę, którą przecinała rzeka Yellowstone oraz odwzorowująca jej meandry szosa. Przy tej szosie umieszczono, co prawda, coś w rodzaju tablicy informacyjnej, ale niełatwo było ją wypatrzyć, a jeszcze trudniej odszyfrować. Sękata topola, do której dawno temu została przybita, wchłonęła ją i słowa przypominały teraz drążące korę pasożyty. Jakieś trzydzieści jardów dalej — tam gdzie do rzeki Yellowstone wpadał górski strumień — od szosy, brzegiem tego strumienia, odbiegała żwirowa droga, a jedyną wskazówką, że prowadzi do jakiejś ludzkiej siedziby, była poobijana blaszana skrzynka pocztowa u wylotu.

Lost Creek, strumień, wzdłuż którego biegła droga, w lecie wysychał, a w najlepszym razie kurczył się do ledwie ciurkającej strużki. Jego brzegi porośnięte były dzikimi wiśniami i karłowatymi wierzbami o liściach pokrytych białym pyłem unoszącym się z drogi. Nawadniał rozciągające się po obu stronach łąki, w górze zaś, tam gdzie grunt zaczynał się wznosić, a wśród traw pojawiać szałwia, pojono w nim bydło.

Lost Creek nawet na wiosnę, kiedy topniał śnieg, nawet

w największych porywach, nigdy znacząco nie przybierał. Co innego jego brat po drugiej stronie skalnego, porośniętego sosnami garbu dzielącego dolinę na dwoje; tamten był o wiele okazalszy i bystrzejszy. Miller's Creek nazwany tak po jakimś dawno zapomnianym, ale niewątpliwie krewkim pionierze, rwał wzburzony i spieniony przez pięć mil, lawirując między głazami, waląc w dół wodospadami, tworząc rojące się od pstrągów rozlewiska.

Od szosy jechało się do Divide piętnaście minut, ale samo ranczo można było ujrzeć dopiero z odległości pół mili. Kiedy robiło się już niebezpiecznie stromo, gęsty, ciemny las urywał się niespodziewanie i droga nurkowała w nieckę, gdzie po bujnym pastwisku biegały luzem i skubały leniwie trawę, opędzając się ogonami od much, lśniące konie rasy quarter. Dalej, na niewielkim wzniesieniu, stały stajnie o ścianach z pobielonych desek, do których przylegały wybieg i corrale z czerwoną, zrytą końskimi kopytami ziemią, otoczone ogrodzeniami ze zbielałych od deszczu i słońca żerdzi. Nad tym wszystkim górował sam dom mieszkalny okolony klombami kwiatów i trawnikami, za nim zaś rysowało się majestatyczne pasmo górskie.

Budynek był długi i niski, wzniesiony z bali, a przez całą jego długość ciągnął się taras szerokości około dziesięciu stóp ze stolikami i krzesełkami, na którym wieczorami zbierali się goście, by sycić oczy widokiem wystających ponad wierzchołki drzew szczytów po wschodniej stronie doliny, pławiących się w pomarańczowoczerwonym blasku zachodzącego słońca. Spływający z gór strumień rozwidlał się za domem na dwa mniejsze, które opływały dom z dwóch stron. Przerzucone nad nimi drewniane mostki prowadziły na owalne łąki wykradzione okolicznym lasom. Nad brzegami strumieni kryły się dyskretnie wśród sosen dwa korty tenisowe, basen kąpielowy i dwadzieścia domków z bali, każdy z własną werandą.

W Montanie były rancza bardziej ekskluzywne, z lepszą kuchnią, przyciągające znamienitszych gości. Ale mało które, jeśli w ogóle któreś, mogło się poszczycić takim pięknem krajobrazu. Divide nie reklamowało się ani nie zabiegało o gości. Nie musiało. Ludzie dowiadywali się o nim pocztą pantoflową, a kto raz tu zawitał, wracał już co roku. Tak właśnie było z Cooperami. Rodzina Cooperów wynajmowała zawsze domki numer sześć i osiem na dwa ostatnie tygodnie czerwca. Byli tu już po raz czwarty, i jak się później okaże, ostatni, bo ten urlop miał na zawsze zmienić ich życie.

Dzisiaj wypadały czterdzieste szóste urodziny Bena i ze snu wyrwała go najżałośniejsza interpretacja *Happy Birthday*, jaką kiedykolwiek słyszał. Głowę miał jeszcze ciężką od nadmiaru wypitego wczoraj piwa i niedostatku snu i to fałszywe zawodzenie wwiercało się w nią jak zardzewiały korkociąg. Otworzył jedno oko i zobaczył uśmiechniętą twarz podpartej na łokciu Sarah. Nachyliła się i cmoknęła go w policzek.

— Dzień dobry, solenizancie — powiedziała.

— A więc to z tej okazji tak zawodzą.

Słońce przesączające się przez czerwono-białe zasłony kładło się szachownicą na gołej podłodze z desek i na bosych stopach Bena, kiedy ten człapał do drzwi, naciągając po drodze szlafrok. Na łące, pod samą werandą, produkował się chór mieszany złożony z Abbie, Josha i pospolitego ruszenia. Zgotowali mu owację, kiedy stanął w progu, ocieniając przed słońcem oczy.

— A, to wy — powiedział. — A już myślałem, że stado strutych kojotów.

— Wszystkiego najlepszego z okazji urodzin, tato! — zawołała Abbie.

To ona zwerbowała przyjaciół i dwóch najprzystojniejszych pracowników rancza. Było ich w sumie dziewięcioro. Uśmiechnięci od ucha do ucha, składali mu jedno przez drugie urodzinowe życzenia, dowcipkując na temat wieku. Abbie i Josh weszli po schodkach, pocałowali go i wręczyli duże pudło owinięte ozdobnym papierem w odciski krowich racic. Sarah też stała już na ganku okutana w biały szlafrok. Wsunęła się między dzieci i objęła je. Byli opaleni, jasne włosy jeszcze bardziej zjaśniały im od słońca. Ben nigdy dotąd nie widział ich tak rozpromienionych, tak złotych.

— To od nas wszystkich — oznajmiła Abbie.

— No, dziękuję. Mam rozpakować teraz?

— Oczywiście.

Na wierzchu leżała koperta. Otworzył ją. W środku znalazł jedną z tych składanych okolicznościowych kartek, które zmuszają rodziców do udawania, że ich śmieszą, chociaż wcale nie śmieszą. Przedstawiała szkielet dinozaura, a wewnątrz wydrukowane były życzenia: *Wszystkiego najlepszego w dniu urodzin, zmurszała skamielino*. Ben pokiwał głową i uśmiechnął się.

— Dziękuję — mruknął. — Ja też was kocham.

W pudle był beżowy pilśniowy stetson.

— Ho, ho, to się nazywa kapelusz.

Włożył go. Rozległy się wiwaty i pohukiwania. Pasował idealnie.

— Idealnie pasuje do tego szlafroka — zauważyła Abbie.

— Skąd znaliście mój rozmiar?

— Poprosiliśmy o największy — powiedział Josh.

Wszyscy się roześmieli. Ben udał, że chce go chwycić, ale chłopiec zwinnie odskoczył.

— Panie Cooper?

Przed grupkę wystąpił Ty Hawkins, jeden z pracowników rancza. Trzymał małą paczuszkę. Dwie najlepsze przyjaciółki Abbie, Katie i Lane, chichotały za jego plecami. Najwyraźniej to one go wypchnęły. Był dobrze wychowanym młodym mężczyzną z szopą blond włosów, o szorstkiej, a przy tym niewinnej urodzie, która osobliwie wpływała niemal na każdą kobietę na ranczu. Zwłaszcza na Abbie. Od początku pobytu tutaj starała się codziennie znaleźć w jego grupie jeździeckiej.

— Dziewczęta orzekły, że to się panu może przydać.

Ben rozpakował paczuszkę i wyciągnął tłoczony rzemień spleciony z końskim włosem. Wiedział, co to jest, ale nie chciał im psuć zabawy.

— Do czego mianowicie?

Ty uśmiechnął się.

— Chyba do przytrzymywania kapelusza, żeby nie sfrunął panu z głowy.

— Nazywają to rzemyczkiem maminsynka — pisnęła Katie.

Urodziny Bena Coopera stały się tradycją tych ranczerskich urlopów i Ben, chociaż uważał się za równego faceta i było mu miło, że o nim pamiętają, to czasami miał dzieciakom za złe, że tak publicznie odliczają mu płynące lata. W zeszłym roku dostał od nich model czerwonego porsche w pudełku z napisem *Menoporsche Bena*. Nie był co prawda tak przeczulony na punkcie starzenia się, jak niektórzy z jego kolegów, ale nie mógł z ręką na sercu powiedzieć, że bawi go ów proces; te kości trzeszczące przy wstawaniu z łóżka i te włosy, którym jakby znudziło się rosnąć na głowie, bo zaczynają się plenić całymi kępkami w uszach i nosie. Wczoraj, biorąc prysznic, odkrył u siebie pierwszy siwy włos łonowy, ale starał się nie upatrywać w tym niczego symbolicznego.

— Wracajmy lepiej do pracy — powiedział Ty. — Jeździ pan dziś rano, panie Cooper.

— Jeśli macie konia na tyle dziarskiego, żeby nie powstydził się go ten kapelusz.

— Mamy ogiera, którego trzeba ujeździć, może być?

— Małe piwo. Siodłajcie go.

Umiejętności jeździeckie Bena stanowiły jeszcze jeden temat rodzinnych docinków. Z konną jazdą było u niego jak z innymi dyscyplinami sportu, do których się brał — więcej w tym było dobrych chęci niż zauważalnych postępów. Abbie, która jeździła konno od szóstego roku życia i odziedziczyła po matce naturalną elegancję, orzekła kiedyś, że na stojącym koniu ojciec prezentuje się jak Clint Eastwood, ale kiedy koń ruszy z miejsca, wyłazi z niego Żaba Kermit.

Ty i drugi kowboj powiedzieli, że idą siodłać konie, reszta młodzieży umówiła się za dwadzieścia minut w domu ranczerskim na śniadaniu. Ben i Sarah zostali na zalanej słońcem werandzie i odprowadzali wzrokiem oddalającą się i rozpraszającą po łące grupkę.

Lane i Katie droczyły się o coś z Joshem, a ten, choć udawał obruszonego, był wyraźnie wniebowzięty. I bardzo dobrze. W zeszłym roku hormony chłopca przypuściły szarżę. Zaczął się golić i rósł tak szybko, że ledwie za sobą nadążał. Na szczęście ubrania, które najbardziej lubił, były w większości dostatecznie duże, by pomieścić dwóch takich jak on.

Ben i Sarah od dawna niepokoili się o Josha. Może dlatego, że tak blado wypadał na tle siostry, którą natura obdarzyła wszystkim, co rodzice chcieliby widzieć u swojego dziecka. Abbie jak dotąd wprost frunęła przez życie, podczas gdy jej brat potykał się na każdym jego zakręcie. Samo garbienie się świadczyło, jak ciąży mu brzemię egzystencji.

Był dobroduszny, łagodnego usposobienia i miał wiele innych korzystnych cech, ale brakowało mu naturalnej gracji i wdzięku siostry. I Ben, chociaż wiedział, że tak być nie powinno i nigdy przed nikim by się do tego nie przyznał, odnosił wrażenie, że jego miłość do syna jest zabarwiona czymś w rodzaju współczucia. Był świadkiem zbyt wielu jego rozczarowań, widział, jak Josh przeżywa swoje porażki, przyrównując je do sukcesów innych, obserwował go przyglądającego się z boku, jak bystrzejsi, rezolutniejsi, ładniejsi czy po prostu bardziej ekstrawertyczni rówieśnicy zbierają laury. Ben podejrzewał, że Sarah czuje to samo, ale wszelkie próby poruszenia z nią tego tematu w rozmowie kończyły się kłótnią. Przyjmowała od razu postawę defensywną i wszelkie sugestie, że jej syn nie jest ideałem, odbierała jako osobisty afront.

Zeszłego lata Josh przejawiał niemal chorobliwą nieśmiałość w stosunku do Katie i Lane. Ale sądząc po tym, jak przekomarza się teraz z nimi na łące, chyba już mu przeszło. I obserwując ich, Ben dopuścił do siebie promyk nadziei, że chłopiec wreszcie uwierzy w siebie. Każde dziecko w pewnym wieku odnajduje swój rytm. Może w końcu przyszła pora i na Josha. Katie popchnęła go i obie z Lane, zaśmiewając się, rzuciły się do ucieczki, a Josh pokłusował za nimi jak przerośnięty szczeniak labradora.

Ty z Abbie zostali z tyłu. Nieświadomi, że są obserwowani, przysunęli się do siebie. W pewnej chwili Abbie nachyliła się i szepnęła coś chłopcu na ucho. Roześmiał się, a ona wsunęła kciuk w tylną kieszeń jego wranglerów. Ben i Sarah popatrzyli po sobie.

— Wygląda na to, że nasza dziewczynka dopięła swego.

— A widziałeś kiedy, żeby nie dopięła?

Patrzyli dalej w milczeniu, aż na łące pozostały tylko ślady stóp odciśnięte w rosie, a szczebiot dziewczęcych głosów ścichł w nieruchomym powietrzu poranka.

Kiedy Sarah brała prysznic, Ben, goląc się w samym tylko nowym kapeluszu przed lustrem w ciasnej łazience domku, postanowił, że dzisiaj będzie między nimi inaczej. Bądź dla niej miły, nakazywał sobie. Przestań się boczyć i uprzykrzać życie jej — tudzież sobie. Zapomnij, jak było przez ostatni tydzień i zacznij od początku.

— Nie poznaję Josha — odezwała się zza szyby Sarah.

— Co przez to rozumiesz?

— Że zmienił się w tym roku. Jakby rozkwitł.

— Tak. Nie do wiary, jak to rozładowanie chuci potrafi wpłynąć na mężczyznę.

— Chyba nie mówisz poważnie?

Fakt, żartował.

— A bo co?

— Benjaminie, na miłość boską, on ma dopiero piętnaście lat.

— Wiem, niektórzy faceci są w czepku urodzeni.

Powiedział to bez zastanowienia, nie chciał wbijać jej szpili. Jednak sądząc z jej milczenia, tak to właśnie odebrała. Spróbował zmienić temat, lecz nie bardzo mu to wyszło.

— Na ile poważne jest to między Abbie i tym młodym kowbojem?

81

— Nie wiem, ale niech ona lepiej uważa, bo jeszcze chłopak wyleci przez nią z pracy. O ile zdążyłam się zorientować, pod tym względem obowiązują tu surowe reguły.

— Pod jakim względem?

— No wiesz, spoufalania się z gośćmi.

— Spoufalania?

— Dobrze wiesz, o co mi chodzi.

Zazwyczaj śmiała się, kiedy pokpiwał z jej eufemizmów, ale nie dzisiaj. Szum wody ustał i rozsunęły się drzwi natrysku. Widział w lustrze, jak Sarah wychodzi i sięga po ręcznik, skwapliwie unikając kontaktu wzrokowego.

Skończyła czterdzieści dwa lata, ale nadal była szczupła, piersi miała jędrne i nawet po dwudziestu latach małżeństwa nie pozostawał obojętny na widok jej nagiego ciała. Może dlatego, że rzadziej teraz dochodziło między nimi do zbliżeń, niżby tego pragnął. Było tak między nimi od dawna i uchylanie się od obowiązków małżeńskich tak weszło jej w krew, że robiła to wręcz mechanicznie. Na przykład teraz, kiedy odwrócił się i postąpił krok w jej stronę, czym prędzej owinęła się ręcznikiem, żeby osłonić swą nagość, zanim podejdzie. Położył jej dłonie na ramionach, a ona uśmiechnęła się rozbrajająco i cmoknęła go beznamiętnie w usta.

— Piękny kapelusz.

— Dziękuję, pszepani.

— Naprawdę sądzisz, że Josh i Katie...

— Spoufalają się? Oczywiście.

— Może powinniśmy z nim o tym porozmawiać?

— Koniecznie, jeśli tak bardzo chcesz go wprawić w zakłopotanie.

Nadal trzymał ją za ramiona i teraz spróbował zamknąć jej usta pocałunkiem.

— Benjaminie, ja mówię poważnie.

— A nie moglibyśmy odłożyć tej rozmowy? Jest jeszcze jeden męski członek rodziny Cooperów, któremu wypadałoby poświęcić nieco uwagi.

Napierał na nią, porządnie już podniecony. Spuściła wzrok i uniosła brew.

— O którym konkretnie członku mówisz?

— O nim. O mnie zapomnij. Jestem altruistą.

— Później. Chcę ci wręczyć prezent.

— Jesteś jedynym prezentem, jakiego pragnę.

Przyciągnął ją bliżej i pocałował w szyję. Pozwoliła mu na to, ale przytrzymała za nadgarstek, kiedy chciał ściągnąć z niej ręcznik.

— Później.

Pocałował ją w usta. Ale ani myślała ustąpić. Przyłożyła dłonie do jego torsu i odepchnęła lekko.

— Benjaminie, spóźnimy się na śniadanie.

Puścił ją, odwrócił się i zobaczył siebie w lustrze — zawiedzionego, rozgoryczonego i wyglądającego żałośnie w tym idiotycznym kapeluszu. Zdjął go i odrzucił na krzesło.

Znów to samo. Ten sam łatwy do przewidzenia cykl afrontu i urazy, seksualnego odtrącenia i zranionej dumy, który towarzyszył ich małżeństwu, jak daleko sięgał pamięcią. Wiedział, jak się sprawy mają, a mimo to snuł wciąż te durne, romantyczne mrzonki, jak to się wszystko odmieni, kiedy znajdą się razem na urlopie. Zupełnie jakby sam szykował sobie rozczarowanie.

Sarah znikła w sypialni i po chwili, chroniona już szlafrokiem, z głową owiniętą ręcznikiem, wróciła z pięknie zapakowanym i przewiązanym czerwoną wstążką prezentem. Wycierał właśnie twarz i udał, że jej nie widzi. Kupiła mu pewnie koszulę i zaraz go przypuszczalnie przeprosi, przewidując, że mu się nie spodoba. Prawdopodobnie tak będzie, ale on nie da tego po sobie poznać i przekonująco uda zachwyconego.

— Jeśli ci się nie spodoba, to mogę wymienić.

— O, dziękuję.

Wziął od niej prezent i odłożył na krzesło.

— Później rozpakuję. Spóźnimy się na śniadanie.

I oceniając kątem oka efekt swojego małego odwetu, wszedł pod prysznic i zasunął za sobą szklane drzwi.

Jechali tego ranka na Galerię. Było to jedno z ich ulubionych miejsc — wysokie wypiętrzenie z czerwonej skały wznoszące się ponad las i przywodzące na myśl czoło olbrzymiego, szlachetnego wojownika, który lustruje swoje terytorium. Przez pierwszych kilka mil droga pięła się stromo krętym kanionem. Ale po godzinie teren się wyrównywał i wjechali na pastwisko w szerokiej płytkiej dolinie, gdzie konie lubiły puścić się kłusem, wiedząc, że wkrótce odpoczną i zaspokoją pragnienie.

Tego roku, po ulewnych wiosennych deszczach, trawa wybujała wysoko i kłusujące przez to zielone morze wierzchowce musiały wysoko zadzierać łby. Jeźdźców, z Sarah włącznie, było jak zwykle dziewięcioro, ona zamykała stawkę. Nie licząc Jessego, kowboja z rancza, który był ich przewodnikiem, najlepiej ze wszystkich trzymała się w siodle, ale lubiła jechać na końcu, bo wtedy mogła przystawać, kiedy chciała, nie wchodząc nikomu w paradę. I teraz właśnie zamierzała to zrobić. Zauważyła w trawie białe i żółte kwiatki, których nie znała. Zerwie kilka, zabierze na ranczo i zidentyfikuje na podstawie najnowszego wydania atlasu Roślin Gór Skalistych.

Nazwy roślin — zarówno tę popularną, jak i łacińską — pamiętała na tej samej zasadzie, na jakiej pamięta się tytuły książek i nazwiska ich autorów. Ale tego lata było ich w Divide takie zatrzęsienie, że się już pogubiła. Kiedy jechali kanionem, widziała strzałkolistną balsaminę, pędzelek i bożykwiat. Ale tych tutaj nie kojarzyła. Zwolniła i zawróciła.

W skład grupy jeździeckiej, prócz niej i Benjamina, wchodzili Delstockowie rodzice i dwie kobiety z Santa Fe, które przybyły poprzedniego wieczoru. Abbie, Josh i reszta młodzieży też jechali na Galerię, tyle że pod przewodnictwem Tya i inną trasą. Łącznym mianem Delstocków Abbie ochrzciła Bradstocków i Delroyów, dwie rodziny, które poznali przed trzema laty, kiedy tak jak oni spędzały tu swój pierwszy urlop. Ich dzieci — w każdej rodzinie chłopiec i dziewczyna mniej więcej w tym samym wieku — natychmiast znalazły wspólny język, podobnie jak rodzice. Od tamtego czasu spotykali się tutaj co roku. Fakt, że przez pozostałe pięćdziesiąt tygodni, nie licząc okazjonalnych telefonów w święta Bożego Narodzenia i Święto Dziękczynienia, mogliby równie dobrze mieszkać na innych planetach, zdawał się tylko umacniać ich przyjaźń.

Tom i Karen Bradstockowie pochodzili z Chicago, oboje byli prawnikami i prowadzili własne kancelarie, tyle że zupełnie innego rodzaju. Karen reprezentowała ubogich i ciemiężonych, Tom — ich bogatych ciemiężycieli, czyli, według Karen, „dobraną zgraję gangsterów". On dobrze zarabiał, ją cechowała wrażliwość społeczna i stanowiło to zarzewie wojny, którą nieustannie ze sobą prowadzili, wojny toczonej publicznie, z humorem, markowanym zacietrzewieniem i przy wsparciu każdego, kogo udało im się przeciągnąć na swoją stronę. Pod niemal każdym innym względem, a przynajmniej wszystko na to wskazywało, stanowili dobraną parę. Oboje byli duzi, głośni, żywiołowi, i oboje obnosili się z tym rodzajem niemal bezwstydnej zmysłowości, który czasami wprawiał Sarah w zażenowanie.

Delroyowie z Atlanty byli spokojniejsi, szczuplejsi i bardziej skryci. Phil (do którego wszyscy, nawet żona, zwracali się per Delroy) prowadził własną firmę informatyczną, której zakresu działalności nikomu nie udało się ustalić, wiadomo było jedynie, że jest „ukierunkowana na rozrywkę". Tom Bradstock przygadywał mu często, że pod tym eufemizmem kryje się pewnie pornografia, ale Delroy uśmiechał się tylko tajemniczo i ani nie potwierdzał, ani nie zaprzeczał. Był opalony jak nałogowy plażowicz, a długie, przetykane już siwizną czarne włosy ściągał w koński ogon. Na prawym ramieniu miał wytatuowany jakiś chiński symbol, którego znaczenia też nie chciał wyjawić. Odznaczał się tym lakonicznym, sarkastycznym poczuciem humoru, które tak działa na niektóre kobiety, ale nie na Sarah; jej wydawało się nieco wymuszone.

Maya Delroy parała się medycyną alternatywną. Kluczową rolę w stosowanej przez nią metodzie leczenia odgrywała tak zwana kinetyczna koncentracja, ale kiedy Maya próbowała wyjaśniać, na czym ona polega, Sarah zawsze myśli się rozbiegały, co prawdopodobnie oznaczało, że sama potrzebuje sesji terapeutycznej. Maya była zwiewna, gibka, nosiła się na czerwono, bursztynowo i żółto, i każdego ranka uprawiała jogę na macie z sitowia, którą rozwijała przed swoim domkiem. Większość powyższych dziwactw kwalifikowało ją do tego gatunku kobiet, które Sarah omijałaby normalnie szerokim łukiem. Ale spod alternatywności Mai przezierało coś bliżej nieokreślonego, jakiś rodzaj ironicznego dystansu do samej siebie, i to ją rozgrzeszało, sugerując, że cały ten uduchowiony wizerunek jest chyba tylko jednym wielkim sztafażem.

Według Benjamina Bradstocków i Delroyów różniło tyle, że prawdopodobnie nawet by na siebie nie spojrzeli, gdyby on i Sarah nie przerzucili mostu nad dzielącą ich przepaścią. Prawda była taka, że żadna z trzech par nie miała więcej niż kilku śladowych cech wspólnych z pozostałymi, i chyba właśnie to niedopasowanie oraz zbliżony wiek dzieci sprawiły, że ich doroczna dwutygodniowa przyjaźń nie umierała śmiercią naturalną.

Tamci odjechali już spory kawałek i straciła ich z oczu. Słońce stało wysoko i mocno przygrzewało, ledwie wyczuwalny wietrzyk muskał wierzchołki traw, znad gór napływało niespiesznie kilka puszystych obłoczków. Sarah zsiadła z konia, żeby poszukać idealnych okazów. Zdjęła słomkowy kapelusz, zacisnęła mocno powieki i wystawiła twarz do słońca, chłonąc spokój tego miejsca. Słyszała tylko brzęczenie owadów, świst ogona, którym opędzał się od nich koń, i chrzęst łodyg słodkiej kostrzewy w jego zębach. Tak jak inne konie, był to quarter, silny czterolatek imieniem Rdzawy, od swojej maści. Nie zaliczał się do najlepszych wierzchowców na ranczu i szef kowbojów znający umiejętności jeździeckie Sarah proponował jej co roku lepszego. Ale koń był dzielny, wielkiego serca i nie chciała innego.

Otworzyła oczy i otarła pot z szyi. Pora ruszać. Zerwała kwiaty — jeden żółty, jeden biały — i schowała je do małego blaszanego pudełeczka, które woziła ze sobą w tym właśnie celu w kieszonce na piersi białej bawełnianej bluzki. Wiedziała, gdzie zatrzyma się jej grupa, żeby dać odpocząć koniom przed ostatnim etapem wspinaczki na Galerię, nie musiała się więc śpieszyć. Wspięła się na siodło i Rdzawy ruszył stępa. Wciągając w płuca rozgrzany, zielony zapach trawy, wróciła myślami do Benjamina.

Siła ludzkich przyzwyczajeń zawsze ją zdumiewała. Jak to możliwe, żeby dwoje inteligentnych, normalnych, w zasadzie kochających się ludzi zablokowało się w klinczu, w którym każde — tak przynajmniej zakładała — źle się czuje? Można by pomyśleć, że oboje wykuli na pamięć swoje role i nie mają teraz innego wyjścia, jak tylko je w kółko, do znudzenia odgrywać. Zastanawiała się często, czy Benjamin też czuje się tak niefortunnie obsadzony w tym dramacie — ona oziębła dziwka, on lubieżny brutal. Z biegiem lat stali się karykaturami samych siebie, jak ci trzeciorzędni aktorzy z tasiemcowego serialu telewizyjnego, zamkniętymi każde w swoim niewesołym światku, niepotrafiącymi się zdobyć na szczerą rozmowę o swoich temperamentach. Boże, jak dość już tego miała.

Przez ponad tydzień traktował ją praktycznie jak powietrze. I to tylko dlatego, że pierwszej spędzonej tutaj nocy, po wielogodzinnej podróży, a potem powitaniu z Delstockami, które przeciągnęło się do późna, czuła się zbyt zmęczona, żeby się z nim kochać. Nie mógł się z tym wstrzymać do rana? Nie mógł jej zwyczajnie przytulić? Gdyby nie był taki nachalny, to kto wie, może, pomimo zmęczenia, nawet by mu się oddała. Ale Benjaminowi ostatnio samo przytulanie nie wystarczało. Zawsze parł do seksu. A z kobietami jest inaczej. Przynajmniej z nią.

On też nie zawsze był taki, chociaż zmiana zachodziła w nim zbyt powoli, by w porę ją zauważyć. Jedno jest pewne, jego potrzeby seksualne były dla niej zawsze zbyt wygórowane. Ale czyż nie jest tak w większości małżeństw? Nigdy nie należała do kobiet (chociaż często tego żałowała), które bez skrępowania poruszają ten temat z przyjaciółkami, odnosiła jednak wrażenie, że większość kobiet myśli tak jak ona — a przynajmniej zaczyna tak myśleć po tych pierwszych osiemnastu miesiącach zauroczenia, kiedy to kochankom wciąż siebie mało. Z czasem namiętność ustępuje miejsca rutynie, potem na świat przychodzą dzieci i sytuacja się zmienia. Seks przestaje być taki ważny.

Nie znaczyło to bynajmniej, że Ben przestał ją zupełnie pociągać albo że już się nie podniecała. Bywało, zwłaszcza dawniej, że kiedy wyjeżdżali gdzieś tylko we dwoje, seks sprawiał jej przyjemność. Ale wtedy dzieci były jeszcze małe, a Benjamin o wiele bardziej cierpliwy, łagodniejszy i wyrozumialszy. Teraz, jeśli nie zareagowała na jego zapędy od razu, dawał jej odczuć, że jest okrutna, oziębła i aseksualna.

Być może ta niecierpliwość ogarnia wszystkich mężczyzn, kiedy osiągają wiek średni i uświadamiają sobie, że młodość bezpowrotnie odpływa. Być może ten pierwszy przejaw śmiertelności sprawia, że stają się bardziej nachalni, desperacko starają się wykazać, a najmniejszą przeszkodę na drodze do udowodnienia, jacy są jeszcze jurni, odbierają jak cios sztyletem w swoją męskość.

Bez względu na przyczynę Sarah była tym coraz bardziej zdegustowana. Jakież to niesprawiedliwe, jakie uwłaczające. A tego, co działo się potem, po prostu nie dało się znieść. Te dąsy. Te mroczne, ponure, ciche dni. Czy jemu się wydaje, że tym sposobem zmotywuje ją do większej uległości? I ta hipokryzja! W towarzystwie — zwłaszcza w obecności dzieci i Delstocków — był samą słodyczą i ciepłem. Nie dalej jak wczoraj wieczorem Abbie aż piała z zachwytu, jaka to z nich beztroska i szczęśliwa rodzina. Najszczęśliwsza, jaką zna.

Najwyraźniej ani ona, ani nikt inny nie zauważył, że jej ojciec przez prawie cały ostatni tydzień praktycznie słowem nie odezwał się do własnej żony.

I nikt, ma się rozumieć, nie widział, jak jest między nimi, kiedy zostają sami, jak on przerywa milczenie tylko wtedy, kiedy dopatrzy się u niej czegoś wartego skrytykowania. A poza tym siedzi z nosem w gazecie albo swoim „Architectural Digest" — albo w tej nieszczęsnej biografii Le Corbuisiera, którą czyta już od sześciu miesięcy i nie może skończyć — i zachowuje się tak, jakby ona praktycznie nie istniała.

Sarah oczywiście wiedziała, że przez cały czas znajduje się w samym jej centrum. Wiedziała również, że aż go skręca, kiedy ona znosi takie traktowanie z podniesionym czołem, tak jakby nie zauważała, jaki jest zły i obrażony, albo po prostu nic sobie z tego nie robiła. Być może tak jest we wszystkich małżeństwach. Każde z partnerów dobiera sobie oręż i uczy się nim posługiwać. Jego orężem było lodowate milczenie. Jej — i wiedziała, że skuteczniejszym — udawanie, że niczego nie zauważa.

Tak czy owak tym razem Sarah zdecydowana była wytrzymać jak długo się da. Żałowała tego, co stało się dzisiaj rano. Mimo wszystko były to urodziny tego biedaka i chociaż nie przeprosił za swoje zachowanie (nigdy tego nie robił), musiało go dużo kosztować, żeby zaprzestać dąsów i podejść do niej, kiedy wychodziła spod prysznica. Ale obudziła się w niej jakaś przekora, ta notoryczna Davenportowska zawziętość, która pomogła jej ojcu zbić fortunę, i podszepnęła, żeby nie ustępować. Przecież jemu chodziło tylko o to, żeby ją przelecieć, a niby dlaczego miałaby mu się oddawać po tylu dniach ignorowania?

To na pewno samo się jakoś rozwiąże, zawsze tak było. Napięcie stanie się w końcu nie do wytrzymania, ona się złamie, zacznie płakać i obwiniać siebie, doradzać mu, żeby znalazł sobie inną, młodszą, bardziej seksowną i normalniejszą. On też się pewnie popłacze. I dojdzie między nimi do zbliżenia.

I będzie w tym coś tragicznego, rozpaczliwego i przypominającego trzęsienie ziemi.

Widziała już ponad falującymi trawami swoją grupę. Zatrzymali się pod kępą osik. Jedni odpoczywali w cieniu drzew, inni poili konie w skalnej niecce, w której strumień utworzył małe rozlewisko. Blade łodygi traw zdawały się jarzyć na tle zamglonego błękitu odległych gór.

Tom Bradstock i Delroy stali przy koniach i rozmawiali z Jessem i dwoma kobietami z Santa Fe. Benjamin siedział w cieniu w swoim nowym kapeluszu, gawędząc z Mayą i Karen. Jesse pierwszy dojrzał Sarah i coś zawołał. Pozostali odwrócili głowy i pomachali do niej. Wszyscy, z wyjątkiem Benjamina, który tylko siedział i patrzył, jakby ją taksując, tak długo, że pomimo odległości poczuła się nieswojo. Ciekawa była, co teraz o niej myśli i czy nadal ją kocha. Bo ona, chociaż ją ranił i upokarzał, nie miała najmniejszych wątpliwości, co do niego czuje. Kocha go i zawsze będzie kochała.

Rozdział 7

Ty i jego zespół produkowali się już od blisko godziny i Abbie wciąż nie mogła wyjść z podziwu, jacy są niesamowici. Zabawa rozkręcała się w najlepsze. Z dużej jadalni wyniesiono stoliki i krzesła, z jednej strony grał zespół, z drugiej był bar, i kto trzymał się jeszcze na nogach, szalał na parkiecie — młodzież, rodzice, dziadkowie, o pracownikach rancza nie wspominając. Nie było tu par, każdy tańczył z każdym, a jednocześnie sam sobie. Chociaż pootwierano drzwi i okna wychodzące na taras, na sali było jak w piecu i wszyscy spływali potem, nikt się jednak nie uskarżał.

Zespół nazywał się Hell to Breakfast i Abbie nie bardzo kojarzyła, co znaczy ta nazwa, ale przynajmniej była nietypowa. Mieli własne odjazdowe kompozycje, ale dziś wieczorem wykonywali głównie złote przeboje starszego pokolenia, nieśmiertelne kawałki Rolling Stonesów, Beatlesów i Eagles. W tej chwili grali *Born in the USA* Bruce'a Springsteene'a we własnej, genialnej interpretacji. Abbie tańczyła z Lane Delroy i jej bratem Ryanem. Kręciła trochę z Ryanem zeszłego lata, ale jemu na szczęście już przeszło, nie wracał do tego, i teraz znowu byli po prostu dobrymi przyjaciółmi. Wszyscy śmiali się z taty Ryana, Delroya, którego Abbie w skrytości ducha uważała za trochę obleśnego. Należał do facetów, którzy rozmawiając z dziewczyną, obejmują ją poufale; nie to, żeby zabierał się do obmacywanek, ale prawie. Teraz próbował nakłaniać Katie Bradstock i jej mamę do odtańczenia z nim jakiejś komicznej odmiany afrykańskiego tańca plemiennego.

Mama Abbie tańczyła z Tomem Bradstockiem, który naśladował ten zabawny posuwisty krok Blues Brothers, a jej tata, zainspirowany Bruce'em Springsteenem, szalał z Mayą Delroy. Kilka lat temu Abbie pod ziemię by się zapadła na widok rodziców robiących z siebie takie widowisko, ale teraz była z nich dumna. Serce jej rosło, kiedy widziała ich takich szczęśliwych i rozbawionych.

I co chwila zerkała na Tya. Wydawał jej się zbyt doskonały, żeby mógł być realny. Mało że taki słodki, wrażliwy i podobny do Brada Pitta (no, dobrze, może z daleka), to jeszcze gra na gitarze i śpiewa jak prawdziwa gwiazda rocka z MTV.

Kiedy poprzedniego dnia napomknął mimochodem, że założyli z kolegami z college'u zespół i Abbie jeśli chce, to mogą zagrać jej tacie na urodziny, nie spodziewała się, że to będzie coś aż tak wystrzałowego. Wyglądał nieziemsko w tych niebieskich dżinsach i białej, zapinanej na perłowe guziki, przepoconej koszuli. Tańczyła tylko dla niego i przez cały czas czuła na sobie jego wzrok. Jeszcze tylko pięć dni i wracają do domu. Będzie za nim bardzo tęskniła. Zwłaszcza po wczorajszej nocy.

Każdego wieczoru, po ostatniej jeździe, konie rozkulbaczano i dwóch kowbojów odprowadzało je na pastwisko. Wczoraj wypadło na Tya, a on pod naciąganym pretekstem, że kolega nie za dobrze się czuje, poprosił Abbie, żeby mu towarzyszyła. Pracował w Divide pierwszy sezon, od razu coś między nimi zaiskrzyło i nie ulegało wątpliwości, że w sprzyjających okolicznościach i przy dobrej woli obojga wszystko może się zdarzyć.

Abbie od paru dni chodziła do stajni pomagać mu przy koniach. Dużo przez ten czas rozmawiali, ocierali o siebie niby to przypadkiem i wreszcie wczoraj po raz pierwszy się pocałowali. Kłopot w tym, że nawet przez chwilę nie byli sami i musieli się kryć ze swoimi uczuciami, bo Ty mógł za takie coś stracić pracę. Wiedziały tylko Lane z Katie i nikt więcej. I chociaż Abbie podejrzewała, że są trochę zazdrosne, to jednak na wczorajszy wieczór zapewniły jej alibi.

Widok koni pędzących z tętentem przez bylicę oraz tumanów czerwonego, podświetlanego przez słońce kurzu wzbijanego kopytami nie miał sobie równych. Znały drogę i Abbie z Tyem po prostu cwałowali za nimi. Na pastwisku podjechali do niskiego pagórka, położyli się w słodko pachnącej trawie pod drzewami i patrzyli, jak konie skubią swoje wydłużające się cienie. Był czuły i bardziej niepewny, niż się spodziewała, niemal onieśmielony. I chociaż sama kochała się dotąd tylko raz, na prywatce, na początku tego roku, z chłopakiem ze szkoły, domyśliła się, że dla Tya jest to pierwszy raz i zadziwiła samą siebie, przejmując inicjatywę, pomagając mu, kiedy nie mógł sobie poradzić z kondomem, pocieszając, że nic się nie stało, kiedy przedwcześnie eksplodował. Za drugim razem poszło już sprawniej i lepiej.

Ubierając się o zmierzchu, usłyszeli głosy i zanim zdążyli upozorować, że robią tutaj coś zupełnie niewinnego, nadeszły dwie kobiety z Santa Fe, których imiona — Lori i Eve — Abbie poznała dopiero później. Był to ich pierwszy wieczór w Divide i wybrały się na spacer po okolicy. Nie ulegało wątpliwości, że widziały Abbie i Ty na tyle wyraźnie, by zapamiętać ich twarze, i na pewno domyśliły się, co tu robili, ale nie dały tego po sobie poznać i oddaliły się bez słowa w stronę rancza.

Kiedy tego ranka dotarli na Galerię, Abbie z przerażeniem dostrzegła te dwie kobiety czekające już tam na nich z mamą, tatą i Delstockami.

— Chyba przyjdzie się rozejrzeć za nową robotą — powiedział cicho Ty, kiedy zeskakiwali z koni.

Ale nic nie wskazywało na to, żeby kobiety ich wydały. Tato Katie, który ze wszystkich mężczyzn miał najbardziej niewyparzony język i potrafił tak dociąć, że nie wiadomo było, gdzie się schować, nie przepuściłby takiej okazji. On jednak przystąpił do przedstawiania młodych, zakładając najwyraźniej, że Eve i Lori nie miały jeszcze okazji ich poznać.

— A oto śliczna księżniczka Abbie — mówił Tom Bradstock.

Kobiety uśmiechnęły się do niej ciepło i skinęły głowami. Abbie, która normalnie nigdy nie traciła rezonu, teraz bąknęła coś pod nosem i rzuciła im spłoszone spojrzenie, nie zauważyła jednak w ich oczach nawet cienia porozumiewawczego błysku.

— A to Ty, najprzystojniejszy kowboj Montany, kawaler do wzięcia.

Ty przywitał się z Lori i Eve, i dopiero wtedy, kiedy kobietom również i tym razem nawet nie drgnęła powieka, a tato Katie nadal nie wyrywał się z żadną kąśliwą uwagą, Abbie odprężyła się trochę i pomyślała, że może jednak im się upiecze.

Teraz, patrząc na Tya grającego na gitarze i śpiewającego, pragnęła, żeby cały świat się dowiedział. Budynek drżał w posadach, kiedy wszyscy ryczeli zgodnym chórem ostatnią zwrotkę *Born in the USA*. Przebrzmiał ostatni akord i nastąpiły owacje. Ty uśmiechnięty, błyszczący od potu, czekał przy mikrofonie, aż sala się uciszy.

— Bardzo dziękuję — powiedział. — Zrobimy sobie teraz małą przerwę. Widzę, że niektórym z państwa chwila odpoczynku też się przyda. To była tylko rozgrzewka. Za chwilę zagramy wam prawdziwego rock and rolla.

W barze był poncz owocowy, ale Abbie poprosiła o wodę. Ktoś podał jej butelkę. Wyszła z nią na taras udekorowany girlandami małych białych lampek. Było tu za tłoczno i za gwarno jak na jej gust, zeszła więc po szerokich schodach na trawnik. Reflektorki rozmieszczone w klombach rzucały na trawę smugi światła, ale Abbie przystanęła w cieniu między nimi, rozkoszując się chłodem powietrza owiewającego rozpalone policzki, i trawy pod bosymi stopami. Odrzuciła w tył głowę, uniosła butelkę do ust i piła duszkiem, patrząc w rozgwieżdżone niebo. Na jej oczach spadła gwiazda, a zaraz potem druga.

— Mam nadzieję, że pomyślałaś sobie dwa życzenia.

Aż podskoczyła, słysząc tuż obok ten głos. Myślała, że jest sama. Obejrzała się. Z mroku uśmiechała się do niej Eve.

— O, cześć. Ale skoro pani też je widziała, to chyba każdej z nas powinno przysługiwać po jednym.

— Zgoda, podzielmy się.

Eve zamknęła oczy i uniosła ku niebu uśmiechniętą twarz. Abbie była do tej pory zbyt zakłopotana, żeby dobrze się jej przyjrzeć. Teraz skorzystała z okazji. Kobieta chyba nie przekroczyła jeszcze czterdziestki, była wysoka, miała długą szyję i na dzisiejszy wieczór upięła sobie długie, czarne, falujące włosy w węzeł, przewiązując go apaszką w tym samym co suknia odcieniu zieleni. W jej twarzy było coś niezwykłego, może przez ten trochę za długi nos i te szerokie usta. Piękna może nie była, ale intrygująca na pewno, zwłaszcza teraz, kiedy znowu otworzyła oczy. Spokój i bezpośredniość w jej spojrzeniu deprymowały trochę Abbie.

— Pomyślałaś życzenie?

— Jeszcze nie. Mam ich tyle, że nie wiem, które wybrać.

— Jak to cudownie być młodym. Z biegiem lat tych życzeń stopniowo ubywa i w końcu zostaje tylko jedno.

— Bo reszta się spełniła?

— Nie. Część, owszem. Ale wydaje mi się, że człowiek skupia się na tym, którego spełnienia najbardziej pragnie.

— Na tym, które nie może się spełnić.

Eve roześmiała się.

— Powiedzmy.

Milczały przez chwilę, wypatrując na niebie następnej spadającej gwiazdy. Z tarasu za ich plecami doleciał tubalny śmiech Toma Bradstocka.

— Jesteś z Nowego Jorku, prawda?

— Tak. Z Long Island.

— Studiujesz?

— Od przyszłego roku.

— Wybrałaś już uniwersytet?

— Mama i tato są zdecydowani na Harvard.

— Ale ty nie?

— Nie. Ja chciałabym studiować gdzieś tutaj.

— Tu, w Montanie?

— Może. W każdym razie gdzieś na zachodzie. Bardzo mi się tu podoba. Może w Kolorado albo Oregonie. Jeszcze nie wiem. Interesuje mnie przyroda i środowisko, wszystko, co się z tym wiąże. I chcę być tam, gdzie ich jeszcze nie zniszczono. A tak nawiasem mówiąc, mama i tato jeszcze o tym nie wiedzą, rozumiemy się?

— Bądź spokojna.

— I nie wiedzą o....

— Przepraszam za tamto, Abbie. Po prostu spacerowałyśmy. Do głowy nam nie przyszło...

— To nie wasza wina. Ale byłabym wdzięczna, gdybyście...

— Ani Lori, ani ja nie piśniemy nikomu słówka, obiecuję. To nie nasza sprawa. Przepraszam jeszcze raz, że wam przeszkodziłyśmy.

— Nie, to ja przepraszam.

— Proponuję, żebyśmy przestały się nawzajem przepraszać i zapomniały o całej sprawie.

— Okay.

Po wczorajszym incydencie Abbie mało nie zaczęła darzyć niechęcią tej kobiety i teraz z zaskoczeniem stwierdzała, że czuje do niej sympatię. Ryan Delroy i brat Katie, Will, snuli już kretyńskie przypuszczenia, że ona i jej przyjaciółka Lori to pewnie lesbijki — czyli, jak ujmował to Will z całą polityczną poprawnością swojego ojca, kochające inaczej — bo razem spędzają urlop.

— A pani jest z Santa Fe, prawda?

— Tak. W każdym razie teraz tam mieszkam. Bo urodziłam się i wychowałam w Kalifornii.

— I jest pani malarką, a Lori właścicielką galerii, tak?

— Tak. Dobrana z nas para, prawda?

— Jakiego rodzaju malarstwo pani uprawia?

96

— Hmm. W zasadzie figuratywne, ale nie nazwałabyś go realistycznym. Więcej w nim psychologii, poszukiwania. Mówiąc wprost, maluję to, co dzieje się w moim życiu. To rodzaj terapii, tyle że taniej wychodzi. Ostatnio sporo obrazów poświęciłam synkowi.

— Ma pani syna?

— Tak. Ma na imię Pablo, niedługo kończy dwa latka i naturalnie jest najcudowniejszym dzieckiem, jakie kiedykolwiek przyszło na ten świat.

— I gdzie teraz jest?

— U swojego ojca. Nie mieszkamy razem.

— Och. Musi pani bardzo za nim tęsknić — znaczy, za Pablem.

— Tak, tęsknię. Ale to tylko tydzień, a oni za sobą przepadają. Spójrz, jeszcze jedna gwiazda! Widziałaś?

— Mhm.

— No to ci ją odstępuję. Ja już swoje życzenie pomyślałam.

— Założę się, że wiem, jakie to było życzenie.

— O, doprawdy? Potrafisz czytać w myślach.

— Nie. Tylko mój tato mawia, że jeśli ma się dzieci, to pragnie się tylko, żeby były zdrowe i szczęśliwe. A ja dowiedziałam się właśnie, że ma pani syna. A więc tylko tego mogła pani sobie życzyć.

— Żeby był zdrowy i szczęśliwy? Ale to chyba dwa osobne życzenia.

— Fakt. W takim razie zwracam pani tę gwiazdę.

Ben stał oparty o drewnianą barierkę tarasu i słuchał historyjki, którą Tom Bradstock zabawiał zgromadzony wokół siebie tłumek. Wrócił przed chwilą z barku z piwem i sam początek mu umknął, ale zdążył się już zorientować, że chodzi o szczura, co zagnieździł się w domu, w którym mieszkali Tom z Karen, kiedy ich dzieci były jeszcze małe. Szczurołap wysypał w piwnicy trutkę i kilka dni później, w środku nocy, Tom usłyszał dziwne chlupoty dolatujące z łazienki dzieci.

97

— Wchodzę tam, rozglądam się, nasłuchuję. Nic, cisza. Otwieram klapę kibelka, a w kibelku coś siedzi i patrzy na mnie oczkami jak paciorki. Szczur. I to wyrośnięty, mówię wam, wielkości małego psa. Pewnie po tej trutce zaczyna je suszyć, no i wpadł na drinka. Tak czy owak zatrzaskuję klapę i spuszczam wodę. Załatwione, myślę sobie, zaglądam, a on dalej tam siedzi i dalej na mnie patrzy, mokry jak nieboskie stworzenie, ale spłukać się nie dał.

Tom poruszył kilka razy nosem jak szczur i wszyscy się roześmieli. Prawie wszyscy. Stojąca obok Bena Karen westchnęła, a kiedy na nią spojrzał, uśmiechnęła się z przymusem i pokręciła głową.

— Boże — mruknęła — gdyby za każdym razem, kiedy zmuszona jestem tego słuchać, płacono mi dziesięć dolarów, byłabym już bogatą kobietą.

— Na to wchodzi Karen zobaczyć, co jest grane. Mówię więc do niej...

— Karen, przynieś mi skrzynkę z narzędziami — szepnęła do Bena Karen.

— ...Karen, przynieś mi skrzynkę z narzędziami.

Ben uśmiechnął się. Tom opowiadał dalej, może trochę rozwlekle, ale w sumie zajmująco. Kiedy próbował utłuc młotkiem szczura miotającego się z piskiem po muszli klozetowej, w progu stanęła czteroletnia wówczas Katie i trąc zaspane oczka, oznajmiła, że chce siusiu. Spytała, co tatuś robi, a on — jakby to, że stoi tam całkiem goły, z zakrwawionym młotkiem w ręku, o trzeciej nad ranem, było najnaturalniejszą rzeczą pod słońcem — odparł, że kibelek się zepsuł i właśnie go naprawia, a więc w drodze wyjątku Katie musi dziś skorzystać z łazienki mamusi i tatusia.

— No bo gdyby biedne dziecko znalazło w kibelku szczura albo zobaczyło go tam całego zakrwawionego i wijącego się w przedśmiertnych drgawkach, to już w życiu by nie usiadło na sedesie, dobrze mówię? Uraz psychiczny do grobowej deski, a załatwiać się trzeba. I tak Karen prowadzi ją na siusiu, potem układa z powrotem do snu, a ja kończę tymczasem robotę. Znoszę potem zwłoki na dół, zawijam w gazetę i wyrzucam do śmieci. Następnie zmywam pod zlewem krew z dłoni i z młotka. Jak morderca, którym zresztą teraz jestem. Potem wracam na górę, kładę się do łóżka i leżę do rana, nie zmrużywszy już oka, gapiąc się w sufit...

— Jak Anthony Perkins w *Psychozie* — szepnęła Karen, nachylając się do ucha Bena.

— ...Jak Anthony Perkins w *Psychozie*.

Historia spotkała się z dobrym przyjęciem. Teraz Maya Delroy zaczęła opowiadać, jak to kiedyś spotkała się oko w oko ze skorpionem, ale nie miała gawędziarskiego daru Toma, i Ben szybko stracił zainteresowanie.

— Czy tylko mężczyźni opowiadają w kółko te same historie? — zwrócił się do Karen. — Kobietom się to nie zdarza?

— A jak myślisz?

— U Sarah tego nie zaobserwowałem.

— Ja u siebie też nie.

— A ja u siebie owszem. Każdy facet ma swoje dyżurne historyjki.

— No widzisz.

— A dlaczego kobiety ich nie mają?

— Bo one nie odczuwają potrzeby wiecznego udowadniania wszem wobec, jakie to są dowcipne i inteligentne.

— A mężczyźni odczuwają?

— Oczywiście. Bez przerwy.

— No a Maya coś tam teraz opowiada. Ona nie stara się niczego udowadniać?

— Nie. Po prostu opowiada, co jej się przytrafiło.

Ben pokręcił z uśmiechem głową i pociągnął łyk piwa z butelki. Lubił Karen, podobało mu się jej przewrotne poczucie humoru, dla którego nie było żadnej świętości.

— Od jak dawna jesteście małżeństwem? — spytał.

— Na jesieni będzie dwieście lat.

— Byle tak dalej. Pasujecie do siebie.

— Nie przeczę. Ale nie uważasz, że małżeństwo to piekło na ziemi? Kto je w ogóle wymyślił? Dwoje ludzi zmuszonych znosić się nawzajem rok po roku, zanudzających powoli jedno drugie na śmierć. To chrapanie, to popierdywanie. Nie, naprawdę jesteśmy podobno koroną stworzenia, superinteligentnym gatunkiem, a niczego lepszego nie udało nam się wykoncypować?

— Podejrzewam, że to miało zwolnić umysł z zajmowania się przyziemnymi sprawami.

— Co? Małżeństwo?

— Tak. Inaczej całą swoją energię kreatywną roztrwanialibyśmy na uganianie się za sobą.

— A wiesz, że to jest nawet argument.

Ben roześmiał się.

— Nie, ale poważnie — ciągnęła Karen. — Czy w dzisiejszych czasach małżeństwo ma jakikolwiek sens? Wiem, na początku miało na dłużej przytrzymać mężczyznę. Ktoś w końcu musiał zdobywać jedzenie dla potomstwa i odganiać tygrysy szablastozębne. Ale teraz kobiety radzą sobie same prawie ze wszystkim, nawet z tygrysami. Można spekulować, że chodzi o seks. Ale dla niego pobierało się pokolenie naszych rodziców. Potem pojawiły się pigułki i ten powód zniknął.

— To mi wygląda bardziej na argument przeciwko mężczyznom niż małżeństwu.

— Nic z tych rzeczy! Mężczyźni są w porządku. Ale jeśli już o tym mowa, to może nie potrzeba nam was aż tylu. Wystarczyłoby trzymać paru osobników w klatkach. No wiesz, dla podtrzymania gatunku i zaspokajania naszych cielesnych potrzeb.

— Odpowiadałaby mi taka rola.

— Myślisz, że byś się nadał?

— Mam cię oczarować którąś ze swoich dyżurnych historyjek?

Karen roześmiała się i dotknęła jego ramienia. Po schodkach wchodził Delroy. Dołączył do grupki, która słuchała jego żony opowiadającej o skorpionie. Miał zamglone oczy i uśmiechał się błogo. Jedną z niewielu rzeczy, z których nie robił tajemnicy, było upodobanie do trawki. Prawie każdego wieczoru po kolacji wymykał się do lasu na dymka. Żartowano, że idzie podglądać ptaki. Bena, który od ukończenia college'u nie zapalił nie tylko skręta, ale nawet zwyczajnego papierosa, korciło ostatnio, żeby dotrzymać mu kiedyś towarzystwa, ale krępował się wysunąć taką propozycję.

— Ej, Del — zawołał przyciszonym głosem Tom Brad-stock — no, jak tam, widziałeś dzisiaj te dzięcioły z trzema nóżkami?

Delroy uśmiechnął się.

— Całe, proszę ciebie, stado.

Maya jeszcze nie skończyła. Opowiadała rozwlekle, bez polotu, a głębszy, bardziej karmiczny przekaz, który krył się zapewne w jej narracji, jakoś Benowi umykał. Może dlatego, że słuchał jednym uchem. Myślał o tym, co powiedziała Karen, i obserwował Sarah. Stała na tarasie trochę dalej i gawędziła z Lane, Katie i dwoma chłopcami z zespołu. Zawsze podziwiał łatwość, z jaką nawiązywała kontakt z młodzieżą w tym wieku. Jak zawsze elegancka, w kremowej koszuli, z włosami założonymi za uszy, z perełką w każdym płatku, wyglądała jakby wyszła z reklamy Ralpha Laurena. Wesoła, a jednak zachowująca dystans. Idealnie nieosiągalna. Obserwując ją, czuł dziwną obojętność, zupełnie jakby patrzył na kogoś obcego. Napotkał spojrzenie Karen.

— Jak tam samopoczucie? — spytała.

— Moje? Wspaniale. Bo co?

— Bo widać gołym okiem, że nie tak znowu wspaniale.

— Co przez to rozumiesz?

— Nie poznaję cię w tym roku. Wydajesz mi się jakiś... sama nie wiem. Zamyślony. Może przygaszony.

Ben uniósł pytająco brwi i uśmiechnął się niewyraźnie.

— Przepraszam — mruknęła Karen. — To nie moja sprawa.

— Nie, wszystko w porządku. Ale ja naprawdę świetnie się czuję. Może to ta praca. Od dwóch miesięcy nie dosypiam.

— A co?

— Nic. Słuchaj, mnie naprawdę nic nie dolega. Do licha, są moje urodziny, świetnie się bawię.

— Skoro tak, to... to się cieszę.

Odwróciła wzrok i sięgnęła po drinka, a Benowi zrobiło się głupio, że tak ją zbył. Ale co miał jej powiedzieć? Że ma wrażenie, że świat usuwa mu się spod nóg? Że czuje się izolowany, wypalony i osierocony, i sam nie wie dlaczego? O takich sprawach niełatwo rozmawiać. A już na pewno nie z kobietą, którą pomimo otwartości, jaką często nacechowane były ich rozmowy w ciągu tych dwóch tygodni każdego roku, trudno było uznać za bliską przyjaciółkę. Inna sprawa, że nie wyobrażał sobie rozmowy na ten temat z kimkolwiek. Nawet nie wchodziła tu w grę niechęć do zwierzeń, po prostu nie wiedziałby, od czego zacząć.

Patrząc tego ranka za Abbie i Joshem oddalającymi się w doskonałych humorach łąką, cieszył się wraz z nimi. Ale ten widok stojący mu przez cały dzień przed oczami — pozostający w takim kontraście do tego, co potem zaszło — nabrał w końcu cech symbolu. Oto dwoje szczęśliwych, silnych i pewnych siebie młodych ludzi odchodzi w świat, a ich rodzice wycofują się do przestrzeni coraz zimniejszej i pustej, wypełnionej jedynie echami przeszłości. Odtwarzał ten obraz raz po raz, jak zwiastun filmu, którego nie zamierza obejrzeć, przeczuwając jakąś wielką stratę.

Jeśli miał być szczery, to chodziło o Abbie. Nigdy by się nikomu do tego nie przyznał, ale faworyzował ją, tak jak Sarah faworyzowała Josha. Może tak się sprawy miały we wszystkich czteroosobowych rodzinach — ojciec rozkochany w córce, matka w synu. Tak na pewno było w jego rodzinie, i z fatalnym skutkiem, bo ślepa miłość okazywana mu przez matkę wzbudzała zazdrość ojca, niszczyła małżeństwo i w końcu sprawiła, że między ojcem i synem wyrósł mur, którego obaj nie potrafili pokonać.

Ben starał się, żeby jego stosunki z Joshem wyglądały inaczej, i dobrze się między nimi układało. Ale chociaż bardzo kochał chłopca, to była to miłość innego rodzaju niż ta, którą obdarzał Abbie. Abbie była światłem jego życia. I teraz, kiedy to światło odwracało się od niego i zaczynało opromieniać świat zewnętrzny, czuł na plecach chłód nadciągającego cienia.

Niewiele było w tym logiki, bo naprawdę z dumą obserwował, jak coraz bardziej niezależne stają się dzieci. Pamiętał i często powtarzał cytat z *Proroka* Kahlila Gibrana, który Martin — jego najlepszy przyjaciel, wspólnik w interesach i ojciec chrzestny Abbie — odczytał na jej chrzcie, cytat mówiący, że rodzice powinni się zawsze czuć nie właścicielami swoich dzieci, lecz łukami, z których ich synowie i córki wystrzeliwani są w świat pod postacią żywych strzał. Benowi trafiało to do przekonania, więcej, uważał, że tak być powinno. Tylko co z samym łukiem, kiedy wystrzeli już te strzały. Przestaje być potrzebny? Jego rola skończona? Zbiera kurz, odstawiony w kąt szafy?

Wstrząsnął nim teraz egoizm przebijający z tych myśli. Zalał je ostatnim łykiem piwa i odstawił pustą butelkę na stolik. Karen tymczasem odeszła i rozmawiała już z kimś innym. Ruszył przez zatłoczony taras, uśmiechając się i dziękując znajomym składającym mu życzenia urodzinowe. Po schodkach wchodziła Abbie. Była w niebieskich dżinsach i kusym bladoróżowym sweterku odsłaniającym talię i pępek. Wyglądała fantastycznie. Zobaczyła go, podeszła, zarzuciła mu ręce na szyję i przytuliła się.

— A to z jakiej okazji? — mruknął.

— Z żadnej. Wyglądałeś, jakbyś tego potrzebował.

Wziął córkę za obnażone ramiona i odsunął od siebie, żeby lepiej jej się przyjrzeć. Wprost promieniała.

— Dobrze się bawisz? — spytał.

— Jak rzadko. A ty?

— Też.

— Dlaczego nie włożyłeś kapelusza?

— Żeby inni faceci mi go nie zazdrościli.

— Gdzie mama?

— Tam, podrywa chłopaków z zespołu.

— Nie uważasz, że są rewelacyjni?

— Nieźli. Gdyby jeszcze nie ten wokalista.

— Fakt. Powinni się go pozbyć.

Uśmiechnęła się i przymrużyła oczy. Widział, że próbuje ocenić, jak dalece jest zorientowany w sytuacji.

— Ty pyta, czy mogłabym pojechać z nim w czwartek na jego ranczo. Co ty na to?

— To on ma jakieś ranczo? Nie wygląda na takiego.

— Należy do jego rodziców. W czwartek ma wolne. To w Wyoming, spory kawałek, musielibyśmy wyjechać w środę wieczorem. Jak byś się na to zapatrywał?

Ben wzruszył ramionami.

— Ja nie widzę przeciwwskazań. Zobaczymy, co na to mama.

Abbie wspięła się na palce i pocałowała go w policzek.

— Dzięki, tato.

Odeszła, żeby porozmawiać z Sarah. Ben obejrzał się, odprowadzając ją wzrokiem.

— Musi pan być z niej bardzo dumny.

Odwrócił głowę. Przed nim stała uśmiechnięta Eve. Prawdopodobnie słyszała całą rozmowę z Abbie.

— Czy to nie zastanawiające, jak łatwo poznać, że o coś im chodzi? Tak, no cóż. Jak na córkę, to chyba nie jest najgorsza. Pani ma na imię Eve, prawda?

— A pan Benjamin.

— Widzę, że rozmawiała już pani z moją żoną. Cała reszta świata mówi mi Ben.

— Ben.

Wyciągnął rękę. Uścisnęła ją z kpiącą powagą, może dlatego, że zostali już sobie przedstawieni podczas porannej konnej przejażdżki. Atrakcyjne kobiety zawsze go trochę onieśmielały. Dłoń miała chłodną.

Kiedy wczorajszego wieczoru przekraczała próg jadalni, od

razu zwrócił na nią uwagę. I chociaż na przejażdżce nie rozmawiali ze sobą, to cały czas obserwował ją spod oka. Miała szelmowski, lekko sardoniczny uśmiech, niski głos i przewiercała człowieka tymi czarnymi oczami, tak jakby wiedziała o nim więcej, niżby sobie tego życzył, czego, zważywszy na fakt, że rozmawiała z Sarah, nie można było wykluczyć.

— Dowiedziałam się od Abbie, że przyjeżdżacie tu co roku.

— Tak. To nasz czwarty raz z rzędu. Chyba pora zmienić klimat.

— A to czemu?

— Czy ja wiem. Tyle jest pięknych miejsc, a życie takie krótkie.

— Zauważyłam, że dzieciom się tu podoba.

— Tak. Ale nie uwierzyłabyś, co mieliśmy z Abbie, kiedy cztery lata temu oświadczyłem, że wykupiłem wczasy na zabitym dechami ranczu. Zawsze lubiła świeże powietrze, ale wtedy przechodziła tę fazę, kiedy wszystkie dziewczęta za najatrakcyjniejszą formę spędzania wolnego czasu uważają włóczenie się po centrach handlowych. Koleżanki wyjeżdżały do Europy, Hollywood, Miami, a ona na zabite dechami ranczo. Pamiętam, jak siedziała nabzdyczona na tylnym siedzeniu, kiedy tu jechaliśmy, i wymrukiwała: „O, patrzcie, krowa. O, patrzcie, druga krowa".

Eve roześmiała się.

— Ale zdaje się, że przejrzała na oczy.

— Po pięciu minutach.

Zamilkli na chwilę i stali naprzeciwko siebie uśmiechnięci. Ben uświadomił sobie, że zbyt intensywnie wpatruje się w jej usta.

— Przynieść ci drinka? — spytał.

— Nie, dziękuję, mam już dosyć. Ale jeśli ty chcesz...

— Nie, ja też mam dosyć.

Znowu zamilkli. Ben szukał gorączkowo jakiegoś neutralnego tematu. Zewsząd dolatywały śmiechy i gwar rozmów,

Eve rozglądała się, jakby szukała drogi ewakuacji, i nagle, nim zdążył odwrócić wzrok, spojrzała mu w oczy.

— Sarah mówiła mi, że jesteś architektem. Projektujesz domy czy...?

— Czasami. Nie tak często, jak bym chciał. Mój wspólnik wybiera najsmaczniejsze kąski. Ja zajmuję się tą nudniejszą stroną interesu, ściągam pieniądze od ludzi, którzy są nam coś winni. Od czasu do czasu biorę jakąś modernizację, żeby nie wyjść z wprawy. Ale bywa, że trafia mi się nowa inwestycja. Właśnie ostatnio pracuję nad czymś takim.

— Nad czym konkretnie?

— Och, to takie kameralne osiedle domów. Pod Hamptons.

— W Hamptons chyba niczego nie robi się „kameralnie".

— Tak, ale to nie jest w samym Hamptons. I właśnie problem z tą kameralnością. Działka jest mała, naprawdę ładna. Dużo drzew, idealna na kilka domów średniej wielkości. Ale developerzy chcą wyciąć wszystkie drzewa i postawić tam dwa razy więcej dwa razy większych domów. Wyszłoby z tego jeszcze jedno kuriozalne skupisko McRezydencji.

— McRezydencji? Dobre.

— Nie słyszałaś tego określenia? Pełno ich teraz wszędzie. Jeśli chodzi o ścisłość, faceci chcą czegoś bardziej pod Garaż-Mahal.

Roześmiała się.

— Na szczęście do realizacji prawdopodobnie nie dojdzie. W każdym razie ja do tego ręki nie przyłożę. Przed samym przyjazdem tutaj dałem im to wyraźnie do zrozumienia. Wyszedłem ze spotkania. Szkoda, że tego nie widziałaś, istny architekt primadonna. Po prostu wstałem i wyszedłem. Zrobiłem to pierwszy raz w życiu, ale już wiem, że na pewno nie ostatni.

— Lepiej się poczułeś?

— O niebo.

— Sarah mówiła, że zaprojektowałeś dom, w którym mieszkacie.

— Mhm.

— Opowiedz mi o nim.

Wydało mu się podejrzane, że ją to interesuje. Czyżby go podpuszczała?

— Widziałaś ten zachwycający budynek Franka Gehry'ego w Bilbao?

Pokiwała głową.

— Muzeum Guggenheima?

— No więc nasz dom w niczym go nie przypomina.

Roześmiała się znowu i chyba szczerze. Boże, ależ dowcipny się poczuł.

— Jest piętrowy, biały, z kolistym ceglanym podjazdem i ma duży trawnik od frontu, na którym rosną cudowne derenie koreańskie. Podłogi są wyłożone dębem i terakotą, a na piętro prowadzą kiczowato wspaniałe, szerokie schody, które miały olśnić moich teściów...

— I olśniły?

— Nic a nic. Na tyłach znajduje się mój gabinet z żaluzjami w oknach, które mogę opuszczać i spokojnie spać albo oglądać telewizję, kiedy wszyscy myślą, że pracuję. A garaż jest od frontu niewidoczny, a do tego obrośnięty winobluszczem, więc nikt nie może nazwać tego domu Garaż-Mahalem.

— Piękny dom, z tego, co słyszę.

— O nie. To nieudolna podróbka zerżnięta z Franka Lloyda Wrighta, zbudowana z byle czego, niekomponująca się z otoczeniem, i najchętniej zrównałbym go z ziemią, i zaczął od nowa. Ale w końcu to tylko dom mieszkalny i w zasadzie spełnia swoją funkcję.

Ze środka dobiegł przejmujący wizg towarzyszący sprzężeniu systemu nagłaśniającego i miły głos Tya zaprosił wszystkich do powrotu na parkiet po uprzednim zakasaniu rękawów. Ben miał właśnie poprosić Eve do tańca, kiedy ktoś chwycił go od tyłu za łokcie. Obejrzał się. To była Sarah.

— Chodź, solenizancie. Przez cały wieczór ani razu ze mną nie zatańczyłeś.

— Nie mogłem się do ciebie dopchać przez ten tłum kowbojów.

— No to teraz masz okazję.

Rzadko piła, a jeśli już, to z umiarem, teraz jednak policzki miała zaróżowione, a jej wesołkowatość była, jego zdaniem, nieco wymuszona. Spojrzała na Eve i posłała jej konspiracyjny uśmiech, który dał Benowi do myślenia.

— Wybaczysz nam?

— Oczywiście.

— Słyszałam, że grasz w tenisa. Zagramy jutro?

— Chętnie.

— To jesteśmy umówione.

Sarah ciągnęła go już za rękę w kierunku drzwi do jadalni. Obejrzał się przez ramię. Eve odprowadzała ich wzrokiem. Uśmiechnęła się, on też się uśmiechnął. I w tym momencie obudziło się w nim coś nieokreślonego. Dopiero dużo później, a i tak bez przekonania, zaczął podejrzewać, że to chyba wtedy się zakochał. Jednego jednak był pewien od razu. W jego życiu coś się zmieniło, zupełnie jakby otworzyły się drzwi i ktoś wszedł do pustego domu.

Zespół zaczął grać kawałek, którego nie znał. Sarah pociągnęła go na parkiet i coś powiedziała. Nachylił się do niej, bo nie dosłyszał.

— Co?

— Mówię, że jest śliczna.

— Kto?

— Eve.

Dobrze wiedział, o kogo jej chodzi. To był jego pierwszy wybieg. Kiwnął głową i wzruszył ramionami, co miało sugerować, że do tej pory tego nie zauważył.

— Owszem — mruknął. — Niczego sobie.

Później, kiedy światło było już zgaszone i leżał w łóżku, ostentacyjnie odwrócony do Sarah plecami, poczuł naraz, jak ona dotyka palcami nasady jego kręgosłupa, a potem sunie nimi wolno w górę ku karkowi. Leżał dalej nieruchomo, zimny jak marmur, i chociaż mrowiło go w lędźwiach, zaparł się, że będzie to ignorował. Teraz on ją odtrąci, niech wie, jakie to uczucie. Nie pierwszy raz tak się zachowywał. I chociaż wiedział, że karze w ten sposób nie tyle ją, ile siebie, że przedłuża tylko ich wspólną udrękę o jeszcze jedną noc, jeszcze jeden dzień, jeszcze jeden tydzień chłodnej urazy, to mało brakowało, a zachowałby się tak znowu.

Ale się nie zachował. Przemógł się, odwrócił na drugi bok i objął ją. Była naga, zimna i stremowana. Przytulił ją jak zawsze, a ona jak zawsze zarzuciła mu udo na nogi. Ten rytuał, to uczucie, ten jej zapach tak dobrze mu znajomy, to powolne rozbudzanie się jej ciała, które zawsze go zachwycało.

I nagle, jakby pod wpływem powziętego na gorąco postanowienia, usiadła na nim, pochyliła się, tak że kurtyna jej włosów zasłoniła im twarze, i pocałowała go głęboko, zachłannie. Uniósł biodra i wślizgnął się w nią, a ona odchyliła się w tył tak daleko, że krzyknął z bólu i przytrzymał ją w talii. Było w niej coś nieposkromionego, czego nigdy wcześniej nie widział i co pewnie uznałby za zwyczajny przejaw żądzy, gdyby nie było podszyte smutkiem.

W ciemności ledwie widział nad sobą jej szczupłą sylwetkę, pergaminowo białe piersi z czarnymi plamami sutek, skórę, która wypychana od wewnątrz żebrami przypominała pofalowany piasek. Twarz miała skrytą w cieniu, ale w pewnym momencie zobaczył błysk jej oczu i zdumiało go to, bo zawsze je zamykała, kiedy się kochali, tak jakby nie chciała oglądać siebie takiej wyuzdanej.

Szczytowali szybko i równocześnie. Krzyknęła gardłowym, dzikim, nieswoim głosem. Potem zastygła w bezruchu. Przez długi czas siedziała na nim jak skamieniała, a tymczasem ich oddechy uspokajały się, cichły i w końcu otoczyła ich głucha cisza. Głowę miała odrzuconą w tył i nie widział jej twarzy, tylko zarys podbródka, jasnej szyi i ramion. Nagle drgnęła tak niespodziewanie i gwałtownie, że w pierwszej chwili wziął to za ostatni spazm orgazmu. Ale ona płakała. Wyciągnął rękę i położył dłoń na jej ramieniu.

— Co się stało?

Potrząsnęła głową, nie mogła dobyć z siebie głosu. Uniósł się na łokciach, ale odwróciła twarz.

— Kochanie? Co się stało?

— Nic — szepnęła.

Przekręcił się, układając ją delikatnie na boku i przytulając. Rozszlochała się. Obejmowała się kurczowo ramionami, tak jakby próbowała zdusić w sobie cierpienie, które wzbierając, wstrząsało całym jej ciałem. Ben nigdy nie słyszał tak strasznego odgłosu.

— Powiedz mi — szepnął. — Proszę cię, powiedz.

— Nic takiego.

Rozdział 8

Konie wspięły się na porośnięte trawą wzniesienie, którego stok przecinała czerwona szrama, tam gdzie deszcz i wiatr skruszyły skałę. Ze szczytu Abbie widziała przebłyski rzeki między topolami i chmary puszków dryfujące wolno w upalnym powietrzu przedpołudnia. Zatrzymali się na skraju urwiska — ona pośrodku, Ty po jej prawej, jego ojciec po lewej stronie — i obserwowali przez chwilę cienie obłoków sunące niczym okręty widma przez pastwisko w dole i sfalowany krajobraz w tle. Ojciec Tya pokazał na wschód i powiedział, że tam gdzie rzeka niknie za skalnym występem, kończy się jego ziemia i zaczyna sąsiada.

— A co to za góry na horyzoncie? — spytała Abbie.

— Bighorn. A jeszcze dalej i na północ, Rosebud.

— Jak tu pięknie.

— A pięknie.

— Od dawna tu mieszkacie?

— Od trzech pokoleń. Ty zapoczątkował czwarte.

Chciał chyba jeszcze coś powiedzieć, ale rozmyślił się i pocierając dłonią brodę, patrzył w milczeniu na roztaczającą się przed nimi krainę. Wysoko nad roziskrzonymi przełomami rzeki krążył wielki ptak, wznosząc się powoli we wstępującym prądzie powietrza. Jego krzyk przywodził na myśl lament po jakiejś wielkiej stracie. Abbie spytała, jak się nazywa, i Ty powiedział, że to orzeł przedni i że Abbie ma szczęście, bo rzadko się je tutaj widuje. I bez tego czuła się szczęściarą. Wcześniej, kiedy jechali skrajem lasu, widziała łosia, kilka owiec kanadyjskich i samicę baribala zaganiającą młode między drzewa.

— No, jedźmy do tych źrebaków — mruknął ojciec Tya.

Ruszył przodem w dół usianego głazami stoku, Abbie podążała za jego zamiatającą ogonem siwą klaczą, Ty jechał ostatni. Boki szybkiego, gniadego wałacha, którego jej osiodłali, lśniły już od potu. Ty dosiadał deresza, którego sam ujeździł. Zamiast wędzideł używali uzd bez kiełzna. Abbie jeszcze nigdy tak nie jeździła. Koń nigdy jeszcze nie wydawał się jej tak pełen życia, a przy tym tak łatwy w prowadzeniu i uległy. Wierzchowce z Divide nie dorastały tym do pęcin, ale przecież ojciec Tya żył z hodowli i układania takich koni. Dowiedziała się później, że quartery Raya Hawkinsa zawsze zdobywały pierwsze nagrody.

Ray był mniej więcej w wieku jej ojca, chociaż z tą ogorzałą od słońca i wiatru twarzą wyglądał starzej. Oczy miał tak samo jasnoniebieskie jak Ty, a kiedy się uśmiechał, te oczy nikły w zmarszczkach. Emanował z niego ten sam spokój, który zauważyła u Tya, kiedy ten koncentrował się na jakiejś czynności. Prawdę mówiąc, tę aurę spokoju roztaczała wokół siebie również matka Tya i konie, i psy, i chyba każde żywe stworzenie na ranczu. Było w tym coś niesamowitego, coś nie z tego świata, i może stanowiło efekt zamieszkiwania w takim cudownym miejscu.

Długo jechali tu poprzedniego wieczoru z Divide starą bladozieloną półciężarówką Tya. Słońce chylące się za ich plecami ku zachodowi złociło równiny i górskie szczyty, a oni pędzili międzystanową na wschód, minęli Billings, minęli Hardin, za Little Bighorn skręcili na południe i niedługo potem, przecinając granicę stanów, znaleźli się w Wyoming i basenie Powder River. Sporo rozmawiali, ale byli już ze sobą na tyle zżyci, że i milczenie nie wprawiłoby ich w zakłopotanie. Ty puszczał jej kasety ze swoją ulubioną muzyką country, w wykonaniu zespołów, o których nigdy nie słyszała. Zwinęła się obok niego w kłębek i zasnęła, a kiedy się obudziła, byli już na przejeździe kolejowym w Sheridan i mijali stojący dumnie na bocznicy zabytkowy parowóz.

Ranczo Hawkinsów leżało na przełęczy między wzgórzami, jakieś pięć mil od miasteczka, i dojeżdżało się do niego plątaniną wyboistych polnych dróg. Kiedy dotarli na miejsce, było już ciemno, i dopiero rano Abbie mogła się przekonać, jak tu pięknie. Rodzice Tya czekali na nich z kolacją i Abbie, która najchętniej położyłaby się od razu do łóżka, chcąc nie chcąc, musiała zasiąść do stołu, na którym pojawiła się zaraz zimna szynka, indyk, surówka z kapusty i pieczone ziemniaki, a potem deser składający się z placka z jagodami i lodów. Ty pałaszował, aż mu się uszy trzęsły, zupełnie jakby od tygodni nic nie miał w ustach. Natomiast Ray i Martha, którzy jedli już wcześniej, patrzyli tylko, uśmiechali się, popijali gorące mleko z kubków i słuchali syna opowiadającego z pełnymi ustami, co się dzieje w Divide, sami nie odzywając się słowem.

Ty był ich jedynym dzieckiem i wprost pęcznieli z dumy. Jego matka przywodziła Abbie na myśl Skandynawki z pożółkłych fotografii dawnych pionierów, te piegowate, zapięte pod samą szyję blondynki, które z biegłością i spokojem posługiwały się zarówno igłą, jak i strzelbą i potrafiły z pięćdziesięciu kroków położyć trupem kojota strzałem między oczy.

Źrebaki, do których teraz jechali, puszczone zostały luzem na ostatnią z szeregu nadrzecznych łąk. Było ich tuzin. Uniosły łby i strzygąc uszami, obserwowały trójkę zbliżających się jeźdźców. Sto jardów od nich Ray wstrzymał konia, zeskoczył i poszedł dalej pieszo. Źrebaki opuściły łby i pogalopowały mu na spotkanie jak banda zachwyconych nastolatków.

Ray przystanął i czekał, a one dopadły go, zaczęły obiegać w kółko i trącać nozdrzami, on zaś głaskał je po szyjach, po chrapach, poklepywał po grzbietach i przemawiał do nich czule. Zawołał Abbie. Abbie i Ty zeskoczyli z koni i podeszli do niego. I chociaż źrebaki nie były w stosunku do niej aż tak ufne, jak wobec Tya i jego ojca, to pozwalały jej się dotykać, dmuchać sobie w chrapy i upajać się ciepłem i słodyczą swoich oddechów.

Kiedy po powrocie do domu zasiedli do lunchu — kolejnej uczty składającej się z wędlin, sałatki i chleba domowego wypieku — Abbie oświadczyła, że nigdy w życiu nie widziała takiego niebiańskiego miejsca. Ojciec Tya uśmiechnął się i pokiwał głową, ale jego żona, dolewając Abbie źródlanej wody, westchnęła i wzruszyła ramionami.

— Do czasu — powiedziała. — Nie wiadomo, czy długo jeszcze tak tu będzie.

— Jak to? — zdumiała się Abbie.

Martha spojrzała pytająco na Raya i ten odwrócił wzrok. Ty był tak samo jak Abbie zaintrygowany.

— O co chodzi? — spytał.

— O nic takiego, mama ma na myśli te wiercenia.

— A co? Co z nimi?

— Nic. Nie będzie tak źle.

— Ray, na miłość boską. Powiedz mu o tym liście.

— O jakim liście? — podchwycił Ty.

Abbie poczuła się jak intruz podsłuchujący prywatną rodzinną rozmowę. Chciała już wstać od stołu i zostawić ich samych pod pretekstem, że idzie do łazienki, kiedy ojciec Tya westchnął głęboko i zwrócił się do niej:

— Dużo tu w okolicy wiercą.

— Szukają ropy?

— Gazu. Metanu ze złóż węgla. Masa go tu zalega pod ziemią, jak cały basen Powder River długi i szeroki. A w pokładach węgla uwięziony jest gaz. Do niedawna nikt się nim specjalnie nie interesował. Ale ostatnio wynaleźli bardzo tanią metodę robienia odwiertów.

— Ale wy chyba nie zamierzacie wiercić na swojej ziemi? — spytała Abbie.

Ray roześmiał się z goryczą.

— Nie, Abbie, nie zamierzamy. A nawet gdybyśmy chcieli, to nie byłoby nam wolno. Jak większość tutejszych ranczerów, moi dziadkowie, kupując tę ziemię od rządu, nabyli jedynie prawa do powierzchni gruntu. Prawa do ewentualnych bogactw naturalnych znajdujących się w ziemi władze zachowały dla siebie i teraz oddają je w dzierżawę. Dowiedzieliśmy się właśnie, że ktoś wziął w dzierżawę naszą ziemię.

— Pokaż Tyowi ten list — powiedziała Martha.

— Nie teraz.

— Ray, on ma prawo...

— W porządku, mamo. Przeczytam list później. Kto nabył prawo dzierżawy?

— Jakaś mała firma z Denver.

— I co planują?

Ojciec Tya wzruszył ramionami.

— Pewnie w przyszłym tygodniu się dowiemy. Przysyłają ekipę na rekonesans.

— Nie wpuszczaj ich.

— To samo mu mówię — podchwyciła matka Tya.

Ray uśmiechnął się.

— Nie mogę. Prawo jest po ich stronie. Mogą tu sobie jeździć, kopać, wiercić, robić, co im się żywnie podoba. Dają ci do podpisania tak zwaną umowę o rekompensatę szkód powierzchniowych, którą wiadomo, co można sobie podetrzeć. Wielu już się o tym przekonało. Ale nawet jeśli jej nie podpiszemy, to oni i tak mogą robić swoje.

— Przecież to rozbój w biały dzień! — żachnęła się Abbie.

— Nie ma się co martwić na zapas. Wielu tych ludzi wykupuje prawo do dzierżawy, a potem nic nie robi.

Nie powiedział tego z przekonaniem i zaraz zmienił temat, pytając Abbie, jak jej się mieszka w Nowym Jorku. Odparła, że kiedyś nie wyobrażała sobie życia gdzie indziej, ale teraz pomału zmienia zdanie. Że im więcej czasu spędza tutaj, na zachodzie, gdzie jest tyle przestrzeni, tym trudniej jej wracać do domu.

— Ty mówi, że chcesz tu studiować — odezwała się Martha.

— Zdecydowanie.

— To wspaniale. A co na to twoi rodzice?

— Jeszcze im nie powiedziałam. Myślę, że tato nie będzie miał nic przeciwko.

— Coś ci powiem, młoda damo — wtrącił się Ray. — Wystarczy popatrzeć, jak radzisz sobie z koniem, i już się wie, że tu jest twoje miejsce.

Po południu ruszyli w drogę powrotną do Divide. Za Sheridan Ty powiedział, że chce jej coś pokazać, i zjechał z szosy w krętą polną drogę. Przed nimi wznosiła się w niebo wielka chmura czerwonego pyłu i pokonawszy zakręt, ujrzeli dwie wielkie, żółte koparki drążące krater w stoku wzgórza.

— Kopią dół na wodę — wyjaśnił Ty. — Pokład węgla, kiedy się w niego wwiercić, uwalnia ogromne ilości wody. No i bardzo dobrze, można by pomyśleć, bo okolica tu sucha. Ale to słona woda i na ziemi, którą zaleje, nic już nie wyrośnie. Wszystko zginie. Widzisz tam, w dole?

Wskazał palcem dno doliny.

— Te białe łachy nad strumieniem? To sól. Rozciągały się tam kiedyś bujne łąki, ze sto akrów ich było. Należały do przyjaciela mojego taty. Teraz ziemia tam jest nic niewarta. W strumieniu roiło się od pstrągów, teraz nie złowisz w nim najmniejszej rybki. Wszystkie wyzdychały. Firmy gazownicze kopią wielkie doły jak ten tutaj i wykładają je plastikiem. Ale plastik pęka, woda z nich wycieka, a oni nie łatają nieszczelności, bo w zasadzie gówno ich to obchodzi.

Jechali dalej i Ty co chwila coś jej pokazywał — wieże wiertnicze, stacje sprężarek, linie energetyczne i rurociągi, rozjeżdżone ciężarówkami łąki — te wypryski cywilizacji na dziewiczym krajobrazie. Zjechali w następną dolinę i zatrzymali się przy niskim drewnianym mostku, pod którym przepływał inny strumień, pokryty gęsto pęcherzykami metanu z odwiertów. Ty powiedział, że jego kolega wrzucił kiedyś do niego płonącą zapałkę i cały strumień stanął w ogniu.

116

Takich zdegradowanych ekologicznie miejsc było bez liku. Kiedy wracali na szosę, pokazał jej studnię artezyjską przy opuszczonym domu ranczerskim. Ta tutaj służyła ludziom przez czterdzieści lat i ni stąd, ni zowąd pojawiły się w niej pęcherzyki gazu, z innymi działo się to samo albo w ogóle wysychały, bo jacyś kretyni wiercący w poszukiwaniu gazu, przebili pięć mil stąd formację wodonośną.

— I nikt nie może powstrzymać tych wandali?

— Nie. Jest spora grupa protestujących, ale większość mieszkańców jest zdania, że miasto korzysta na tych wierceniach. Dzięki nim powstają nowe miejsca pracy, sklepy mają większe obroty, i tak dalej. A to wszystko gówno prawda. Najczęściej firmy przysyłają tu własną tanią siłę roboczą, przeważnie są to nielegalni imigranci, a miasto tylko cierpi na ich działalności.

— W Montanie też tak jest?

— Jeszcze nie. Ale niedługo będzie.

Potem już niewiele rozmawiali. Jechali międzystanową I 90 na północny zachód, z radia leciały smutne kawałki Steve'a Earle'a, a wyblakłe słońce ześlizgiwało się przed nimi w warstwę chmur. Ty orzekł, że idzie na zmianę pogody. Abbie nie widziała go jeszcze takiego milczącego i przygnębionego. Kiedy zapalił reflektory, wyciągnęła rękę i pogłaskała go po karku.

— Jeszcze dwa dni — mruknął. — I wyjedziesz.

Kilka pierwszych kropel deszczu rozbiło się o przednią szybę.

— Ale wrócę — powiedziała.

Padało przez cały piątek i prawie całą sobotę i tylko garstka największych zapaleńców — wśród nich, a jakże, Abbie — zdecydowała się na ostatnie konne przejażdżki. Z tych gości, którzy je sobie odpuścili, najwytrwalsi schodzili w pelerynach nad strumień pomoczyć kije albo snuli się po lesie błotnistymi ścieżkami, jednak większość letników siedziała w świetlicy domu ranczerskiego, zabijając czas lekturą albo grą w monopol bądź scrabble.

Podczas gdy Abbie w te dżdżyste dni jeździła konno albo kręciła się przy stajniach, „pomagając" Tyowi, Josh kultywował zbijanie bąków z młodymi Delstockami. Polegało to najczęściej na polegiwaniu w pozach niedbałych w jednym z domków, które wynajmowali (zazwyczaj w domku Lane i Ryana Delroyów, bo ich rodzice nie byli przeczuleni na punkcie porządku), słuchaniu muzyki i toczeniu leniwych, sardonicznych dyskusji na surrealistycznie szerokie spektrum tematów, od światowego pokoju poczynając, poprzez trash metal i kolczyki w nosie, a na lakierowaniu paznokci kończąc. Do tego polegiwania Josh starał się układać jak najbliżej Katie Bradstock. I teraz udało mu się właśnie zająć taką korzystną, ze strategicznego punktu widzenia, pozycję.

Z chucią, która wzbierała w nim od dwunastu dni, nie było już żartów. Myślał o Katie w dzień i w nocy. Szemrała mu i podzwaniała w każdym zakończeniu nerwowym, w najbardziej włosowatym z naczynek włosowatych. Jej widok, zapach, nawet sama myśl o niej przyprawiały go o dziwny, drążący ból. Od stóp do głów był jedną wielką chodzącą raną. Chodzącą raną z nieustającym wzwodem. Do tego stopnia nieustającym, że obawiał się, że tak mu już zostanie.

Jedną z przyczyn takiego stanu rzeczy było zapewne to, że za długo z tym zwlekał. W szkole chyba wszyscy inni chłopacy w jego wieku (i młodsi) sypiali już z dziewczynami, tylko nie on. Zdawał sobie sprawę, że nikt nie powiesiłby sobie na ścianie posteru z jego podobizną, ale wydawało mu się, że od kiedy zeszłej jesieni zmienił okulary na szkła kontaktowe, zrzucił parę funtów i zaczął się nosić bardziej na luzie, nie wygląda już tak obciachowo. No i dzięki Bogu nie miał za dużo zachciewajek — chociaż, jeśli się dobrze zastanowić, niektórym chłopakom, na przykład takiemu Kevinowi Simpsonowi, zupełnemu tumanowi z dziesiątej klasy, w niczym one nie przeszkadzały.

Josh nie był naturalnie taki naiwny, żeby wierzyć we wszystko, co opowiadają takie świry jak Kevin. Wielu chłopaków udawało, że to robi, chociaż nie robiło. Pal ich sześć. Grunt, że jemu krew uderzała do głowy na samą myśl o robieniu tego z Kate. A tymczasem wakacje się kończyły, a oni nawet się jeszcze nie pocałowali. Był prawie pewien, że ona chce tego tak samo jak on. I kilka razy mało brakowało, a stałoby się. Na przykład wczoraj wieczorem na przyjęciu urodzinowym taty, kiedy ze sobą tańczyli. Zespół Tya zaczął grać jakiś wolny kawałek, ona zarzuciła mu ręce na szyję i uśmiechnęła się do niego w taki sposób, że wszystko mu w środku zatrzepotało... a tu jak na złość przyplątały się Lane z Abby, zaczęły tańczyć z nimi i wszystko popsuły.

Z tym był prawdziwy problem. Stanowili nierozłączną paczkę i zawsze robili wszystko razem. Co w zasadzie było nawet fajne, ale miało tę złą stronę, że ani na moment nie zostawali z Katie sam na sam, a jedynie w takich warunkach można się było pokusić o próbę przejścia od etapu przyjaźni do czegoś bardziej podniecającego. Śmiali się, droczyli, rozmawiali, gonili, a nawet łaskotali jedno drugie. Ale na tym się kończyło i szlus. Jak porysowana płyta, która się zacięła. I żadne z nich nie wiedziało, który guzik nacisnąć, żeby ruszyła dalej.

Była sobota i cała szóstka braci i sióstr — włącznie z Abbie, która wróciła ze stajni ze słomą we włosach — leżała pokotem na zsuniętych łóżkach w domku Lane i Ryana. Słuchali nowego albumu Radiohead, który Ryan określał jako „szczytowy". Josh podejrzewał w duchu, że gdyby mu przyszło przesłuchiwać go jeszcze raz, toby wziął i się powiesił. W pokoju cuchnęło brudnymi skarpetkami i dymem papierosowym. Starali się neutralizować ten nieprzyjemny zapach poprzez trzymanie otwartych na oścież okien od tyłu i regularne rozpylanie w powietrzu należącego do Lane dezodorantu od Calvina Kleina, który obiecali jej odkupić, chociaż pewnie tego nie zrobią. Will Bradstock orzekł, że w domku śmierdzi od niego jak w tureckim burdelu, i był bardzo niepocieszony, że nikt nie zadał sobie tego trudu i nie zapytał, skąd to niby wie. Wszyscy byli albo za bardzo znudzeni, albo za bardzo skacowani po poprzednim wieczorze, kiedy to zamelinowani za szatniami nad basenem opalili się trawki, którą Ryan podprowadził ojcu ze schowka. Wszyscy z wyjątkiem Josha. On nie był ani znudzony, ani skacowany. Zbytnio pochłaniało go koncentrowanie się na swoim prawym udzie, które od dziesięciu błogich minut pozostawało w kontakcie z ciałem Katie. Leżała z podkurczonymi nogami na boku, plecami do niego, podparta na łokciu, wpasowana w niego swoim wspaniałym tyłeczkiem, dotykając obnażonym ramieniem jego klatki piersiowej. Czytała stary numer „People", opierając go o Ryana, który zasnął z głową na brzuchu Abbie. A może tylko udawała, że czyta, bo nie przewróciła dotąd ani jednej strony.

Seksowny, żółty, kusy sweterek i denimowa minispódniczka biodrówka pozostawiały na widoku sześć cali jej opalonego ciała. Kiedy się od czasu do czasu poprawiała, można też było zobaczyć górę jej majteczek, które były różowe i koronkowe. Josh udawał, że też czyta ponad jej ramieniem czasopismo, podczas gdy w rzeczywistości zapuszczał dyskretnie żurawia pod odstający dekolt sweterka, gdzie widział jej prawą pierś wybrzuszającą się lekko w miseczce stanika (który też był różowy, ale uszyty chyba nie z koronki, lecz z atłasu). Jej bliskość, napór jej pupci na jego udo, jej słodki, ciepły, zwierzęcy zapach, przyprawiały go o megawzwód, który udawało mu się jakoś maskować poprzez dociskanie prawą dłonią do brzucha.

Miejsce, w którym jego udo stykało się z jej tyłeczkiem, coraz bardziej się rozgrzewało. Mogła się odsunąć, ale tego nie robiła. Niemożliwe, żeby uchodziło to jej uwagi. Prawdopodobnie jest jej z tym tak samo przyjemnie jak jemu. Kurczę, pomyślał. A może to właśnie ten moment. Idealny moment na pokazanie jej, jak na niego działa.

Serce zaczęło mu walić jak młot. Miał nadzieję, że ona tego nie słyszy ani nie czuje. Wóz albo przewóz, zadecydował. W końcu to facet powinien zrobić ten pierwszy krok. Ona prawdopodobnie tylko na to czeka, umiera z pragnienia, żebyś dał jej wreszcie odczuć, jaki jesteś na nią napalony. A istnieje na to oczywisty i prosty, a przy tym niepozostawiający cienia wątpliwości sposób. Wziął długi, głęboki wdech, powoli zsunął maskującą dłoń z brzucha i sprężynujące świadectwo jego erekcji ugodziło Katie Bradstock w pośladek.

Podskoczyła, jak porażona elektrycznym pastuchem. Wprost uniosła się na dobre sześć cali w powietrze.

— Josh! — pisnęła histerycznie. — Jezu!

Wszyscy oprzytomnieli i spojrzeli na nich z żywym zainteresowaniem. Josh czuł, że policzki zaczynają mu płonąć.

— Co? — spytał, siląc się bez powodzenia na niewinny ton.

— Co się stało? — zapytała za wszystkich Abbie.

Katie uciekała już na czworakach w poprzek łóżka zasłanego plątaniną osłupiałych ciał.

— Nic, nic — wyrzuciła z siebie, zeskakując na podłogę i biegnąc do drzwi. — Muszę tylko na stronę. — I już jej nie było.

Zapadła długa, pełna konsternacji cisza. Wszyscy już zupełnie się rozbudzili i popatrywali po sobie, nic z tego nie rozumiejąc. Josh też starał się udawać zaskoczonego, a tymczasem jego mózg szukał gorączkowo jakiegoś wiarygodnego wyjaśnienia.

Pluskwy!

— Może coś ją ugryzło.

Ukląkł na łóżku, zapominając z tego wszystkiego o swojej erekcji, która szybko się cofała, ale nadal wypychała przód szortów. Żeby ją ukryć, przysiadł momentalnie na piętach, zgiął się wpół i w tej nienaturalnie skulonej pozycji zaczął rozgarniać skotłowaną pościel, udając, że szuka w niej pluskiew. Zdawał sobie sprawę, jak komicznie musi to wyglądać. Radiohead dochodzili do wywołującego samobójcze myśli crescendo. Abbie i Lane biegły już za Katie do drzwi. Will z Ryanem siedzieli i patrzyli na niego.

— Co jej się stało? — spytał Will.

— Pojęcia nie mam. Chyba coś ją użądliło...

Wzrok Ryana powędrował leniwie ku kroczu Josha, a stamtąd

121

z powrotem na jego twarz. Wargi zaczął mu rozciągać sardoniczny uśmieszek.

— Tak, jasne — wycedził. — Ciekawe tylko co?

Ben wrzucił dwie ostatnie torby na skrzynię wynajętej półciężarówki i zatrzasnął klapę. Odlatywali najwcześniej z kończących dzisiaj turnus wczasowiczów i na parking za stajniami przydreptał za nimi przez trawnik całkiem spory tłumek odprowadzających. Rytuał serdecznych pożegnań osiągał kulminację. Abbie, Katie i Lane, wszystkie trzy bliskie łez, ściskały się, całowały i obiecywały dzwonić do siebie i wymieniać się e-mailami. Ich bracia z nieco większą rezerwą odstawiali męską wersję tego samego i zwracając się do siebie per brachu, stary tudzież chłopie, wymieniali uroczyste uściski dłoni i poklepywali jeden drugiego po plecach.

Ich matki tymczasem po raz kolejny odprawiały jeszcze jeden doroczny rytuał obiecywania sobie, że się odwiedzą. Ben słyszał, jak Sarah zarzeka się, że w tym roku już na pewno przyjadą do Delroyów na Florydę. Może uda im się wszystkim uciec od dziadków i spotkać w Święto Dziękczynienia? I wybrać się w lutym gdzieś na narty? Nic z tego, rzecz jasna, nie dojdzie do skutku, i wszystkie w głębi duszy bardzo dobrze o tym wiedziały. Te zapewnienia ułatwiały po prostu rozstanie.

W rytuale tym mężczyźni, z powodu nie do końca dla Bena zrozumiałego, nie brali udziału. Może byli na to zbyt cyniczni. Stali z Tomem Bradstockiem i Delroyem przy półciężarówce, popatrywali pobłażliwie na scenkę pożegnania i rozmawiali o bardziej męskich i poważniejszych sprawach, takich jak środki bezpieczeństwa stosowane na lotniskach oraz ile mil w powietrzu każdy z nich już zaliczył. Tom zaczął właśnie opowiadać o pewnym szkolonym psie z chicagowskiego portu lotniczego O'Hare, który go sobie upodobał i pędzi mu na spotkanie, ilekroć wejdzie do hali bagażowej.

— Usiłuję za każdym razem tłumaczyć tym od narkotyków,

122

że pies mnie zwyczajnie lubi, ale oni nie, ciągną mnie do kanciapy na kolejną rewizję osobistą.

Ben słuchał tego jednym uchem, po to tylko, żeby śmiać się w odpowiednich miejscach. Obserwował Josha i znowu było mu go żal. Wczoraj wieczorem chłopiec nie tknął kolacji, tłumacząc, że nie za dobrze się czuje. W barze, na wieczorku pożegnalnym, też się potem nie pojawił. Cała wcześniejsza radość życia jakby z niego wyparowała. Sarah wysunęła przypuszczenie, że coś się musiało popsuć między nim a Katie. I patrząc teraz na tych dwoje tak ostentacyjnie się unikających, Ben dochodził do wniosku, że chyba miała rację. Jakby tego było mało, Abbie, pożegnawszy się przed śniadaniem z Tyem, zalała się łzami. Mężczyźni i kobiety, westchnął w duchu Ben. Boże kochany.

I nagle zobaczył Eve. Rozglądał się za nią podczas śniadania, ale nie przyszła, i myślał już, że więcej jej nie zobaczy. Może to i lepiej. Ale oto jest, piękna jak zawsze w tym stroju do konnej jazdy idzie przez trawnik. Kończyły się przygotowania do porannej przejażdżki, osiodłane konie stały przed stajnią, kilkoro gości już ich dosiadało. I Benowi przemknęło przez myśl, że ona tam pewnie zmierza. Ale w pewnym momencie Eve jakby się zawahała, a potem skręciła w kierunku parkingu. Spojrzała na niego i uśmiechnęli się do siebie, ale podeszła do kobiet.

Tom Bradstock skończył swoje opowiadanie i odszedł porozmawiać z jednym z jeźdźców. Delroy patrzył na Eve.

— Co ja bym dał, żeby być Adamem — powiedział z rozmarzeniem.

Do Bena dopiero po chwili dotarło, co miał na myśli.

— A, tak. Tak. Ładna.

— Ładna. Ben, aleś ty... powściągliwy. Ja mam na nią tuzin lepszych określeń.

Przed dwoma dniami Ben zdobył się wreszcie na odwagę i poszedł z Delroyem na jego tradycyjny cowieczorny spacerek po lesie. Czy to maryśka była teraz mocniejsza, czy może od

123

niej odwykł, w każdym razie po kilku sztachach głowa zaczęła mu się kurczyć; zataczając się, potykając i wymiotując, dobrnął jakoś do swojego domku i wiele godzin leżał martwym bykiem na łóżku przeświadczony, że umiera. Jakby tego upokorzenia było mało, Delroy najwyraźniej uznał, że awansowali na wyższy poziom komitywy. *Powściągliwy?* Skąd mu to, u diabła, przyszło do głowy? Przecież ledwie się znają. Ben spojrzał na zegarek.

— No — powiedział. — Komu w drogę, temu czas.

Podchodząc do kobiet usłyszał, jak Sarah pyta Eve, czy ta bywa w Nowym Jorku.

— Wybieram się tam właśnie we wrześniu na wystawę przyjaciółki.

— No to musimy się spotkać — powiedziała Sarah.

— Z miłą chęcią.

— Może się gdzieś razem wybierzemy. Lubisz musicale?

— Uwielbiam.

Podczas gdy one wymieniały się numerami telefonów, Ben zwołał dzieci. Nadeszła pora ostatecznego pożegnania. Kiedy chłodny policzek Eve zetknął się z jego policzkiem, ogarnęła go melancholia. Powiedziała, że było jej bardzo miło poznać ich wszystkich. Nie jego, zwrócił uwagę, ich wszystkich. Powiedziała, że Lori jeszcze nie wstała, ale prosi, żeby ich w jej imieniu pożegnać. Cooperowie wsiedli do półciężarówki i Ben przekręcił kluczyk w stacyjce.

— Zadzwoń koniecznie — powiedziała Sarah do Eve.

— Zadzwonię, obiecuję.

Oczywiście nie zadzwoni. Kiedy samochód toczył się już podjazdem, a wychylone przez okna dzieci wołały i machały do komitetu pożegnalnego, Ben zerknął w lusterko wsteczne, żeby popatrzeć na nią po raz — w swoim przekonaniu — ostatni.

Rozdział 9

No i piłka meczowa dla, a jakżeby inaczej, ojca Sarah, co dla nikogo nie było żadnym zaskoczeniem. Nawet jaszczurki wygrzewające się w słońcu na obrzeżach kortu przyglądały się temu z jakimś znudzonym fatalizmem. Ale George'owi Davenportowi fakt, że w sześćdziesiątym ósmym roku życia potrafi jeszcze rozgromić zięcia w dwóch krótkich setach, sprawiał satysfakcję, której nie potrafiłby ukryć, nawet gdyby się bardzo starał. W białych szortach i koszulce polo, z zaczesanymi gładko siwymi włosami i opalonym czołem ledwie zroszonym warstewką potu, odbijał teraz piłeczkę, przygotowując się do serwu. Po drugiej stronie, w przepoconym T-shircie i kwiecistych bermudach — włożonych w infantylnym buncie przeciwko kortowej etykiecie praktykowanej w kręgach Westchester jak skazaniec przed plutonem egzekucyjnym stał Benjamin.

Był słoneczny niedzielny poranek, Święto Pracy, i Cooperowie, acz niechętnie, przyjechali z Syosset do Bedford na tradycyjny lunch z rodzicami Sarah. Jak to możliwe, że zwyczaj ten przetrwał tyle lat, pomimo że wszyscy uczestnicy — może z wyjątkiem matki Sarah — z całego serca go nie cierpieli, pozostawało zagadką niemal tak samo niewyjaśnioną jak to, czemu ojcu Sarah wciąż taką frajdę sprawia wygrywanie po raz nie wiadomo który z tak beznadziejnym przeciwnikiem. Chyba specjalnie, żeby jeszcze dłużej poznęcać się nad Benjaminem, George po raz pierwszy w tym meczu popełnił podwójny błąd serwisowy.

— Czterdzieści — piętnaście.

Na wielkim tarasie po południowej stronie domu czekał lunch, a Sarah, jej matka, Abbie oraz Josh, wyczuwając to coś, co miało niby stanowić kulminację pojedynku teścia z zięciem, nadchodzili wypielęgnowanym trawnikiem z lemoniadami i w szampańskich, tyle że jakby trochę wymuszonych humorach. Trawiasty kort, jak wszystko inne na terenie rezydencji Davenportów, był wychuchany — konserwowany dwa razy w tygodniu przez jednego z kilku ogrodników, okolony deptakiem wysypanym mieszanką ceglanego pyłu ze żwirem, obsadzony dookoła krzewami róż, hibiskusami i lawendą, i wyłożony syntetyczną murawą najnowszej generacji, na której, zdaniem ojca Sarah, grało się lepiej niż na naturalnej. To, że człowiek, któremu kraj zawdzięczał kilka ezoterycznych odmian funduszu asekuracyjnego, i nie tylko, potrafił tak poprawić boskie dzieło, nie powinno dziwić nikogo, a już na pewno nie dziwiło zgrzanego, zlanego potem Benjamina przygotowującego się teraz do odbioru drugiej piłki meczowej.

— Nie daj się, tato! — zawołała Abbie z cienia pod rosnącym obok kortu drzewem.

— Proszę o ciszę — powiedział jej dziadek, i to jak najpoważniej.

Zaserwował i tym razem piłka była szybka, dobrze mierzona i kąśliwa. Benjamin rzucił się z poświęceniem w prawo, dosięgnął ją samym końcem rakiety i odesłał na drugą stronę siatki wysokim, łatwym do ścięcia lobem, bo na więcej nie było go już stać.

Teść obserwował z niezmąconym spokojem opadającą piłkę, potem jego rakieta cofnęła się niczym gotująca się do ataku kobra. Piłka posłana z powrotem na drugą stronę kortu błyskawicznym, atomowym smeczem skozłowała między nogami Benjamina, przeleciała nad siatką za jego plecami i wpadła w róże. Czwórka kibiców zgotowała im owację na stojąco, każde z innym nasileniem ironii.

— Dziękuję, Ben!

— Ja tobie też, George.

Sarah patrzyła, jak dwaj najważniejsi w jej życiu mężczyźni podają sobie ręce nad siatką, a potem ruszają w stronę furtki.

— Stary, ale jeszcze jary, co? — powiedział George, obejmując protekcjonalnym gestem spocone ramiona zięcia.

— Pozazdrościć, George.

— Biedny Benjamin — westchnęła matka.

— No i kto wygrał, tato? — zawołał Josh, tak jakby to nie było dla wszystkich oczywiste.

— To się, synu, nazywa takt. Nikt ci jeszcze nie powiedział, że gospodarza nie wypada pokonywać?

— To dlaczego u nas w domu też zawsze z dziadkiem przegrywasz?

Mężczyźni zeszli już z kortu i wycierali się ręcznikami przy stole z tekowego drewna, który stał pod drzewem. Matka Sarah rozlewała tymczasem do szklanek lemoniadę i to ona odpowiedziała Joshowi:

— Dlatego, Josh, że twój ojciec bardzo dobrze wie, że na całym bożym świecie nie ma mężczyzny, który lubiłby wygrywać bardziej od twojego dziadka. To przeklęty gen Davenportów. Miejmy nadzieję, że go nie odziedziczyłeś.

— Spokojna głowa, babciu — wtrąciła się Abbie. — Geny przegrywania taty z nawiązką to zrekompensują.

— Tak, tak — mruknął Ben. — Nie krępujcie się. Ogłośmy Ogólnokrajowy Dzień Pognębiania Bena.

Dopił lemoniadę i oddalił się truchtem w stronę domu wziąć prysznic i przebrać się. Ojciec Sarah, prawdopodobnie żeby zademonstrować, że nie potrzebuje ani jednego, ani drugiego, ruszył z pozostałymi przez trawnik, biorąc po drodze w obroty Abbie, która oznajmiła niedawno, że zamierza złożyć dokumenty na Uniwersytecie Montany. Ben był tą decyzją zdziwiony, ona, Sarah, zbulwersowana, ale teraz wolała nie zabierać głosu i zostawiwszy Abbie broniącą swoich racji przed krytycznie do jej pomysłu nastawionym dziadkiem, wysforowała się do przodu. Josh szedł z tyłu z babcią, opowiadając jej o przewagach drużyny baseballowej Chicago Cubs. W piątek dostał list od Katie Bradstock, który wprawił go w stan bliski euforii. Nie wyjawił, co w nim było, nie ulegało jednak wątpliwości, że cokolwiek się między nimi popsuło, już się naprawiło.

Deszcz nie padał od paru tygodni, ale trawa, dzięki najnowocześniejszemu systemowi zraszaczy, była soczyście zielona. Lekki wietrzyk, który się właśnie zerwał, zaszeleścił suchymi liśćmi wielkich starych dębów wzdłuż podjazdu. Sarah przymknęła oczy i oddychając głęboko, próbowała rozkoszować się ciepłem słońca i miękkością trawy pod bosymi stopami. Ale uczucie skrępowania nie ustępowało.

Zawsze czuła się tu nieswojo. Przytłaczał ją ten dom z udającą styl kolonialny fasadą i absurdalną liczbą pokoi. Przeprowadzili się tutaj z o wiele mniejszej i bardziej kameralnej posiadłości na drugim końcu miasteczka, kiedy Sarah miała piętnaście lat, a firmę jej ojca wykupił za nieprzyzwoicie wielką sumę pewien duży bank z Wall Street. Do tej pory nie mogła pojąć, po jakie licho, nie licząc zwyczajnej ostentacji, potrzebna była rodzicom taka rezydencja. Zwłaszcza że tak rzadko zapraszali gości, a ją i jej brata Jonathana wyekspediowali już wcześniej do szkół z internatami. Z początku Sarah zakładała, że inicjatorką przeprowadzki była matka, która wywodziła się ze szlacheckiego rodu osiadłego w Nowej Anglii. Z czasem jednak zaczęła dochodzić do przekonania — chociaż w obecności Benjamina nigdy by tego nie przyznała — że z dwojga rodziców prawdziwym snobem jest jej ojciec. Tylko lepiej się z tym maskuje.

Zbliżali się do schodów prowadzących na taras i Sarah zaczęła się wsłuchiwać w toczącą się za jej plecami rozmowę. Dlaczego, u licha, suszył Abbie głowę dziadek, ktoś tak zdolny jak ona, uczennica z samymi celującymi ocenami na świadectwie ukończenia szkoły średniej, najlepsza ze wszystkich przedmiotów, mając do wyboru tyle renomowanych college'ów, i to bliżej domu, chce studiować gdzieś na zabitej dechami prowincji?

Sarah odwróciła się do niego.

— Tato, na litość boską, to Montana, nie Mongolia.

— Ubiliśmy właśnie świetny interes z paroma facetami z Mongolii. To rozwijający się szybko kraj, jeśli chcesz wiedzieć.

— Czy to aby nie ma czegoś wspólnego z poznaniem pewnego młodego kowboja? — spytała matka Sarah.

Abbie jęknęła i spiorunowała brata wzrokiem.

— Josh, ty podły szczurze, coś naopowiadał?

Josh podniósł ręce — sama niewinność.

— Słówka nie pisnąłem!

— Żałosny kłamco. Może byś lepiej powiedział wszystkim, dlaczego ni z gruszki, ni z pietruszki stałeś się takim zagorzałym kibicem Chicago Cubs. To pewnie nie ma nic wspólnego z twoim napaleniem na tę małolatkę Katie Bradstock.

— Małolatkę? A my to niby tacy wyrośnięci i dorośli, co?

— Dzieci, dzieci — upomniała ich Sarah.

Jednak zanim wstąpili po schodach na taras, emocje opadły i Abbie, ciągnięta przez dziadków za język, z oporami, bo z oporami, ale opowiedziała im wreszcie coś niecoś o Tyu, zręcznie kierując rozmowę na swoją wizytę na ranczu jego rodziców, skąd wróciła niemal w ekstazie, twierdząc, że nie widziała jeszcze piękniejszego miejsca, nawet Divide niech się schowa.

Na lunch były zimne homary sprowadzone poprzedniego dnia na specjalne zamówienie samolotem z Maine. Do tego ostrygi, krewetki i oszałamiający wybór sałatek przyrządzonych przez Rosę, która od dziewięciu lat prowadziła rodzicom dom i przez ten czas ani razu się nie uśmiechnęła, przynajmniej w obecności Sarah. Ben twierdził, że pewnie nie znalazła jeszcze powodu. Owalny stół przykryty był grubym, białym lnianym obrusem i ocieniony dwoma ogromnymi kremowymi płóciennymi parasolami. Zmieściłoby się przy nim tuzin osób, a oni, zamiast zgrupować się w jednym końcu, obsiedli go w szóstkę dookoła w takich odległościach jedno od drugiego, że kiedy ktoś chciał puścić w obieg jakieś danie, trzeba było wzywać na pomoc czuwającą na uboczu ponurą Rosę. Te odstępy wypełniał zazwyczaj brat Sarah z rodziną. Jonathan był od Sarah pięć lat młodszy i niewiele ich łączyło. Podobnie jak ojciec, był jakiegoś bliżej nieokreślonego rodzaju finansistą, niedawno podjął pracę w Singapurze i wyjechał tam, zabierając ze sobą swoją teksańską żonę Kelly oraz dwie identycznie rozpuszczone córki bliźniaczki. Teraz, kiedy wszyscy zajęli się dzieleniem i konsumpcją przerośniętych homarów i przy stole zapanowało niezręczne milczenie, Sarah zaczynało ich niemal brakować.

Dlaczego uparcie nakłada tę doroczną karę na Benjamina i dzieci, skoro prawie tak samo jak oni nie znosi wizyt u rodziców? Przez cały ubiegły tydzień handryczyła się z Abbie i Joshem, którzy aż do dzisiejszego poranka odmawiali udziału w wyprawie do dziadków. Ostatecznie przy śniadaniu wygłosiła tyradę o znaczeniu rodziny, używając każdego podstępnego, odwołującego się do poczucia przyzwoitości argumentu, jaki przyszedł jej do głowy. Na przykład że tak chętnie przyjmują od dziadków hojne urodzinowe czeki i prezenty gwiazdkowe, a żal im w zamian poświęcić tych kilka marnych godzin na zjedzenie z nimi lunchu. I że dziadek jest coraz starszy i niewiele czasu mu już zostało (chociaż tak naprawdę George cieszył się nieprzyzwoicie dobrym zdrowiem i prawdopodobnie przeżyje ich wszystkich). Zniżyła się nawet do wypomnienia Abbie kucyka Misty, którego dostała od jej rodziców na dziesiąte urodziny. Benjamin się nie wtrącał. Ale chociaż nie odezwał się słowem, widziała z jego zadowolonej miny, że całym sercem popiera ten bunt. Tak ją to wkurzało, że najchętniej czymś by w niego rzuciła.

Ale teraz, kiedy już tu byli, odezwały się wyrzuty sumienia i współczuła im wszystkim. Nawet Benjaminowi, który od wielu tygodni, od powrotu z Divide, był jakiś dziwny. Nieobecny i zamyślony. Miał ostatnio kłopoty w pracy i uznała, że na ich karb należy złożyć to zachowanie. Może było w tym też trochę jej winy, bo i nad księgarnią zawisły czarne chmury. Jedna z wielkich sieci otworzyła salon kilka przecznic dalej, a Jeffrey, jej nieoceniony i oddany kierownik, który ostatnio właściwie sam prowadził interes, znowu zaczął przebąkiwać o rezygnacji. Sarah lubiła zwierzać się ze swoich problemów, ale Benjamin jakby nie chciał już o nich słuchać ani rozmawiać. Teraz jej ojciec, jak ten pies gończy, który zwietrzył trop, zaczął wypytywać go o pracę.

— Jak tam ten twój kontrakt w Hamptons?

— Nie najlepiej, George.

— Jak się ten gość nazywa, zapomniałem.

— Developer? Hank McElvoy.

— A tak, McElvoy. Pytałem o niego wczoraj Billa Sterlinga. Mówi, że facet ma kłopoty i banki dobierają mu się do skóry. O to chodzi?

— Nie, o różnicę zdań.

— Tato jest bohaterem! — zawołała z drugiego końca stołu Abbie. — Chcieli tam wyciąć wszystkie stare piękne drzewa, a on powiedział, że tego nie zrobi.

— Szkoda tracić kontrakt przez parę głupich drzew.

— Dziadku!

— I co, pewnie podziękują ci za współpracę?

— Tak, na to się zanosi.

Benjamin wsunął do ust kawałek homara i spojrzał na Sarah. Uśmiechnęła się, żeby okazać mu solidarność, ale odwrócił wzrok.

— Ella mówiła mi, że wasza firma dostała jakąś prestiżową nagrodę — ciągnął jej ojciec.

— Tak. Za centrum handlowe w Huntington.

— Kto je projektował? Ty czy Martin?

— Właściwie to wszyscy. Ale koncepcja wyszła od Martina.

— Zdolniak z niego.

— Nie zaprzeczę.

— Pogratuluj mu ode mnie.

— Dziękuję, George. Nie omieszkam.

Kiedyś taka źle maskowana uszczypliwość rozsierdziłaby Benjamina. Na początku ich małżeństwa znosił ją tylko do czasu, po czym podejmował walkę na słowa i gesty, w której zwycięzcą zawsze okazywał się jej ojciec. Bo obojętne, o co poszło i kto miał rację, jego taktyka uśmiechów i zachowywania niezmąconego spokoju doprowadzała w końcu Benjamina do takiej furii, że zaczynał krzyczeć. Ale patrząc na niego teraz, jak siedzi po drugiej stronie stołu i wyraźnie przeżywa wciąż upokorzenie, którego doznał na korcie, Sarah nie dostrzegała śladu urazy ani gniewu, tylko znużoną rezygnację. I trwożyło ją to bardziej od niegdysiejszych awantur.

A później, w samochodzie, kiedy wracali do domu, to nie Benjamin, lecz Abbie i Josh eksplodowali. On nawet się nie uśmiechnął, nie okazał cienia zadowolenia, kiedy dzieci, dając upust swojemu wzburzeniu, wymogły na niej przysięgę, że był to ostatni taki lunch w Święto Pracy, który musiały cierpliwie znosić. Uczyniła to bez wdawania się w dyskusje, co ich jakby udobruchało, i w samochodzie zapadła cisza. Josh nałożył na uszy słuchawki walkmana, Abbie zwinęła się obok niego w kłębek i nie wiadomo kiedy zasnęła. Benjamin siedział z głową wspartą o zagłówek i patrzył tępo w boczną szybę. Minę miał tak przygnębioną, że położyła mu dłoń na ramieniu. Nie zareagował, cofnęła więc po chwili rękę.

— Myślałam, że ludzie z wiekiem łagodnieją — powiedziała. — A on staje się coraz gorszy.

— Zawsze taki był.

— We wszystkim, co mówi, jest jakaś szpila.

— Zawsze tak było.

Zamknął oczy i Sarah, zrozumiawszy, co chciał w ten sposób zasygnalizować, zamilkła. Zerknęła w lusterko wsteczne; Josh też zasnął. Autostrada, jak to w święto, zapchana była samochodami, Sarah zjechała więc z niej, żeby ominąć zatory okrężną trasą, którą nazywali „szlakiem węża", jednak tam było nie lepiej i wlekli się przedmieściami mila za milą, zderzak w zderzak. Włączyła radio, ale nie mogła znaleźć stacji, która by jej nie irytowała albo nie przyprawiała o poczucie jeszcze większego wyobcowania. Ludzie w samochodach dookoła rozmawiali, tryskali dobrymi humorami.

Od jakiegoś czasu sąsiednim pasem sunęło drzwi w drzwi stare volvo kombi. Takie samo jak ich, tylko niebieskie, nie białe. Na dachu rowery i sprzęt kempingowy, taki sam, jaki kiedyś wozili ze sobą oni. Obok kierowcy żona, z tyłu dwoje dzieci, chłopiec i dziewczynka, oboje jasnowłosi, śliczni jak z obrazka. Sarah napięła mięśnie twarzy, żeby powstrzymać łzy, które ostatnio tak ochoczo cisnęły się jej do oczu. I patrzyła przed siebie, rugając się w duchu, że jest taka głupia i sentymentalna. Nie, nie spojrzy więcej w tamtą stronę, nie będzie patrzeć na swój utracony ideał rodzinnego szczęścia.

Rozdział 10

Poznali się, kiedy Sarah była na pierwszym roku Wellesley. Pewną dziewczynę, z którą chodziła na zajęcia z tragedii szekspirowskich, znała właściwie tylko z widzenia i nawet niezbyt lubiła, jakiś chłopak z Harvardu poprosił o ściągnięcie do Cambridge na imprezę wagonu „towarów". Mało która ze studentek Wellesley nie zareagowałaby alergicznie na takie określenie i Sarah też powinno coś tknąć, nie miała jednak nic lepszego do roboty i poszła.

Trafiła na jedną z tych obrzydliwych, urządzanych co jakiś czas przez studenckie bractwa libacji z zalanymi w sztok, odrażającymi chłopakami, wrzaskami, popisywaniem się i rzyganiem w rabatki. Benjamin — długowłosy, w skórzanej kurtce — stojący samotnie w kącie wyglądał na artystę, wyróżniał się z otoczenia, no i przynajmniej był trzeźwy. Zdecydowanie starszy od reszty, bardziej już mężczyzna niż chłopak, sprawiał wrażenie tak samo jak ona zdegustowanego i wyobcowanego. Wpadli sobie w oko i coś między nimi zaiskrzyło, zanim się jeszcze do siebie odezwali.

Okazało się, że trafił tu podobnie jak ona. Miał samochód i paru zaproszonych na imprezę chłopaków ubłagało go, żeby ich tu podwiózł z Syracuse, gdzie studiował architekturę.

— Powiedzieli, że powinienem zobaczyć, jak bawi się ta druga połowa ludzkości — zakończył.

134

Pociągnął łyk tak zwanego ponczu owocowego i skrzywił się z niesmakiem. Poncz był podobno doprawiony spirytusem podprowadzonym z laboratorium chemicznego. Ktoś puścił kolejną płytę Wingsów.

— No to zobaczyłeś — powiedziała Sarah.

— Ano zobaczyłem. Dobrze, że mi chociaż zwrócili za benzynę. Ta muzyka mnie dobija. Może zmienimy lokal?

Pojechali jego starym fordem mustangiem do Bostonu. Mustang miał zepsuty tłumik i robił tyle hałasu, że wszyscy się za nimi oglądali. Znaleźli włoską knajpkę, w której kiedyś była, zamówili po półmisku parującego spaghetti, butelkę taniego chianti i siedzieli, rozmawiając, aż do zamknięcia. Potem Sarah przypomniała sobie, że w pobliżu jest bar. Zaczęli go szukać, nie znaleźli, poszli więc na spacer. Była chłodna jesienna noc i Sarah zaskoczyła samą siebie, biorąc go pod rękę. Przeszli w sumie parę dobrych mil i przez cały ten czas usta im się nie zamykały.

Powiedział, że jest z Abilene w Kansas, gdzie jego rodzice prowadzą sklep z artykułami metalowymi. Powiedział, że teraz tęskni za rodzinnym miasteczkiem, ale gdy tam mieszkał, nie mógł się doczekać, kiedy się wyrwie w szeroki świat. Miał starszą siostrę, z którą prawie się nie widywał, i na pieńku z ojcem, który do tej pory nie mógł mu darować, że nie poszedł na prawo. Sarah zapytała, czy architektura to jego wymarzony zawód. Odparł, że nie, zdecydowanie nie. Tak naprawdę to chciał zostać aktorem.

— Ale nie takim zwyczajnym — zaznaczył. — Gwiazdą filmową. Wielką, sławną gwiazdą filmową. Jak Paul Newman czy ktoś taki.

— To dlaczego nie próbowałeś?

— Z braku predyspozycji. W college'u najbardziej interesował mnie dramat. Grałem we wszystkich sztukach. Dostałem parę dobrych ról. Ale, dzięki Bogu, w porę przejrzałem na oczy.

— To znaczy?

— Naprawdę chcesz wiedzieć? Dobrze. A więc grałem Angela w *Miarce za miarkę* — znasz tę sztukę?

Znała ją doskonale, ale kiwnęła tylko głową.

— No to wiesz, że kiedy Isabella nie chce się z nim przespać, Angelo każe obciąć głowę jej bratu, Claudiowi, a oni tego nie robią, ale udają, że zrobili i pokazują mu głowę jakiegoś innego nieszczęśnika, którego ścięli zamiast niego?

— Bernardina.

— Chyba tak. Nie, to robi wrażenie. Reżyser kazał im przynieść mi tę głowę w koszyku, a ja oczywiście nie wiem, że to nie głowa Claudia i muszę unieść szmatę, żeby zobaczyć, co pod nią jest. A reżyser powiedział: „Ben, ja chcę widzieć nudności, autentyczne nudności. I rodzące się wyrzuty sumienia".

— Rodzące się wyrzuty sumienia. Czysta poezja.

— I esencja mojego życia. W każdym razie zaglądałem co wieczór do tego koszyka, patrzyłem na tę komiczną gumową głowę oblaną keczupem i starałem się, Boże, jak ja się starałem, ale tylko śmiać mi się chciało.

— I śmiałeś się?

— Nie. Parsknąłem śmiechem dopiero ostatniego wieczoru, kiedy ktoś zamiast głowy podłożył do koszyka nadmuchiwaną żabę. Nie, nie, odgrywałem wszystko jak trzeba. Nudności, wyrzuty sumienia. I nawet dobrze mi to wychodziło. Dostałem parę dobrych recenzji. Ale wiedziałem, że jeśli nie potrafię się wczuć, no wiesz, wmówić sobie, że to dzieje się naprawdę, to nie jestem stworzony na aktora.

— Myślisz, że wszyscy aktorzy wczuwają się tak bez reszty w role?

— Wszyscy nie, ale ci najlepsi chyba tak.

Ona z kolei opowiedziała mu o swojej rodzinie i o dorastaniu w Bedford. Na dźwięk tej nazwy zrobił taką minę, jakby dopiero teraz się zorientował, z kim ma do czynienia, a ona, widząc to, zaczęła natychmiast wieszać psy na wszystkim, co wiązało się z pieniędzmi, przywilejami czy koneksjami. Jak gdyby sam fakt, że studiowała w Wellesley, nie wystarczył mu, żeby ją odpowiednio zaszufladkować.

Nie spotkała jeszcze faceta, który potrafiłby tak słuchać. Kiedy w końcu, bardziej przez przypadek niż dzięki orientacji w terenie, trafili na miejsce, gdzie zostawił samochód, okazało się, że ten został w międzyczasie odholowany. Zanim go odzyskali, świtało już i oboje znowu zgłodnieli. Wyjechali na Massachusetts Turnpike, znaleźli postój dla ciężarówek i zamówili po wielkim talerzu tłustej jajecznicy na bekonie ze smażonymi ziemniakami w plasterkach.

Sarah przeżyła wtedy jedną z najpiękniejszych w życiu nocy. A kiedy cmoknął ją na pożegnanie w policzek i pojechał po kolegów, żeby odwieźć ich z powrotem do Syracuse, wiedziała — nie, miała nadzieję — że tego właśnie mężczyznę poślubi i będzie z nim miała dzieci.

Był to nie tylko przejaw sentymentalizmu, ale i zupełny absurd. Żartowano, co prawda, że rodzice posyłają swoje córki na Wellesley, żeby znalazły tam sobie męża. Ale w zamyśle miał to być jakiś bogaty, dobrze się zapowiadający harwardczyk, a nie syn kansaskiego sklepikarza z Bezmarkowego Uniwersytetu, jak określiłby to ojciec Sarah. Co więcej dopiero niedawno skończyła dwadzieścia lat i była jeszcze dziewicą. Podejrzewała czasami, że chyba jedyną w całym college'u. Była połowa lat siedemdziesiątych, okres popigułkowy i przed-AIDS-owski, i wszyscy parzyli się jak króliki, a przynajmniej na to wyglądało. Wszyscy, tylko nie Sarah Davenport.

Przyczyną nie był ani niedostatek okazji, ani pruderia, ani strach, ani brak zainteresowania tymi sprawami. Sarah zdawała sobie sprawę, że jej postawa odbiega od normy i jest chyba niezbyt mądra. Iris, jej współlokatorka, twierdziła nawet, że wręcz idiotyczna. Urodziły się w tym samym tygodniu września i Iris wciąż jej przypominała, że jako starsza o całe pięć dni jest od niej nieskończenie mądrzejsza. Tylko z nią Sarah potrafiła rozmawiać na takie intymne tematy. Iris pochodziła z Pittsbur-

137

gha, gdzie, jak utrzymywała, próżno szukać kogoś, kto ma szesnaście lat i jeszcze tego nie robił.

— Miej to już raz za sobą, dziewczyno — mówiła. — Potem możesz odstawiać cnotkę.

Ale Sarah nie podchodziła do tego tak beztrosko. To, że powinno się kochać mężczyznę, z którym po raz pierwszy idzie się na całość, może i było poglądem staroświeckim, ale według niej słusznym. To sprawiało, że chociaż spotykała się z chłopcami i robiła z nimi wszystko inne — a przynajmniej tak jej się wydawało — to zaczynała się czuć odmieńcem.

Gdyby Benjamin chciał się z nią kochać, oddałaby mu się bez wahania już tamtej nocy, choćby na tylnym siedzeniu jego mustanga. Ale on ani wtedy, ani przez następne pięć miesięcy nic w tym kierunku nie uczynił. Rozmawiali przynajmniej raz na tydzień przez telefon i spotkali się kilka razy w Nowym Jorku, żeby pójść do kina albo obejrzeć jakąś nową wystawę dzieł sztuki, potem była kolacja i kolejne cmoknięcie w policzek na pożegnanie. I kiedy zrezygnowana Sarah myślała już, że on widzi w niej tylko dobrą przyjaciółkę, a w Syracuse albo w domu, w Kansas, ma dziewczynę, zjawił się niespodziewanie w Wellesley w dzień świętego Walentego z ogromnym i trochę drapieżnie wyglądającym bukietem krwistoczerwonych amarylisów, i oznajmił, że ją kocha.

Dopiero później dowiedziała się, że nie ryzykował aż tak, jakby się mogło z pozoru wydawać, bo ubezpieczył się, dzwoniąc wcześniej do Iris z pytaniem, czy Sarah nie ma czasem jakichś innych planów na ten dzień, a jeśli nie, to jakiego przyjęcia może z jej strony oczekiwać.

Tamtego lata znalazł pracę w mającym sporo zleceń, ale raczej nierozwojowym zespole architektów na Upper East Side, gdzie pozwalano mu tylko odbierać telefony i roznosić kawę. Sarah robiła to samo w firmie produkującej reklamy telewizyjne, gdzie posadę załatwił jej po znajomości ojciec. Ani jej, ani Benjaminowi nie płacono, na szczęście Sarah dostawała od rodziców kieszonkowe, specjalnie więc się tym nie przejmowali. Zbyt byli zajęci odkrywaniem siebie nawzajem.

Kolega Benjamina z Syracuse wyjeżdżał na trzy miesiące do Florencji i zostawił im klucze do swojego mieszkania składającego się z dwóch mikroskopijnych pokoików na rogu Dziewięćdziesiątej Trzeciej i Amsterdam. Lato było rekordowo upalne, a mieszkanie nie miało klimatyzacji. Trotuary nagrzewały się do białości i parowały, mniej więcej tak samo było w środku.

Sarah — nie tyle może z jego wypowiedzi, ile ze sposobu bycia — wnosiła, że Benjamin ma doświadczenie z kobietami. Ale on podczas pierwszych zbliżeń sprawiał wrażenie tak samo w tym zielonego jak ona i musiało upłynąć trochę czasu, zanim pozbyli się wobec siebie skrępowania. Nadal nie rozumiała, czemu ludzie robią tyle szumu wokół seksu (nawet w te pierwsze upojne noce, wśród odgłosów ulicy dolatujących przez szeroko otwarte okna, nie potrafiła sprostać nienasyceniu Benjamina), musiała jednak przyznać, że przynosi jej przyprawiające o zawrót głowy poczucie ulgi i wyzwolenia.

Na początku lipca zabrała Benjamina po raz pierwszy na weekend do Bedford, żeby przedstawić go rodzicom, którzy już o nim wiedzieli i byli bardzo ciekawi. Przez myśl im naturalnie nie przeszło, że ich córka, zostając na noc w mieście — co coraz częściej się jej zdarzało — nie nocuje bynajmniej, jak utrzymywała, u koleżanki z Wellesley. Benjaminowi naopowiadała o nich już tyle, że zdążył nabrać respektu. Specjalnie na tę okazję poszedł do fryzjera — co w oczach Sarah było z jego strony aktem wielkiego poświęcenia — a do kolacji włożył nawet sportową marynarkę (ale krawata już nie), co jednak nie zmyliło matki, która podobno opisywała go potem jako „czarującego, lecz trochę wypłoszowatego".

Ojciec Sarah starał się ukrywać swoją pogardę do wszystkich uczelni bez renomy, wypytując z przesadnym zainteresowaniem o University of Kansas, gdzie Benjamin studiował przed przeniesieniem się do Syracuse. Kolacja przebiegała w atmosferze rozmowy wstępnej przed przyjęciem do pracy. Ojciec wiedział o architekturze tyle, co Benjamin o zarządzaniu finansami, ale najwyraźniej przygotował się do tego spotkania. Podczas gdy Sarah z matką jadły w milczeniu, on przez całe dwadzieścia minut egzaminował Benjamina z wiedzy o Wernerze Seligmannie, profesorze Harvardu, który przeprowadził się właśnie do Syracuse i w nadchodzących latach miał przekształcać to miasto. Na szczęście Benjamin był już fanem profesora i bez trudu zdał ten egzamin. I chociaż później stracił chyba kilka punktów, kiedy wymykając się w stroju niekompletnym z pokoju Sarah, nadział się na jej matkę, to odrobił je nazajutrz, po raz pierwszy przegrywając sromotnie ze swym przyszłym teściem na korcie tenisowym.

Niedzielny lunch jedli w towarzystwie dwóch małżeństw z sąsiedztwa. Ich dzieci z miejsca potraktowały Benjamina jak starego znajomego. A on tak z nimi dokazywał, tak się wygłupiał, że zachwycone pokładały się ze śmiechu. Nie odstępowały go na krok. Sarah wiedziała, że wielu mężczyzn w jego wieku ma takie podejście do dzieci, ale uderzyło ją, że on potrafił również z nimi rozmawiać, nawet na poważne tematy, i to na ich poziomie, bez cienia protekcjonalności. Matka, widząc, jak mu się przygląda, uśmiechnęła się porozumiewawczo i Sarah wyczytała z tego uśmiechu, że jej intencje zostały rozszyfrowane.

Pobrali się latem, z wielką pompą, tego samego roku, kiedy Sarah ukończyła Wellesley. W trakcie upojnych miesięcy poprzedzających ślub i długo potem ani razu nie miała powodu do weryfikacji pierwszego wrażenia, jakie zrobił na niej tamtego wieczoru, kiedy się poznali. Kochała w nim niemal wszystko. Jego łagodność, dowcip, wielkoduszność, to, że liczy się z jej opinią i nie jest mu obojętne, co ona myśli, mówi i robi. To, że kiedy ona ma jakiś problem, sadza ją, robi herbatę i każe sobie wszystko opowiadać, ale nie próbuje podsuwać gotowego rozwiązania. Kochała jego zapał do pracy i była przekonana, że jeśli jest sprawiedliwość na tym świecie, to Benjamin wiele w życiu osiągnie.

Ich zainteresowania nie we wszystkim się pokrywały, jedno było jednak otwarte na pasje drugiego. On czytał niemal wyłącznie literaturę faktu, ale pod jej wpływem przerzucił się na powieści — Jane Austin, Henry Jamesa, jak również Updike'a, Bellowa i Rotha — przeszedł też pod jej kierunkiem skrócony kurs muzyki klasycznej. Na jakiś czas dostał obsesji na punkcie oper Mozarta. Nigdy nie zapomni łez, które potoczyły mu się po policzkach w Metropolitan Opera, kiedy słuchali duetu wykonującego słynną serenadę z *Cosi fan tutte*. On z kolei zabierał ją do kina na trudne w odbiorze europejskie filmy reżyserów, których nazwiska ledwie obiły jej się o uszy, takich jak Herzog czy Fassbinder. Przesłuchała też wszystkie jego płyty Milesa Davisa i Neila Younga, chodziła z nim do mrocznych spelunek na przedmieściach, gdzie koncertowały nieznane zespoły punkowe, tak straszne, że zbierało się jej na płacz.

Nadawali oboje na zbliżonych falach, do tego stopnia się uzupełniali, że Sarah miała często kłopot z określeniem, gdzie kończy się ona, a zaczyna on. Nachodziła ją czasami obawa, że jest zbyt podatna, że nie zdając sobie nawet z tego sprawy, przechodzi proces demontażu i przemodelowania. Kiedy kupowali ubrania, żywność, meble albo kiedy zmieniali wystrój mieszkania, górę brały zwykle upodobania Benjamina. Ale ona nie miała nic przeciwko temu. Odpowiadał jej nawet taki układ, bo sama przeważnie nie wiedziała, czego chce, on zaś miał zawsze sprecyzowane zdanie. Mając do wyboru tuzin rozmaitych kształtów kieliszków do wina albo dwadzieścia odcieni błękitu, głupiała albo dostawała oczopląsu. Zresztą Benjamin z racji swego zawodu lepiej znał się na takich rzeczach, jak tekstura, kolor i kształt, miał to we krwi.

Wiedziała, że w większości małżeństw jest inaczej, że mężczyźni najchętniej pozostawiają podejmowanie tego rodzaju decyzji kobietom. A tutaj nie było żadnych wątpliwości, Benjamin wyraźnie starał się mieć wszystko pod kontrolą. W Wellesley chodziła na zajęcia z psychologii i czytała o takich ludziach. Ich mania kontrolowania wszystkiego wynikała często z głęboko zakorzenionego poczucia niepewności, z obawy, że jeśli nie będą trzymać ręki na pulsie, zapanuje chaos, który ich pochłonie. Może Benjamin cierpiał na złagodzoną odmianę tej przypadłości. Jeśli nawet, jej to nie przeszkadzało. Najważniejsze, że nie przejawiał skłonności do dominacji. I jeśli miała być szczera, było jej z tym wygodnie.

Bywał też humorzasty i trudny we współżyciu, zwłaszcza kiedy nie układało mu się w pracy. Wyczuwała w nim też jakąś nerwowość i to chyba powinno dać jej trochę do myślenia. A kiedy się posprzeczali (co nie zdarzało się często, było więc tym bardziej przykre), potrafił być okrutny w słowach, a potem nieskory do przeprosin ani do puszczenia w niepamięć tego, co zostało w gniewie wypowiedziane. Oboje byli elokwentni, ale on język miał bardziej cięty i nawet jeśli wina leżała po jego stronie, potrafił tak odwrócić kota ogonem, że w końcu to ona jego przepraszała.

W tamtych pierwszych latach małżeństwa najzacieklej kłócili się o jej rodziców. Benjamin, z uzasadnionych chyba powodów, nie lubił ich i nie mógł przeboleć, że kończąc Syracuse, a potem odpracowując w poniżeniu i mozole trzy lata stażu, by w końcu zostać architektem z uprawnieniami, ale bez centa przy duszy, był praktycznie na utrzymaniu Sarah. Dom w Bedford zaczął nazywać Wiejską Rezydencją i żartował czasami w towarzystwie, że dla architekta kluczem do sukcesu jest wżenienie się w pieniądze. Ale Sarah wiedziała, że tego rodzaju uszczypliwościami docina sobie, nie jej.

Zresztą uzależnienie od pieniędzy rodziców doskwierało jej niemal tak samo jak jemu. Odbierało motywację, napełniało poczuciem, że nie ma znaczenia, czy odniesie w życiu sukces, czy je roztrwoni. Kiedy ukończyła college, zaproponowano jej pracę w tej samej firmie, w której roznosiła kawę, ale odmówiła, ponieważ dostała się tam kiedyś dzięki znajomościom ojca. Złożyła podanie w firmie produkującej filmy dokumentalne o sztuce dla telewizji i ku swemu zaskoczeniu została przyjęta na okres próbny.

Na początek zlecono jej przygotowanie scenariusza do serialu o wielkich amerykańskich pisarzach dla stacji PBS. Z tym, niestety, zastrzeżeniem, że wszyscy oni muszą już nie żyć. Czyli zamiast swoimi współczesnymi faworytami — Rothem, Bellowem i Updike'em — miała się zająć dyżurnymi autorami z tradycyjnej listy szkolnych lektur — Melvillem, Twainem i Scottem Fitzgeraldem. Producent, protekcjonalny Anglik noszący białe buty z koźlej skóry i tupecik, tonem sugerującym, że Sarah nie powinna zawracać tym sobie swojej pięknej główki, wyjaśnił, że powodem ustanowienia tego kryterium są „budżet, prawa autorskie i tak dalej". Wszystkie jej propozycje zostały odrzucone. Henry James był zbyt zniewieściały, Poe i Bierce za bardzo zakręceni, Hemingway zbyt męski. A ripostując, że Edith Wharton jest zapewne zbyt kobieca, podkopała swoje szanse na awans.

Pieniądze z tego były śmiechu warte, ale przynajmniej sama je wreszcie zarabiała. Zawsze szybko się uczyła i po dwóch latach pensję miała już dwukrotnie wyższą i pracowała w młodszej, bardziej nastawionej na współczesność firmie w SoHo, produkując własne filmy, tym razem o pisarzach wciąż jeszcze żyjących, chociaż rozmowa z jednym z nich była tak sztywna i nudna, jakby przeprowadzała ją z doskonale zabalsamowanym nieboszczykiem.

Wynajmowali z Benjaminem mieszkanko na skraju Greenwich Village i żyli skromnie, ale szczęśliwie. On pracował już w firmie Dawlish & Drewe, skostniałej, ale sporej, specjalizującej się w projektowaniu niewielkich obiektów przemysłowych i komercyjnych. Zarabiał niewiele więcej od niej, praca była rutynowa, ale szybko go zauważono. Był jednym z najlepszych kreślarzy i modelarzy w pracowni i zlecano mu coraz więcej prezentacji.

Poznał tam inteligentnego i zdolnego młodego architekta, którego ściągnięto do firmy poprzedniej jesieni z ciepłym jeszcze dyplomem ukończenia Columbii. Ich deski kreślarskie stały obok siebie. Martin Ingram, mężczyzna niski, śniady, łysy jak kolano i, o dziwo, poza tym aż nadto owłosiony, miał figlarne czarne oczy, umysł jak brzytwa i ze swoją kreatywnością i ambicją stanowczo marnował się u Dawlisha & Drewe'a. Ciętością dowcipu przerastał Benjamina i obaj prześcigali się w parodiowaniu staroświeckiego, noszącego muszkę Adriana Dawlisha i innych starszych partnerów. Zaprzyjaźnili się szybko i zaczęli snuć plany ucieczki i założenia własnej spółki. Martin pochodził z okręgu Nassau, z miasteczka Syosset, które bardzo źle się Sarah kojarzyło. Była tam raz jako dziecko na tak zwanej Lizakowej Farmie, gdzie została ugryziona przez koziołka, zjadła za dużo lizaków i zwymiotowała na tylne siedzenie nowego samochodu matki. Jednak dla Martina Syosset było kwintesencją czystej, złotej, szarlotkowej Ameryki, miejscem, gdzie ludzie nigdy nie zamykają drzwi na klucz i zawsze pomagają sąsiadom. Nie mógł się doczekać, kiedy tam wróci. Ustalił to już ze znacznie wyższą od niego żoną, Beth — agentką obrotu nieruchomościami o donośnym głosie i kręconych, rudych włosach, którą Sarah bardzo starała się polubić. Kiedy w zapisanym już w kalendarzu terminie na świat przyjdą dzieci, Ingramowie zwiną obóz i przeniosą się do Syosset.

Odsłona głównego planu nastąpiła (przynajmniej z punktu widzenia nieświadomej niczego Sarah) pewnego wieczoru, kiedy jedli we czwórkę pizzę na wynos przy okrągłym szklanym stole u Ingramów, którzy mieszkali w lepszej niż oni dzielnicy i w dużo większym, chociaż w opinii Sarah przeładowanym mieszkaniu. Ni z tego, ni z owego Martin i Beth zaczęli opowiadać Sarah o Syosset, tak rozpływając się nad urokami miasteczka, że wydało jej się to podejrzane.

Wśród niezliczonych zalet wymieniali dobre szkoły, mniejszą przestępczość, czystsze powietrze, nowiutką bibliotekę i wspaniałe delikatesy Bahnhof's przy Jackson Avenue. Martin zapewniał ją ponadto, że nie ma tam już gryzących koziołków, a Lizakową Farmę zlikwidowano w 1967 roku. Co więcej mówił — i dopiero wtedy do Sarah zaczęło docierać, do czego to wszystko prowadzi — brak tam miejscowych architektów, tym samym jest szerokie pole do popisu dla raczkującej firmy ICA — Ingram Cooper Architekci. Nazwiska muszą znajdować się w tej kolejności, powiedział Martin, bo skrót CIA jest już zaklepany.

— Czyli my też będziemy się tam musieli przeprowadzić? — spytała wesoło Sarah. Żartowała tylko, ale z ciszy, jaka zapadła, i z miny Benjamina wynikało, że trafiła w sedno.

— Porozmawiamy o tym — mruknął.

— Aha. A kiedy?

Rozmawiali przez kilka tygodni. I skończyło się karczemną awanturą. Okazało się, że on był już na rekonesansie w Syosset z Martinem i spodobało mu się tam. Wspaniałe miejsce do zamieszkania, powiedział. Sarah zarzuciła mu, że to przed nią ukrywał i że jest szowinistą, skoro myśli, że jego kariera jest na pierwszym miejscu i może samodzielnie decydować, gdzie będą mieszkali. Powiedziała, że nie chce mieszkać na przedmieściu. Może włożyła w to słowo zbyt wiele pogardy, ale wtedy po raz pierwszy nazwał ją westchesterską snobką, co tak ją rozsierdziło, że nie odzywała się do niego przez trzy dni. Stosunki między nimi ochłodziły się i żadne nie chciało albo nie potrafiło ich ocieplić. Przez ponad miesiąc unikali kontaktu fizycznego.

Pewnej słonecznej niedzieli na początku wiosny Benjamin, pchający przed sobą z ponurą miną wózek wśród półek sklepu ogrodniczego, do którego przyjechali kupić rośliny na swoje dwa jardy kwadratowe tarasu, zatrzymał się nagle i zdjął z półki powojnik.

— To dla ciebie — powiedział. Jego uśmiech wydał jej się jakiś dziwny, mimo to pomyślała, że mu przeszło, że proponuje zawarcie pokoju. Potem spojrzała na etykietę. Nazwa tej odmiany brzmiała „Arktyczna królowa".

Porozumieli się w końcu co do miejsca zamieszkania, ale ten incydentalny akt złośliwości utkwił Sarah w pamięci. Pierwszy raz zarzucił jej oziębłość i to bardzo ją zdumiało i zraniło.

Osiemnaście miesięcy później na świat przyszła Abbie.

A dwa lata po niej, w tym samym miesiącu, kiedy firma Ingram Cooper Architekci dostała pierwsze poważne zlecenie, Josh. Przed każdym rozwiązaniem Sarah tak organizowała sobie pracę, żeby móc wziąć kilka miesięcy urlopu. Oszałamiającej kariery może nie robiła, ale krok po kroku wyrabiała sobie pozycję. Kończyła jeden dokument i zaczynała następny. Nakręcony przez nią film o łączonych fotografiach Davida Hockneya został nawet nominowany do nagrody Emmy. Wynajmowali teraz mieszkanie na Upper West Side, wygodniejsze i bardziej przestronne niż ich gniazdko miłości przy Amsterdam. Ale z dwójką małych dzieci i całodobową opiekunką, na którą właściwie nie było ich stać, nadal było im tam ciasno i daleko od ideału. Benjamin wsiadał każdego ranka do starego volvo kombi i przedzierał się przez uliczne korki do Syosset.

Martin i Beth z dwoma synkami, którzy urodzili się w odstępie dziesięciu miesięcy, już tam zgodnie z harmonogramem mieszkali. Firma Ingram Cooper Architekci ze swoim rozrastającym się zespołem miała swoją siedzibę w podługowatym budynku z oszklonym dachem, wzniesionym wśród klonów na podwórku za domem mieszkalnym. I w dzień czwartych urodzin Abbie Cooperowie też postanowili się przenieść do Syosset. Za pieniądze z pożyczki zabezpieczonej (pomimo sprzeciwów Benjamina) funduszem powierniczym Sarah kupili biały drewniany domek niedaleko Ingramów, a kilka miesięcy później wpłacili zadatek na zalesioną działkę położoną na łagodnym stoku na skraju miasteczka, gdzie Benjamin miał wznieść dla nich dom własnego projektu.

Sarah nie potrafiłaby określić dokładnie momentu, w którym przekonała się do pomysłu przeprowadzki. Był to właściwie rozciągnięty w czasie proces podsycany coraz to nowymi argumentami przeciwko wychowywaniu dzieci na Manhattanie. Josh w odróżnieniu od Abbie nie był dzieckiem łatwym. Działał jak magnes na każdego przemieszczającego się w pobliżu wirusa. Po pewnym strasznym weekendzie, kiedy nie mógł złapać tchu, zsiniał i musieli pędzić z nim do szpitala, stwierdzono u niego astmę. Był poza tym chłopcem nieśmiałym, bojaźliwym, nieprzystosowanym do nerwowej atmosfery i zgiełku miasta. Każdego ranka, po jej wyjściu do pracy, płakał przez godzinę, aż w końcu opiekunka oznajmiła, że nie daje sobie z nim rady i odeszła. Od tamtej pory Sarah zaczęła opuszczać się w pracy i coraz więcej przesiadywała w domu. Letnie weekendy spędzali na barbecue pod drzewami u Martina i Beth. Obserwując tam Abbie i Josha biegających swobodnie, bezpiecznych, bawiących się z innymi dziećmi, Sarah dochodziła do przekonania, że gdyby miała zostać pełnoetatową matką, to w takiej okolicy byłoby łatwiej.

Kwestią, która nie pozwalała jej jeszcze podjąć ostatecznej decyzji — i o którą po raz pierwszy Benjamin nie na żarty poróżnił się z jej ojcem — była edukacja. Chociaż ICA nieźle już prosperowała, nie mogli sobie pozwolić na opłacanie czesnego w renomowanych manhattańskich szkołach prywatnych. Jej rodzice zareagowali czymś w rodzaju łaskawego niedowierzania, kiedy powiedziała im po raz pierwszy o zamiarze przeprowadzki. Według jej ojca na Long Island można było trzymać jacht, ale żeby *tam mieszkać*?! Nie był nigdy w Syosset, co nie przeszkadzało mu mieć wyrobionej opinii na temat *tego rodzaju* miejscowości. I fakt, że jego córka i wnuki muszą tam migrować, stanowił od dawna wyczekiwany dowód na to, że Benjamin nie potrafi zapewnić im należytych warunków egzystencji. Skoro już tak chcą wyprowadzić się z miasta, to czemu nie do Bedford?

W jakimś niezrozumiałym zrazu odruchu, który okazał się później ostatnią próbą przejęcia kontroli nad tą przeprowadzką, zaprosił ich na lunch do swojego klubu, siedliska konserwatyzmu i zaściankowości, gdzie kobiety plasowały się w hierarchii tylko odrobinę wyżej od marnie wyszkolonego psa aportującego. Benjamin doznał upokorzenia, zanim jeszcze usiedli do stolika. Był trzydziestostopniowy upał, wszedł tam więc w rozpiętej pod szyją koszuli. Zaraz za progiem zmuszono go do wypożyczenia krawata i rozciągniętego blezera śmierdzącego dymem z cygara. Sarah, z entuzjazmem, którego prawdę mówiąc nie czuła, zaczęła opowiadać ojcu, jaki to dom sobie wybudują. Słuchał w milczeniu, żując z ponurą miną gulasz z jagnięciny.

— A szkoły są tam wprost rewelacyjne — zakończyła.

Spojrzał na nią sponad półksiężycowatych okularów w rogowej oprawie.

— Chcesz posłać Abbie i Josha do publicznej szkoły?

— Tak.

— W głowie mi się to nie mieści.

— Nie przesadzaj, George — wtrącił z humorem Benjamin. — Ja też chodziłem do publicznej i jakoś wyszedłem na ludzi.

Jej ojciec obrócił powoli głowę i spojrzał na niego.

— Czyżby?

— Słucham?

— Pytałem, czy naprawdę wyszedłeś. Nie zrozum mnie źle. Jestem przekonany, że odebrałeś najlepsze wykształcenie, jakie to miasteczko... przepraszam, zapomniałem nazwy...

— Abilene.

— ...mogło ci zapewnić. Ale czy zastanawiałeś się kiedy, kim mógłbyś być teraz, gdyby twoi rodzice posłali cię do lepszych szkół?

Było to taki szczyt grubiaństwa, że Benjamin spojrzał na Sarah z niedowierzającym uśmiechem. Jej ojciec, jak gdyby nigdy nic, ciągnął:

— Zapewnijmy im najlepszy z możliwych start życiowy, dobrze? Ja zapłacę.

Benjamin wstał.

— Dziękuję ci, George, ale nie zapłacisz. To moje dzieci — i naturalnie Sarah — i pokierujemy nimi wedle własnego uznania. A teraz wybacz, muszę iść zarabiać.

Był to nieprzyjemny moment, ale Sarah zawsze podziwiała go za pełną godności powściągliwość, jaką potrafił zachować w tamtym i wielu podobnych wypadkach w przyszłości.

Życie na przedmieściach okazało się lepsze, niż Sarah przypuszczała. Dom, który w trzech etapach zbudował dla nich Benjamin, był przepiękny. Wokół niego Sarah stworzyła ogród, na jaki zasługiwał, wkomponowując w swój projekt zastane tam drzewa i głazy. Dzieci kwitły. Czy to mecz piłki nożnej w niedzielny poranek, czy zawody jeździeckie, szkolne przedstawienie czy letni obóz w Adirondacks, Abbie wszędzie brylowała.

Joshowi było nieco trudniej. Kiedy miał trzy latka, Benjamin przytrzasnął mu niechcący prawą rączkę drzwiami samochodu i chłopiec stracił czubek palca wskazującego. Przeszedł kilka operacji plastycznych i ubytek nie rzucał się w oczy, nic też nie wskazywało, żeby przeszkadzał mu w pisaniu, rysowaniu czy czymkolwiek innym. Ale stał się jeszcze bardziej zamknięty w sobie i nieśmiały. Nauka przychodziła mu z trudem, z oporami zawierał przyjaźnie i gdyby nie Abbie, stałby się chyba ofiarą szkolnych prześladowań. Ale pomimo ciągłego pozostawania w cieniu Abbie nabierał stopniowo sił i pewności siebie, a ataki astmy już mu tak nie dokuczały. Był wrażliwym i kochającym dzieckiem, cechował go jednak zawzięty upór zrodzony zapewne z cierpień, których zaznał we wczesnym dzieciństwie. Benjamin, oczywiście, nigdy sobie nie darował, nawet kiedy Josh zaczął na ten temat żartować i unosząc dwa palce, mamrotał głosem przyćpanego hipisa: „pokój blisko, stary", co stało się rodzajem rodzinnego gestu powitalnego i pożegnalnego.

Ceną, jaką zapłaciła Sarah za przeprowadzenie syna przez ten trudny okres, była kariera zawodowa. Pozwoliła jej więdnąć i z czasem telefon przestał dzwonić. A kiedy Josh był już szczęśliwy, zdrowy i bezpieczny, i sama zaczęła dzwonić, okazało się, że świat poszedł do przodu. Telewizja stała się jeszcze niemiłosierniej komercyjna i nikogo nie interesował już rodzaj filmów, które ona kiedyś robiła. To, co w niej teraz puszczano, trudno było nazwać filmami. Do głosu doszła całkiem nowa technika. Wszyscy kręcili dokumenty lekkimi kamerami wideo. Elektronika wyparła z montażowni stare maszyny Steenbecka. Sarah, gdyby tylko chciała, szybko by się dostosowała. Ale coś ją powstrzymywało, jakieś poczucie, że tamten etap życia ma już za sobą i może powinna zająć się czymś innym.

Pomysł podsunął jej Benjamin. Pewnego dnia, po powrocie z pracy, napomknął mimochodem, że przed lokalną księgarnią stoi tablica z napisem NA SPRZEDAŻ. Nie było to najbardziej inspirujące miejsce i chociaż Sarah, podobnie jak wielu jej znajomych i sąsiadów, zachodziła tam czasami z lojalności, to wszyscy narzekali zgodnie na właścicielkę — że taka bez wyobraźni, niekompetentna, a czasami po prostu niegrzeczna. Sarah zawsze marzyła o prowadzeniu własnej księgarni, ale dopóki Benjamin nie zasugerował, żeby ją kupić, było to fantazjowanie na mniej więcej takim samym poziomie, na jakim on kiedyś marzył o zostaniu drugim Paulem Newmanem.

— Nie stać nas — powiedziała.

— Stać.

— Nie znam się na tym.

— Bardzo dobrze wiesz, że świetnie dasz sobie radę.

I dała. Zaprowadziła w Village Books swoje porządki i po trzech latach księgarnia zaczęła przynosić skromny dochód. To ona pierwsza, na długo przed innymi, wpadła na pomysł, żeby w zaprojektowanej przez Benjamina dobudówce na tyłach urządzić coś w rodzaju przytulnej czytelni ze stojącymi lampami, wygodnymi skórzanymi sofami i małym barkiem, w którym można było kupić kawę, wodę sodową i ciasteczka domowego wypieku. Wydzieliła tam też kącik dla dzieci z zabawkami i niskim stoliczkiem, gdzie maluchy mogły czytać bajki i mazać kredkami. Wprowadziła nowy, szybszy system zamawiania tytułów i bezwstydnie wykorzystywała stare znajomości, przymilając się każdemu pisarzowi, z jakim kiedykolwiek się zetknęła, i prosząc, żeby przyszedł, pogawędził z czytelnikami i podpisał kilka swoich książek.

Benjamin i Martin rośli tymczasem w siłę i odnosili sukces za sukcesem. W zrujnowanej piekarni na peryferiach, którą zaadaptowali na nowoczesne studio, zatrudniali już ponad pięćdziesięciu pracowników. Doszło do tego stopniowo, niemal niezauważalnie, i bez podejmowania jakichkolwiek formalnych decyzji, w każdym razie Benjamin prowadził teraz interes, Martin zaś stał się kreatywną siłą napędową. I Benjamin — chociaż nie był zadowolony z owego podziału ról i palce go świerzbiły na widok jakiegoś nowego projektu nabierającego kształtów na desce kreślarskiej — przyznawał, że taki układ najlepiej się sprawdza.

— On jest geniuszem, ja wyrobnikiem — mawiał.

Sarah, słysząc to, z początku zawsze oponowała. Nie, nie dlatego, żeby go podbudować; ona naprawdę miała nadzieję, że zostanie kiedyś wielkim architektem. W końcu jednak pogodziła się z myślą, że tak jest w istocie. Był bardziej redaktorem niż twórcą. Kiedy coś mu się pokazało — czy to brudnopis listu, czy szkic reklamy księgarni do gazety, czy jakiś sensacyjnie nowatorski projekt budynku autorstwa Martina — z miejsca dostrzegał słabe punkty i wiedział, jak je usunąć. Był to rzadko spotykany dar, ale on go jakoś u siebie nie cenił. Od czasu do czasu, żeby nie wyjść z wprawy, stawał za deską i sam coś projektował. I wtedy Sarah zauważała w nim zmianę. Wstępował w niego nowy duch, rozpierała go energia.

Dla Abbie i Josha był najwspanialszym ojcem, jakiego mogła sobie wymarzyć. Kiedy tylko trzeba było pomóc któremuś w odrobieniu lekcji z matematyki albo podokazywać na podwórku, zawieźć na lekcje gry na skrzypcach, na trening małej ligi, czy też w przebraniu Draculi straszyć dwadzieścioro dzieci w Halloween, był zawsze do ich usług. Bywało — zwłaszcza w ciągu tych trzech lat, kiedy nie miała jeszcze do pomocy Jeffreya, którego zatrudniła dopiero później — że ciężko pracowała przy urządzaniu księgarni i że Benjamin poświęcał dzieciom więcej czasu niż ona. Przyłapywała się nawet na tym, że jest zazdrosna, kiedy po pomoc w czymś zwracały się nie do niej, lecz do niego.

Jej przyjaciółki nie mogły się go nachwalić — jaki to wspaniały z niego mąż, jakie ona, Sarah, ma szczęście, że taki jej się trafił. Ale jej utkwiła w pamięci uwaga, którą wygłosiła kiedyś Iris. Iris mieszkała ze swoim mężem, maklerem giełdowym, Leem — który większość wolnego czasu spędzał na polu golfowym — w Pittsburghu. Była dziennikarką, zastępczynią redaktora naczelnego „Post-Gazette". Dwa razy do roku przylatywała z trójką swoich rozwydrzonych dzieci, ale bez Lea, do Nowego Jorku i spędzała długi weekend z Cooperami.

Podczas jednej z takich wizyt siedziały we dwie w słoneczny niedzielny poranek przy kuchennym stole, piły kawę i plotkowały, podczas gdy Benjamin, który już wcześniej zrobił śniadanie dla wszystkich, załadował naczyniami zmywarkę, posortował rzeczy do prania, spisał (bez konsultowania się z Sarah) listę zakupów, po czym cały w skowronkach wsadził piątkę dzieci do samochodu i pojechał z nimi do centrum handlowego.

— Czy to aby nie jakieś wynaturzenie? — spytała w pewnej chwili Iris.

— Co?

— No, że on wszystko robi. Wszystko wie. Mężczyźni z reguły nie wiedzą, ile masła jest w lodówce. Założę się, że on zna nawet numery butów dzieci.

— Zna.

— Numery telefonów ich kolegów i koleżanek też?

— Mhm.

— Leo nie pamięta nawet imion swojej trójki. Czy Ben wie również, jaki rozmiar sukienek nosisz?

— Wie.

— A rozmiar twojego biustonosza zna?

— Nie cierpię chodzić po sklepach. On kupuje mi większość ubrań.

— Wie, kiedy przypada ci okres?

— Iris...

— Wie?

— Tak.

— To nie jest normalne.

— Iris, na litość boską, nie żyjemy przecież w latach pięćdziesiątych.

— Nie zrozum mnie źle. To fantastyczne — no, może nie we wszystkim — ale normalne nie jest.

Nie zaraz potem, ale w odstępie czasu na tyle krótkim, żeby nie ulegało wątpliwości, do czego nawiązuje, Iris opowiedziała Sarah, co usłyszała kiedyś od swojej przyjaciółki z Pittsburgha, wziętej prawniczki specjalizującej się w rozwodach.

Otóż zdaniem tej kobiety mężczyźni porzucający swoje żony dzielili się na dwie kategorie: zbereźnych i niedowartościowanych. Dezerter zbereźny to po prostu osobnik, który wiadomo z czym na rozum się zamienił i to jest silniejsze od niego. Choćby nie wiadomo jak kochał swoją rodzinę, to jego głównym celem w życiu będzie zawsze uganianie się za spódniczkami. Dezerter niedowartościowany to, jak sama nazwa wskazuje, ktoś o niskiej samoocenie, kto bez przerwy musi udowadniać sobie, jaki to jest przez wszystkich uwielbiany. W efekcie postrzega swoją rodzinę jako jedną wielką maszynę miłości, którą trzeba bez ustanku doglądać i konserwować. Kiedy dzieci dorastają, odchodzą z domu i już go tak nie potrzebują, przejmuje go nagle lęk, zaczyna czuć się stary i bezużyteczny. Ucieka więc, by szukać gdzie indziej nowej maszyny miłości.

Iris przytoczyła tę dykteryjkę bardziej jako żart niż poważną obserwację społecznych zachowań. Ale Sarah dało to na długi czas do myślenia. I im dłużej rozpamiętywała implikacje, tym większy ogarniał ją gniew.

Stanowili z Benjaminem parę szczęśliwszą od większości znanych jej małżeństw. No, dobrze, może i był trochę za drobiazgowy, ale to typowe skrzywienie zawodowe u architekta. Wszystko musiało być na swoim miejscu, pod właściwym kątem, wszystko wyważone, dopasowane i bez ostrych krawędzi. I musiała przyznać, że sprawiał czasami wrażenie niedowartościowanego. Chciał być lubiany. Ale czyż większość mężczyzn nie chce?

Założenie, że Benjamin może się zaliczać do tych, którzy ni z tego, ni z owego pakują się i odchodzą, jeśli to chciała zasugerować Iris (która zresztą, jeśli się dobrze zastanowić, miała na tym punkcie lekką obsesję), było z gruntu niedorzeczne. Kochali się i ufali sobie. I nawet biorąc pod uwagę, że ich życie seksualne nie układało się po jego myśli, co od dłuższego czasu powodowało pewne napięcie między nimi, to nigdy, ani razu przez te wszystkie lata małżeństwa, nie podejrzewała go o zdradę. On po prostu nie był z tych. Ona zresztą też nie.

Pod niemal wszystkimi innymi względami dobrali się jak w korcu maku. Czyż nie? Tyle żon i matek narzeka na swoich mężów, że tacy egoistyczni, nudni i niekomunikatywni. Sarah nigdy tak nie myślała. Ona i Benjamin zawsze ze sobą rozmawiali. O znajomych, o swojej pracy, o wszystkim. Głównie, rzecz jasna, o Abbie i Joshu. O ich postępach, problemach i nadziejach, o ich triumfach w szkole, o porażkach. Dzieci, mogła to z dumą powiedzieć, stanowiły centrum ich wszechświata. Dzięki Bogu, że są. Małżeństwo zawiera się chyba po to, żeby spłodzić dzieci i uczynić wszystko dla zapewnienia im szczęścia, poczucia bezpieczeństwa, żeby przygotować je do życia? Czyż może być coś ważniejszego?

Dopiero dużo później, kiedy dzieci były już nastolatkami, Sarah, zastanawiając się już, na co wkrótce będą sobie mogli z Benjaminem pozwolić, w ile miejsc pojechać tylko we dwoje, dostrzegła, że czasami pochmurniał. Przyłapywała go na tym, że patrzy na nią albo w przestrzeń takim nieobecnym wzrokiem, jakby stało się coś strasznego, jakby miał jej za chwilę powiedzieć, że wykryto u niego nowotwór albo że umarł ktoś, kogo oboje kochali. A kiedy pytała go, czy dobrze się czuje, uśmiechał się sztucznie i zapewniał, że oczywiście, bo co?

Na weselu starsza siostra ojca odciągnęła ją na stronę i z przejęciem udzieliła pewnej rady. Elizabeth była zawsze jej najulubieńszą ciotką i uchodziła kiedyś za piękność. Nie miała dzieci i rodzinna wieść niosła, że wiodła „barwne" życie, co, jak Sarah później zrozumiała, było eufemizmem dla puszczania się. Wtedy Elizabeth była już po raz trzeci zamężna (nawiasem mówiąc, umarła wkrótce po śmierci czwartego męża) i Sarah trochę ubawiło, że akurat ona chce się z nią dzielić swoim życiowym doświadczeniem.

— Dbajcie o siebie — powiedziała ciotka Elizabeth.

Nie było to nic odkrywczego, ale Sarah uśmiechnęła się grzecznie i powiedziała, że naturalnie, będą o siebie dbali. Elizabeth machnęła niecierpliwie ręką.

— Nie, nie zrozumiałaś. Dbajcie o siebie jako para. Kiedy na świat przyjdą dzieci, będzie cię korciło, żeby stawiać je na pierwszym miejscu. Nie rób tego. Małżeństwo jest jak roślina. Żeby nie zmarniało, trzeba je podlewać i nawozić. Jeśli tego zaniedbasz, to kiedy dzieci odejdą z domu i spojrzysz w kąt, zobaczysz tam zeschnięty badyl.

Rozdział 11

Eve wcale nie zamierzała dotrzymywać obietnicy i dzwonić do Cooperów. A kiedy to mimo wszystko uczyniła, wolała nie analizować motywów, które nią powodowały. Ten telefon pociągnął za sobą zbyt wiele nieszczęść, a ona nie chciała się czuć ich inicjatorką. O wiele wygodniej było wmawiać sobie, że to sprawa przeznaczenia. Że los, jeśli nawet nie wtedy i nie w taki sposób, niewątpliwie i tak połączyłby ją z Benem Cooperem.

W ciągu tygodnia spędzonego z Lori w Divide zaprzyjaźniła się ze wszystkimi i do tej pory była pod wrażeniem ciepłego przyjęcia, z jakim się tam spotkały. Zwłaszcza Sarah od samego początku szukała z nimi kontaktu. Eve polubiła ją, owszem, ale nie jakoś szczególnie. Była interesująca, dowcipna i niewątpliwie bardzo inteligentna, lecz przy tym jakaś usztywniona — nie tyle wyniosła czy napuszona, ile trochę chłodna i nieprzystępna. Odnosiło się wrażenie, że gdyby człowiek znalazł się z nią na bezludnej wyspie, to nawet po dziesięciu latach nie odkryłby, jaka naprawdę jest. Za to w jej mężu było coś, co dziwnie Eve ujęło.

Nie, nie od razu. Na ranczu miała wokół siebie tyle nowych twarzy, że z początku nie zwróciła na niego większej uwagi. Z pewnością miał artystyczną duszę i był tam jednym z bardziej interesujących mężczyzn. Zaskarbił sobie jej sympatię sardonicznym podejściem do życia, wypytywaniem o Pabla, o jej pracę, o to, jak jej się żyje w Santa Fe. A do tego zdawał się naprawdę słuchać odpowiedzi. I tak, w miarę upływu tygodnia, chociaż rozmawiała z nim zaledwie raz czy dwa, Ben zaczął ją coraz bardziej pociągać.

Kiedy w grupie brylował ten Bradstock albo ktoś inny, popatrywali na siebie z Benem wymownie i wymieniali znaczące uśmieszki. Wiele rozmawiali o malarstwie i, co tu ukrywać, pochlebiało jej, że on tak się interesuje jej pracą. Jednak najbardziej, co uświadomiła sobie dopiero później, ujmował ją jego smutek.

Niestety miał żonę. Inna sprawa, czy był z nią szczęśliwy; tylko co to za różnica. Był zajęty. A Eve wystrzegała się jak ognia związków z żonatymi mężczyznami. Pod tym względem była bardzo zasadnicza. Nie żeby miała jakieś skrupuły natury moralnej; po prostu z doświadczeń kilku koleżanek wynikało, że to zawsze kończy się łzami.

W Santa Fe, w kuchni nad telefonem, wisiała na ścianie korkowa tablica upstrzona gęstwiną karteczek z od dawna nieaktualnymi notatkami i listami zakupów, fotografii i pocztówek oraz ostatnich (i naturalnie genialnych) malunków Pabla. Gdzieś w tym chaosie, do którego uporządkowania Eve nie mogła się jakoś zebrać, wisiało zaproszenie na wernisaż prac jej przyjaciela, Williama. Miała to być jego pierwsza poważna wystawa, i to od razu w renomowanej galerii w SoHo, i William, cały w nerwach, wydzwaniał do Eve niemal codziennie, szukając u niej moralnego wsparcia. Obok tego zaproszenia przypięta była karteczka ze skreślonym ręką Sarah numerem telefonu do Cooperów. Wpadła Eve w oko pewnego poranka w połowie lipca, po telefonie od Williama. Patrzyła na ten numer przez chwilę, potem podniosła słuchawkę i wystukała go.

Odebrała Sarah. Z jej tonu wynikało, że ten telefon autentycznie ją ucieszył. Po dalszych konsultacjach, w trakcie których Eve, nie wiedzieć czemu, udawała zagorzałą wielbicielkę musicali, zakupione zostały cztery bilety na „Pocałuj mnie, Kate" (cztery, bo William, który naprawdę musicale uwielbiał, uparł się, że będzie jej towarzyszył). A na wieczór po spektaklu zarezerwowano stolik w restauracji La Goulue przy Madison Avenue, której Eve nie znała, ale Sarah zapewniła ją, że będzie zachwycona.

Kiedy taksówka zatrzymywała się pod teatrem, Eve, widząc Bena Coopera w tłumku czekających na deszczu przed jasno oświetlonym wejściem, założyła, że Sarah albo weszła już do środka, albo jeszcze nie dojechała. Opuściła ją nagle odwaga i niewiele brakowało, a kazałaby kierowcy jechać dalej, ponieważ jednak taksówkę oblegli już ludzie, zapłaciła i wysiadła. Nie miała parasolki, pobiegła więc, skacząc przez kałuże, ale i tak zmokła.

Zobaczył ją dopiero, kiedy była już blisko, i zasępioną twarz rozjaśnił mu natychmiast uśmiech tak ciepły i przyjazny, że coś w niej drgnęło. Próbowali pocałować się na powitanie w policzki, ale wybrali tę samą stronę, stuknęli w rezultacie czołami i o mało nie wyszedł z tego pocałunek w usta. Wymienili parę żartobliwych uwag na temat pluchy i ulicznych korków, a potem powiedziała mu, że niestety William nie mógł z nią przyjść. Do galerii, tuż przed zamknięciem, wpadł jakiś wielki niemiecki marszand i oznajmił, że chce zakupić wszystkie wystawione prace.

— Uprzedziłabym was telefonicznie, ale było już za późno.

— Chcieliśmy do ciebie zadzwonić, ale Sarah zapodziała gdzieś numer twojej komórki.

— Weszła już czy...?

— Ona też nie mogła przyjść. Jakiś bufonowaty literat, który miał się jutro spotkać z czytelnikami na wieczorze autorskim w jej księgarni, wycofał się w ostatniej chwili. A na spotkanie z nim szykowało się ze sto osób. Sarah wisi teraz na telefonie i usiłuje znaleźć kogoś na jego miejsce. Lepiej nie mówić, jaka jest wściekła. Tak się cieszyła na to spotkanie z tobą.

I w ten sposób zostali tylko we dwoje. Dla formalności odbyli krótką naradę, czyby nie odwołać całej imprezy i nie pójść każde w swoją stronę, ale gołym okiem było widać, że żadne tego nie chce. Sporo osób czekało w kolejce na zwroty i Ben oddał dwa bilety jakiejś młodej parze, stanowczo odmawiając przyjęcia pieniędzy, kiedy chcieli mu za nie zapłacić. Spektakl był zachwycający. Jak mogła wmawiać sobie tyle czasu, że nie lubi musicali? Wyszli oczarowani, zapewniając się nawzajem, że dopiero teraz wiedzą, skąd się wzięły te wszystkie słynne przeboje. Wciąż padało, ale udało im się złapać taksówkę. Po raz drugi przeprowadzony został dyskretny sondaż, czy któreś z nich nie wolałoby się już aby pożegnać i wrócić do domu. Oczywiście, żadne tego nie chciało. Kiedy śmiejąc się i rozmawiając o spektaklu, ściśnięci na tylnym siedzeniu tak ciasnym, że chcąc nie chcąc, stykali się udami, jechali taksówką do restauracji, przemknęło jej w pewnej chwili przez myśl, że jest bardzo przystojny i ładnie pachnie, i zaraz ofuknęła się za to w duchu.

W restauracji prawie wszystkie stoliki były zajęte. Usiedli w rogu sali obok jakiejś młodej pary, która nie szczędziła sobie pieszczot ani pocałunków. Tak się złożyło, że Eve miała na sobie tę samą zieloną sukienkę co na przyjęciu urodzinowym Benjamina. On, w czarnej koszulce polo i czarnej nakrapianej marynarce, prezentował się bardzo elegancko i zupełnie inaczej niż wtedy w Divide.

— Dlaczego wszyscy w Nowym Jorku ubierają się na czarno? — spytała.

— Może mamy żałobę.

— Po czym?

— Po swojej utraconej niewinności.

Zamówili steki, sałatkę i butelkę wybornego margaux. Spytał ją, co u Pabla, i skończyło się na tym, że opowiedziała mu wszystko o ojcu chłopca, Raoulu, zaznaczając, że nigdy nie stanowili konwencjonalnej pary, że byli raczej przyjaciółmi, którzy popełnili ten błąd i zostali kochankami. Biorąc jednak pod uwagę, że w konsekwencji na świat przyszedł Pablo, był to najlepszy błąd jej życia.

Potem przeszła kolej na niego. Zapytała go o Abbie i Josha, co zaowocowało długą dyskusją na temat instytucji rodzicielstwa i ich własnych rodziców. Eve powiedziała mu, że jej rodzice są nadal w miarę szczęśliwym małżeństwem i mieszkają w San Diego, za którym ona specjalnie nie przepada. Ben opowiedział jej o swoim ojcu, z którym nigdy nie udało mu się porozumieć.

— Uważał mnie za aroganckiego sukinsyna i nie wiem, czy nie miał racji. Już prawie od piętnastu lat nie żyje, a ja dopiero niedawno zawarłem z nim pokój. Ciekawa rzecz, w ilu fazach do tego dochodziłem. Na początku byłem na niego zły. Miałem do niego żal, że mnie nie kocha i wciąż krytykuje. Przez jakiś czas autentycznie go nienawidziłem. Potem mi przeszło i czułem się tylko rozżalony. I w jakimś sensie oszukany, rozumiesz, o co mi chodzi? Że nigdy nie potrafiliśmy się odnaleźć. A teraz, dziwna sprawa, mogę z ręką na sercu powiedzieć, że go kocham. I wiem, że on, na swój sposób, też mnie kochał. Należał tylko do innego pokolenia. Kiedyś mężczyźni nie okazywali swoich uczuć tak, jak my teraz. A jaki był wspaniały dla Abbie, kiedy była malutka. Świata poza nią nie widział. Sadzał ją sobie na kolanach i opowiadał bajki. Sama słodycz i czułość. Nigdy wcześniej go takim nie widziałem. Zupełnie jakby starał się przelać na nią całą tę miłość, której nie potrafił okazać mnie.

Uśmiechnął się.

— A tak nawiasem mówiąc, gdybyś zobaczyła moje fotografie z dzieciństwa, zrozumiałabyś może, dlaczego miał z tym trudności.

— Taki brzydki byłeś?

— Wprost szkaradny.

— To tak jak ja.

— Jakoś nie chce mi się w to wierzyć.

— Niby dlatego, że teraz jestem taka powalająco urodziwa?

160

Powiedziała, co wiedziała! Wyszło tak, jakby udzielała mu reprymendy za to, że jej kadzi, a wcale tak jego słów nie odebrała. Stropił się, uśmiechnął z zażenowaniem i pociągnął łyczek wina. Para przy sąsiednim stoliku karmiła się nawzajem łyżeczkami musem czekoladowym.

— Wiesz, co myślę? — powiedziała, żeby zatrzeć jakoś skutki popełnionej gafy. — Gdyby twój ojciec nadal żył, prawdopodobnie bylibyście teraz przyjaciółmi.

— To prawda. Mnie też się tak wydaje.

Spytała go o matkę i dowiedziała się, że był zawsze jej oczkiem w głowie, że w jej mniemaniu wszystko, co robił, zasługiwało na najwyższe uznanie, że gdyby jej nawet powiedział, że jest seryjnym mordercą, ona prawdopodobnie znalazłaby dla niego jakieś racjonalne wytłumaczenie i podziwiała go za to. Jej uwielbienie stało się tematem rodzinnych żarcików.

— Nie tak dawno przyjechała do nas w odwiedziny i wybraliśmy się do miasta. Siedziała z przodu, a Abbie, Josh i Sarah z tyłu. I kiedy udało mi się zaparkować na miejscu niewymagającym żadnych specjalnych umiejętności, powiedziała: Ben, ależ z ciebie doskonały parkingowy. Nie zmyślam. Widziałem w lusterku wstecznym miny Sarah i dzieci, resztką sił powstrzymywali się od parsknięcia śmiechem. Do dzisiaj mi to powtarzają, kiedy parkuję ten przeklęty samochód.

Eve roześmiała się, pokręciła głową i wzięła kolejny łyczek wina.

— I bardzo dobrze — powiedziała. — Ona cię po prostu kocha. Powiadają, że miłość matki do syna jest ślepa. I że motywuje.

— Nieprawda. Po śmierci ojca chodziłem przez kilka tygodni do psychoanalityka. Facet powiedział mi, że jeśli człowiek wyczuwa, że jest przez kogoś kochany niezasłużenie albo na wyrost, innymi słowy, jeśli zdaje sobie sprawę, że nie jest wcale takim supermanem, za jakiego ten ktoś go uważa, to taka miłość wcale go nie motywuje. Mało tego, zaczyna czuć się oszustem. Miej to na uwadze, bo przecież i ty masz syna.

— Parkuje swój trójkołowy rowerek lepiej od wszystkich dzieci z sąsiedztwa.

— No i sama widzisz.

Wcześniej nie chciał przyjąć od niej pieniędzy za bilet, więc teraz ona uregulowała po cichu rachunek, wracając z toalety. Trochę go to obruszyło, ale nie na długo. Na zewnątrz już nie padało. Jezdnie i trotuary lśniły, wypłukane z kurzu, chłodne powietrze po raz pierwszy pachniało nadciągającą jesienią. Przeszli spacerem kilka przecznic i nagle Ben uświadomił sobie, jak jest późno, i że może mu uciec ostatni pociąg. Zatrzymali taksówkę i pojechali na Penn Station. Tam Ben podał przez szybkę działową dwudziestodolarowy banknot i poinstruował kierowcę, gdzie ma ją zawieźć.

— Bardzo dobrze się bawiłam — powiedziała Eve. — Dziękuję.

— Ja też.

Pocałowali się na pożegnanie w policzki, i tym razem poszło im to już sprawnie.

— Muszę lecieć — powiedział, wysiadając. — Zadzwonię do ciebie... to znaczy, zadzwonimy, dobrze?

— Dobrze. Obejrzyj w wolnej chwili wystawę Williama.

— Postaram się. Na razie.

— Cześć. Pozdrów ode mnie Sarah i dzieci.

Ale on zatrzaskiwał już drzwiczki i chyba nie dosłyszał. Eve odprowadzała go wzrokiem z ruszającej taksówki. Kiedy znikł jej z oczu, wbiegając na stację, opadła na oparcie siedzenia, odrzuciła w tył głowę i zapatrzyła się w poplamione obicie sufitu. Lori nazywała to jednym z niezbitych dowodów na złośliwość losu: co za pech, że jedyni faceci do rzeczy, których poznaje ostatnimi czasy, to albo żonaci, albo geje.

Zadzwoniła nazajutrz i z jednej strony odetchnęła z ulgą, z drugiej doznała rozczarowania, kiedy odebrała Sarah. Uzgodniły między sobą, jak im przykro, że nie mogły się spotkać. Sarah powiedziała, że znalazła mniej znanego autora na miejsce tamtego bufonowatego, ale wciąż się denerwuje, jak zareagują na to klienci. Eve powiedziała, że odlatuje tego popołudnia z powrotem do Nowego Meksyku, ale bywa w Nowym Jorku kilka razy w roku i przy następnej takiej okazji już na pewno się spotkają.

— Na pewno — potwierdziła Sarah.

— Wpadnijcie kiedyś z Benem do Santa Fe. Dzieci też zabierzcie.

— A wiesz, że to jest myśl. Jeszcze tam nie byłam.

W samolocie i przez wiele dni potem przyłapywała się co jakiś czas na tym, że z sympatią wspomina Bena. Nie było w tym jednak nic z tęsknoty czy żalu. Przekonanie, że są sobie przeznaczeni, jeszcze w niej nie dojrzało. Życie nauczyło ją, że spoglądanie z nadzieją na zablokowane drogi przynosi tylko ból. I po prostu pogodziła się z myślą, że jest jak jest i inaczej być nie może.

Jej nastawienie niekoniecznie byłoby inne, gdyby nawet Ben był wolny. Emanowała z niego jakaś intensywność, która pociągała ją, a zarazem odpychała. Nie widziała w tej chwili miejsca w swoim życiu dla takiego mężczyzny. Od dziecka była samodzielna. Rodzice troskliwi, ale trochę niefrasobliwi, wpoili niechcący trójce swoich dzieci niezależność, co Eve dopiero później uznała za największy dar.

Była to cecha, którą inni, zwłaszcza mężczyźni, interpretowali często błędnie jako oziębłość. Jeden Raoul zawsze w pełni ją rozumiał, ale on był ulepiony z tej samej gliny. Nawet podczas tych dwóch wspólnie spędzonych lat żyli każde sobie i zupełnie im to nie przeszkadzało. Byli jak dwoje wędrowców, których drogi pokryły się na jakiś czas, by potem znowu się rozejść.

Przedtem, praktycznie przez całe swoje dorosłe życie, była sama. Ale chociaż nie było to życie pozbawione trosk, to samotność pozostawała dla niej pojęciem czysto abstrakcyjnym, ewentualnie czymś, co dotyka innych. Ona miała zawsze swoją pracę, przyjaciół, a czasami, kiedy uznała to za stosowne i do głosu dochodził odwzajemniany pociąg fizyczny — ale tylko pociąg, nic więcej — kochanków.

163

Pewnej nocy, jakieś dziesięć dni po powrocie z Nowego Jorku, kiedy Ben Cooper zdążył wywietrzeć jej z głowy i okres ponownej aklimatyzacji w Santa Fe miała już za sobą, przyśnił się jej niespodziewanie. Znajdowała się w teatrze, jednak nie tak wspaniałym jak tamten, w którym byli, a i spektakl przypominał bardziej przedstawienie szkolne niż musical wystawiany na Broadwayu. Do tego nie zasiadała na widowni, lecz występowała na scenie. Miała wygłosić swoją kwestię, ale nie zdążyła się nauczyć tekstu. W pewnej chwili dostrzegła Bena. Siedział w pierwszym rzędzie obok starszej kobiety, której nie znała. Poruszał bezgłośnie ustami, podpowiadając Eve, co ma mówić, ale ona nic z tego nie rozumiała i ogarniało ją coraz większe zdenerwowanie. Potem się obudziła.

Rano odprowadziła Pabla do przedszkola i wracając do domu, spotkała Lori. Usiadły w kawiarnianym ogródku przy Garcia Street i tam, przy zielonej miętowej herbacie, opowiedziała jej swój sen. W Montanie uznały zgodnie, że Ben Cooper jest jednym z najatrakcyjniejszych mężczyzn na ranczu i Lori wyciągnęła już z niej szczegółową relację z przebiegu wieczoru w Nowym Jorku. Po dwunastu latach analizy jungowskiej uważała się za specjalistkę od tłumaczenia snów. Znaczenie tego było według niej jasne jak słońce.

— A ta stara kobieta, która obok niego siedziała, jak się zachowywała? — spytała.

— Jak to jak?

— No, uśmiechała się, patrzyła spode łba czy co tam jeszcze?

— Nie wiem.

— Eve, to ważne. To była jego matka. Na pewno chcesz wiedzieć, czy ona to aprobuje.

— Nie chcę.

— Chcesz. Najlepszy dowód, że ona tam była.

— Ja jej nie przyprowadziłam. Przyszła z nim.

— Żarty sobie stroisz.

— Wiem. A zresztą co miałbym aprobować?

— Ciebie. Twój związek z Benem.

— Lori, daj spokój. Nie ma i nie będzie żadnego mojego związku z Benem.

Jeszcze to mówiła, a głos wewnętrzny podszeptywał jej już, że to wcale nie takie pewne.

Ben zameldował się w ponurym, obskurnym, pamiętającym zapewne lepsze czasy hotelu niedaleko Plaza. Wybrał go bez dalszych dociekań z przewodnika turystycznego, wyczytawszy, że zatrzymywali się tam kiedyś JFK i Errol Flynn. Kiedy stawiał torbę na podłodze ciasnego, przegrzanego pokoiku, przemknęło mu przez myśl, że na tę decyzję wpłynęło być może podświadome pragnienie utożsamienia się z owymi dwoma legendarnymi postaciami.

Miał sporo czasu do zabicia i mało brakowało, a zadzwoniłby do Eve i spytał, czy nie mogliby się spotkać wcześniej, uznał jednak, że nie wypada. Samolot z Kansas wylądował przed czasem i pomimo śniegu oraz tłumów świątecznych urlopowiczów i narciarzy na lotnisku dotarł tu z Albuquerque w niecałą godzinę. Międzystanowa była odśnieżona, warunki jazdy doskonałe i jeśli mogła być mowa o jakimkolwiek zagrożeniu, to stwarzał je sobie sam, odrywając co chwila wzrok od drogi, żeby spojrzeć ponad widmowo białą równiną na urzekający purpurowocynobrowy zachód słońca nad górskim pasmem.

Śnieg podsunął mu pretekst do wynajęcia samochodu terenowego — metalicznie czerwonego forda explorera — w którym czuł się bojowo i zachodnio. To wrażenie umacniał dodatkowo strój — wełniana kurtka w czarno-czerwoną kratę, traperki i czarna kominiarka z polarteku. Kupił to wszystko przed miesiącem w Missouli, kiedy byli tam z Abbie obejrzeć montański uniwersytet. Miał już spakować stetsona, ale doszedł do wniosku, że wątpliwe, by odważył się go włożyć. Zresztą kominiarka też była cool, chociaż Abbie orzekła, że ojciec wygląda w niej jak podstarzały kieszonkowiec.

Tak czy owak rad był, że przyjechał odpowiednio wyposażony. Śnieg znowu zaczynał padać i kiedy wsiadał z powrotem do wozu, w radiu podali, że jest jedenaście stopni poniżej zera. Jak po sznurku, bez zaglądania do planu miasta, trafił na Paseo de Peralta.

Mijało już dwanaście lat, od kiedy był ostatnio w Santa Fe, ale nie zapomniał jeszcze topografii miasta i chociaż zapadł już zmrok, a ulice w odświętnej gali zmieniły się nie do poznania, szybko zobaczył przed sobą skrzyżowanie, którego szukał. Skręcił, podjechał wolno pod wzniesienie, znalazł miejsce do zaparkowania i poszedł dalej piechotą. Puszyste płatki śniegu opadały w nieruchomym powietrzu z wahaniem, tak jakby czas i grawitacja uległy zawieszeniu. Miłe dla ucha skrzypienie śniegu pod butami przydawało jego misji aury tajemniczości.

Canyon Road przywodziła na myśli scenografię do filmu, którego akcja rozgrywa się w okresie świąt Bożego Narodzenia. Na drzewach i udekorowanych świątecznie fasadach sklepów i galerii mrugały kolorowe lampki. Witryny zdobiła zielenina i błyskotki; gdzie tylko spojrzeć, wisiały podświetlone dyskretnie girlandy strączków czerwonego pieprzu i świeczek w papierowych torebkach obciążonych piaskiem. Na rogu grupka ludzi skupionych wokół małego ogniska wyśpiewywała popularne kolędy. Ben miał wrażenie, że lada chwila usłyszy komendę „cięcie".

Galerie sztuki, które pamiętał z dawnych czasów, jakby się od tamtej pory rozpleniły i większość była jeszcze otwarta. Światło wylewające się z tych aladynowych pieczar ciepła i barwy kładło się żółtymi prostokątami na śnieg pokrywający trotuary. Kiedy był tu przed laty, ślubował sobie, że gdyby kiedykolwiek przyszło mu zarabiać na życie malowaniem, to zamieszkałby właśnie tutaj. Niektóre z wystawianych w galeriach obrazów były niezłe, większość jednak ocierała się o kicz. Ale turyści z całego świata kupowali je za bajońskie sumy. A już najlepiej sprzedawały się te duże, kolorowe i ładnie oprawione.

Nadal nie mógł uwierzyć, że tu jest. Miał wrażenie, że to ktoś inny pnie się w jego butach tą krętą, stromą ulicą, ktoś śmielszy i bardziej niefrasobliwy. Ten sam ktoś, kto do niej dzwonił, kto przybierał nonszalancki ton, kto powiedział, że i tak przylatuje do Kansas, bo matka źle się ostatnio czuje, a stamtąd już tylko jeden skok samolotem. I gdyby była zainteresowana, to nadarza się okazja, żeby porozmawiali o wykonaniu fresków do holu pewnego niesamowitego nowego projektu, który realizują z Martinem w Cold Spring Harbor. Czy mogłaby przesłać pocztą kurierską kilka fotografii swoich ostatnich prac? Zadziwił sam siebie. Kim był ten mężczyzna? I czy naprawdę wiedział, czego chce?

Nie była to naturalnie jego pierwsza zdrada. Pamiętał dobrze odmładzający dreszczyk podniecenia, to początkowe ożywienie, które likwiduje wszelkie zalążki wyrzutów sumienia. Bo i co tu sobie wyrzucać? Przez wszystkie te lata małżeństwa zdradził Sarah tylko dwa — dosłownie dwa — razy i uznawał ten fakt za dowód swojej niemal cnotliwej wstrzemięźliwości. Bo czyż wyjątki nie potwierdzają reguły?

Znał mężczyzn, którzy zdradzali żony notorycznie, którzy nie przepuścili żadnej okazji, którzy aktywnie takich okazji szukali. Na przykład Martin. Ben widywał go w akcji, kiedy wyjeżdżali razem na rozmaite konferencje, widział, jak na przyjęciu czy w hotelowym barze upatruje sobie i omotuje tę czy inną względnie młodą kobietę. Martin twierdził, że potrafi wyczuć potencjalną ofiarę na sto kroków. Ben obserwował go w działaniu. Patrzył, może nie tyle z podziwem, co zainteresowaniem, jak Martin się przedstawia, jak swobodnie zagaja rozmowę, jak słucha z zainteresowaniem i w skupieniu, jak wzorem ogrodnika pielęgnującego swój ulubiony kwiat buduje atmosferę intymności. I w dziewięciu przypadkach na dziesięć — no, może nie dziewięciu, może w sześciu, może w czterech — dopinał swego.

— Cała sztuka w tym, żeby się nie zrażać i nie chować do skorupy, kiedy dostajesz kosza — powiedział mu kiedyś

Martin. — Nawet tym, które odmawiają, pochlebia, że ktoś złożył im propozycję.

Ben zazdrościł mu tego niefrasobliwego podejścia do sprawy, tego braku poczucia winy i umiejętności zachowania dystansu. Dla Martina był to tylko seks. Z Beth, która albo zasługiwała na Oscara, albo rzeczywiście była jedyną osobą w okręgu Nassau, która nie wiedziała o skokach w bok męża, nie rozstanie się do grobowej deski. Za to Ben, w tych dwóch przypadkach, kiedy dopuścił się małżeńskiej zdrady — raz z młodą prawniczką z Queens, która swego czasu załatwiała mu przeniesienie praw własności, i raz ze starszą mężatką poznaną w klubie tenisowym — zaangażował się do tego stopnia, że się zakochał. Oba romanse nie trwały długo — głównie dlatego, że nie zamierzał odchodzić od Sarah (a co dopiero od jeszcze małych dzieci) — i pozostawiły po sobie tylko gorycz. To cud, że nikt się nie dowiedział. Jedyną osobą, z którą o tym rozmawiał, był Martin.

— Wiesz, na czym polega mój problem? — zwierzył mu się w przypływie rozżalenia po tenisowym romansie. — Nie potrafię oddzielić miłości od seksu.

Martin roześmiał się.

— A mój na tym, że nie potrafię ich ze sobą łączyć.

No i historia się powtarza. Oto on, potencjalny cudzołożnik po przejściach, jeszcze nie do końca pewny, czy już kocha, ale na najlepszej drodze do zakochania. Żałosne, i to z kilku powodów. Nie znał się na kobietach. Owszem już w Divide, a potem podczas tamtego wieczoru w Nowym Jorku, wyczuwał, że się jej podoba i że coś nawet między nimi zaiskrzyło, ale to jeszcze nic nie znaczyło. Może lepiej się nie wygłupiać. Być wobec niej miłym, ale rzeczowym. Drink, rozmowa o freskach. I do domu.

Wystarczyło jednak, że ją zobaczył, a już wiedział, że tak się to nie skończy. Zmęczony i niemal ślepy na kolory po rajdzie po galeriach siedział nad margaritą w rogu baru, w którym się umówili. Sala była długa, ciemna i wąska, z wypastowaną drewnianą podłogą, obwieszona gęsto obrazami (wyglądało na to, że w Santa Fe nie ma przed nimi ucieczki). Drzwi otworzyły się, do środka wtargnął tuman płatków śniegu, a kiedy opadły, zobaczył ją. Była w zniszczonym, poplamionym, starym kowbojskim kapeluszu i w zielono-czerwonym płaszczu z koca ściągniętym w talii paskiem. Zdjęła kapelusz, potrząsnęła włosami i strzepnęła śnieg z ronda. Jeden z mężczyzn siedzących przy barze, najwyraźniej znajomy, powiedział coś, czego Ben nie dosłyszał. Roześmiała się, podeszła i położyła mu dłoń na ramieniu, a on objął ją i pocałował. Stała tam parę chwil roześmiana, rozmawiając z każdym z osobna i ze wszystkimi naraz.

Potem jeden z mężczyzn obrócił się na stołku i wskazał na Bena. Obejrzała się, uśmiechnęła i ruszyła w jego stronę. Nie spuszczała z niego oczu, w których odbijało się światło lamp. W połowie drogi jej uśmiech przyblakł nieco, jakby pod wpływem jakiejś refleksji albo ostrzeżenia, które przemknęło jej przez myśl, potem znowu nabrał ciepła, ale był już bardziej wyważony.

Podniósł się z krzesełka i mruknął „cześć". Nie odpowiadając, przechyliła się przez stolik, położyła mu dłoń na ramieniu i przytknęła swój zimny, bardzo zimny policzek do jego policzka. Omal nie zajęczał, czując jej zapach. Powiedziała, że galeria Lori mieści się dokładnie naprzeciwko i za chwilę ją zamykają. Zostawił więc niedopitą margaritę, chwycił płaszcz i przeszedł za nią na drugą stronę ulicy. Lori nie było, ale zostawiła dla Bena karteczkę z zapewnieniem, że wszyscy faceci z Divide mają u niej dziesięć procent rabatu.

Obrazy Eve — dwa ogromne tryptyki w oleju — wisiały w nastrojowo oświetlonej salce o ścianach z kamienia, znajdującej się na tyłach galerii. W oryginale robiły o wiele większe wrażenie niż oglądane na zdjęciach, które mu przysłała. Większy zatytułowany był *Odwiedziny* i prezentował się niemal biblijnie — kolory nasycone i ciemne, purpura, indygo i karmin. Na dwóch zewnętrznych zwierzęta rozmaitych gatunków, oddane w bardziej pastelowych odcieniach kości i kamienia, tłoczyły się i kuliły wśród korzeni, szukając tam jakby schronienia przed potężną wichurą. Na środkowym panelu, w kałuży blasku, stawał dęba uskrzydlony stwór, po części koń, po części człowiek, po części gad, potężny, ale przy tym łagodny. Ben był wstrząśnięty i poruszony, ale nie bardzo wiedział, co powiedzieć, chyba tylko tyle, że obraz jest cudowny i niepowtarzalny, że bije z niego niesamowita moc. Jego skromnym zdaniem, którego wolał nie wypowiadać, do atrium biurowca towarzystwa ubezpieczeniowego na Long Island bardziej pasowałoby raczej coś lżejszego.

Wrócili do baru i usiedli przy tym samym stoliku. Zamówił dla niej lampkę czerwonego wina, jeszcze jedna margaritę dla siebie i rozmawiali przez godzinę bez chwili przerwy. O pogodzie, o Pablu, o tym, jak spędzali Święto Dziękczynienia. O jego zeszłomiesięcznej wyprawie z Abbie do Missouli na inspekcję tamtejszego uniwersytetu i o tym, że Abbie zamierza poświęcić całe przyszłe lato na pracę dla Greenpeace. No i rzecz jasna o interesach, o tych nieszczęsnych freskach, pod których pretekstem był tu teraz w ten śnieżny, odrealniony wieczór, w Santa Fe. Tak ładnie się wszystko układało. Rozumieli się nawzajem, to samo ich śmieszyło, jedno pamiętało drobne szczegóły z życiorysu drugiego. Zapytała go nawet żartem, gdzie zaparkował i jak mu to wyszło.

Spytał, czy coś jadła. Odparła, że nie i że kona z głodu, zmienili więc lokal, zajęli stolik przy kominku w labiryncie sąsiadującej z barem restauracji, zamówili krewetki, ostro przyprawionego kurczaka z grilla i fasolę, i rozmawiali dalej. Miała na sobie stare niebieskie dżinsy i szarozielony kaszmirowy kardigan, który po chwili zdjęła rozgrzana ciepłem bijącym od kominka. Pod spodem miała bezrękawnik w takim samym kolorze, podkreślający kształt jej piersi. W blasku świec oblewającym obnażone ramiona była tak zachwycająco piękna, że Benowi z wrażenia mało nie opadła szczęka.

Gdyby nie czuła się tak samo swobodnie i dobrze jak on, może by tego nie powiedziała. Podobne komentarze zbijają mężczyzn z pantałyku. I wspominając później ów moment, Ben uznawał za cud, że taki beznadziejny uwodziciel jak on nie zwinął się po prostu w kłębek i nie schował pod stół. Tak czy inaczej, kiedy zabrali się do jedzenia, po raz pierwszy tego wieczoru zaległo między nimi milczenie. Po prostu siedzieli, patrzyli na siebie i na twarzach mieli wypisane wołami pytanie: co dalej? W pewnej chwili Eve upiła łyczek wina, odstawiła kieliszek i powiedziała:

— No, Ben. A teraz mi powiedz, po co tak naprawdę przyjechałeś.

Rzekła to łagodnie, z uśmiechem, w którym nie było ani kpiny, ani wyrzutu. A on, zamiast zmartwieć ze strachu ewentualnie zaczerwienić się po uszy z zakłopotania, po króciutkiej pauzie, nie mrugnąwszy nawet powieką, wyznał jej po prostu, że się w niej zakochał. Powiedział, że od tamtego przyjęcia urodzinowego w Divide wciąż o niej myśli. Że jeszcze nigdy nie pałał tak silnym uczuciem do kobiety.

Nie przygotował sobie ani nie zamierzał wygłosić tej zadziwiającej (zadziwił nawet samego siebie) deklaracji. Nie było to bynajmniej nieudolne naśladownictwo techniki uwodzenia mistrza Martina. Słysząc siebie wywnętrzającego się ze swych najgłębiej skrywanych uczuć niczym na jakiejś parodii spowiedzi, miał oczywiście świadomość, że głupio ryzykuje, że w ten sposób może ją łatwo spłoszyć, ale brnął dalej.

Cichym, spokojnym głosem mówił, że od wieczoru, który spędzili wspólnie w Nowym Jorku, odchodzi od zmysłów, kombinuje, co i jak zrobić, żeby znowu się z nią zobaczyć, że już kilka razy chciał do niej napisać, ale nie potrafił znaleźć odpowiednich słów.

Mówił głównie do swoich dłoni, które trzymał przed sobą na stoliku. Co jakiś czas podnosił wzrok, żeby ocenić, jaki efekt wywierają jego słowa, ale z jej twarzy udawało mu się wyczytać jedynie coś w rodzaju skrywanego zaskoczenia. Kiedy już

171

kończył, zerknęła na jego ręce i wtedy uświadomił sobie, że bawi się swoją ślubną obrączką.

Uśmiechnął się i wzruszył ramionami.

— No i tak to jest — podsumował.

Zapadło długie milczenie. Siedziała i patrzyła na niego.

— Tak — mruknęła w końcu. — Nie wiem, co powiedzieć.

— Przepraszam. Nic nie musisz mówić.

— Aha, akurat.

— Nie, naprawdę. Pytałaś, po co tu przyjechałem, czyli zorientowałaś się najwyraźniej, że nie w sprawie obrazów. Pomyślałem więc sobie, tam do diabła, co tu lawirować? Powiedz jej prawdę.

Sięgnęła po kieliszek i nie spuszczając z niego wzroku, upiła łyczek wina.

— A więc to nie moimi pracami byłeś zainteresowany.

— Twoje obrazy są zachwycające.

— To znaczy, że mnie zatrudniasz?

— Jeśli tylko chcesz.

— Ha! Tylko to się liczy.

Siedzieli przez chwilę, uśmiechając się do siebie ze smutkiem.

— Nie zapomniałeś aby powiedzieć, że Sarah cię nie rozumie?

— Szczerze mówiąc, podejrzewam, że wprost przeciwnie. Chyba nawet aż za dobrze. Po prostu nie jesteśmy już tacy jak dawniej. Byłbym ci naprawdę wdzięczny, gdybyś zarzuciła coś na te ramiona.

Nałożyła bez pośpiechu kardigan.

— Albo może nie — powiedział.

— Przyznaj, często to robisz?

— Nie.

— Nigdy bym nie pomyślała.

— Dziękuję.

Podeszła kelnerka i spytała, czy już skończyli. Popatrzyła na nich z lekką konsternacją, kiedy wybuchli śmiechem. Ben poprosił o rachunek. Kiedy odeszła, Eve sięgnęła nad stolikiem i wzięła go za rękę.

— Bardzo cię lubię, Ben, ale mam taką zasadę, że nie zadaję się z żonatymi mężczyznami i nie zamierzam od niej odchodzić. Co innego, gdybyś był wolny.

Na ulicy pocałowali się jak przyjaciele i poszła pod górę, nie oglądając za siebie. Śnieg już nie padał, ale Ben musiał oczyścić przednią szybę terenówki z kilkucalowej jego warstwy. Wracał do hotelu w stanie chłopięcej egzaltacji. A nazajutrz, kiedy samolot kładł się na skrzydło pod bezchmurnym kobaltowym niebem, obierając kurs na północny wschód, spojrzał w dół na białą, poznaczoną bliznami gór równinę i poczuł coś w rodzaju nieopisanej ulgi.

Wracał do domu. Ale to słowo zmieniło znaczenie, opisywało teraz miejsce, które on już sercem opuścił. Co prawda nie powiedziała tego wprost, ale był pewien, że przyjmie go z otwartymi ramionami, jeśli tylko uda mu się odzyskać wolność. I ze ślepym zapałem ignoranta zapoczątkował już ten proces.

Rozdział 12

W Missouli, nawet jeśli bardzo się chciało, trudno było zabłądzić. Żeby zorientować się w położeniu, wystarczyło rozejrzeć się i poszukać wzrokiem widocznej z każdego miejsca w mieście wielkiej białej litery M osadzonej w połowie wysokości stromego wypiętrzenia terenu po południowej stronie Clark Fork River. Było to tylko wzgórze, ale nosiło dumną nazwę Góry Strażnika. Kto miał silne nogi, pojemne płuca i zamiłowanie do pieszych wędrówek, mógł się wspiąć zygzakowatym szlakiem do tego M, stanąć obok i spojrzeć ponad miastem na lasy i góry przyprószone od wczesnej jesieni śniegiem. A jeśli znalazł w sobie siły, by oderwać wzrok od tego urzekającego krajobrazu, i spojrzał w dół, to pod czubkami swoich butów zobaczył rozpościerający się u stóp wzgórza kampus Uniwersytetu Montany.

Było to spokojne, urocze miasteczko akademickie, chociaż między wiekowe budynki z czerwonej cegły wciskały się już stopniowo, zakłócając atmosferę staroświeckości, te bardziej współczesne. Centrum kampusu stanowił rozległy trawnik zwany Owalem, na którym latem wylegiwali się i grali we frisbee studenci. Owal, pocięty alejkami wyłożonymi szarym kamieniem i czerwonymi kocimi łbami ocalonymi z modernizowanych podmiejskich uliczek Missouli, słynął kiedyś z dostojnych amerykańskich wiązów, które, jeden po drugim, powaliła choroba. Ostało się tylko kilku dzielnych matuzalemów, ich następcy — młode klony, dęby czerwone i igliczenie — też nie wyglądali za zdrowo. Nad ich bezpieczeństwem czuwał potężny niedźwiedź grizzly ustawiony na betonowym postumencie przy zachodnim wejściu na Owal.

Stał na tylnych łapach zapatrzony w dal, ze spiżową paszczą rozwartą w bezgłośnym ostrzegawczym pomruku, tak jakby wyczuwał w powietrzu nadciągające zagrożenie. I dla tych, którzy znali najnowszą historię, jego zaniepokojenie nie było bynajmniej pozbawione podstaw. Bo od trzydziestu lat, przez które czuwał tu na posterunku, uniwersytet znajdował się pod ciągłym, nękającym ostrzałem. Konserwatywna Montana — czyli większa część stanu — widziała w uczelni tygiel ziodący oparami liberalnej trucizny, której najzjadliwszą odmianę warzono w budynku usytuowanym tuż pod bokiem niedźwiedzia.

Rankin Hall stał na ociosanej z grubsza skalnej opoce, w której wykuto dwanaście stopni prowadzących do dwuskrzydłowych drzwi pod portalem wspartym na klasycystycznych kolumnach. W korytarzu, pośród plakatów, ogłoszeń i zawiadomień o planowanych koncertach i wystawach, wisiała oprawiona w ramki, pożółkła ze starości fotografia kobiety, która użyczyła budynkowi swego nazwiska. W przybranym piórami kapeluszu, bluzce ze stójką i ciemnym kostiumie Jeannette Rankin, sufrażystka, pacyfistka i pierwsza w dziejach kobieta wybrana do Izby Reprezentantów, wydawała się postacią zbyt poważną, by patronować takiej wylęgarni kontrowersyjnych idei. Ale patronowała, bo w Rankin Hall miał swoją siedzibę osławiony wydział ochrony środowiska.

Powstał w latach protestu przeciwko wojnie w Wietnamie i kształcił aktywistów, którzy — tak przynajmniej twierdzili jego krytycy — rujnowali gospodarkę stanu, ograbiając go z tysięcy miejsc pracy w kopalniach i przy wycince lasów z takim opłakanym skutkiem, że Montana wlokła się teraz w ogonie

Stanów Zjednoczonych, zajmując w statystykach czterdzieste szóste czy, jak kto woli, piąte od końca miejsce pod względem dochodu na głowę mieszkańca. Oczywisty fakt, że prawda jest nieco bardziej złożona, do konserwatystów dążących do zamknięcia wydziału nie docierał. Próbom nałożenia mu cugli i obcięcia funduszy nie było końca. Profesorom zarzucano faworyzowanie studentów, którzy brali udział w demonstracjach, zagważdżali * drzewa albo przykuwali się do ciężarówek wywożących z lasu dłużyce. Raz, pod śmiesznym zarzutem, że ścienna mapa lasów Montany upstrzona kolorowymi szpilkami jest w rzeczywistości oficjalnym planem szeroko zakrojonej akcji zagważdżania drzew, uzbrojeni po zęby agenci federalni wtargnęli na teren wydziału, ale wypadli stamtąd szybko, ociekając żółtkami jajek.

Abbie Cooper, decydując się na podjęcie tu studiów, nic jeszcze o tym nie wiedziała. A nawet gdyby wiedziała, to i tak nie pisnęłaby nikomu słówkiem, zwłaszcza dziadkowi, dla którego jej wybór był mało że fanaberią, ale niemal osobistym afrontem. Tatę, co było do przewidzenia, miała już po swojej stronie. Mama, może z pewnym ociąganiem, ale wtórowała dziadkowi, powtarzając argument, że to grzech, by ktoś o zdolnościach Abbie wpierw nie przeprowadził choćby rekonesansu na Harvardzie. Poszła w końcu na ustępstwo i dla świętego spokoju dała się tam zawieźć. Z nadąsaną miną snuła się w szarej mżawce ulicami Cambridge, a potem (kochanie, proszę, to tylko kawałek stąd) Wellesley.

Nikt się nie zdziwił, kiedy tego wieczoru oświadczyła melodramatycznie, że prędzej zostanie kasjerką w Wal-Marcie, niż podejmie studia na którymkolwiek z tych dwóch uniwersytetów. To wtedy mama dała wreszcie za wygraną i klamka zapadła. Jesienią Abbie podejmie studia na Uniwerytecie Mon-

---

* Metoda zapobiegania wycinaniu drzew stosowana przez radykalnych obrońców środowiska, polegająca na wbijaniu w pień metalowych prętów, co dyskwalifikuje drzewo jako surowiec dla tartaków.

tany na wydziale — a jakże — ochrony środowiska naturalnego, gdzie czekało już na nią miejsce.

Letnie wakacje po odebraniu dyplomu ukończenia szkoły średniej należały do najwspanialszych w jej życiu. Dwa tygodnie spędziła w Wyoming z Tyem, pracując na ranczu. Zamierzała zostać dłużej, ale Ty stał się za bardzo nachalny i chociaż bardzo go lubiła, to nie była jeszcze gotowa na związek, który mu się marzył. Dwa tygodnie wcześniej, niż planowała, poleciała do Vancouver i zapisała się do Greenpeace.

Praca w organizacji nie była specjalnie wymagająca ani ekscytująca, ale rekompensowały to z nawiązką nowe znajomości i przyjaźnie, jakie zawarła. Najatrakcyjniejsze były wyprawy badawcze morskim kajakiem wzdłuż wybrzeża do dziewiczych zatoczek na północy. Obserwowali tam niedźwiedzie polujące na płyciznach na łososie i brodzili w wodzie wśród stad orek, mając je na wyciągnięcie ręki. Nocami obozowali na plaży, słuchając parskania wielorybów w zatoce i odległego wycia wilków w lesie powyżej.

Cieniem na te długie idylliczne dni kładły się tylko znajdowane ptaki morskie z piórami pozlepianymi ropą, martwe bądź dogorywające w wypełnionych wodą skalnych nieckach. Niektóre udawało im się uratować, ale większość umierała. W sercu Abbie, kiedy patrzyła, jak cierpią, wzbierał coraz większy gniew.

Do domu wróciła dopiero w sierpniu, pozostawiając sobie tylko tydzień na przygotowania do wyjazdu na uczelnię. Mama zrobiła na niej wrażenie dziwnie nerwowej i smutnej, nigdy jej takiej nie widziała. Tato też był jakiś nieswój — bardziej milkliwy, trochę rozkojarzony. Kiedy zapytała, czy coś się stało, mama wzruszyła tylko ramionami i powiedziała, że oboje są przepracowani, a do tego w tym roku nie znaleźli nawet czasu, żeby wyjechać na urlop. Josh wrócił właśnie do domu po miesiącu spędzonym z Bradstockami nad Little Michigan i przez większą część tygodnia wisiał na telefonie, gruchając z Katie, albo pucował swój pokój.

W przeddzień odlotu do Missouli, mama weszła wieczorem do jej pokoju. Na widok pakującej się córki nie wytrzymała i rozpłakała się.

— Przepraszam, nie chciałam. — Pociągnęła nosem i siląc się na wesoły ton, dodała: — Rozczuliłam się. Ale mamom wolno chyba uronić kilka łez, kiedy ich małe dziewczynki opuszczają dom rodzinny.

— Och, mamo. Przecież nie wyjeżdżam na zawsze.

— Wiem.

— Czy tylko o to chodzi? Naprawdę?

— A o co miałoby jeszcze chodzić? Przed tobą taki fantastyczny okres. Zazdroszczę ci, i tyle.

Na UM Abbie przydzielono pokój w Knowless Hall, schludnym, ale niezbyt okazałym czteropiętrowym budynku z cegły i betonu, którego jedyną ozdobę stanowiła biała, fryzowana weranda zastawiona wiecznie rowerami. Wznosił się na skraju Owalu, przy alejce wysadzanej klonami, których liście teraz, po pierwszych jesiennych przymrozkach, zmieniały kolor z jaskrawopomarańczowego na czerwony. Sam pokój, usytuowany w połowie jednego z sześciu identycznych korytarzy, wyposażony był w dwa łóżka, dwa biurka, dwa krzesła i dwie sosnowe półki na książki, które Abbie ze swoją współlokatorką poprzestawiały tak, by zapewnić sobie chociaż namiastkę prywatności. Na szczęście, i chyba trochę niespodziewanie dla obu, przypadły sobie do gustu.

Melanie Larsen pochodziła z małego miasteczka sąsiadującego z Appleton w stanie Wisconsin. Była córką farmera i widać to było po niej. Miała blond włosy, czerstwą cerę, a jej uda i ramiona sugerowały, że potrafiłaby jedną ręką wyciągnąć krowę z trzęsawiska. Ona też rozpoczynała studia na wydziale ochrony środowiska. Podczas gdy kącik Abbie zdobiły plakaty z górskimi krajobrazami, dzikimi zwierzętami i bohaterami takimi jak John Lennon i Che Guevara, na ścianie u Mel wisiały tylko trzy oprawione w ramki fotografie — jedna przedstawiająca jej rodziców, druga — jej czterech braci i trzecia — ją samą tulącą się do jałówki rasy hereford, która zgarniała wszystkie nagrody na lokalnych wystawach bydła.

Mel była tak żywiołowa i kontaktowa, że w ciągu dwóch miesięcy ich pokój stał się czymś w rodzaju epicentrum życia towarzyskiego. Drzwi się nie zamykały. Dzisiaj jednak były zamknięte. A przypiętą do nich kartkę, obok której dyndał na sznurku ołówek, zapełniała już litania wpisów.

Hej, dziewczyny, gdzie was wcięło? Chuck/Kogucik.
Mel, bomba! Mam bilety na koncert! Zadzwoń. Jazza.
Abigail, ty seksapilko, to jak z tym dzisiejszym wieczorem? B XXX.

I tak dalej. Była pora lunchu, kiedy to normalnie ściągali tu znajomi z kawą i kanapkami zakupionymi w La Peak, małej kafejce w Lommasson Center po drugiej stronie alejki. Nadchodzili pojedynczo i grupkami korytarzem, zastawali drzwi zamknięte, marszczyli czoła, ten i ów zapukał i nasłuchiwał przez chwilę, potem wzruszał ramionami, pisał wiadomość i oddalał się korytarzem w kierunku klatki schodowej. Abbie i Mel z niewyjaśnionych przyczyn nie było w pokoju.

Abbie zaczynała żałować, że jej tam teraz nie ma. Ból stawał się nie do zniesienia. Obawiała się, że długo już nie wytrzyma. Nadchodził na falach mdłości i pozostawiał ją bliską łez. Ale ich niedoczekanie, żeby zobaczyli ją płaczącą. Bolało ją wszystko. Nawet w miejscach, o których dotąd nie wiedziała, że je w ogóle ma.

Od pięciu godzin siedziała przykuta kłódką za szyję do metalowej bramy. A wydawało jej się, że upłynęło już pięć dni. Kłódka była z tych, którymi zabezpiecza się przed kradzieżą rowery, tylko większa — miała kształt litery U, była z hartowanej stali, a poprzeczny pręt bramy, na którym ją zatrzaśnięto, znajdował się tak wysoko, że Abbie odnosiła wrażenie, że kręgosłup wydłużył się jej już o dobre kilka cali. Każda próba rozluźnienia mięśni groziła zgarotowaniem przez kabłąk kłódki. Otarcia na szyi musiały puchnąć, bo kabłąk coraz mocniej ją uciskał. Abbie ze wszystkich sił starała się nie dopuścić do głosu paniki.

Poranek był słoneczny i jak na koniec października niespotykanie ciepły. Ale potem powiało od północy, nadciągnęły chmury i temperatura zaczęła szybko spadać. Wilgotny chłód gruntowej drogi przeniknął w końcu przez wierzchnią odzież i ocieplaną bieliznę i wsączał się teraz lodowatą mgiełką w każdą kosteczkę ciała. Mogła mieć tylko nadzieję, że szybko straci czucie.

— Jak tam, siostro? — zawołał Haker.

Abbie zdobyła się na uśmiech. Nawet to sprawiło jej ból.

— Obleci — odkrzyknęła.

— Nie zimno ci?

— Nie, da się wytrzymać.

Abbie i jej dziesięciu współprotestujących mieli już dość liczne towarzystwo. W sumie ze czterdzieści osób plus cała flota pojazdów zaparkowanych u stóp wzgórza i druga taka właśnie nadjeżdżająca. Agenci Służby Leśnej, szeryf okręgowy z gromadką swoich zastępców, ludzie z firmy prowadzącej wyrąb, dziennikarze z miejscowej gazety, fotoreporterzy, wszyscy oni otaczali ich półkolem, patrzyli, gawędzili między sobą i czekali, co z tego wyniknie. Nawet żwawemu facecikowi ze Służby Leśnej, który przez cały poranek filmował wszystko kamerą wideo, skończyły się chyba pomysły, bo stał teraz oparty o maskę swojej półciężarówki i wyraźnie — jak cała reszta — znudzony. Mroźne powietrze wypełniały trzaski i bełkot z tuzina krótkofalówek oraz warkot helikoptera, który przez cały ranek wynosił okorowane dłużyce z doliny poniżej. Przed chwilą nadjechała furgonetka stacji telewizyjnej. Reporterka z kamerzystą pięli się już pod górę w ich kierunku. Haker znowu zaintonował piosenkę:

Broń w dłoń i siecz! Z bezprawnym wyrębem precz!
Broń w dłoń i siecz! Z bezprawnym wyrębem precz!

— Dalej, wiara! Pokażmy, że coś się tu dzieje!

Na jakiś swój zdradziecki sposób śpiewanie sprawiało jej teraz niemal taki sam ból, jak kłódka na szyi, ale Abbie karnie dołączyła do chóru. Starając się angażować do tego jak najmniej mięśni, skierowała oczy w bok, żeby spojrzeć na Mel i Scotta, którzy podobnie jak ona siedzieli przykuci do bramy. Boże, jak rześko i nonszalancko wyglądali, ryczeli na całe gardło. Abbie poczuła się jak ostatnia niedojda.

Broń w dłoń i siecz! Ze Służbą Leśną precz!
Broń w dłoń i siecz! Ze Służbą Leśną precz!

Na skraju pola widzenia, kawałek w górę stoku od bramy, majaczyli jej Todd i P.J., którzy znowu nałożyli gigantyczne makiety pstrągów z papier-mâché i odstawiali komiczny taniec przed telewizyjną kamerą. Wyglądali jak dwa pijane kajaki na nogach. Parę kroków wyżej Eric zwisający w uprzęży obok transparentu, który rozpięli między drzewami nad drogą, zaczął znowu grać na akordeonie. Jego repertuar składający się z czterech melodii zaczynał się wyczerpywać. Transparent wzywał: PRZESTAŃCIE ZABIJAĆ LASY MONTANY.

Broń w dłoń i siecz! Z zachłannością korporacji precz!
Broń w dłoń i siecz! Z zachłannością korporacji precz!

Reporterka telewizyjna zatrzymała się niżej, żeby porozmawiać z szeryfem i ludźmi ze Służby Leśnej, natomiast kamerzysta podszedł do bramy i zaczął filmować tańczące pstrągi oraz Abbie, Mel i Scotta. Abbie robiła wszystko, żeby wyglądać niezłomnie i wyzywająco, a w skrytości ducha żywiła nadzieję, że może przeprowadzą z nią wywiad i będzie miała swoje piętnaście sekund gwiazdorstwa. Ale reporterka, która po chwili nadeszła, chciała rozmawiać tylko z Hakerem.

Z pomocą kamerzysty ustawiła go przed bramą tak, żeby w tle widać było tańczące pstrągi i transparent. Haker pewnym siebie głosem wyjaśnił, że blokują drogę, by powstrzymać nielegalny handel drewnem i że firma prowadząca wyrąb, przy cichej aprobacie Służby Leśnej, pod pozorem, że usuwa prewencyjnie uschnięte, stwarzające zagrożenie pożarowe drzewa, tak naprawdę wycina te zdrowe i zielone.

Z modulacji głosu i sposobu, w jaki akcentował słowa, można się było zorientować, że takie wywiady to dla niego nie pierwszyzna. Joe „Haker" Hackman, weteran setek blokad i niemal tyluż aresztowań, był jedną z wielu pomniejszych ekolegend Missouli. Łysy, brodaty, o posturze niedźwiedzia i z niedźwiedzim brzuszyskiem, był o dobre piętnaście albo i dwadzieścia lat starszy od reszty. Na początku lat osiemdziesiątych ukończył wydział leśnictwa na UM, ale nie wrócił już do rodzinnego Omaha w stanie Nebraska (bo i po co? — lubił żartować, kiedy ktoś go o to zapytał). Zbudował sobie chatę w Bitterroots i założył niewielką organizację o nazwie Akcja Leśna, której głównym, jeśli nie jedynym celem było uprzykrzanie życia Służbie Leśnej i firmom trudniącym się wyrębem lasów. Abbie i Mel poznały go przed dwoma miesiącami, kiedy w pierwszym tygodniu pobytu na UM prowadziły rozpoznanie wśród lokalnych grup obrońców środowiska. Oczarowane i zainspirowane, wykonywały dla niego od tamtego czasu bezinteresownie rozmaite drobne prace, które aż do dzisiaj sprowadzały się głównie do adresowania kopert.

Haker był kiedyś żonaty i miał czternastoletniego syna, na którego płacił alimenty, ale rzadko się z nim ostatnio widywał, bo chłopiec przeprowadził się z matką do Santa Barbara. Czy kobiecie przejadło się wyciąganie Hakera co kilka miesięcy za kaucją z paki, czy miała już dość jego dziwkarstwa, nie wiadomo. Do Abbie przystawiał się już dwa razy i za drugim, nad ranem, na przyjęciu, na którym trochę za dużo wypiła, omal mu nie uległa. Uważała go zresztą za o wiele atrakcyjniejszego od poznanych do tej pory na uczelni chłopców w jej wieku, takich jak Scott czy Eric, którzy, chociaż miło spędzało się z nimi czas, byli trochę niedojrzali. Ze znaczących spojrzeń, jakie Haker od tamtego czasu jej rzucał, Abbie czytała, że chętnie dokończyłby z nią to, co zaczął.

Jeśli miała być wobec siebie szczera, wcale jej ta perspektywa nie odrzucała i powstrzymywała się chyba tylko kierowana niesprecyzowaną i podszytą lekkim poczuciem winy lojalnością wobec Tya. W ciągu tych dwóch miesięcy, które spędziła w Missouli, widziała się z Tyem tylko raz, kiedy przyjechał aż z Wyoming, by spędzić z nią weekend. I chociaż ucieszyła się na jego widok, to w tym kowbojskim kapeluszu, w butach z cholewami i ze swoją staroświecką układnością, wydał jej się na tle tłumu nowych znajomych ze studiów trochę nieobyty i nie z tej bajki.

Reporterka telewizyjna przeprowadzająca teraz wywiad z Hakerem, kobieta ze ściągniętą twarzą, około trzydziestki, miała na sobie obszerną czarną kurtkę z futrzanym kapturem, w której wyglądała jak połknięta przez niedźwiedzia. Słuchała monologu Hakera z półuśmieszkiem, w którym udawało jej się jakimś sposobem zawrzeć zarówno aprobatę, jak i potępienie. Może tak jak Abbie była po prostu znudzona i przemarznięta.

— A co mają symbolizować te tańczące ryby?

— Ten strumień jest jednym z ostatnich dobrych tarlisk pstrąga — wyjaśnił Haker. — Wycinanie drzew na tym stoku, co teraz właśnie robią tam na dole, przyniesie taki skutek, że cała woda będzie spływała do strumienia, niosąc ze sobą bogatą w minerały ziemię. Na dnie zbierze się osad i ryby nie będą już miały gdzie odbywać tarła. To śmierć dla lasu, śmierć dla ryb. Montana dosyć się już napatrzyła na tego rodzaju bezmyślną rabunkową eksploatację zasobów leśnych, prowadzoną przez zachłanne korporacje.

Wywiad miał się już ku końcowi i wtem dał się słyszeć pomruk silnika samochodu, który zjeżdżał na pełnym gazie ze wzgórza w kierunku bramy, a potem kilka razy ryknął przeciągle klakson. Haker odwrócił się i patrzył, reporterka po raz pierwszy się ożywiła. Szepnęła do kamerzysty, żeby kręcił dalej. Szeryf ze swoimi zastępcami i ludzie ze Służby Leśnej biegli już pod górę w ich kierunku. Abbie zacisnęła zęby i nie zważając na ból, jaki jej to sprawiło, wykręciła szyję, żeby zobaczyć, co się za nią dzieje. Tańczące pstrągi uskakiwały właśnie z drogi ochlapanemu błotem, czerwonemu pick-upowi. Wóz zatrzymał się z chrzęstem opon tuż przed bramą.

— Kto to?

— Drwale — powiedział spokojnie Haker.

Drzwiczki pick-upa otworzyły się i z kabiny wysiadło czterech mężczyzn w firmowych czapkach. Ich kpiące miny wyrażały zniesmaczenie tym, co widzą. Wszyscy, prócz jednego, który sądząc po nadętej postawie, im przewodził, byli mniej więcej w tym samym wieku co protestujący. Ale na tym wszelkie podobieństwa się kończyły. Nawet Haker wyglądał przy nich chłopięco. Wystąpił naprzód z przyjacielskim uśmiechem.

— Cześć, chłopaki. Przepraszamy za kłopot, ale protestujemy pokojowo przeciwko nielegalnej wycince, która tu się odbywa.

Domniemany brygadzista nie odezwał się, rzucił tylko Hakerowi obojętne spojrzenie i obszedł bramę. Miał ściągnięte w koński ogon włosy, kolczyk w uchu oraz brodę i wąsy, które okalały mu czarnym pierścieniem zaciśnięte wąskie usta. Z kciukami zatkniętymi za szlufki dżinsów minął spacerowym krokiem Mel i Scotta, spoglądając na nich z góry jak na jakąś niższą formę życia. Przed Abbie zatrzymał się i stał tak, żując coś i patrząc na nią z dziwnym uśmieszkiem.

— Nie ma to, jak nie mieć nic do roboty i siedzieć cały dzień na dupsku — wycedził.

— Lepiej tak siedzieć, niż ścinać bezmyślnie zdrowe drzewa — odparowała Abbie.

Zauważyła, że Haker skrzywił się, ale nie wiedziała dlaczego. Brygadzista przymrużył oczy. Wciągnął policzki, poruszył szczęką i strzyknął strużką czarnej od przeżutego tytoniu śliny, która rozpryskała się tuż obok jej prawego buta. Abbie miała ochotę kopnąć go w jaja, ale doszła do wniosku, że nie byłoby to z jej strony najrozsądniejsze.

— Kto tu niby jest bezmyślny, ty mała drzewolubna dziwko? Haker postąpił krok w przód. Kamera telewizyjna wciąż pracowała. Reporterka robiła w majtki z podniecenia.

— Chwila, chłopaki, spokojnie — powiedział Haker.

Abbie serce biło jak oszalałe. Miała nadzieję, że nie widać po niej, jaka jest przerażona. Dzięki Bogu, w tym właśnie momencie nadbiegli dwaj zastępcy szeryfa i Iverson, starszy agent Służby Leśnej. Był to wysoki mężczyzna z jasnym wąsikiem koloru imbiru, nosił okulary w złotej oprawce i w swoim stetsonie budził o wiele większy respekt niż niski baryłkowaty szeryf, który z głośnym sapaniem piął się jeszcze pod górę. Był od początku przy akcji protestacyjnej, wykazując się stanowczością, ale i autentycznym poczuciem humoru.

— Spokój, wszyscy. Załatwmy rzecz polubownie i bez awantur.

— Do was nic nie mamy, koledzy — powiedział Haker do brygadzisty. — Wiemy, że robicie, co wam każą. Chcemy tylko poruszyć sumieniami waszych pracodawców.

Mężczyzna odwrócił się do niego.

— Teraz ty z tym wyjeżdżasz. Według ciebie też jesteśmy bezmyślne sukinsyny, tak?

— Ależ skąd. Wcale tak nie myślę. Zdajemy sobie sprawę, że musicie z czegoś żyć...

— Zapieprzaliśmy tam na górze od piątej i teraz chcemy wrócić do domu, rozumiesz?

— Przepraszamy, ale...

— Otwieraj te cholerną bramę.

— Dobra, panowie, wystarczy — powiedział Iverson, wchodząc między nich z uniesionymi dłońmi i zwracając się do drwala: — Raczy pan wrócić z kolegami do wozu, a my zobaczymy, co się tu da zrobić.

Po dwudziestu minutach negocjacji nadszedł wreszcie tak długo wyczekiwany przez Abbie moment. Hakera przekonano, że protest spełnił swój cel. Ktoś wyjął kluczyki do rowerowych kłódek i Haker uwolnił ich jedno po drugim. Najpierw Mel i Scotta, na końcu Abbie. Kiedy przy niej klękał, uśmiechnęła się, pewna, że pochwali ją za postawę, ewentualnie spyta, jak się czuje, ale on nie odezwał się słowem, nie spojrzał jej nawet w oczy.

Podniosła się. Stawy miała tak przemarznięte i zdrętwiałe, że ledwo trzymała się na nogach. Ale najważniejsze, że była znowu wolna. Odeszli całą grupką na bok i kiedy mijał ich pick-up drwali, podchwyciła spojrzenie brygadzisty. To, co zobaczyła w jego oczach, przejęło ją dreszczem. Miała nadzieję, że nigdy więcej się nie spotkają.

Do Missouli mieli trzy godziny jazdy, zatrzymali się więc przed pierwszym napotkanym barem i objedli pizzą, frytkami i zakalcowatym czekoladowym plackiem, popijając wszystko galonami kawy. Nastroje od razu się poprawiły. Odprężeni, śmiejąc się i żartując, komentowali wydarzenia tego dnia. Todd i P.J. przekomarzali się z Abbie i powtarzali w rozmaitych wersjach to, co powiedziała drwalowi, parodiując, z czego dopiero później zdała sobie sprawę, jej wschodni akcent.

— Na pohybel, ty bezmózgi rzeźniku drzew! — huknął Todd.

Nie było w tym żadnej złośliwości i Abbie się nie obrażała. Kiedy Eric zapowiedział, że skomponuje nowy kawałek zatytułowany Straszny Drwal i Drzewolubna, odcięła się, że jeśli komuś potrzebny nowy kawałek do repertuaru, to tylko jemu. Potem rozmawiali o planowanej na przyszły miesiąc, po Święcie Dziękczynienia, wyprawie protestacyjnej do Seattle, na szczyt Światowej Organizacji Handlu. Todd, który szykował już transparenty, powiedział, że zapowiada się wielka zadyma i że zjedzie tam cały świat. Siedząc w cieple, wśród nowych przyjaciół, których łączyła młodość, żądza przygód i upajający idealizm, Abbie czuła się szczęśliwa, dumna i absurdalnie bohaterska.

Kiedy wychodzili z baru, było już ciemno. Szli przez parking, lawirując między kałużami, w których odbijał się czerwony neon, i w pewnej chwili znalazła się sam na sam z Hakerem.

— Dobrze się dzisiaj spisałaś — powiedział.

— Dzięki.

— Pupa ci już odtajała?

— Tak jakby.

— Tylko, wiesz, popełniłaś błąd, przygadując tamtemu facetowi. Zrobiłaś sobie z niego wroga.

— Powiedziałam tylko...

— Słyszeliśmy wszyscy, co powiedziałaś. Chodzi o to, że wyszedł na półgłówka i to go rozsierdziło. A nam trzeba przeciągać takich jak on na swoją stronę.

— Przepraszam, nie chciałam.

— W porządku. Ale hamuj się na przyszłość.

Teraz to Abbie poczuła się jak ostatnia idiotka. Boczyła się jakiś czas, ściśnięta z kolegami w starej furgonetce volkswagenie Hakera. Była zawsze dumną perfekcjonistką i źle znosiła krytykę, nawet uzasadnioną. Ale doszła w końcu do wniosku, że nie warto psuć sobie dnia, a tym bardziej zdradzać się przed Hakerem, że trafił w jej czuły punkt, i kiedy dojeżdżali do Missouli, zaśmiewała się już z innymi.

Ustalili, że jadą wszyscy do Erica i Todda, którzy mieszkali w starej ruderze nad rzeką, przy Czwartej Ulicy. Ale kiedy zatrzymali się pod sklepem z alkoholami, żeby się zaopatrzyć w co trzeba, Abbie powiedziała, że ma coś do zrobienia i wraca do akademika. Haker zaproponował, że ją odwiezie, ale powiedziała, że woli się przejść.

— Chyba się nie obraziłaś? — spytał cicho.

— Skądże znowu.

Pożegnała się ze wszystkimi, podziękowała uprzejmie Hakerowi, że zabrał ją na akcję. Ale w duchu poprzysięgła sobie, że nigdy w życiu nie zaadresuje mu już choćby jednej koperty. Co zaś do pójścia z nim do łóżka... Cóż, może na święty nigdy.

Rozdział 13

Sarah nie lubiła Święta Dziękczynienia. Tyle było przy tym święcie roboty, tyle nerwów, a co drugi rok — kiedy to na nich wypadała kolej goszczenia matki Benjamina — w dwójnasób jednego i drugiego. Gdy żył jego ojciec, teściowie nie ruszali się z domu i zapraszali Benjamina z Sarah — też co drugi rok — do Kansas, gdzie, co prawda, atmosfera również była nerwowa, ale z innych powodów (głównie wskutek spięć Benjamina z ojcem) i Sarah czuła się tam bardziej widzem niż uczestniczką, co pozwalało jej się trochę zrelaksować. Gdyby jednak wtedy ktoś jej powiedział, że będzie kiedyś z nostalgią wspominała Święta Dziękczynienia w Abilene, nie uwierzyłaby.

Indyk powędrował do piekarnika o ósmej trzydzieści i z tą chwilą cierpliwość Sarah wystawiona została na ogniową próbę. Mniej więcej co dwadzieścia minut do kuchni zaglądała Margaret i pytała, czy może w czymś pomóc. I chociaż Sarah za każdym razem zapewniała ją, że nie, że dziękuje, da sobie radę sama, ona zostawała i komentowała zza pleców. Jakie to interesujące, że Sarah tak rzadko podlewa tego indyka tłuszczem, albo jakie to oryginalne nie posypywać pieczonych ziemniaków mąką.

Żeby pozbyć się teściowej z kuchni, Sarah pozwoliła jej w końcu nakryć do stołu, ale Margaret wróciła zaraz po żelazko, bo na białym lnianym obrusie pozostały ślady zagięć i trzeba je było rozprasować. Przeszła samą siebie, poprawiając po swojemu dekoracyjną kompozycję z mahonii i lilii, na której ułożenie Sarah strawiła poprzedniego wieczoru całą godzinę. Prawdopodobnie nie zdaje sobie biedna sprawy, że wszystko, co mówi albo robi, odbierane jest jako krytyka, pomyślała zdesperowana Sarah i zaczęła sobie wmawiać, że jest przewrażliwiona, że teściowa chce przecież dobrze, ale zaraz potem przyłapała Margaret na przeciąganiu palcem po półce, niewątpliwie w celu sprawdzenia, czy kurze zostały starte.

No i te opowieści, od lat identyczne, o przyjaciołach i sąsiadach z Abilene, wciąż tych samych ludziach, których Sarah na oczy nie widziała i którzy mało ją obchodzili, ewentualnie streszczanie ostatniego odcinka jakiegoś serialu telewizyjnego, którego Sarah nigdy nie oglądała, albo wspominanie jakiegoś bohaterskiego czy komicznego wyczynu małoletniego Benjamina, o którym wszyscy słyszeli już ze dwadzieścia razy.

Margaret Cooper była niską, korpulentną kobietą z siwymi włosami ułożonymi w trwałą i przyklejonym wiecznie do warg sztucznym uśmiechem, który nie znajdował odbicia w oczach, gdyż te niezmiennie pozostawały lodowato zimne. Chociaż dobiegała już osiemdziesiątki, była wciąż sprawna fizycznie i dbała o wygląd. Ale przez tych dwanaście miesięcy, odkąd Sarah jej nie widziała, ta skłonność do powtarzania nasiliła się do tego stopnia, że stała się niemal nieznośna. I nawet jeśli dawało się teściowej delikatnie do zrozumienia, że coś już opowiadała, ona upierała się, że opowie jeszcze raz.

Tymczasem Benjamin znikł, co mu się zresztą często zdarzało podczas wizyt matki. Większą część poranka przesiedział w swoim gabinecie, rozmawiając przez telefon, prawdopodobnie z Martinem albo z Eve Kinselą z Santa Fe o tych jej przerażających obrazach, które miały ozdobić ich nowy biurowiec. A kiedy wreszcie stamtąd wyszedł, pomaszerował prosto do living roomu, usiadł na sofie obok Abbie i słuchał jej opowieści o bohaterskich czynach, jakich dokonywała w obronie lasów Montany. Sarah też by chętnie posłuchała, gdyby miała czas przysiąść choćby na chwilę. Abbie, dobre dziecko, zaoferowała się z pomocą, ale Sarah powiedziała, że najlepiej zrobi, jeśli zajmie czymś babkę i przytrzyma ją z dala od kuchni. Sarah zachodziła w głowę, co też wstąpiło ostatnio w Benjamina. Zwykle pomagał, a teraz nie kiwnie nawet palcem. Nie licząc, naturalnie, siłowni, która stała się ostatnio jego nową obsesją. Przez ten rok zrzucił chyba z pięć albo i sześć kilogramów i twierdził, że o wiele lepiej się bez nich czuje, ale ona nie dostrzegała u niego żadnej poprawy nastroju. Twarz zdawała mu się z dnia na dzień wydłużać. Może naciągały ją te wszystkie nowo wyrobione mięśnie.

Wiedziała, że tęsknił za Abbie. Wszyscy za nią tęsknili. Ale radzenie sobie z tą tęsknotą w ten sposób wyglądało na zamykanie się w sobie. Prawie go nie widywała. Wstawał o szóstej rano, szedł na siłownię, a stamtąd jechał do pracy. A wracając, mówił najczęściej, że ma coś do zrobienia, i znikał z kolacją w swoim gabinecie.

Josh albo wałęsał się gdzieś z kolegami, albo przesiadywał w swoim pokoju na górze, rozmawiając przez telefon z Katie Bradstock bądź słuchając tej strasznej muzyki i udając, że się uczy. Jak mógł słyszeć przy tym łoskocie własne myśli, pozostawało tajemnicą. Tak więc teraz Sarah kolacje jadała zazwyczaj sama, potem oglądała telewizję i około dziewiątej trzydzieści kładła się do łóżka i czytała. Kiedy do sypialni wchodził Benjamin, zwykle już spała. Nie kochali się od blisko dwóch miesięcy. Jakoś mu już na tym nie zależało. Kiedy kilka razy próbowała przejąć inicjatywę, mruknął, że jest zmęczony.

Sarah robiła co mogła, żeby temu zaradzić. We wszystkich książkach na ten temat pisano, że walka z syndromem opustoszałego gniazda — w ich przypadku na wpół opustoszałego — nie jest łatwa. W ostatni weekend, kiedy Josh spał u kolegi, nie mówiąc nic Benjaminowi zarezerwowała stolik w restauracji serwującej owoce morza, którą otwarto niedawno w Oyster Bay. Sala była pełna, nastrój ożywiony, jedzenie, że palce lizać, i Sarah starała się, Boże, jak się starała, nawiązać jakąś konwersację. Ale Benjamin jakby nie chciał tego dostrzec. Owszem, odpowiadał na pytania. Ale sam o nic nie zapytał i po półgodzinie siedzieli już w milczeniu, rozglądając się po sąsiednich stolikach, przy których ludzie, a jakżeby inaczej, rozmawiali i dobrze się bawili. Sarah przypomniało się, jak żartowali kiedyś na temat par małżeńskich, które siedzą w restauracji naprzeciwko siebie ponure i znudzone, i jak Benjamin wymyślał hipotetyczne dialogi z tego, co być może chodziło im po głowach. Teraz oni byli taką parą. Serce jej się kroiło na tę myśl.

Patrząc na niego teraz, takiego ożywionego, takiego odrodzonego w obecności Abbie, gawędzącego z nią wesoło przy stole nakrytym idealnie odprasowanym obrusem, nie wiedzieć czemu miała złe przeczucia. Ale starała się nie dopuszczać ich do siebie. Uśmiechała się i śmiała z innymi, starała się myśleć pozytywnie. W ten dzień każda rodzina ma święty obowiązek być szczęśliwą i nie rozpamiętywać rys, które być może już się pojawiły. Indyk, chociaż niewłaściwie podlewany tłuszczem, został przez wszystkich uznany za sukces. I chociaż Margaret wzięła do ust tylko mały kawałeczek jej placka z dyni i zaraz potem odsunęła od siebie talerzyk, wszyscy widzieli, że jej smakował. Benjamin pytał Abbie o wyjazd na szczyt WTO zaczynający się za tydzień w Seattle, i o rodzaj akcji protestacyjnej, jaką będzie tam z przyjaciółmi prowadziła.

— Te WTO to skrót od czego? — spytała Margaret.

— Od Wsiowy Ty w Odstawkę — wyrwał się Josh.

Abbie popełniła wcześniej błąd, opowiadając Sarah w jego obecności, że od letnich wakacji widziała się z Tyem tylko raz i że ma z tego powodu wyrzuty sumienia. Teraz jęknęła i posłała mu miażdżące spojrzenie.

— Wydoroślej, Josh. WTO, babciu, to World Trade Organization — Światowa Organizacja Handlu. Klub bogatych państw, które robią co w ich mocy, żeby oszukiwać kraje rozwijające się i nie pozwolić im wyjść z biedy.

— Coś mi to przypomina — zaczęła Margaret. Wszystkim

serca zamarły. — Pamiętasz, Benjaminie, jak podczas studiów pojechałeś do Lawrence na ten wiec protestacyjny przeciwko wojnie w Wietnamie...?

O Boże, jęknęła w duchu Sarah, zaczyna się. Historia Długich Włosów. Abbie i Josh wymienili porozumiewawcze uśmieszki. Benjamin uśmiechnął się z rezygnacją.

— ...i Harry Baxter, który zobaczył cię w dzienniku telewizyjnym z tymi długimi włosami, przyszedł do sklepu i powiedział ojcu, że wyglądałeś jak dziewczyna.

— Tak, mamo, pamiętam.

— Wiesz, Abbie, że twój ojciec nosił włosy do samych ramion.

— Wiem, babciu, widziałam na fotografiach.

— Ciągle przeciwko czemuś protestowali. Jak nie wojna, to prawa czarnuchów, jak nie czarnuchy, to jeszcze coś innego, na co była wtedy moda.

— To była walka o prawa obywatelskie, mamo. I nie wydaje mi się, żeby wyszła z mody.

— Wszystko jedno. Tak czy inaczej do twarzy mu nawet było z tymi długimi włosami i wcale nie wyglądał jak dziewczyna. Ale wiesz co, Abbie? Jak mu powtórzyłam, co powiedział Harry Baxter, to szybko zapuścił brodę.

— Wiem, babciu. Już nam opowiadałaś.

— Naprawdę? Och, to przepraszam.

Ale opowiadała dalej, jak to kilka miesięcy później, w wakacje, Harry Baxter zobaczył Benjamina z nowo zapuszczoną brodą i orzekł, że teraz wygląda jak kobieta z brodą z cyrku.

— Jak przyszedł potem do sklepu, to mu powiedziałam, żeby chodził gdzie indziej, bo my go nie będziemy obsługiwać.

— A co się teraz dzieje z tym Harrym Baxterem? — spytała Sarah, udając zainteresowanie.

— O, to ty nic nie wiesz, Sarah? Zmarło się staremu durniowi wiele lat temu. Ale Molly żyje. Rozbija się po mieście takim małym elektrycznym wózkiem, które rozdają kalekom, i nikt nie jest pewny dnia ani godziny.

— Niepełnosprawnym, mamo — wtrącił cicho Benjamin.

— Kalekom, niepełnosprawnym, co to za różnica. Już nie mogę z tą całą polityczną poprawnością, rzeczy trzeba nazywać po imieniu.

Sarah zauważyła, że Josh ma na końcu języka jakąś kąśliwą uwagę i w porę zgromiła go wzrokiem.

Jak przetrwali resztę tego dnia i cały następny, nie dopuszczając się morderstwa ani choćby ciężkiego pobicia, Sarah nie miała pojęcia. W sobotę rano, kiedy Benjamin wsadził wreszcie swoją matkę do samochodu, żeby odwieźć ją na lotnisko, Sarah, Abbie i Josh, stojąc w chłodzie słonecznego poranka i machając z zapałem na pożegnanie, czuli się tak, jakby z barków zdejmowano im dziesięciotonowy ciężar.

— To był zdecydowanie ostatni raz — powiedział Josh, wspinając się po schodach na górę, do swojego pokoju. — Jak ona przyjedzie tu jeszcze raz na Święto Dziękczynienia, to ja wybywam.

Sarah nawet go za te słowa nie skarciła.

— Chodźmy — powiedziała do Abbie, otaczając ją ramieniem. — Zrobimy sobie kawy. Tyle czasu jesteś już w domu, a ja właściwie nie miałam jeszcze okazji z tobą porozmawiać.

Zaparzyły kawę i weszły z nią po drewnianych schodkach na małą galeryjkę z widokiem na ogród i taras, gdzie latem urządzali barbecue. Jesień była ciepła i na srebrnych brzozach zasadzonych przed laty przez Sarah żółciły się jeszcze liście, połyskując w promieniach słońca.

Na galeryjce stały naprzeciwko siebie dwie kremowe sofy, a między nimi niski mahoniowy stolik. Usiadły na tej, na którą padało słońce. Abbie kazała Sarah zdjąć buty, położyła sobie jej stopy na kolanach i masując je, zaczęła opowiadać o uniwersytecie. Benjamin już to pewnie słyszał, ale oczywiście nie raczył jej powtórzyć. Sarah, chłonąc każde słowo, patrzyła z zachwytem na swoją złotą córeczkę, taką piękną, taką pełną życia. Masaż przynosił niebywałe rezultaty.

— Gdzie się tego nauczyłaś?

— Podoba ci się?

— Coś niesamowitego.

— Cieszę się. Zasłużyłaś sobie. Mel, moja współlokatorka z akademika, mnie nauczyła. Babcia zawsze była taka?

— Nie. Coraz z nią gorzej.

— Nie słucha, co się do niej mówi. Sprawia takie wrażenie, jakby czekała tylko na okazję, żeby przytoczyć jedną z tych swoich historyjek o tacie, które wszyscy znamy na pamięć.

— Może natura tak to urządziła. Ludzie, których się kiedyś kochało, na starość dziwaczeją i zaczynają grać otoczeniu na nerwach, żeby nie było nam tak ciężko, kiedy odejdą.

— Myślisz?

— Myślę, że to całkiem możliwe.

Przez chwilę patrzyły w okno. Między brzozami dokazywały w najlepsze dwie sójki.

— Co się dzieje z tatą?

— A co ma się dziać?

— Sama nie wiem. Może to dlatego, że babcia tu jest. Ale wydaje mi się jakiś rozkojarzony. No wiesz, jakiś nieobecny? Jakby go tu wcale nie było.

— Cóż, w pracy nie za dobrze się układa. Stracili z Martinem kilka dużych projektów. Parę osób odeszło na własną prośbę. Pewnie się tym gryzie.

Sarah omal samej siebie nie przekonała.

— Mhm. No, a co powiesz o sobie?

— O sobie? — Sarah roześmiała się. — Wiesz, u mnie bez zmian, po staremu.

— Mamo, jestem już dorosła.

— Wiem o tym, kochanie. Ale tak właśnie jest.

— Nigdy nie umiałaś kłamać.

— Nie kłamię. Ojciec nie jest ostatnio łatwy we współżyciu, to fakt, tyle się dzieje. No i tęskni za tobą, jeśli chcesz wiedzieć. Oboje tęsknimy.

— Och, mamo.

194

— Daj spokój. To nic takiego. Pozbieramy się. Do diabła, jak się dobrze zastanowić, to teraz pod wieloma względami żyje nam się lepiej. Mniej gotowania, mniej prania. Prawdę mówiąc, zburzyłaś tę sielankę, zwalając się nam na głowę.

Abbie uśmiechnęła się sceptycznie.

— Daj drugą stopę.

— Jak pani każe.

Tego wieczoru po kolacji Abbie spytała, czy nie będą mieli nic przeciwko, jeśli wyjdzie na kilka godzin, żeby się spotkać ze starymi znajomymi ze szkoły. Sarah, starając się nie okazywać rozczarowania, zapewniła ją, że skąd, nic przeciwko nie mają. Baw się dobrze, dodała. Josh skorzystał z okazji i napomknął, że jego najlepszy przyjaciel Freddie urządza prywatkę i skoro Abbie wychodzi, to czy on też może? Benjamin wziął go na stronę i wygłosił jeszcze jedną ojcowską pogadankę na temat alkoholu i trawki. W zeszłym miesiącu chłopiec dwa razy wrócił do domu wyraźnie pod wpływem. Wypierał się w żywe oczy, ale martwili się o niego. Abbie zaoferowała się, że go podrzuci, a wracając, odbierze. Obiecała, że wrócą oboje przed północą.

I tak oto powstały warunki do tego, z czym — doszła później do wniosku Sarah — Benjamin musiał się nosić przez cały świąteczny dzień, a niewykluczone, że i dłużej. Może od tygodni albo i miesięcy. Ledwie za dziećmi zamknęły się drzwi, dom pogrążył się w pełnej napięcia ciszy. Benjamin na pewno bąknie zaraz, że ma coś do zrobienia, i wycofa się do swojego gabinetu. Ale płynęły minuty, a on z tym zwlekał. Widziała z kuchni, jak bez specjalnego zaangażowania sprząta bałagan pozostawiony przez dzieci w living roomie. Zawołała do niego, czy nie zjadłby indyka na zimno z jarzynową sałatką i pomidorem.

— Czemu nie.

A może otworzyłby butelkę wina?

— Czemu nie.

Przyszedł do kuchni, wziął butelkę ze stelaża stanął z nią po drugiej stronie długiej, wąskiej lady, przy której przygotowywała posiłek, i odkorkował. Ladę przykrywał blat z polerowanego szarego granitu. Na jednym jego końcu stała drewniana miska, w której trzymali drobne monety i kluczyki do samochodu, obok lądowały rzeczy niemające swojego stałego miejsca — stare czasopisma, listy, niezapłacone rachunki. Słychać było tylko postukiwanie o deskę noża, którym krajała indyka. Milczenie Benjamina wypełniało kuchnię zawiesistą niewidzialną chmurą. Może by włączyć jakąś muzykę? Wyjął z szafki dwa kieliszki i postawił je — klink, klink — na ladzie obok otwartej butelki.

— Abbie ładnie wygląda — zagaiła beztrosko.

— Tak.

— Och, co ja bym dała, żeby być znowu w tym wieku.

Bardziej wyczuła, niż zauważyła, że Benjamin przestępuje nerwowo z nogi na nogę. Przerwała krojenie i spojrzała na niego. Był bardzo blady.

— Wszystko w porządku?

— Prawdę mówiąc, to nie.

— Co się stało? Źle się czujesz?

Przełknął z trudem. Długa chwila dzwoniącej w uszach ciszy... I już wiedziała. Wiedziała ze stuprocentową pewnością, co chce jej powiedzieć.

— Sarah, ja...

Odkładany nóż uderzył z suchym trzaskiem o granit.

— Nie — warknęła.

— Sarah, kochanie, ja już tak nie mogę...

— Nie mów tego! Nie waż się tego mówić!

— Muszę. Nie mogę dalej tak żyć...

— Milcz! W tej chwili zamilknij! Co ty, u diabła, bredzisz?

Odebrało mu mowę. W jego oczach malowało się straszne błaganie. Patrzyła na niego, czekając na odpowiedź. Nie wytrzymał jej wzroku. Spuścił oczy i stał, potrząsając głową.

— Masz romans?

Słyszała siebie. Wywarczała to słowo, niemal wyplula je

z siebie, tak jakby chciała się pozbyć z ust nieprzyjemnego smaku. Nadal na nią nie patrząc, pokręcił głową. Jak jakiś zasmarkany tchórz, pomyślała, i coś w niej eksplodowało. Wybiegła zza lady.

— Właśnie, że masz! Ty draniu! Masz!

Rzuciła się na niego jak wściekłe zwierzę, okładając na oślep po głowie, po ramionach, po piersi, gdzie popadnie. Osłonił twarz, ale nie cofał się, znosząc pokornie jej razy, policzki i ciosy. A ją jeszcze bardziej rozjuszało, że stoi taki biedny, taki zrezygnowany, istny męczennik.

Odskoczyła od niego raptownie, zacisnęła mocno powieki i stała, trzymając się za głowę, zatykając poniewczasie uszy przed nowiną, którą już znała, z ustami otwartymi do niemego krzyku.

— Sarah...

Chciał jej dotknąć, ale odtrąciła z odrazą jego rękę, wrzeszcząc:

— Nieee!

A potem spojrzała na niego i zobaczyła łzy toczące się po policzkach. Wydał jej się taki załamany, taki bezradny. Z piersi wyrwał jej się szloch, ramiona opadły, wyciągnęła ręce i przyciągnęła go powoli do siebie. Teraz oboje płakali.

— Nie, Benjaminie, nie. Proszę — wyszlochała głosem przerażonego dziecka. — Błagam, nie mów tego.

Objął ją, a wtedy wcisnęła twarz w jego pierś, tak jakby próbowała się w niego wcisnąć, poszukać tam, w środku, miejsca, gdzie może nadal ją kocha i pożąda. Proszę, proszę, błagała go cichutko. Czuła, jak jego ciało drży w kontrapunkcie z jej ciałem. To nieprawda, jemu nie o to chodziło, nie mogło mu chodzić o to.

— Sarah, kochanie. Ja tylko...

Położyła mu dłoń na ustach.

— Ciii. Nie chcę tego słuchać. Proszę.

I nagle zelektryzowała ją i poraziła myśl, że te ramiona obejmowały też kogoś innego, jakąś inną kobietę, która wdychała ten ciepły, znajomy zapach należący dotąd do niej i tylko do niej. Wzdrygnęła się i odepchnęła go.

— To Eve, tak?

Zawahał się, potem pokręcił głową i chciał coś powiedzieć, ale już wiedziała, że trafiła.

— Spałeś z nią?

Nie poznała własnego głosu. Był niski, rozedrgany, jak tafla lodu, która za chwilę ma się załamać.

— To nie tak, jak myślisz, to...

— Spałeś z nią?

— Nie!

— Łżesz.

— Przysięgam.

— Łżesz! Ty obrzydliwy, zakłamany draniu!

Pokręcił głową, odwrócił się i ruszył przed siebie. I ten widok był tak potworny, że nie wytrzymała. Dogoniła go, chwyciła za ramię, odwróciła twarzą do siebie i próbowała nakłonić, żeby znowu ją objął. Ale coś się już zmieniło i chociaż posłusznie otoczył ją ramionami, to zrobił to jakoś na odczepnego, bez przekonania, jakby przeskoczył w nim ostatecznie i nieodwracalnie jakiś przełącznik.

Nie potrafiłby określić, ile godzin to trwało. Czas jakby się zatrzymał, o tym, że jednak płynie, świadczyły tylko fluktuacje intensywności przeżywania osobistych dramatów, z którymi każde z nich na swój sposób się borykało. Ona snuła się po domu jak osierocony duch, on chodził za nią i znajdywał ją a to siedzącą z kolanami pod brodą na schodach, a to skuloną w kącie pokoju, którego nigdy nie używali, szlochającą albo wpatrującą się tępo jak katatoniczka w swoje dłonie. Od czasu do czasu rzucała się na niego z pięściami, krzykiem i obelgami, by po chwili paść mu w ramiona, prosić, pytać dlaczego, dlaczego, i przekonywać, że po tylu wspólnie spędzonych latach na pewno uda im się zacząć od nowa. Ona już by się postarała, byłaby dla nie lepsza. Gdyby tylko dał jej szansę. Zróbmy to dla dzieci, dla nich. Błagam, Benjaminie, błagam. Tylko jedną, ostatnią szansę.

Kiedy przytuleni do siebie stali pośród zimnej nocy na tarasie, wsłuchując się w szelest poruszanych wiatrem liści podświetlonych brzóz, przestała w końcu szlochać i spłynął na nich posępny spokój. Wrócili do środka, napełnił kieliszki winem z butelki otwartej, można by teraz rzec, w poprzednim życiu, przeszli z nimi do living roomu, usiedli obok siebie na sofie i zaczęli rozmawiać.

Siedziała spięta, wyprostowana i słabym, łamiącym się od czasu do czasu głosem wypytywała go o Eve, a on odpowiadał możliwie wyczerpująco i szczerze. Powiedział, że może mu wierzyć albo nie, ale naprawdę ze sobą nie spali. Ułożonym wcześniej tekstem — i tak to zresztą w jego ustach zabrzmiało — wyrecytował, że Eve nie jest bezpośrednią przyczyną jego odejścia, że już dawno nosił się z tą myślą, a ona odegrała tylko rolę katalizatora. Był przygotowany, że Sarah w każdej chwili może wybuchnąć albo w najlepszym wypadku mu przerwać, ale ona tego nie robiła. Siedziała, sączyła wino i patrzyła. I widział, że coś w niej powoli dojrzewa, jakaś nowa opinia o nim, jakieś nowe szkło powiększające czy pryzmat, przez który od tej pory będzie go postrzegała — lepiej, wyraziściej, ostrzej.

Jej nieme spojrzenie zaczynało go deprymować, ale starał się panować nad głosem. Wyznał, że od dawna jest nieszczęśliwy, i powiedział, że gdyby zdobyła się na szczerość, przyznałaby, że od lat nie było między nimi tak, jak powinno. On nie jest już tym człowiekiem, którego poślubiła. A zresztą, na litość boską, pobrali się w tak młodym wieku, nieprawdaż? I wtedy uświadomił sobie, że Sarah kręci głową — ledwie zauważalnie, nie odrywając od niego oczu, tak jakby nie wierzyła własnym uszom.

— Co? — zapytał.

— A więc o to chodzi, tak?

199

— Co masz na myśli?

— Dzielisz z kimś życie przez blisko ćwierć wieku, masz z tym kimś dzieci, a potem ni z tego, ni z owego uznajesz, że za młodo się ożeniłeś, że jesteś nieszczęśliwy, i odchodzisz.

Mówiła tak cichym, drżącym szeptem, że musiał się do niej nachylić. Zaniepokoił go nowy ton, jaki pojawił się w jej głosie, ton, w którym słychać było wzbierający, zimny, teraz już kontrolowany gniew. Przestraszył się. I może właśnie dlatego, uznając, że musi się bronić, jakoś się usprawiedliwić, wypowiedział słowa, których potem przyjdzie mu gorzko żałować:

— Nigdy nie dałaś mi odczuć, że mnie pragniesz. Nigdy. Patrzę tak na ciebie, na nas, na nasze współżycie i myślę, że to się raczej nie zmieni... — Zawiesił głos i przełknął z trudem. — I powiem ci, Sarah, ja już nie mogę. Po prostu nie mogę tak dalej. To dla mnie za mało.

Patrzyła na niego przez dłuższą chwilę z uniesioną dumnie głową. Było to spojrzenie beznamiętne i taksujące, lodowate i królewskie. W końcu przełknęła ślinę, kiwnęła głową i wreszcie odwróciła wzrok.

— Rozumiem. Kiedy zamierzasz powiedzieć dzieciom?

— Jeszcze dzisiaj. Albo jutro rano. Jak wolisz.

Roześmiała się gorzko.

— Och, nie bądź śmieszny. To twoja sprawa.

— No to dzisiaj im powiem.

— Świetnie. Och, Benjaminie, aleś sobie wybrał porę. Rodzinne święto.

Uniosła do ust kieliszek i dopiła resztę wina. Potem wstała i podeszła do drzwi. W progu zatrzymała się i po chwili powoli odwróciła.

— Mylisz się, twierdząc, że nigdy cię nie pragnęłam. Zawsze się co do tego myliłeś. Tobie tak naprawdę chodzi o to, że nie kochałam ciebie tak, jak ty tego chciałeś. Masz takiego cholernego bzika na punkcie kontrolowania wszystkiego, że chciałbyś kontrolować nawet sposób, w jaki ludzie cię kochają. I ja przez tyle lat żyłam pod tą presją. Starałam się być taka, jaką chciałeś, żebym była. Ale tobie nikt nie potrafi dogodzić, Benjaminie. Nikt. Bo ty sam nie wiesz, czego chcesz.

Stała tam jeszcze chwilę i patrzyła na niego z wyzywającą miną, z najwyższym trudem powstrzymując łzy. Potem kiwnęła ze zdecydowaniem głową, odwróciła się i wyszła.

Odczekał jakiś czas i poszedł za nią do kuchni. Zgarniała nietkniętego indyka i sałatkę z ich talerzy do kubła na śmieci. Stanął za nią i położył jej dłonie na ramionach, ale strząsnęła je gwałtownym ruchem.

— Nie dotykaj mnie.

Chciał jej pomóc w sprzątaniu, ale powiedziała, że się obejdzie. Sama to zrobi. Wrócił więc do living roomu i usiadł na sofie. Parę minut później usłyszał jej kroki i odwrócił głowę. Stała znowu w progu i patrzyła na niego. Trzymała coś w prawej dłoni, ale ręce miała założone na piersi, nie widział więc, co to jest.

— To twój dom, Benjaminie. Ja jestem twoją żoną. A to twoje dzieci.

Rozplotła ręce i rzuciła mu to, co trzymała. Na sofie obok niego wylądowała oprawna w ramki fotografia Abbie i Josha zrobiona przed dwoma laty w Kanadzie, gdzie byli na nartach. Sarah odwróciła się i znikła. Usłyszał znajomy stukot jej butów na stopniach drewnianych schodów. Korciło go, żeby za nią pójść, ale zrezygnował. W daremnej nadziei, że znajdzie coś, co rozproszy czarne myśli i zdejmie ciężar z piersi, włączył telewizor, rozsiadł się wygodniej i czekał na dzieci.

Martin już mu powiedział, że chyba na głowę upadł. Tylko on wiedział, co Ben planuje. W zeszłym tygodniu zaciągnął Martina po pracy na drinka. Rzadko im się to zdarzało i Ben widział, że przyjaciel jest zaintrygowany, a nawet trochę zaniepokojony.

Poszli do baru znajdującego się parę kroków od Jackson Avenue, jednego z tych modnych nowych lokali, w których styl wyparł ducha. Byli tam najstarsi na sali, przewyższali średnią wieku o dobre dwadzieścia lat, a muzyka ryczała tak głośno, że musieli krzyczeć. Przez pięć minut gawędzili o tym i owym, o swoich dzieciach, o planach na Święto Dziękczynienia, potem Martin przeszedł do rzeczy, pytając, co się stało.

— Odchodzę od Sarah.

— Co takiego?!

Ben powiedział mu o Eve i Martin przyznał, że czegoś się domyślał. No bo niby po co Ben lobbowałby za tymi strasznymi malowidłami. Nie mógł uwierzyć, że jeszcze ze sobą nie spali.

— Jasny gwint, a nie lepiej ci ją po prostu przelecieć i do widzenia?

— Czy ja wiem.

— Jak to, czy wiesz? Ben, halo? Czyś ty na głowę upadł? Chcesz wszystko rzucić tak w ciemno, kupując kota w worku? Jezu.

Tutaj Ben niewiele miał mu do powiedzenia, tyle tylko, że z Sarah od dawna mu się nie układa i czuje, że musi zmienić klimat. Odetchnąć pełną piersią. Poczuć znowu, że żyje.

— Ile razy się z nią spotkałeś?

— Z Eve? Cztery, może pięć. Często rozmawiamy przez telefon.

— Jezu.

— Przy niej czuję...

— Że żyjesz.

— Tak. Żebyś wiedział.

Martin, kręcąc głową, wpatrywał się w swoją wódkę z martini. Potem wychylił ją jednym haustem i zamówił następną. Ben nie oczekiwał po nim współczucia. Od paru miesięcy coś się między nimi psuło. Chociaż Martin nie mówił tego głośno, Ben wiedział, że ma mu za złe, że nie zabiega z należytym zaangażowaniem o nowe zlecenia i że doprowadził do utraty kontraktu, nad którym pracowali prawie dwa lata. Podobnie jak to było w przypadku McRezydencji Ben dał się ponieść nerwom, zraził do siebie klientów i interes diabli wzięli. Tylko że

202

w tym wypadku nie poszło nawet o zasadę. Po prostu nie podobali mu się ci ludzie.

— No a gdzie będziesz mieszkał?

— Na początku u matki.

— W Abilene. Pięknie.

— Potem, jak wyjdzie mi z Eve, przeniosę się do Santa Fe.

— A co z nami? Co z pracą? Zamierzasz dojeżdżać codziennie z Abilene?

— Właśnie o tym chciałem z tobą porozmawiać.

— Chcesz się zwolnić?

— Jeśli ty tego chcesz. Ja myślałem o bezpłatnym urlopie...

— Bezpłatny urlop?! Jezu, Ben. Ciebie już chyba całkiem porąbało.

To było wszystko, co najlepszy przyjaciel miał mu do zaoferowania, jeśli chodzi o pomoc i zrozumienie. Nazajutrz w biurze Martin oznajmił Benowi, że lepiej by było, gdyby załatwili sprawę bez sentymentów. Poprosił go bez ogródek, żeby się zastanowił nad rozsądną ceną za swoje udziały, mając na uwadze zastój w interesie i aktualny stan ich konta firmowego. Może powinien wziąć sobie prawnika, poradził. Ben poczuł pierwszy zimny podmuch swojego nowego niezależnego życia, które nawet się jeszcze nie zaczęło.

Kiedy wróciły dzieci, on spał skulony przed telewizorem, w którym kończyła się *Casablanca*. Samolot odleciał, Bogart i Claude Rains odchodzili w mgłę.

Sarah usłyszała samochód i zeszła na dół. Ben wyszedł do korytarza. Josh oczy miał jak królik albinos i uśmiechał się, prawdopodobnie rozmawiali przed chwilą z Abbie o czymś wesołym. Abbie w jednej chwili spoważniała. Spojrzała na Sarah stojącą przy schodach i bladą jak szlafrok, który na sobie miała, potem na Bena, wciąż jeszcze nie w pełni rozbudzonego i starającego się pozbierać myśli.

— Mamo? Co się stało?

— Wasz ojciec ma wam coś do zakomunikowania.

— Abbie — zaczął. — Josh...

Zaciął się. Serce waliło mu tak, że ledwie słyszał własne myśli. Zresztą po głowie tłukła mu się tylko jedna: zapaść się pod ziemię.

— Tato, na litość boską, o co chodzi?!

— Wasza matka i ja zamierzamy się rozstać...

— Nie — wpadła mu w słowo Sarah. — Mów prawdę. Wasz ojciec od nas odchodzi.

Twarz Abbie zaczęła się marszczyć.

— Jak to? Tato, odchodzisz?

— Kochanie...

— O czym wy mówicie?

Spojrzała z rozpaczą w oczach na Sarah, po jej wargach błąkał się nikły uśmieszek niedowierzania. Tak jakby miała jeszcze nadzieję, że zaraz się okaże, że to jakiś straszny, wydumany żart.

— Mamo?

Sarah wzruszyła ramionami i kiwnęła głową.

— To prawda.

Josh patrzył na niego spod ściągniętych brwi, usiłując zrozumieć, co tu się właściwie dzieje.

— Ludzie, wy to na poważnie?

— Na poważnie, Josh.

— Tak po prostu? — wykrztusiła Abbie.

Drżały jej ramiona, gryzła zaciśniętą pięść. Boże miłosierny, pomyślał Ben, co ja robię? Martin ma rację, chyba na głowę upadłem. Wyciągnął rękę, ale Abbie się cofnęła. Twarz wykrzywiały jej szok i odraza.

— Tato — odezwał się Josh. — Nie możesz nam tego zrobić. Przecież...

Zabrakło mu słów i zastygł ze zmarszczonym czołem i otwartymi ustami.

— Wszystko będzie dobrze, Joshie. Zobaczysz...

— Nie! Nie będzie dobrze! — wrzasnęła Abbie. — Ty idioto! Rujnujesz nam życie!

Znowu wyciągnął rękę, ale tym razem odtrąciła ją, odwróciła

204

się i szlochając, rzuciła ku schodom. Sarah nie próbowała jej zatrzymywać, odsunęła się nawet, schodząc jej z drogi. Stali we trójkę i patrzyli w milczeniu, jak wbiega na górę. Od trzaśnięcia drzwi cały dom zadrżał w posadach. Sarah pokręciła głową i posłała mu sardoniczny uśmieszek.

— Dobra robota, Benjaminie.

A potem odwróciła się i wstąpiła za Abbie na schody.

Rozdział 14

Pomysł przebrania się za genetycznie modyfikowane owoce wyszedł od Mel i wszyscy go od razu podchwycili, bo wydawał się bardzo zabawny. Przez cały tydzień poprzedzający Święto Dziękczynienia lepili wieczorami z papier-mâché i malowali swoje kostiumy. Najlepszy wyszedł Mel. Wyobrażał purpurową truskawkę z wystającym z przodu łbem zdziwionej ryby. Kto go zobaczył, pokładał się ze śmiechu.

Mel z całą resztą i owocowymi przebraniami przywiązanymi sznurkiem do dachu przyjechała furgonetką Hakera z Missouli w niedzielę. To cud, że wszystkie kostiumy przetrwały podróż w nienaruszonym stanie, czego nie dało się w tej chwili powiedzieć o kostiumie Abbie. Miał przedstawiać skrzyżowanie pomidora z owcą, ale nie przypominał już ani jednego, ani drugiego. W siąpiącym bez ustanku kapuśniaczku rozpuszczał się w oczach na papierową papkę. Obie przednie nogi, jak również ogon, odpadły, a czerwona farba spłynęła jej na przemoczoną kurtkę i spodnie. Eric i Scott, maszerujący po jej lewej stronie, pozbyli się już swoich przebrań i Abbie wkrótce też to zrobi. Kostium Mel wyglądał wciąż idealnie. Prawdopodobnie pociągnęła go na koniec warstwą wodoodpornego lakieru. Za Mel szedł Haker. On za nic się nie przebrał, czuł się pewnie ponad tę dziecinadę.

Był wczesny poranek i przedmieścia Seattle zalewało ludzkie morze. Każdą ulicą, ramię przy ramieniu, maszerowały w kierunku centrum szczytu tysiące, dziesiątki tysięcy demonstrantów. I pomimo pluchy i zimna wszyscy zdawali się świetnie bawić, wymachując, skandując, śmiejąc się i śpiewając.

Nie ma większej potęgi nad potęgę ludu
A potęgi ludu nie da się poskromić!

W pochodzie szli ludzie przebrani za drzewa i słonie, żółwie i wieloryby — z których wszystkie znosiły wilgoć nieporównanie lepiej od pomidoroowcy Abbie — a nad nimi powiewał kolorowy baldachim flag i transparentów piętnujących nieprawości Światowej Organizacji Handlu. Facet idący przed nią niósł na kiju wielką tablicę z Draculą zatapiającym kły w kuli ziemskiej. Kobieta obok niego wymachiwała proporcem z napisem WTO POPRAW SIĘ ALBO SIO. Ci, którzy nie śpiewali, albo dmuchali w gwizdki, albo dęli w rogi, albo walili w bębny, i wszystko to na tuzin rozmaitych rytmów.

I nie byli to sami studenci i hipisi. W proteście brali udział ludzie z każdego przedziału wiekowego, wszelkich kolorów skóry, wyznań i narodowości, taksówkarze i budowlańcy, sprzątaczki i urzędnicy. Co więcej to rzeczywiście przynosiło rezultaty. Krążyła plotka, że udało się już nie dopuścić do ceremonii otwarcia i że wszyscy spasieni politycy albo kryją się tchórzliwie w swoich hotelowych apartamentach, albo są otoczeni i uwięzieni w swoich limuzynach. I rzeczywiście, miasto znajdowało się w stanie oblężenia, a policja stała tylko i patrzyła.

Takiej potężnej, fantastycznej demonstracji ludzkiej solidarności Abbie jeszcze nie widziała. Tutaj tworzyła się historia. Było to jedno z tych przełomowych wydarzeń, jakimi stało się Woodstock, zburzenie muru berlińskiego czy przemówienie, w którym Martin Luther King opowiadał światu swój sen. I Abbie naprawdę była jego uczestniczką i naocznym świadkiem. Po latach będzie mogła opowiadać o tym swoim dzieciom i wnukom. Żałowała tylko, że nie może bardziej się wczuć w atmosferę, bardziej zaangażować. Bo chociaż starała się nie myśleć o weekendowych wydarzeniach, to wciąż stawały jej przed oczami i wszystko psuły. Mało brakowało, a by jej tu wcale nie było. Wczoraj rano mama dosłownie siłą zaciągnęła ją na lotnisko. Abbie zapierała się, zarzekała, że nie ma mowy, nigdzie nie leci. Powinni być teraz razem. Zostanie przez tydzień w domu, nie, zostanie już na dobre, nie wróci na uniwersytet. Ale mama nie chciała o tym słyszeć.

Ta kobieta była niesamowita. W niedzielę rano, kiedy ten sukinsyn kręcił się po domu, w milczeniu zbierając swoje rzeczy i pakując torby, trzymała głowę wysoko i nie uroniła ani jednej łezki. Była nawet dla niego miła, pomagała mu szukać jego przeklętych okularów, które gdzieś zapodział. Nie ulegało wątpliwości, że to tylko jedna wielka fasada, która lada moment runie. Ale nie runęła. Przez cały dzień, nawet kiedy on już wyszedł, dotrzymywała towarzystwa Abbie i Joshowi, przytulała ich i pocieszała, jakby tylko im została wyrządzona krzywda.

Biedny Joshie. Nie wiedział, jak się zachować. Kiedy tato im to powiedział i Abbie uciekła z płaczem do swojego pokoju, Josh po jakimś czasie przyszedł za mamą na górę. Zastawszy je obie zawodzące, pochlipujące i tulące się do siebie, usiadł po drugiej stronie łóżka i zapatrzył się bezmyślnie w ścianę. Naturalnie, był jeszcze wstawiony i miał pewne kłopoty z połapaniem się, o co w tym wszystkim chodzi. Ale nawet nazajutrz, nawet po tym strasznym, lodowatym pożegnaniu, kiedy obejmowani przez mamę stali w otwartych drzwiach i patrzyli, jak kombi taty wyładowane jego rzeczami oddala się podjazdem, nie wiedział biedak, czy się rozpłakać, czy udawać dorosłego, dzielnego pana domu i głowę rodziny.

— Posłuchaj, Abbie — powiedziała mama, kiedy tamtego wieczoru siedzieli we trójkę przy kuchennym stole, jedząc kolację, na którą żadne nie miało ochoty, a Abbie oświadczyła przed chwilą, że nie leci do Seattle. — Posłuchaj. Nie pozwolimy, żeby to nas zniszczyło. Życie musi toczyć się dalej. Twój ojciec może wróci, może nie. Ja podejrzewam, że wróci. Ale różnie to bywa. Albo pójdzie po rozum do głowy, albo nie. W każdym razie my musimy przejść nad tym do porządku dziennego, rozumiesz? Leć jutro do tego Seattle, moja panno, pokaż tym... tym dupkom z TWO...

— WTO.

— Wszystko jedno. Pokaż im, gdzie raki zimują. Z mojej kasy też im dołóż. Nie wiem, kim są ani na czym polega ich wina, ale już ich nie lubię.

Roześmiały się. Może trochę histerycznie, ale się roześmiały.

Potem przyszli George z Ellą i znowu popłynęły łzy, ale mama nie płakała. Babcia zamierzała zostać na kilka dni i ona też poradziła Abbie, żeby nie zmieniała planów i leciała. Tylko dziadek orzekł, że cały ten protest to jedno wielkie nieporozumienie i najprawdopodobniej stoją za nim anarchiści i komuniści, a WTO jest tak naprawdę jedną z niewielu już sił dobra, jakie ostały się na tym świecie. Abbie była zbyt zmęczona i wykończona emocjonalnie, żeby wdawać się z nim w dyskusje.

No i była tu teraz, przemoczona do suchej nitki maszerowała w pochodzie przebrana za pomidoroowcę, która tak już rozmiękła i oklapła, że przyszła pora się z nią rozstać. Nie myląc kroku, zsunęła z siebie zdeformowany kostium i wychodząc z niego z gracją, zostawiła na jezdni. Mel posłała jej uśmiech. Abbie tylko jej powiedziała o odejściu taty, przykazując, żeby nikomu nie pisnęła słówka. Tego by tylko brakowało, żeby wszyscy zaczęli jej współczuć i traktować ją jak inwalidkę.

Broń w dłoń i siecz! WTO idź precz!
Broń w dłoń i siecz! WTO idź precz!

Deszcz ustawał i zaczynało się przecierać. W odstępach między budynkami Abbie widziała ocean i port, na redzie kotwiczyły dwa wielkie kontenerowce. Jeszcze nigdy nie była w tym mieście. Wzniesione na stromym, opadającym ku brzegowi stoku było piękniejsze, niż sobie wyobrażała.

Przed nimi bił w niebo skłębiony słup czarnego dymu. Kiedy podeszli bliżej, okazało się, że podpalono tam śmietnik i podsycano ogień oponami. Rzeka ludzi rozdzieliła się, żeby opłynąć przeszkodę. Poprzez ogólną wrzawę przebił się brzęk tłuczonego szkła, ale Abbie nie widziała, co ani gdzie rozbito. Po prawej śpiewający tłum demonstrantów oblegał restaurację McDonald. Trzymali transparent z napisem NIE PODDAWAĆ SIĘ McDOMINACJI, kilka osób waliło kijami w okna i drzwi. Na ścianach czarną farbą w sprayu wypisali McGÓWNO oraz McMIĘCHO JEST MORDERCĄ.

Policja trzymała się jak dotąd na uboczu i nie interweniowała. Paru policjantów towarzyszących pochodowi na rowerach górskich uśmiechało się nawet i żartowało z demonstrantami. Ale ci, którzy teraz pojawili się w polu widzenia, wyglądali zupełnie inaczej. Była to chyba jakaś jednostka specjalna do tłumienia zamieszek. Cali na czarno, w hełmach z plastikowymi przyłbicami i maskach przeciwgazowych, w długich pelerynach, skórzanych ochraniaczach na uda i butach rybackich. Stali jak wyrzeźbieni, z gotowymi do użycia pałkami w dłoniach, blokując wyloty bocznych uliczek.

— Kurczę blade — powiedziała Mel. — A to co za jedni?

— Zlot sobowtórów Dartha Vadera — mruknął Eric i na akordeonie, z którym się nigdy nie rozstawał, zagrał motyw z *Gwiezdnych wojen*. Ludzie z ich najbliższego otoczenia zaczęli śpiewać i wznosić okrzyki: „Niech moc będzie z wami!". Jeśli nawet rozbawili któregoś z gliniarzy, trudno było to stwierdzić. Przyłbice i maski przeciwgazowe całkowicie zasłaniały im twarze.

Przelatujący bardzo nisko helikopter wzniecił łopatami wirnika silny zstępujący prąd powietrza. Wszyscy schowali odruchowo głowy w ramiona. Pochód zwalniał stopniowo kroku i w końcu się zatrzymał. Stali dłuższy czas, skandując i śpiewając, stłoczeni między sklepami i biurowcami, ściskani jeszcze bardziej przez kordony policji i napierające od tyłu rzesze nadciągających wciąż demonstrantów.

Abbie nie miała pojęcia, co ani w jaki sposób wywołało iskrę. Zastanawiając się nad tym później, dochodziła do wniosku, że skrzesał ją jakiś nerwowy albo zbyt skory do pociągania za spust policjant. Podpalono kolejny śmietnik i nad tłumami zaczął się snuć czarny, gryzący dym, gęstniejący chwilami do tego stopnia, że nie było zupełnie widać, co się wokół dzieje. Z przodu protestujący utworzyli krąg i trzymając się za ręce, skandowali:

Słuchajcie głosu zwyczajnych ludzi!
Niech przyzwoitość się w was obudzi!

Ktoś zaczął wzywać przez megafon do opuszczenia rejonu, ostrzegał, że naruszają prawo stanu i miasta, a tym, którzy nie posłuchają i nie rozejdą się, groził aresztowaniem za zakłócanie porządku publicznego. Apel powtarzany był wielokrotnie i za każdym razem coraz bardziej stanowczym i złowieszczym tonem.

Abbie nie rozpoznała z początku tego zapachu. Myślała, że wydziela go coś, co płonie w śmietniku. Oczy zaczęły ją szczypać i nagle tłum rozbiegł się na wszystkie strony. Po opustoszałej jezdni toczyła się dymiąca puszka. Ktoś krzyknął, że to gaz łzawiący. Młody chłopak, który przyszedł na demonstrację z własną maską gazową, doskoczył, podniósł puszkę i cisnął ją za kordony policji, które ruszały właśnie ławą. Gliniarze osłaniali się plastikowymi tarczami, w dłoniach dzierżyli pałki, i wszyscy prócz paru najbardziej niepokornych albo nierozważnych demonstrantów zaczęli się przed nimi cofać.

W kilka minut atmosfera uległa diametralnej zmianie. Wiatr od oceanu znosił, co prawda, opary gazu łzawiącego w głąb lądu, ale panika już wybuchła i szybko się rozprzestrzeniała.

Jeden z demonstrantów, którzy nie ustąpili pola, klęczał okładany przez policjantów pałkami, bezwładne ciało innego wleczono za nogi po asfalcie. Ktoś ze świadków zawodził histerycznie, inni zaczęli rzucać w gliniarzy czym popadnie. Ale kordon napierał nadal. Dziewczyna stojąca kilka kroków przed Abbie drgnęła gwałtownie i upadła. Tarzała się po jezdni, jęcząc rozdzierająco i trzymając się za kolano.

— Oż ty w życiu! — wrzasnął Eric. — Strzelają do nas! Nie skończył jeszcze, kiedy huknęła następna salwa i z krzykiem upadło dwóch kolejnych demonstrantów. Jeden trzymał się za twarz. Między palcami przeciekała mu krew.

— To plastikowe kule — powiedział Haker. Chciał ich pewnie uspokoić, ale na Abbie to nie podziałało. Nigdy w życiu tak się nie bała. Haker ze Scottem pomagali Mel wygramolić się z rybotruskawki, która nikogo już nie śmieszyła.

— Pryskamy — zakomenderował Haker.

Łatwo było powiedzieć. Na ten pomysł, nie licząc garstki, która stawiła czoło policji, wpadli wszyscy. Rozgardiasz, panika, nie wiadomo, w którą stronę uciekać. Ludzka rzeka poniosła ich w kierunku bocznej ulicy, ale nagle ci z przodu zaczęli robić uniki i odskakiwać przed strumieniami wody. Abbie nie mogła się przez chwilę zorientować, skąd tryskają. Potem zobaczyła wóz policyjny z armatką wodną, a chwilę potem Mel trafiona w pierś strugą wody pod ciśnieniem odleciała do tyłu i upadła na wznak.

Abbie podbiegła do przyjaciółki, przyklękła i spytała, czy nic jej nie jest. Mel pokręciła głową, ale była w szoku, skąd więc mogła to wiedzieć. Z nosa leciała jej krew. Haker ze Scottem chwycili dziewczynę pod pachy, poderwali z ziemi i ponieśli między sobą. Haker wrzasnął przez ramię do Abbie, żeby się ich trzymała.

Kiedy znaleźli się poza zasięgiem armatki wodnej, Abbie zatrzymała się i obejrzała, wypatrując Erika. Nigdzie go nie widziała. Na jezdni leżał tylko jego rozdeptany akordeon. Wrzasnęła za Hakerem i resztą, żeby zaczekali, ale nie usłyszeli. Przebiegali właśnie obok płonącego śmietnika, z którego w tym momencie buchnął znowu gęsty, czarny dym. Kiedy się rozwiał i spojrzała w tamtym kierunku, już ich nie było.

Puściła się biegiem, ale musiała stracić orientację, bo tłum zamiast gęstnieć, coraz bardziej się przerzedzał, i po chwili uświadomiła sobie, że pewnie pędzi wprost na nacierający kordon policji. Górą przeleciał z rykiem kolejny helikopter. Zadarła odruchowo głowę i zderzyła się z mężczyzną biegnącym w przeciwną stronę. Kolizja oszołomiła ją i pozbawiła na moment tchu. Stęknęła cichutko, zatrzymała się i wciągając spazmatycznie powietrze w płuca, rozglądała się gorączkowo, niezdecydowana, w którą stronę uciekać, ale panika odebrała jej zdolność logicznego myślenia.

I w tym momencie puszka z gazem łzawiącym, turlająca się i podskakująca po zasłanej śmieciami jezdni, zbiła ją z nóg. Upadła na wznak i od walnięcia potylicą w asfalt zobaczyła gwiazdy. Nie wiedziała, na jak długo straciła przytomność, może tylko na kilka sekund, ale kiedy znowu otworzyła oczy, ujrzała nad sobą niebo i nie mogła zrozumieć, co to za czarna plama na nim, i dlaczego powietrze tak pulsuje. Świat powoli powrócił w swoje ramy i wtedy dotarło do niej, że tuż nad nią wisi helikopter, który zaraz — wiedziała to z całą pewnością — wyląduje i rozgniecie ją jak muchę. Zdjęta śmiertelnym przerażeniem podźwignęła się najpierw na czworaki, potem na klęczki, wstała i chciała się rzucić do ucieczki, ale nic z tego. Goleń, w którą oberwała puszką z gazem, bolała tak, że nie mogła zrobić kroku. Powietrze wokół wypełniało się szybko gazem łzawiącym, piekły ją oczy, w płucach paliło i nie miała zielonego pojęcia, w którą stronę się zwrócić. Stojąc bezradnie pośród chaosu i trąc łzawiące oczy, Abbie rozpłakała się w głos.

Wtem ktoś chwycił ją za ramię i pociągnął. Pewna, że to gliniarz, wrzasnęła przeraźliwie i zaczęła się wyrywać.

— Przestań, kretynko, próbuję ci pomóc!

Oczy ją szczypały, przez łzy widziała tylko ryj maski przeciwgazowej. Nie wierzyła mu. To musiał być glina. Ale w pewnej chwili ryj powędrował w górę i zobaczyła wychudzoną, zarośniętą twarz, parę intensywnie niebieskich oczu i długie czarne włosy przewiązane, jak u pirata, bandaną. Ubrany był na czarno, ale pod żadnym innym względem gliniarza nie przypominał.

— Masz, załóż to.

Akcent miał jakiś obcy, niemiecki, może skandynawski. Nim zdążyła odpowiedzieć, naciągał jej już na głowę swoją maskę gazową z goglami i ryjowatym filtrem powietrza. Niemal od razu odetchnęła swobodnie. Widziała przez gogle, jak nieznajomy zrywa bandanę, polewa ją wodą z butelki, którą wyciągnął z tylnej kieszeni kurtki, i obwiązuje nią sobie nos i usta.

— Chodź, wynosimy się stąd.

Otoczył ją ramieniem i pociągnął przez tłum. Noga bolała, ale Abbie szybko o niej zapomniała i poddała się mu, nie myśląc już o swoich ani o sobie, nie zastanawiając się, dokąd ten obcy ją prowadzi.

Może dlatego, że nie doszła jeszcze do siebie po uderzeniu głową w asfalt. Skryta za maską, która tłumiła warkot helikoptera, wrzaski i syreny, czuła się dziwnie wyłączona, tak jakby świat zwolnił nagle biegu, a ona śniła albo oglądała to wszystko na ekranie telewizora. Później pamiętała tylko wyrywkowe obrazy oglądane przez małe, okrągłe szkiełka gogli: Krwawiąca kobieta leżąca pośród potłuczonego szkła, buddyjski mnich w szkarłatnej szacie klęczący na jezdni i modlący się żarliwie z czołem wspartym o krawężnik, wszędzie porzucone, porwane w strzępy i stratowane transparenty, i afrykański bęben z rozprutą skórą staczający się powoli pustą ulicą ku oceanowi.

— Jak się czujesz?

Otworzyła oczy, zamrugała. Nic, ciemność... I panika: gaz ją oślepił! Usiadła, przetarła je. Miała wrażenie, że ktoś zdarł z nich warstwę nabłonka. Spojrzała w górę, tam skąd dochodził głos, i zobaczyła rozmyte kontury pochylającej się nad nią postaci.

— Tak sobie — powiedziała. — Boże, moje oczy.

— Masz tu, przemyj je.

Ukląkł i postawił miskę z wodą przy materacu, na którym siedziała. Kiedy przemywała oczy, zapalił świecę. Spojrzała na niego i zobaczyła znowu tę wychudłą twarz i bladoniebieskie źrenice. Nie uśmiechnął się, podał jej tylko śmierdzący benzyną ręcznik.

— Dziękuję.

— Daj, obejrzę to miejsce, gdzie się uderzyłaś.

Odwróciła posłusznie głowę. Miała na sobie czyjś, obszerny brązowy sweter — szorstki, wyszmelcowany i zalatujący zmokłą owcą. Prawdopodobnie naciągnął go na nią, bo była przemoczona, i chociaż nie podobało jej się, że nie pamięta, jak to robił, była mu wdzięczna, bo w pomieszczeniu było zimno. Grunt, że nie ściągnął jej majtek.

— Nabiłaś sobie guza. Masz też rozciętą skórę, ale obejdzie się bez szwów. Nie ruszaj się, przemyję.

Zamoczył ręcznik w misce i delikatnie przemył jej potylicę. Pokój był mały, zalatywało w nim stęchlizną, z popękanych ścian obłaziła farba. Podłoga z wypaczonych desek, ani jednego mebla, tylko stosy ubrań, śmieci, starych gazet i czasopism pod ścianami. Obok, pod oknem zasłoniętym starym kocem, leżał drugi materac. Abbie słyszała rozmowę dobiegającą z sąsiedniego pokoju i przez uchylone drzwi widziała ścianę, po której przesuwały się cienie.

— No. Wyżyjesz. Uderzyłaś głową o jezdnię i straciłaś przytomność. Spałaś cztery godziny. Już się martwiłem. — Wyciągnął przed siebie rękę. — Ile widzisz palców?

— Osiemnaście?

Prawie się uśmiechnął. Podał jej kubek.

— Herbata. Jakby co, to woda też jest. Musisz dużo pić. Na nodze masz siniaka, ale złamana nie jest.

Czuła, że drży jej broda.

— Dziękuję. Gdzie jesteśmy?

Wzruszył ramionami.

— W domu. To pustostan.

— A ty kim jesteś?

— Pustostańcem. Dzikim lokatorem.

Spojrzała na niego taksująco sponad wrąbka kubka i tym razem się uśmiechnął. Trudno było oszacować, w jakim jest wieku. Wyglądał na dwadzieścia lat, ale mógł mieć i trzydzieści. Pomimo szczeciny zarostu dostrzegła w nim coś łagodnego, niemal kobiecego. Był piękny i chyba zdawał sobie z tego sprawę

— Mam na imię Rolf. A ty jesteś Abigail Cooper i studiujesz na Uniwersytecie Montany.

— Grzebało się w moim portfelu, co?

— Przepuściło wszystkie pieniądze. Wyczyściło karty kredytowe. Oj, pożyło się, pożyło.

— Czym chata bogata. Mów mi Abbie.

Kiwnął formalnie głową, wstał i skierował się ku drzwiom. Przez ramię rzucił jeszcze, że gdyby zgłodniała, to zaprasza do pokoju obok.

— Dzięki.

— Czuj się jak u siebie.

— I dziękuję... no wiesz... że mnie stamtąd wyciągnąłeś.

Odwrócił się, spojrzał na nią, jeszcze raz kiwnął głową i wyszedł. Abbie siedziała na materacu i trzymając oburącz kubek, sączyła herbatę. Napój był za słodki, ale przynajmniej gorący i przyjemnie rozgrzewał. Zastanawiała się, co z innymi, czy z Erikiem i Mel wszystko w porządku. Ze znalezieniem ich nie powinno być kłopotu. Przewidzieli, że mogą się pogubić i na tę okoliczność zanotowali sobie wszyscy numer komórki Hakera.

Kiedy poczuła, że siły jej wracają, wstała i przeszła do sąsiedniego pokoju. Rolf, jeszcze dwóch facetów i dwie kobiety siedzieli na podłodze po turecku wokół wielkiej misy brązowego ryżu z warzywami i jedli palcami. Trzecia kobieta siedziała w kucki w kącie i pracowała na laptopie. Wszyscy podnieśli wzrok na wchodzącą Abbie. Uśmiechnęła się i powiedziała „cześć". Dwoje odpowiedziało, pozostali kiwnęli tylko głowami.

— Siadaj — mruknął Rolf, przesuwając się i robiąc jej miejsce obok siebie. — Częstuj się.

Usiadła i dopiero teraz zdała sobie sprawę, jaka jest głodna. Zaczerpnęła pełną garść ryżu. Pokój był większy, ale tak samo ogołocony ze sprzętów jak ten, w którym się ocknęła. Leżały tu trzy materace, a pod ścianami też piętrzyły się stosy śmieci. Oświetlały go osadzone w słoikach świeczki i migocząca lampa z pękniętym kloszem zasilana gazem z butli. Pomazane graffiti ściany obwieszone były wycinkami z gazet i fotografiami.

— Macie tu może telefon? — zapytała Abbie.

Nie wiedzieć czemu, bardzo ich to pytanie ubawiło. Ale przecież kobieta z laptopem była chyba podłączona do jakiegoś gniazdka. Abbie poczuła, że się rumieni. Czyżby powiedziała coś nie tak?

— Na ulicy jest budka telefoniczna — powiedział Rolf. — Do dzisiaj mieliśmy komórkę, ale obecnemu tu panu zaradnemu udało się nas jej pozbawić. — Tu trzepnął w ucho siedzącego obok mężczyznę.

— A co ja winien, że ten skubany gliniarz mi ją zabrał?

— Ty z tych, co byli przebrani za owoce? — zwróciła się do Abbie jedna z kobiet.

— Mhm.

— I co to miało symbolizować?

— Owoce modyfikowane genetycznie.

— Aha, rozumiem.

— Tego was uczą na tym uniwersytecie? — spytał z sarkazmem siedzący obok niej facet. Miał dredy i srebrny kolczyk w brwi. Abbie najchętniej dałaby mu w nos, ale opanowała się i odparła, że owszem, mają wykłady ze stosowania metod genetyki w rolnictwie, ale ona na nie nie chodzi.

— Fascynujące.

— Żebyś wiedział.

— To prawda, że działacie tam aktywnie na rzecz ochrony środowiska naturalnego?

217

Pytanie wyszło od Rolfa, a ponieważ zabrzmiało szczerze i przyjaźnie, pomyślała, że może on chce w ten sposób zatrzeć obcesowość swoich towarzyszy, i odpowiedziała chyba bardziej wyczerpująco i entuzjastycznie, niż powinna. Zwracając się bezpośrednio do Rolfa, opowiadała o Hakerze, o którym być może słyszał (nie słyszał), o Akcji Leśnej i o proteście przeciwko wyrębowi lasów, który przeprowadzili przed miesiącem. Nie wiedziała, dlaczego tak bardzo jej zależy, żeby zrobić na nim wrażenie, ale nie kłamała, koloryzowała tylko, dodając nieco dramatyzmu scysji z drwalami.

Wrażenia może nie zrobiła, ale wzbudziła jego zainteresowanie. Zafascynowana nim i zahipnotyzowana tymi pięknymi oczami, nie zwracała uwagi, że facet z dredami uśmiecha się ironicznie i kręci głową, ani że dwie siedzące obok niego kobiety też się uśmiechają. Zauważyła to dopiero, kiedy z rozpędu zaczęła opowiadać Rolfowi o studenckich akcjach „pielenia" chwastów na wzgórzach.

— I co z nich robicie? Skręty? — spytał Dred.

Abbie urwała na moment i spojrzała na niego, mrużąc oczy. Wyglądał na takiego, co lubi puścić dymka. Nie odpowiadając mu, przeniosła wzrok z powrotem na Rolfa i podjęła:

— Nie uwierzyłbyś, co można tam znaleźć. Trzy gatunki chabrów, wilczomlecz, ostrzeń...

— Wilczomlecz, kurde mol, po tym to się dopiero dostaje kopa.

— Przybastuj, stary — mruknął Rolf.

Abbie miała tego dosyć. Odwróciła się do faceta.

— No dobrze, a co wy takiego robicie, że śmieszą was nasze akcje?

Dred pokręcił tylko głową i roześmiał się.

— Nie, poważnie. — Abbie ledwo nad sobą panowała. — Powiedz. Ciekawa jestem. No, co robicie?

— Nadziana dziewczynka z uniwerku zrywająca kwiatki na łące, ja cię kręcę...

— Pieprz się.

— Ooo, cóż za mocne słowa...

Rolf kazał mu się zamknąć, a potem uspokajającym gestem położył Abbie dłoń na ramieniu. Strąciła ją.

— Abbie, my naprawdę doceniamy to, co robicie. Tylko że z naszego punktu widzenia są to działania... jakby to określić? Niewiele znaczące, marginalne. Coś jak przestawianie mebli na „Titanicu".

— Aha. Skoro tak, to nie mamy o czym rozmawiać, dziękuję.

— Nie, poważnie. Nie chcę cię obrażać. Na to trzeba patrzeć realistycznie. Sprawy za daleko już zaszły. Wielkie korporacje niszczą tę planetę i są głuche na wszelkie protesty, nic sobie z nich nie robią. Spójrz, co się dzisiaj stało. Spójrz, co ci zrobili.

Wyciągnął rękę, ale odsunęła się. Nie pozwoliła mu się dotknąć.

— Rządy uprzemysłowionego świata są obecnie podporządkowane bez reszty ponadnarodowym korporacjom. Politycy to ich marionetki, a z demokracji zrobili sobie zasłonę dymną. Tak. Żeby coś zdziałać, zmusić tych, co są u steru, żeby zatrzymali się, posłuchali i zastanowili, co robią, trzeba ich zranić. Osobiście. Dosłownie zranić.

— I wy to dzisiaj robiliście, tak? — spytała z przekąsem.

Rolf roześmiał się.

— Nie. Dzisiaj to była tylko zabawa.

Kobieta, która do tej pory pracowała w kącie na laptopie, wstała, przysiadła się do Rolfa i zaczerpnęła pełną garść ryżu. Wyglądała na zadowoloną z siebie. Abbie odnosiła wrażenie, że jest jego dziewczyną.

— Załatwione? — spytał cicho Rolf.

— Mhm.

— No. Dobra robota.

Abbie wstała. Mdliło ją trochę i chciała wyjść, zaczerpnąć świeżego powietrza. Uwolnić się od tego dziwnego towarzystwa, poszukać Mel, Hakera, swoich.

— Idziesz? — spytał Rolf.

— Tak.

— Dostanę z powrotem sweter? — spytał z kpiącym uśmieszkiem Dred.

Zbrzydzona, że ma na sobie coś należącego do tego człowieka, ściągnęła go szybko i rzuciła na podłogę. Rolf pomógł jej włożyć kurtkę. Była jeszcze wilgotna. Odprowadził ją do drzwi.

— Ostrożnie z tym wilczomleczem! — zawołał za nimi Dred.

Odwróciła się w progu i przeszyła go wzrokiem.

— Zanim zaczniesz robić rewolucję, palancie, weź najpierw lekcje dobrych manier.

Odprowadzał ją ryk śmiechu. Rolf zszedł z nią po schodach, wyszedł na ulicę i towarzyszył jej do budki telefonicznej. Haker odetchnął z ulgą, słysząc jej głos. Powiedział, że zaraz po nią przyjadą. Rolf podał mu namiary.

Czekali, siedząc obok siebie na schodkach rudery. Cała okolica była przeznaczona do wyburzenia. Miały tu stanąć biurowce. Rolf podał jej skręconego z wprawą papierosa, ale podziękowała. Nad dachami wisiał zamglony półksiężyc. Patrzyli w milczeniu, jak przesuwa się wolno po niebie.

— Przepraszam cię za to, co stało się tam na górze — odezwał się Rolf. — Ten facet to świr.

Abbie nie odpowiedziała. Czuła się malutka i osamotniona, bo po raz pierwszy od wielu godzin myślała o mamie i tacie, i o tym, co się stało w domu, i jaki smutny i popieprzony stał się nagle cały jej świat. Zbierało się jej na płacz, ale on albo tego nie zauważył, albo udawał, że nie widzi. Spytał, skąd pochodzi. Powiedziała mu dopiero po chwili, kiedy była już pewna, że głos się jej nie załamie.

— A ty?

— Urodziłem się w Berlinie. Tutaj jestem od dwunastu lat.

— W Seattle?

— Nie. Pomieszkuję tu i tam. Nigdzie nie mogę jakoś zagrzać dłużej miejsca.

Wyciągnął z kieszeni długopis i na bibułce do skrętów zapisał numer telefonu. Wręczając go jej, powiedział, że zawsze zastanie pod nim kogoś, kto będzie wiedział, gdzie go łapać. Spytał o jej numer. Była chyba jeszcze trochę oszołomiona, bo nie pamiętała telefonu do akademika, podała mu więc numer domowy. Ulicą nadjechała furgonetka Hakera. Był z nim Scott. Zajęli się nią troskliwie. Powiedzieli, że z Mel wszystko w porządku. Eric wylądował w szpitalu i poleży tam co najmniej dwa tygodnie. Ma pękniętą miednicę, ale najbardziej mu żal akordeonu. Abbie przedstawiła ich Rolfowi. Uścisnęli sobie ręce. Podziękowała mu jeszcze raz za pomoc i opiekę i wsiadła do furgonetki.

Kiedy ruszali, pomachała mu przez okno, a on spojrzał jej prosto w oczy i uśmiechnął się. I już wiedziała, że na pewno się jeszcze spotkają. Złożyła starannie bibułkę z numerem telefonu i schowała ją do portfela.

Rozdział 15

Zaczęło się kolejne tysiąclecie i cały świat życzył sobie szczęścia, pokoju i pomyślności dla całego rodzaju ludzkiego. I tak dalej, i tym podobne. Nowy wiek miał dopiero tydzień, a Sarah już go nie lubiła. Siedziała za biurkiem w małym kantorku na tyłach swojej księgarni i usiłowała się skupić na tym, co czyta z ekranu komputera, a była to lektura równie przygnębiająca jak wszystko, co ostatnio przynosiło jej życie. Z pogodą włącznie. W takie zimne, dżdżyste, szare i mgliste dni Jeffrey mawiał, że nic, tylko wziąć i się powiesić, dzisiaj jednak nie używał tego określenia, pewnie z obawy, że ona to potraktuje dosłownie.

Sprzedaż w tym przedświątecznym okresie spadła bardziej, niż Sarah się spodziewała. A wszystko przez te księgarnie skupione w sieci i jeszcze jedną, internetową, której nazwy w tych ścianach się nie wymieniało, o nie. Ceny mieli śmieszne, równie dobrze mogliby rozdawać książki za darmo. Przez otwarte drzwi słyszała Jeffreya starającego się cierpliwie czarować klientkę, pierwszą od półtorej godziny, która szukała jakiejś książki, ale nie pamiętała ani tytułu, ani autora.

— To może wydawcę pani zna? — podpowiadał Jeffrey.

— Kogo?

— Boże, miej litość — wymruczała pod nosem Sarah.

Jeffrey był nieoceniony. Praktycznie sam teraz prowadził sklep. Sarah, owszem, przychodziła codziennie do pracy, bo w pustym domu nie dało się wytrzymać, ale zdawała sobie sprawę, że bardziej tu przeszkadza, niż pomaga. Podczas tego pierwszego odrealnionego tygodnia, kiedy Benjamin odszedł, a dzieci rozjechały się do szkół, Jeffrey wydzwaniał do niej po kilka razy na dzień, a wieczorami, po pracy, wpadał z czymś na ząb albo z kwiatami, albo z butelką wina. Niewiele brakuje, a wejdzie im to w zwyczaj. Miejsce matki, która po tygodniu wróciła do siebie, zajęła natychmiast Iris. Zaglądały też koleżanki, żeby podtrzymać ją na duchu. Zdarzało się, że w kuchni kłębiło się ich z pół tuzina albo i więcej. Gotowały, trajkotały, jadły, piły, płakały, śmiały się i nie pozwalały Sarah kiwnąć palcem, nawet wstawić naczyń do zmywarki. Nagadała się, napłakała i naśmiała tyle, że dopiero w pracy odpoczywała.

— Czyli chodzi pani o powieść, ale opartą na faktach — mówił Jeffrey. — Powieść oparta na faktach. Hmmm. Aha, znaczy, coś w rodzaju *Z zimną krwią* Trumana Capote'a?

— Czego?

Sarah ani dzieciom nie uśmiechało się zostawać w domu na święta i Nowy Rok, zwłaszcza że tyle było szumu wokół tego nowego milenium. I nagle, ni z tego, ni z owego, zadzwoniła Karen Bradstock, zapraszając ich na Karaiby. Karen wiedziała już o Benjaminie, rzecz się wydała, bo Josh wysłał do Katie e-mail. Jakiś bajecznie bogaty, uchylający się od płacenia podatków klient Toma miał dom na wysepce Mustique i oddawał go im — za darmo — na całe dwa tygodnie. Wybierają się tam z kilkorgiem znajomych, ale chałupa ma od groma pokoi, więc może też by się przyłączyli? Sarah nie zastanawiała się ani chwili.

Wyspa była przepiękna i dziwnie aseptyczna, ze świecą można by szukać śladów lokalnej kultury. Według Karen kupił ją przed laty jakiś ekscentryczny arystokrata i kazał oczyścić z wszelkich naleciałości, żeby wyprawiać tu długie, huczne przyjęcia dla znudzonych członków brytyjskiej rodziny królewskiej. Teraz należała do firmy, która stworzyła tu ekskluzywny azyl dla nieprzyzwoicie bogatych, i rygorystycznie o tę ekskluzywność dbała.

Z Bradstockami przyjechały z Chicago dwa małżeństwa, z których żadne nie przypadło jakoś Sarah do gustu. Jedna z kobiet traktowała ją jak inwalidkę, wciąż chciała w czymś wyręczać i pytała z doprowadzającą do szału troską w oczach, jak się czuje. A Sarah szlag trafiał. Ciekawa rzecz, jak niektórzy ludzie pozbawieni są wyczucia. Ona chciała być traktowana zwyczajnie. Odrobinę współczucia jeszcze by zniosła, ale tak nachalnie okazywana litość budziła w niej mordercze instynkty.

Karen na szczęście to rozumiała. Miały sobie wiele do opowiadania i pomimo domu pełnego gości znajdowały zawsze czas na babską rozmowę w cztery oczy. I to bynajmniej nie zawsze na temat Benjamina. Prawdę mówiąc, to zdarzały się dni, kiedy Sarah — nawet gdy spacerowała samotnie plażą albo siedziała z książką nad basenem — przez dobre pół godziny ani razu o nim nie pomyślała.

Młody Will, który od czasu kiedy ostatni raz go widziała, urósł chyba ze dwie stopy, miał teraz obsesję na punkcie sportu i od rana do wieczora grywał z ojcem w tenisa albo w golfa. Joshowi to nie przeszkadzało. On miał swoją Katie, w której był bez pamięci rozkochany, i wyglądało na to, że z wzajemnością. Tylko Abbie wyraźnie kręciła nosem.

Już po pierwszym dniu oznajmiła, że mierzi ją to miejsce. Że niedobrze jej się robi na widok tych faszystowskich bankierów i ich żon bulimiczek z wygładzonymi botoksem zmarszczkami, a jak zobaczy jeszcze jedną szpanującą, podstarzałą, byłą gwiazdkę rocka klasy C, to się chyba porzyga. Byłoby to bardziej ambarasujące, gdyby Karen nie powiedziała, że w pełni się z nią zgadza, i nie brała z przekonaniem jej strony w dyskusjach, które wybuchały przy kolacyjnym stole i z których

Tom z Willem wychodzili zawsze z etykietkami „neoimperialis-tów" albo „kryptoimperialnych dinozaurów", cokolwiek miało to znaczyć. Tom staczał te potyczki błyskotliwie, angażując się w nie całym sercem, ale zawsze z przymrużeniem oka. Za to Abbie posuwała się czasami za daleko.

— Boże, co ona taka zawzięta? — mruknęła Sarah do Karen po jednej z takich szczególnie burzliwych debat.

— Nie dziw się dziewczynie. Przeżywa. Nie ciebie jedną to dotknęło. Możecie jej z Benem powtarzać do znudzenia, że to nie przez nią między wami się popsuło, a ona i tak będzie wiedziała swoje. Może powinnaś ją namówić, żeby z kimś porozmawiała.

— Z psychoanalitykiem?

— A chociażby. Tobie też by się przydało.

— To nie w moim stylu.

— A co tu styl ma do rzeczy? Źle się czujesz, idziesz do lekarza, prawda?

— Czy ja wiem... Może. Czasami.

— Wszystko jedno. To nie moja sprawa. Ale zastanów się nad tym. Dla dobra Abbie.

Sarah już się zastanawiała, ale nie miała ochoty o tym rozmawiać, częściowo z powodu lojalności wobec Abbie, częściowo ze wstydu, bo w swoim odczuciu pokpiła sprawę. Nie dalej jak w zeszłym tygodniu, gdy wpadła do swojego lekarza po receptę na środki nasenne, wspomniała mu o na-strojach Abbie. Powiedział, że warto byłoby się tym zająć i że on chętnie je z kimś skontaktuje. Niech Abbie do niego zajrzy. Ale Abbie, kiedy Sarah o tym napomknęła, o mało oczu jej nie wydrapała.

— Co, masz mnie za wariatkę?

— Skąd, kochanie, oczywiście, że nie. To tylko...

— Jeśli tak myślisz, to oddaj mnie do zakładu.

— Abbie, spokojnie...

— Mamo! Dobrze, jestem na niego wściekła. Ale czy to nie najwyższa pora, żeby ktoś tu się wreszcie wściekł? Chyba wolno, nie? Ty tak się kontrolujesz, że można by pomyśleć, że nic cię to nie obeszło.

— Nie mów tak.

— Będę odreagowywała, jak mi się podoba. Daj mi święty spokój.

Nadejście nowego tysiąclecia świętowali w nadbrzeżnej restauracji na palach, prowadzonej przez sentymentalnego Hindusa o imieniu Basil, którego Abbie uznawała za jedyną prawdziwą istotę ludzką na całej tej wyspie. Sarah obiecywała sobie, że nie da dojść do głosu emocjom, kiedy jednak z wybiciem północy rozbłysły ognie sztuczne i wszyscy zaczęli się ściskać, całować i życzyć sobie szczęśliwego nowego roku, a do niej podeszli Abbie z Joshem, objęli ją, ona ich, i stali we trójkę jak te zagubione dusze, nie wytrzymała. Popłakali się wszyscy, nawet Josh nieborak. Ale tylko ten jeden jedyny raz Sarah sobie na to pozwoliła.

Po powrocie znalazła na automatycznej sekretarce wiadomość pozostawioną przez mówiącego drżącym ze zdenerwowania głosem Benjamina. Dzwonił od matki z Abilene (tak przynajmniej utrzymywał) z zapewnieniem, że o nich pamięta, i z życzeniami pomyślności dla nich wszystkich w nowym roku. No, to już szczyt, pomyślała Sarah.

Na początku często do niej wydzwaniał i prawie za każdym razem kończyło się na tym, że wybuchała płaczem i zaczynała mu wymyślać. Czasami on też płakał, nazywał ją swoim słoneczkiem i zapewniał, że ją kocha, co tak ją rozwścieczało, że najchętniej trzasnęłaby telefonem o ścianę. Bo jeśli ją kochał, tak naprawdę kochał, to dlaczego, do ciężkiej cholery, odszedł? W końcu zakazała mu to powtarzać i poprosiła, żeby przez jakiś czas nie dzwonił.

Potem małą bombkę podrzuciła jej Beth Ingram. Czy zrobiła to z rozmysłem, Sarah pewności nie miała. Prawdopodobnie tak. W każdym razie gawędziły pewnego dnia, Beth była naprawdę słodka i do rany przyłóż, i w* pewnym momencie, jakby od niechcenia, wyjechała z tekstem, jak to Sarah musiała się czuć poprzednim razem. Chwileczkę, żachnęła się Sarah, jakim poprzednim razem? Beth zmieszała się, zarumieniła, a potem z ociąganiem powiedziała, że jakiś czas temu rozmawiała na przyjęciu z żoną jednego z pracowników ICA i dowiedziała się od niej, że Benjamin miał romans z pewną młodą prawniczką specjalizującą się w obrocie nieruchomościami, która od czasu do czasu załatwiała firmie prawa własności gruntów. Podobno w pracy wszyscy o tym wiedzieli. Beth zarzekała się, że była przekonana, że dla Sarah też nie jest to tajemnicą.

Sarah była wstrząśnięta. Jeszcze tej samej nocy, po którejś tam lampce wina z rzędu, zadzwoniła do niego, do Abilene, i dowiedziała się od teściowej, że sukinsyna tam nie ma. Margaret nie potrafiła jej powiedzieć, gdzie jest, twierdziła, że wyjechał gdzieś służbowo. Tak, na pewno. Jak nic do Santa Fe, rżnąć tę dziwkę malarkę od siedmiu boleści. Pieprzoną Katalizatorkę. Sarah zadzwoniła na jego komórkę i zostawiła w poczcie głosowej rozwlekłą, bełkotliwą litanię oskarżeń, której wstydziła się już w momencie odkładania słuchawki, a jeszcze bardziej nazajutrz, kiedy przetrzeźwiała.

Najgorsze były noce. Gdy środki nasenne nie działały i sama, z ołowianym ciężarem na piersi, leżała w tym wielkim łożu, wyczekując świtu, zdarzało się jej czasami przesunąć nogę w bok, a tam ziała zimna, straszna pustka po nieobecnym mężu. Po kilku pierwszych tygodniach, zebrawszy się na odwagę, zaczęła się układać do snu pośrodku łóżka. Ale jakoś źle się tam czuła, tak jakby ostatecznie przyznawała w ten sposób, że nie wierzy w jego powrót. A przecież wiedziała, że on wróci. Nie mógł jej przecież ot, tak sobie zostawić, porzucić domu i dzieci, no mógł? Mógł?

Tydzień przed świętami Bożego Narodzenia przyleciał z Kansas zobaczyć się z dziećmi i wręczyć im prezenty. Dostały po telefonie komórkowym — żeby zawsze mogły do niego dzwonić, powiedział. Abbie parsknęła kpiącym śmiechem. Niech sobie narysuje, powiedziała. Już się rozpędziła.

Zatrzymał się u znajomego na mieście i zabrał dzieci na kolację. Sarah też zapraszał, ale nie poszła. Jedyne, co zrobiła, to wypchnęła Abbie. Dziewczyna wróciła potem do domu cała we łzach i zamknęła się od razu w swoim pokoju. Josh usiadł przy kuchennym stole i opowiedział Sarah, że Abbie przez cały wieczór nie wypowiedziała ani jednego cywilizowanego słowa, siedziała tylko przy stoliku naprzeciwko ojca, opluwała go jadem i robiła sarkastyczne uwagi.

Przez otwarte drzwi usłyszała teraz, jak Jeffrey żegna się z klientką i po chwili stanął w progu, trzymając się za głowę i kręcąc nią z niedowierzaniem.

— Słyszałaś?

— Byłeś cudowny.

— Moim zdaniem powinniśmy to rzucić i otworzyć sklep z płytami.

— A to czemu?

— Bo gdyby zjawił się ktoś, kto nie zna ani tytułu, ani wykonawcy, ani wydawcy, to może potrafiłby przynajmniej zanucić kawałek, o który mu chodzi.

Sarah roześmiała się. Jeffrey wskazał ruchem głowy na ekran komputera.

— I jak się sprawy mają, szefowo?

— Tragicznie. Przerzucamy się na płyty.

— To nie jest właściwa odpowiedź. Powinnaś powiedzieć: cóż, Jeffreyu, w tych okolicznościach, mając na względzie rozwój przemysłowy, silną konkurencję, pojawienie się różnorodnych mediów oraz innych sposobów przyjemnego spędzania wolnego czasu, mówiąc wprost, fakt, że nikt poniżej trzydziestki nie czytuje już książek ani nie ma ochoty na cokolwiek, co wymaga wysiłku umysłowego wykraczającego poza zdolność koncentracji przeciętnego nadpobudliwego komara, mając to wszystko na uwadze, idzie nam jak z nut, byle tak dalej, Jeffreyu.

— Brawo.

Pochylił się i cmoknął ją w czoło.

— Zamykajmy i chodźmy gdzieś na lunch — zaproponował.

— Dobra myśl. Poczęstujesz mnie papierosem.

Temat dnia brzmiał *Wyraź swoje człowieczeństwo*. Tak chyba powiedziała ta kobieta w trykocie bez rękawów i czerwonym sarongu na samym początku, kiedy stali boso w kółku, trzymając się za ręce. Ben nie miał pewności, czy dobrze usłyszał, bo stał przed wielkim elektrycznym wentylatorem, który rozwiewał po całej sali jego włosy. Wątpliwości pogłębiało zachowanie współuczestników zajęć. Szczególnie tego starego z siwą brodą, który w swoich purpurowych szatach i turbanie wyglądał jak członek starszyzny talibów i wirował po sali z zamkniętymi oczami, tuląc do piersi paprykę.

Nazywało się to *Chór ciał*. Eve i Lori przychodziły tu w każdą niedzielę po południu, by w towarzystwie pięćdziesięciu paru sobie podobnych wyrażać w tańcu i ruchach, co tylko przewidywał na dany dzień repertuar. Zajęcia odbywały się w dużej sali z wysokim sufitem i sprężynującą drewnianą podłogą. W pobliżu, a ściśle mówiąc, tuż obok, przebiegała linia kolejowa i kiedy przejeżdżał pociąg, to nawet przy głośnej muzyce cała sala drżała w posadach.

Podkład muzyczny był z gatunku New Age, pełen szumu załamujących się fal i pieśni wielorybów. Ben nie mógł nigdy pojąć, dlaczego mowa wielorybów uważana jest powszechnie za uspokajającą i wprawiającą w błogi nastrój, skoro nikt za cholerę nie rozumie, co te stworzenia do siebie gadają. Przecież wieloryby, jak wszystko, co żyje, muszą chyba drzeć ze sobą koty? Może w rzeczywistości wydzierają się jeden do drugiego: Oż, ty garbata, wynaturzona szprotko, znowu mi wyżarłaś resztkę planktonu! A top się, płetwalu zapowietrzony!

Lori znajdowała się w tej chwili po drugiej stronie sali, gdzie wyrażała swoje człowieczeństwo, może lekko z tym przesadzając, przed irytująco przystojnym młodzieńcem z końskim

229

ogonem. Młodzieniec ściągnął już podkoszulek, co w przypadku mężczyzn było jeszcze dozwolone. Kobietom zabroniono tego po incydencie sprzed kilku tygodni, kiedy to piersiasta Szwedka imieniem Ulrike obnażyła swoje walory, na których widok jakiś biedak z potrójnym by-passem dostał zapaści i trzeba go było wynosić na powietrze. Samowyrażanie się nawet w Santa Fe miało swoje granice.

Obowiązywała tu jeszcze jedna zasada: tańca bezkontaktowego. Ale niektórzy albo jej nie znali, albo nie przestrzegali. Kilka par kłębiło się teraz po podłodze w splotach tak zawiłych, że trudno było stwierdzić, czyja kończyna jest czyja. Ben miał poważne obawy, że z supłów, w jakie się poniektórzy zaplątali, nie ma już wyjścia, i do ich rozdzielenia trzeba będzie wzywać straż pożarną ze specjalistycznym sprzętem.

Jednak większość, w tym Ben, tańczyła sama sobie. Od czasu do czasu ktoś odwracał się twarzą do niego, uśmiechał i tańczył z nim przez chwilę, by potem pokazać mu plecy. Eve wyginała się teraz kilka kroków od niego, oczy miała zamknięte, po jej wargach błąkał się zmysłowy półuśmieszek. Była w białym płóciennym bezrękawniku, w obcisłych czerwonych rajtuzach podkreślających krągłości jej bioder i brzucha, i wyglądała tak diablo seksownie, że człowieczeństwo Bena domagało się wyrażenia w formie, z którą musiał się niestety wstrzymać.

Miała obiekcje, czy go tu dzisiaj przyprowadzić. Mówiła, że nie wie, czy mu się spodoba. Może się bała, że zacznie sobie stroić żarty albo że nie potrafi się dostatecznie wyluzować. Żartowała, że będzie musiał włożyć trykot, a już co najmniej kolarskie szorty. Okazało się, że wcale nie jest najstarszy na sali ani nie wzbudza zgorszenia swoim szarym T-shirtem i spłowiałymi dżinsami. Nie czuł się ani trochę odmieńcem.

Przez kilkanaście pierwszych minut tańca Eve trzymała się blisko i obserwowała jego reakcje. Nie należał do najlepszych tancerzy, a cała ta impreza była jego zdaniem komiczna. Starał się jednak wczuć w jej ducha i musiał przyznać, że nawet dobrze się bawi. Gdyby jeszcze potrafił bardziej się rozluźnić, dać porwać atmosferze, zapomnieć się.

Była to jego trzecia od rozstania z Sarah i jak dotąd najdłuższa wizyta w Santa Fe. Po śniegu pozostało tylko wspomnienie, w powietrzu prawie czuło się wiosnę. Bawił tu od dwóch tygodni i chociaż nie bardzo wiedział dlaczego — bo tak łatwo byłoby zostać — czuł, że pora wracać do Kansas. Zostali już kochankami i dobrze im było ze sobą. Lepiej niż dobrze. Przechodzili ten okres ślepego zauroczenia, w którym jednemu wciąż mało drugiego. W najśmielszych marzeniach nie przypuszczał, że to stanie się tak szybko.

Przed dwoma miesiącami, w grudniu, zadzwonił do niej z Abilene, od matki, i poinformował drżącym głosem, że to zrobił — odszedł. Nastąpiła długa chwila milczenia trwająca kilka krytycznych sekund, a potem Eve powiedziała cicho: przyjedź.

Ruszył w drogę jeszcze tego wieczoru. Pięćset mil przez zasnute mgłą, zaśnieżone równiny, oblodzonymi drogami Oklahomy i zachodniego Teksasu. Dotarł na miejsce o brzasku, odnalazł jej dom i zapukał do drzwi. Otworzyła mu w czarnym wełnianym szlafroku narzuconym na nocną koszulę, twarz miała zatroskaną i bladą jak ten brzask. Ale wpuściła go do środka i zaraz za progiem objęła. Wzbraniał się, powstrzymywał — bo która kobieta zechce mężczyznę tak rozbitego, słabego i żałosnego — ale nie dał rady i rozpłakał się. A ona obejmowała go i nic nie mówiła. Długo tak stali.

Posadziła go potem przy kuchennym stole, zaparzyła kawę, ugotowała jajka, zrobiła pszennego tosta, usiadła naprzeciwko, podparła się dłońmi pod brodę i z łagodnym uśmieszkiem popatrzyła, jak je. Wyglądało to tak, jakby żadne z nich tak do końca nie wierzyło, że on tam rzeczywiście jest. Potem ze swojego pokoju wyszedł w piżamce trzyipółletni Pablo, którego Ben jeszcze nie widział, usiadł przy stole i zaczął z nim rozmawiać, tak jakby nie zdziwiło go ani trochę, że zastaje rano w kuchni obcego mężczyznę.

Ale przecież, kiedy dzieją się rzeczy doniosłe, mało kto zachowuje się tak, jak tego po nim oczekują. Najlepszym przykładem matka i siostra Bena. Słusznie, a może — co bardziej prawdopodobne — niesłusznie wyczuwał, że nie wolno mu żadnej z nich powiedzieć przez telefon, że odszedł od Sarah. Że musi im to oznajmić osobiście. Zadzwonił z Nowego Jorku do matki, że przyjeżdża. Była, naturalnie, w siódmym niebie. Na powitalną kolację przygotowała specjalnie dla niego pieczeń, za którą tak przepadał.

Ben wiedział, że matka się zdenerwuje, kiedy usłyszy, co ma jej do powiedzenia. Każda matka by się zdenerwowała. Ale ona tak go zawsze uwielbiała, tak w niego wierzyła, tak chwaliła wszystkie jego działania i decyzje, nawet te, których sam żałował, że jej reakcja tego wieczoru, kiedy wreszcie po kolacji jej powiedział, kompletnie go zaskoczyła. Była zdruzgotana, rozjuszona, nie mogła sobie znaleźć miejsca. Uderzyła go nawet w ramię. Jak mógł zostawić żonę i dzieci? No, jak mógł?

— Ślubowałeś! — zawodziła przez łzy gniewu i goryczy. — Ślubowałeś! Wracaj do nich, Benjaminie. Słyszysz? Wracaj! Ślubowałeś!

Uspokoiła się w końcu trochę i pochlipywała tylko, kiedy starał się jej delikatnie wytłumaczyć, dlaczego odszedł. Nie było to jednak możliwe bez wdawania się w intymne szczegóły z małżeńskiego pożycia, o których nie miał zamiaru opowiadać nikomu, a już na pewno nie swojej matce. Operował więc wyświechtanymi frazesami, perorując, że on i Sarah „od wielu już lat robili dobrą minę do złej gry", a tak naprawdę „nie byli ze sobą szczęśliwi", że od dawna „źle się między nimi układało"; że oboje „zmienili się i oddalili od siebie". I w końcu te banalne słowa, jeśli jej nie przekonały, to pomogły przynajmniej pogodzić się z myślą, że co się stało, to się nie odstanie i żadne awantury nic tu nie pomogą. Wyszlochała tylko przez łzy, że pragnie jedynie i zawsze pragnęła, żeby był szczęśliwy.

Jeśli reakcja matki go zaskoczyła, to siostry niemal zwaliła go z nóg. Umówił się z nią na lunch i pojechał nazajutrz do

Topeki. Sally była starsza od niego o pięć lat, wystarczająco, żeby się w dzieciństwie nie zżyli. Świadom, że jest przez matkę faworyzowany, obchodził się zawsze z siostrą jak z jajkiem, chyba z obawy, że może go znielubić, do czego miała pełne prawo. Przy tych rzadkich okazjach, kiedy się z nią spotykał, stwierdzał jednak z ulgą, że jeszcze do tego nie doszło. Jak dotąd.

Sally należała do tych kobiet, do których bardziej niż ładna czy piękna pasuje określenie przystojna. Miała ciemnobrązowe oczy i gęste brwi ojca. Była wyższa, niżby sobie tego chyba życzyła, bo garbiła się nieco, tak jakby dźwigała na barkach jakieś niewidzialne brzemię. Wyszła za mąż za księgowego imieniem Steven, człowieka tak potwornie nudnego, że Abbie ukuła nawet z jego imienia nowe określenie. Frazy takie, jak być kimś albo czymś *zestevenowanym* albo bardzo, ewentualnie śmiertelnie się *stevenić* dawno już weszły do ich słownika rodzinnego slangu. Sally i Steve mieli dwoje dzieci, które niestety odziedziczyły większość genów po ojcu. Oboje byli teraz księgowymi.

Ben chciał ją zaprosić do restauracji, ale Sally przygotowała już dla nich lunch w swojej wymuskanej kuchni z koronkowymi firankami w oknie i kolekcją porcelanowych żab na parapecie. I tutaj Benjamin zwlekał z wyjawieniem celu swojej wizyty do końca posiłku, na który składały się siekane kotlety wieprzowe z grilla i cytrynowe bezy na deser. Zaczynając, zauważył, jak przymrużyła oczy, i już wiedział, że nie będzie lekko. Kiedy skończył, zaległo złowieszcze, napięte milczenie.

— Co cię upoważnia? — wysyczała.

— Nie rozumiem.

— Co cię upoważnia?! Do odejścia.

— No...

— Wszyscy jesteśmy nieszczęśliwi! Każde małżeństwo, jakie znam. Nie znam ani jednego, o którym z ręką na sercu mogłabym powiedzieć, że jest szczęśliwe.

Ben wzruszył ramionami i poprawił się na krześle.

— A ty znasz?

— No...

— Znasz? Takie naprawdę szczęśliwe? Bo ja nie. Tak już w życiu jest, Benjaminie, ty idioto! Zejdź na ziemię! Wydaje ci się, że mama z tatą byli szczęśliwi? Tak myślisz?

— No...

— Oczywiście, że nie byli! Nikt nie jest. Ale to jeszcze nie znaczy, że możesz sobie wstać i wyjść. Ojej, jaki ja jestem nieszczęśliwy, oj, jak mi źle na świecie, tak źle, że zabiorę swoje zabawki, zostawię żonę z dziećmi, i pójdę sobie. Ben, na litość boską, oprzytomniej!

Bena zupełnie sparaliżowało, ale ona jeszcze nie skończyła. Tak naprawdę to dopiero zaczęła. Udzieliła mu wykładu, jaką to jest ofiarą tej żałosnej, przewróconej do góry nogami kultury konsumpcyjnej, w której każdy jest bez ustanku kuszony złudną obietnicą szczęścia, a co gorsza przekonywany na każdym kroku, że ma święte, niezbywalne prawo być szczęśliwym. A jak nie jest, to będzie, jeśli tylko sprawi sobie nowe autko albo nową zmywarkę do naczyń, albo garnitur, albo kochankę. Trąbi się o tym wszędzie, ciągnęła Sally, w każdym czasopiśmie, które bierze się do ręki, w każdym kretyńskim programie telewizyjnym, podsyca się zachłanność, zawiść, obrzydza ludziom to, co mają, wmawia im, że szczęśliwi, zadowoleni i piękni mogą być dopiero kiedy kupią jakąś wspaniałą nową rzecz albo poderwą sobie nową dziewczynę, albo zafundują nową twarz ewentualnie parę silikonowych cycków...

Ben, gdyby nie był taki oszołomiony i gdyby to nie on był podmiotem tego kazania, zgotowałby chyba siostrze owację na stojąco. A tak siedział tylko ze spuszczonym wzrokiem, kiwał głową i starał się wyglądać na stosownie skruszonego. Po półtorej godzinie, wyparłszy się dwukrotnie w żywe oczy, że kogoś ma, kogoś nowego, bo bał się w tej chwili do tego przyznawać, pocałował siostrę na pożegnanie i garbiąc się niemal tak samo jak ona, wyszedł przez furtkę. Nie *zesteveno-wany*, za to dokumentnie i sromotnie *zsallowany*.

Taniec się skończył i Chórzyści Ciał utworzyli znowu krąg, tym razem siedząc z zamkniętymi oczami na podłodze i trzymając się w milczeniu za ręce. Ben trzymał za rękę wirującego taliba, któremu chyba przypadł do serca, i zastanawiał się, gdzie gość podział swoją paprykę.

Po kolejnych dwudziestu minutach, podczas których każdy, kto chciał, mógł się podzielić z resztą swoimi wrażeniami z zajęć, sesja dobiegła końca. Wszyscy wzuli z powrotem buty, Lori podeszła i uściskała Bena, a potem podeszła Eve i też go uściskała.

— Podobało ci się? — spytała niepewnie.

— Ogromnie.

Spojrzała na niego sceptycznie.

— Nie, mów prawdę. Bo ja jestem zachwycona.

Otoczył ją ramieniem, ona objęła go w talii. Była rozgrzana, spocona i taka apetyczna. Lori przyglądała się im taksująco.

— Wiecie co? — zagadnęła z uśmiechem. — Dobrana z was para. Powiedziałabym nawet, że jesteście do siebie podobni.

— To komplement? — zapytali jednocześnie Ben i Eve.

— Tak.

Pabla zabrał na weekend ojciec, mieli więc cały dom tylko dla siebie. Ben rozpalił w sklepionym łukowo kamiennym kominku w sypialni, a Eve tymczasem zaparzyła zieloną herbatę, do której smaku zaczął się ostatnio przekonywać. Późnozimowe słońce wlewające się przez okno padało na białą kołdrę i wypełniało sypialnię miękkim, bursztynowym blaskiem. Rozebrali się nawzajem bez pośpiechu, łasząc przy tym jak koty, i położyli na kołdrze na skraju światła. Skórę miała słoną. Całował ją po ramionach, po piersiach, pod pachami, a jego dłoń, przebywszy długą podróż doliną jej brzucha, zastała ją wilgotną i otwartą.

Ustąpiła już trema, która towarzyszyła ich pierwszym stosunkom. Zdarzało się jeszcze, co prawda, że próbowała mu o sobie przypomnieć podszeptami, że się nie sprawdzi, wywoływaniem poczucia winy i zdrady. Kiedyś zwracał na to uwagę i skutek był opłakany, ale teraz potrafił już zamknąć uszy na jej podszepty. Gdyby Eve nie miała do niego tyle cierpliwości, wyrozumiałości i okazywała zniecierpliwienie jego pierwszymi niepowodzeniami w roli kochanka, już dawno odczołgałby się zawstydzony z podkulonym ogonem. Ale ona rozumiała i uciszała jego lęki, kiedy zdruzgotany próbował się usprawiedliwiać.

Będąc w niej teraz, właściwie wciąż mu obcej, obserwował jej jasny podbródek, jej rozchylone usta, rzęsy zaciśniętych powiek, włosy rozrzucone po poduszce jak plama atramentu, i cień ich złączonych ciał poruszający się wolno, wolniutko na różowej chropawej ścianie. Był tu teraz, z nią. Był tutaj.

Rozdział 16

Upłynął niespełna rok, od kiedy ostatnio tutaj była, ale wystarczyło tych kilkanaście miesięcy, aby okolica, podobnie jak prawie całe życie Abbie, zmieniła się nie do poznania. Siedzieli z Tyem na koniach na szczycie tego samego urwiska, na którym byli przed dwoma laty z jego ojcem i z którego obserwowali orła przedniego unoszącego się nad rzeką. Przyjechali tu dzisiaj tą samą trasą, przez te same łąki, na tych samych koniach. Ale na tym kończyły się wszelkie podobieństwa. Krajobraz, który się teraz przed nimi roztaczał, przywodził na myśl obcą, niegościnną, posępną planetę.

— Boże — szepnęła Abbie.

— Mówiłem, że nie poznasz tego miejsca.

Nawet odległe góry w ten parny, pochmurny majowy poranek były jakieś inne, ciemniejsze, bardziej rozmyte. Rzeka opadła i zszarzała, brzegi wyglądały jak pobielone wapnem. W jej dole, gdzie kiedyś woda pieniła się i skrzyła na przełomach między karłowatymi wierzbami, rozpościerała się teraz usiana kamykami pustynia zeschniętego błota, upstrzona białymi łachami w miejscach, z których wyparowały bajora zasolonej wody. Ta woda uśmierciła źrebięta i bydło Hawkinsów.

— Widzisz tamte topole? Wszystkie powinny już wypuścić liście. Są martwe. Co do jednej. Łudziliśmy się, że przetrwają, ale niestety. Albo tam, poznajesz? Tato pokazywał ci tam kiedyś źrebaki? O tej porze roku tamte polany były zawsze tak gęsto porośnięte kwiatami, że nie przeszłaś, by nie ufarbować sobie ubrania na żółto. Spójrz na nie teraz.

Polany, o których mówił, zmieniły się w jałowe, brązowe klepisko pokryte kożuchem soli. Tylko kilka żałosnych kępek pobielałej trawy usiłowało jeszcze walczyć o przetrwanie.

— Nic tam już nie wyrośnie. Łąk, z których zbieraliśmy siano, też już nie ma. Zatruli najpierw rzekę, a teraz i ziemię. Woda wypływająca z odwiertów wszystko zabija.

Abbie siedziała w siodle i kręciła głową.

— Wierzyć się nie chce.

Ty roześmiał się.

— Nie widziałaś nawet połowy. Chodź, pokażę ci.

Zawrócił konia i popędzili z powrotem po własnych śladach. Minęli bliznę w czerwonej skale, minęli łąkę, ale zamiast w lewo, w kierunku rancza, skręcili w prawo i pojechali ku górom krętą doliną zasłaną po obu stronach głazami i porośniętą guzowatymi sosnami, z których niejedna liczyła sobie, zdaniem ojca Tya, więcej niż tysiąc lat.

Abbie słyszała dudniący odgłos, który przybierał wciąż na sile. Za zakrętem Ty zatrzymał konia. Podjechała do niego i też ściągnęła cugle.

— Spójrz tylko — powiedział Ty. — Tu było kiedyś dobre pastwisko. Teraz wierzchniej warstwy gleby już nie ma, nic tu nie wyrośnie, nawet kiedy oni odejdą.

Dolinę przecinała szeroka gruntowa droga, a po jej drugiej stronie rozlewało się morze schnącego błota bełtanego i rozjeżdżanego przez ciężarówki. Abbie widziała tam linie energetyczne, rurociągi i skupisko betonowych cokołów z białymi pokrywami. Ty wyjaśnił, że te ostatnie to głowice odwiertów.

Grzmiące dudnienie dolatywało od strony niskich, białych budynków mieszczących generatory, wiertnic i paru zaparkowanych obok, dziwnie wyglądających ciężarówek. Wszystko to otoczone było ogrodzeniem z drucianej siatki, na którym wisiały tablice z napisami *Niebezpieczeństwo* oraz *Wstęp surowo wzbroniony*. Ty wyjaśnił, że to stacja sprężarek i że dalej jest więcej takich, a towarzyszą im zbiorniki, do których powinna być odprowadzana woda z odwiertów. Ale to jedna wielka kpina, mówił, bo zbiorniki wciąż przeciekają albo się przepełniają. A do tego są źle ogrodzone i pilnowanie koni i bydła, żeby się tam nie zapuszczało, to istny koszmar. Jeden zresztą z wielu, dodał ponuro.

To weekend, ciągnął, i dlatego nic się tu nie dzieje. Ale w dzień roboczy musieliby co chwila uskakiwać przed przejeżdżającymi jedna za drugą ciężarówkami i nic by nie widzieli przez tumany kurzu unoszące się nad całym tym pobojowiskiem.

— Tato prowadził tu klinikę dla koni. Mawiał zawsze, że z tymi tam górami, lasem i w ogóle jest to najpiękniejsze miejsce na ranczu i ilekroć ktoś kręcił nosem na stawki, to jak tu przyszedł, od razu przestawał. Jedna kobieta powiedziała kiedyś, że zapłaciłaby tyle za sam widok.

Odwrócił wzrok i zamilkł. Abbie nie miała wątpliwości, o czym teraz myśli.

Słysząc jego głos, kiedy zadzwonił przed dwoma dniami, zorientowała się od razu, że coś jest nie tak. W pierwszej chwili pomyślała sobie, że ma do niej żal, bo tak długo się nie odzywała. Ale ona, jeśli w ogóle teraz do kogoś telefonowała, to tylko do mamy. Od powrotu na uniwersytet po tej nieszczęsnej wyprawie na Mustique wiodła żywot pustelniczki. Stroniła od przyjaciół i znajomych, i wszyscy, z wyjątkiem Mel, praktycznie machnęli już na nią ręką. Poświęciła się bez reszty nauce i przesiadując całe dnie w swoim pokoju albo w bibliotece uniwersyteckiej, czytała o postępującej degradacji środowiska naturalnego na całym świecie. Gniew, jaki wzbudzały w niej te lektury, pomagał zapomnieć o dramacie, który sama przeżywała. Kiedy jednak usłyszała, przez co przechodzi teraz Ty, poczuła się jak ostatnia egoistka i odezwały się wyrzuty sumienia. Kiedy go spytała, co się stało, w słuchawce na długą chwilę

239

zapadło milczenie, potem powiedział jej cichym głosem, że jego ojciec doznał wylewu krwi do mózgu.

Za pieniądze, które dostała od dziadka na Gwiazdkę na ten właśnie cel, Abbie kupiła używany samochód — małą, granatową toyotę — i nazajutrz, skoro świt, ruszyła w drogę do Sheridan na spotkanie z Tyem. Przewidywała, że nie trafi sama na ranczo labiryntem polnych dróg, umówili się więc w Best Western. Ty był blady, wymizerowany i ściskał ją tak mocno i długo, że nie miała wątpliwości, iż znajduje się na skraju załamania.

Powiedział, że musi ją wprowadzić w sytuację, zanim pojadą na ranczo, bo nie chce, żeby mama tego słuchała. Znaleźli więc mały skwerek przy Main Street i usiedli na ławce. Na skwerku stał pomnik z brązu przedstawiający kowboja z długimi włosami, w skórzanych ochraniaczach na spodnie, i z gotowym do użycia karabinem na ramieniu. Patrząc na niego, Ty opowiedział jej, co się wydarzyło.

To było w lutym. Dwa tygodnie po tym, jak buldożery zaczęły niwelować teren pod drogę. Mama z tatą nie podpisali umowy o rekompensatę za szkody powierzchniowe, którą przysłała im firma McGuigan Gas & Oil. Zamiast tego wynajęli adwokata i poprosili o dalsze gwarancje, że grunty zostaną przywrócone do poprzedniego stanu.

Pewnego ranka na ranczo przyjechało bez zapowiedzi dwóch facetów. Oznajmili, że następnego dnia zjawią się robotnicy drogowi, a najdalej za dwa tygodnie rozpoczną się wiercenia. Adwokat dwoił się i troił, ale sprawa była beznadziejna, ciągnął Ty. Jakby mówić do ściany. Do tych z firmy gazowniczej nic nie docierało. Tak jak zapowiedzieli, nazajutrz przyjechały buldożery i zaczęła się dewastacja.

Pracowało ich tam na górze — jak się potem okazało, na czarno — dziesięciu, może dwunastu, cała brygada sprowadzona z Meksyku. Ci od McGuigana nie zapewnili im żadnego zaplecza sanitarnego, nawet przenośnych toalet, a więc załatwiali się na łące. Wszędzie fruwały wstęgi zużytego papieru toaletowego, wiatr przywiewał je nawet pod dom. Coś okropnego.

— Poszliśmy do nich z tatą i próbowaliśmy przemówić im do rozsądku, ale większość nie znała angielskiego, a ci, którzy znali, nie chcieli nas słuchać, tylko kazali dzwonić do biura, ale tam też nikt nie chciał z nami rozmawiać. A mama przez cały ten czas wypłakiwała sobie oczy, serce pękało, jak się na nią patrzyło...

W końcu tacie udało się dodzwonić do J.T. McGuigana, samego dyrektora, prezesa czy jak tam każe się tytułować. Do Denver. I ten zaczyna wrzeszczeć na tatę, że sam jest sobie winny, że trzeba mu było podpisać tę przeklętą umowę o rekompensatę za szkody powierzchniowe.

Dwa dni później przyleciał tutaj i spotkali się w kancelarii adwokata. I McGuigan — kawał chłopa, były komandos piechoty morskiej czy czegoś takiego — zaczyna się wydzierać i mierzyć palcem w tatę i mamę... Cholera, Abbie, powinienem tam z nimi być, ale musiałem wyjechać na tydzień w ważnej sprawie do Bozeman.

Mama bardzo się zdenerwowała, tato próbuje ją uspokoić, a ona powtarza w kółko: „Nie może pan tak robić, nie może pan nam tego robić". McGuigan zamilkł, podszedł do niej, wymierzył jej prosto w twarz palec i powiedział: „Słuchaj no, kobieto, pozwól, że ci to wyjaśnię na przykładzie. To jest tak, jakbyśmy byli małżeństwem. Ty i ja. I mógłbym z tobą robić, co mi się żywnie podoba, kiedy mi się podoba i gdzie mi się podoba, a ty nie miałabyś nic do gadania".

I tej samej nocy tato miał wylew.

Kiedy wracali do samochodów, Ty powiedział jeszcze, że jego ojciec wrócił przed miesiącem ze szpitala, ale stracił mowę i jest częściowo sparaliżowany.

— Sadzamy go teraz na całe dni przed telewizorem. Nigdy nie przepadał za telewizją, ale nie wiadomo, co z nim robić. Mówimy do niego, czytamy mu. Wierzymy, że on nas słyszy i rozumie, i że wciąż gdzieś tam jest, zamknięty w sobie, chociaż czasami... — Ty urwał i przełknął z trudem. — Czasami myślę sobie, że lepiej by dla niego było, gdybyśmy się mylili.

— A jak się czuje mama? — spytała cicho Abbie i zaraz ugryzła się w język, uświadamiając sobie, że durniejszego pytania nie mogła już zadać.

— A jak myślisz?

Kiedy weszli do domu, ojciec, tak jak mówił Ty, siedział bezwładnie w fotelu wpatrzony w ekran telewizora. Abbie powiedziała „dzień dobry", ale jemu nawet powieka nie drgnęła. Leciał właśnie film przyrodniczy. Wataha hien usiłowała oddzielić od matki małego guźca. Martha, ze łzami w oczach, uścisnęła serdecznie Abbie, udało jej się jednak nie rozpłakać. Przy kolacji trzymali się dzielnie i prowadzili w miarę swobodną konwersację. Martha wypytywała Abbie o uniwersytet i opowiadała, jak jej wstyd za Tya, że rzucił studia na montańskim uniwersytecie stanowym. Może Abbie uda się go przekonać, żeby je wznowił.

— Oj, mamo. — Ty westchnął ze zniecierpliwieniem. Hieny z telewizora też jadły już swoją kolację.

— Cały ambaras w tym, Abbie, że on ma się za niezastąpionego i wbił sobie do głowy, że bez niego biedna matka nie poradzi sobie z prowadzeniem rancza.

— Nieprawda.

Zmienili temat. Potem Martha zapytała delikatnie Abbie o mamę. Najwyraźniej Ty już jej powiedział.

— Ma się dobrze, dziękuję. Dochodzi powoli do siebie. Ale zaczęła palić. Co mnie trochę zaskoczyło, bo od dwudziestu lat była wrogiem papierosów.

— Nie wypominaj jej tego za bardzo.

— Ani myślę. To jej sprawa.

— A tata? Jak mu się układa?

— Chyba dobrze. Ale szczerze mówiąc, to nie wiem.

Omal nie dodała, że mało ją to obchodzi, ale w porę się powstrzymała.

Zasypywał ją e-mailami. Z początku wysyłała mu na nie

242

zwięzłe, jadowite odpowiedzi, ale przestała się już w to bawić. Po kilka razy na tydzień dzwonił do niej na komórkę. Przeczekiwała zazwyczaj sygnał i odsłuchiwała później wiadomość, którą zostawiał w poczcie głosowej. Wciąż te same skamlące teksty. Jak to ją kocha i jak za nią tęskni, i czy może do niej przylecieć, powiedzmy, w ten albo w następny weekend, czy kiedy by jej najbardziej pasowało, bo chce z nią poważnie porozmawiać? Czasami, żeby się od niego odczepić, odbierała i mówiła chłodno, że jest naprawdę bardzo zajęta i przykro jej, ale nie, ani w ten weekend, ani w najbliższej, dającej się przewidzieć przyszłości. Nie wiedziała, kiedy minie jej ta żądza pognębiania go. Może kiedy brzmienie jego głosu przestanie przyprawiać ją o mdłości i podsycać zawziętość. Fakt, że też za nim tęskniła, jeszcze bardziej ją nakręcał. Zawsze mogła na niego liczyć, był jej najzagorzalszym orędownikiem i mentorem. Do szału ją doprowadzało, że bez niego czuje się taka słaba i zagubiona.

Tej nocy Ty przyszedł do jej pokoju i chociaż nie było to zbliżenie beztroskie, spontaniczne, bo oboje mieli swoje zmartwienia, to jednak przyniosło jej jakąś ulgę. Ale nie mogła potem zasnąć. Leżała w ciemnościach z głową na jego piersi, słuchała, jak pochrapuje cicho, gdzieś z oddali dolatywało wycie kojota.

Na ranczu oszczeniła się jedna z suk. Ty znalazł dom dla prawie całego miotu, zostały jeszcze tylko trzy szczenięta. Miały teraz po dwanaście tygodni. Był wśród nich chuderlawy kundelek z trzema białymi łapami i zakręconym ogonkiem, który upodobał sobie Abbie. Łaził za nią wszędzie, nie odstępował na krok. Abbie nazwała go Sox. Ty nalegał, żeby zabrała szczeniaka ze sobą do Missouli, ale ona, chociaż ją kusiło, powiedziała, że wykluczone, nie ma warunków do trzymania psa.

Została dwa dni i drugiego, kiedy do pracy wrócili gazownicy, zobaczyła na własne oczy te karawany ciężarówek ciągnące przez dolinę i tumany wzbijanego przez nie kurzu. Ty powiedział, że zamierzają z mamą pozwać firmę do sądu, ale ich prawnik twierdzi, że nie mają żadnych szans i równie dobrze mogliby przez następne dwa lata palić w piecu studolarówkami.

Rankiem trzeciego dnia Abbie powiedziała Rayowi „do widzenia" i pocałowała go w czoło, a on wtedy chrząknął cichutko, uznała jednak, że prawdopodobnie chciał tylko odkaszlnąć. Martha wymogła na niej obietnicę, że wkrótce znowu ich odwiedzi. Ty jechał przodem, pilotując ją do samego Sheridan. Zatrzymali się na poboczu drogi przed skrzyżowaniem z międzystanową i wysiedli z samochodów, żeby się pożegnać.

Ty wyjął ostrożnie spod siedzenia pasażera swojej półciężarówki kartonowe pudełko ze szczeniakiem i kocyk i przeniósł je na tylne siedzenie toyoty. Abbie próbowała protestować, ale on nic sobie z tego nie robił. Za dobrze ją znał. Powiedział, że jeśli stwierdzi, że nie daje rady, to zawsze może odwieźć sukinsynka z powrotem. Spytał ją o plany na lato. Abbie żadnych konkretnych jeszcze nie miała. Chyba znajdzie sobie jakąś wakacyjną pracę i posiedzi jakiś czas w Missouli. Może pojedzie na parę dni do domu zobaczyć się z mamą. Chociaż nie bardzo wie, jak to zorganizuje, mając teraz na głowie Soxa.

— W naszym hotelu dla psów ceny są naprawdę umiarkowane — zapewnił ją Ty.

Objął ją i stali tak przez chwilę w milczeniu i ryku przejeżdżających ciężarówek.

— Kocham cię, Abbie.

Pierwszy raz jej to wyznał i nie licząc mamy oraz taty, był pierwszą osobą, od której usłyszała te słowa. O mało się nie rozpłakała. Objęła go i pocałowała. Nie powiedziała, że też go kocha, i czuła się z tego powodu podle, ale nie chciała kłamać. Ruszając, widziała w lusterku, jak stoi smutny obok swojej półciężarówki i patrzy za nią. Szczeniak już spał.

W kampusie uniwersyteckim panowała ospała atmosfera charakterystyczna dla początku wakacji i nadciągającego lata. Chociaż semestr dobiegł już końca, nikomu nie śpieszyło się specjalnie z wyjazdem. Topole przy Clark Fork zachwycały soczystą zielenią, pogoda była piękna, balsamiczne powietrze pulsowało wprost obietnicą. Studenci pedałowali leniwie na rowerach zacienionymi alejkami, chodzili do znajdującego się kilka przecznic dalej sklepu muzycznego Rockin Rudy's pobuszować wśród regałów z płytami, do Bernice's Bakery albo Break Espresso na mrożoną mokkę i rogaliki, albo po prostu wylegiwali się na słońcu w bujnej trawie Owalu, odreagowując sesję egzaminacyjną i snując wakacyjne plany.

Mel i Abbie zabrały swoje rzeczy z pokoju w Knowles Hall i większość przeniosły do domku Todda i Erika przy Czwartej Ulicy, gdzie Abbie miała przemieszkać do czasu, kiedy zdecyduje wreszcie, jak zamierza spędzić to lato. Reszta wiedziała to od tygodni, jeśli nie miesięcy.

Mel wyjechała już ze Scottem do Peru. Namawiali Abbie, żeby się z nimi zabrała, ale ona nie chciała się rozstawać z Soxem. Eric i Todd lada dzień ruszali do Idaho, gdzie załatwili sobie pracę przewodników na spływach pontonami rzeką Salmon River. Po sześciu tygodniach w gipsie biodro się zrosło i Eric, chociaż jeszcze lekko utykał, nie miał wątpliwości, że poradzi sobie ze sterowaniem pontonem z tuzinem pasażerów na pokładzie. Kurczę blade, powiedział, Meryl Streep dała radę, to czemu on miałby nie dać. Zabierał ze sobą nowy akordeon, żeby torturować turystów przy ognisku.

I tak na początku czerwca Abbie z Soxem zostali w domku sami. Wszystko wskazywało na to, że nie sprzątano tu od lat. Przez zarosłe brudem okna mało co było widać. Abbie pożyczyła odkurzacz, bo na miejscu takiego nie znalazła, i przez trzy dni nic, tylko czyściła i szorowała. Czuła się jak własna matka, ale przynajmniej nie miała czasu na rozmyślania. Rankiem trzeciego dnia, zaraz po tym, jak Sox odkrył pod sofą w living roomie nienapoczętą, zapleśniałą pizzę, zadzwonił telefon. Na wyświetlaczu widniał miejscowy numer, ale Abbie go nie kojarzyła.

— Anonimowe Gospodynie Domowe, słucham?

— Abbie?

Niewiele brakowało, a trzasnęłaby słuchawką.

— Tata? Skąd dzwonisz?

— Jestem w Holliday Inn.

— Gdzie, w Missouli? Co cię tu przyniosło?

— Przecież wiesz co, Abbie. Przyjechałem do ciebie.

— Ale dlaczego mnie nie uprzedziłeś? Bo ja... no, wiesz...
w tej chwili jestem trochę...

— Abbie, słoneczko. Proszę cię.

Zapytał, gdzie jest i czy może do niej przyjechać. Sama nie wiedziała czemu, ale nie chciała go tutaj. Prawdopodobnie z przekory, żeby bolało go, że nie wie o niej tego wszystkiego, co każdy ojciec wiedzieć powinien. Powiedziała, że spotka się z nim za godzinę w hotelowym holu, i odłożyła słuchawkę.

I zaraz tego pożałowała, mało brakowało, a zadzwoniłaby do niego, by powiedzieć, że nie przyjdzie. Ale nie widziała go pięć długich miesięcy, od czasu tamtej strasznej kolacji przed Bożym Narodzeniem, i nie chciała, by pomyślał, że to dla niej jakieś wielkie poświęcenie. Nie, pójdzie. Pokaże mu, jak mało znaczy teraz w jej życiu.

Do Holliday Inn miała najwyżej dziesięć minut drogi piechotą przez most. Przez pozostałe pięćdziesiąt, coraz bardziej zdenerwowana, z coraz szybciej bijącym sercem, planowała, co mu powie, na ile pogardliwie go potraktuje. Wzięła prysznic, umyła włosy, a potem przez dwadzieścia minut zastanawiała się, w co się ubrać, przez cały ten czas wyrzucając sobie, że jest taka głupia, bo co to w końcu za różnica? Włożyła sukienkę, zmieniła ją na inną, tę na dżinsy i biały T-shirt z długim rękawem, i w tym już została.

Sox pilnował się już na spacerach i właściwie nie potrzebował smyczy, ale duży ruch na moście mógł go wystraszyć, założyła mu więc ją dla świętego spokoju.

Wypatrzyła tatę, zanim on ją zauważył. Prawdę mówiąc, to raz na nią spojrzał, ale nie poznał, pewnie dlatego, że nie wiedział o Soksie, a poza tym była w okularach przeciwsłonecz-

246

nych i niedawno ścięła włosy. Stał na zewnątrz, pod wielkim betonowym portykiem, gdzie zrobiło się akurat zamieszanie, bo pod hotel zajechał autobus z turystami. Ojciec wyszczuplał i miał dłuższe włosy. Co chwila zerkał nerwowo na zegarek. W końcu ją zauważył.

— Cześć!

Podszedł, objął ją i pocałował. Zmobilizowała całą siłę woli, żeby nie ulec pokusie i nie przytulić się do niego. Jakoś się udało. Uścisnęła go tylko formalnie. Niczego więcej się od niej nie doczeka. Żadnych pocałunków, żadnych łez. Niczego. Ujął ją za łokcie i przyglądał się zachłannie. Widziała, że jest wzruszony i z trudem hamuje łzy.

— Co u ciebie, córuś?

— W porządku. A u ciebie?

— Też. Jak dobrze cię widzieć. O! A to co? To twój?

— Mhm. Wabi się Sox.

Przykucnął i poczochrał pieska po łepku. Sox zamerdał ogonkiem, stanął mu przednimi łapkami na kolanach i próbował polizać go po twarzy.

— Hej, kolego, ja się już myłem.

Zasugerował, że mogliby wstąpić gdzieś na lunch, ale Abbie powiedziała, że ze szczeniakiem to niemożliwe. Poszli więc na North Higgins, kupili kanapki i sok, wrócili do Caras Park, usiedli na trawie nad rzeką i urządzili sobie piknik. Nieopodal stała rzeźba przedstawiająca kilka ogromnych pstrągów, które nie wiedzieć czemu wzbudziły w Soksie nieufność. Stał i szczekał na nie, potem pogonił za wiewiórką. Uciekła na drzewo, a on siedział pod nim przez następne pół godziny i patrzył w górę, przekrzywiając łepek i popiskując od czasu do czasu.

Tato wypytywał ją o uniwersytet i o plany. Odpowiadała mu zwięźle, formalnie, nie tyle niegrzecznie, ile chłodno, tonem absolutnie wypranym ze wszystkiego, co można by uznać za entuzjazm albo emocje. I nie zdejmowała okularów przeciwsłonecznych, żeby nie widział jej oczu. Zauważała, że powoli zaczyna go to peszyć, bo wyczerpywały mu się pytania, a z twarzy odpływało ożywienie. W końcu zamilkł zupełnie i siedział zapatrzony na rzekę, żując swoją kanapkę.

— No i jak tam to twoje nowe życie? — spytała z przekąsem.

Obrócił głowę i patrzył na nią przez chwilę.

— Abbie, przepraszam.

Roześmiała się drwiąco i odwróciła wzrok.

— Zdaję sobie sprawę, jak bardzo was wszystkich skrzywdziłem.

— O, czyżby?

— Oczywiście.

— A wiesz, co ja myślę? Że gówno sobie zdajesz!

— Abbie, nie mów tak...

— Nie, to ty tak nie mów. Zniszczyłeś nas. Wszystko, co mieliśmy. I wydaje ci się, że jak zjawisz się tu cały w skowronkach, powiesz parę miłych rzeczy, to wszystko wróci do normy. No to ja ci mówię, że nie wróci, słyszysz? Za chuja pana nie wróci.

Nigdy jeszcze nie przeklinała w obecności ojca i moc tego słowa wstrząsnęła nią tak samo jak nim. Nie wspominając o ludziach, którzy siedzieli w pobliżu i też słyszeli. Gapili się teraz na nich, a ona z ponurą satysfakcją upajała się jego zmieszaniem. A niech patrzą, niech słuchają, niech ten sukinsyn nie wie, gdzie oczy podziać. Była teraz bliska łez, wstała więc i ruszyła sztywnym krokiem przez trawnik po Soxa warującego wciąż pod drzewem, na które czmychnęła wiewiórka. Kiedy wróciła, tato też już stał.

— Kochanie, proszę...

— Czego?

— Nie jesteśmy pierwszą rodziną, w której do tego doszło.

— Tak? I to ma być dla nas pocieszeniem?

— Nie, oczywiście, że nie. Chciałem tylko powiedzieć, że...

— Posłuchaj, tato. Nie uprzedziłeś mnie, że przyjeżdżasz...

— Powiedziałabyś, żebym tego nie robił.

— Wszystko jedno, w każdym razie jestem umówiona.

— Naprawdę?

— Tak. Co, podejrzewasz, że kłamię czy...

— A możemy spotkać się później, powiedzmy zjeść razem kolację?

— Przykro mi, ale nie mogę.

Wyglądał na tak zdruzgotanego i załamanego, że prawie uległa. Prawie.

— Abbie...

— Muszę już iść, tato.

Trzymając na rękach Soxa, podeszła i cmoknęła go w policzek. Chciał ją przytrzymać, ale cofnęła się szybko.

— Cześć.

— Abbie...

Odwróciła się i ruszyła w stronę mostu. Nie oglądając się za siebie, wstąpiła na schody prowadzące na ulicę. Obejrzała się dopiero w połowie mostu, żeby sprawdzić, czy za nią idzie. Nie szedł. Spojrzała w dół, w kierunku miejsca, gdzie przed chwilą siedzieli. Wolnym krokiem, ze zwieszoną głową, wracał przez park do hotelu.

Jeszcze tego samego dnia, kiedy wypłakała już wszystkie łzy, zadzwoniła do matki i opowiedziała, co się wydarzyło, jak ją to wytrąciło z równowagi, i jaka to bezczelność z jego strony zjawiać się tak znienacka. Zupełnie jakby po tym wszystkim, co zrobił, wydawało mu się jeszcze, że wystarczy pstryknąć palcami, a każde z nich w te pędy do niego przybiegnie. Mama słuchała tego, wydając w stosownych miejscach stosowne pomruki, ale Abbie odnosiła wrażenie, że nie znajduje u niej takiego współczucia, jakiego oczekiwała.

— I co — zakończyła — nie sądzisz, że wykazał się niebywałym tupetem?

— Kochanie, jest twoim ojcem.

— I co z tego?

— Bardzo cię kocha. Może powinnaś mu trochę odpuścić.

— Ach, czyli według ciebie to ja tu jestem nie w porządku?

Matka westchnęła i znużonym głosem zapewniła ją, że wcale tak nie myśli. Próbowała jeszcze wyjaśnić, o co jej chodziło, ale Abbie nie chciała tego słuchać. Jezu, to jakaś paranoja. Żeby kobieta szukała usprawiedliwień dla faceta, który dopiero co ją zostawił. Za kogo ona się uważa, za wycieraczkę pod drzwiami? Mama zmieniła temat i zapytała, czy przyjeżdża do domu. Abbie powiedziała, że jeszcze nie wie, ale prawdopodobnie zostanie w Missouli i poszuka tu sobie pracy.

— To może my z Joshem byśmy do ciebie wpadli? I wybrali się we trójkę w jakieś sympatyczne miejsce?

— Czemu nie.

— Dobrze, jeszcze o tym pomyślimy. Aha, byłabym zapomniała, dzwonił jakiś facet i pytał o ciebie. Powiedział, że poznaliście się w Seattle. Przedstawił się chyba jako Ralph.

— Rolf.

— O, właśnie, Rolf. Ma jeszcze zadzwonić. Chcesz, żebym mu podała numer twojej komórki?

Abbie zastanowiła się. Prawie o nim zapomniała.

— Możesz podać — mruknęła. — Nie mam nic przeciwko.

Rozdział 17

Wszyscy stłoczyli się przy relingu po prawej stronie stateczku — na bakburcie. A może sterburcie? Josh nigdy nie mógł zapamiętać, która jest która. Sporo osób miało ze sobą lornetki, a prawie wszyscy aparaty fotograficzne. Tato zapomniał zabrać i jednego, i drugiego, wskutek czego urósł w oczach Josha. Niektóre palanty pstrykały już zdjęcia, w zasadzie nie wiadomo czego. Jak okiem sięgnąć tylko ocean, a jedyne przejawy życia na nim to jeszcze trzy takie stateczki zapchane takimi samymi palantami. I te żałosne rozbłyski fleszy. Tak jakby to wystarczyło, żeby oświetlić ogon wieloryba z odległości pół mili. W tym mało prawdopodobnym wypadku, gdyby któremuś z nich przyszła ochota się wynurzyć. Josh widział już tych ludzi, jak po powrocie do domu pokazują znajomym swoje zdjęcia z urlopu. A tu ocean i nic na nim. O, tu też... i tutaj. To był chyba jednak jeden wielki pic na wodę, fotomontaż. Tkwili tu już od dwóch godzin i nie wypatrzyli jeszcze niczego, oprócz paru znudzonych mew. Prawda jest pewnie taka, że w okolicach Cape Cod od stu lat nie zaobserwowano ani jednego wieloryba.

— Tam! Patrzcie!

Ktoś za ich plecami, po drugiej stronie statku — zawsze znajdzie się taki jajcarz — wrzeszczał i pokazywał palcem.

251

Wszyscy odwrócili się jak na komendę i rzucili hurmem ku niemu. Josha korciło, żeby wykręcić im podobny numer, zaczekać, aż tam dobiegną i krzyknąć: „Ale puścił fontannę!". A kiedy by się odwrócili, powiedzieć: „zdawało mi się" albo: „żałujcie, przegapiliście". Spojrzał na tatę i wymienili między sobą ironiczne grymasy.

— Przepraszam — powiedział tato. — Ciekawie to tu nie jest, co?

— Ale śmiesznie.

Ruszyli za tamtymi.

Dziwnie było przez tych parę ostatnich dni. Tylko oni dwaj, nierozłączni. Nie pamiętał z przeszłości takiej sytuacji. Na wakacje jeździli zawsze we czwórkę, jak do Divide, i z początku brakowało mu tu Abbie i mamy. Tato był usztywniony i skrępowany, tak jakby nie bardzo wiedział, co ma z nim robić ani o czym rozmawiać.

Pierwotny plan zakładał, że Josh poleci do Kansas odwiedzić babcię, a stamtąd do Santa Fe, żeby spędzić jakiś czas z tatą i Eve. Może i dziwnie by było widzieć tych dwoje razem, ale Josh nie miał pod tym względem żadnych uprzedzeń. Prawdę mówiąc, to był nawet ciekaw. Ale ponieważ mama stanowczo się temu pomysłowi sprzeciwiła, tato zmienił plan i wynajął starą, rozpadającą się chałupę na Cape Cod, tuż pod Provincetown. Chałupa była dla nich dwóch za duża, pomieściłaby i z dziesięciu wczasowiczów. Może tacie nie udało się znaleźć innej, a może miał jeszcze nadzieję, że Abbie ze swoim nowym chłopakiem zmienią w ostatniej chwili wakacyjne plany i jednak tu przyjadą.

Nigdy przedtem nie byli na przylądku i Josh nie zamierzał tu w najbliższej przyszłości wracać. Provincetown okazało się być wakacyjną mekką gejów — co samo w sobie mu absolutnie nie przeszkadzało — ale wieczorami, kiedy przyjeżdżali tam z tatą na kolację i szli obok siebie ulicą, Josh miał wrażenie, że wszyscy się za nimi oglądają. Zwłaszcza jeśli tato, co się czasami zdarzało, otaczał go ramieniem. Josh najchętniej nosiłby na plecach tablicę z napisem: *Ludzie, odwalcie się, dobrze?* To mój tato!

Już w drodze tutaj szybko wyczerpały im się tematy do rozmowy, a przynajmniej te trywialne, neutralne, niemające związku z separacją, a ściśle rzecz biorąc z rozwodem, który teraz, kiedy dokumenty zostały już złożone, był tylko kwestią czasu. Nie miało to większego sensu i przypominało sytuację, w której w pokoju siedzi słoń i wszyscy tak się boją, że wolą o nim nie wspominać. Rozmawiali o szkole, o kolegach, na jaki uniwersytet Josh wybiera się za rok (prawdę mówiąc, to nie wybierał się na żaden, ale przyparty do muru zdecyduje się pewnie na Uniwersytet Nowego Jorku). Domyślał się, że tato najchętniej porozmawiałby o tym, co się przytrafiło ich rodzinie, ale minęły dwa dni, a on nadal nie wiedział, jak zagaić. Josh miał już na końcu języka: Tato, to żaden obciach, nie pękaj, porozmawiajmy, ze mną możesz. Ale powstrzymywał się i obserwował tylko, jak biedak się wije i mota w coraz ciaśniejsze supły. W końcu z tematów do rozmowy pozostała im tylko pogoda oraz cały repertuar nudziarstw, które tato wyczytał w przewodniku turystycznym po Cape Cod.

— Podobno miał tu swój dom Norman Mailer — oznajmił tato pewnego poranka, kiedy jedli śniadanie w małej, zapuszczonej kuchni. Śmierdziało w niej tak, jakby pod podłogą zdechło coś futerkowego.

— A co to za jeden ten Norman Mailer.

— Josh! Kpisz czy o drogę pytasz? Twoja matka byłaby zgorszona.

Josh wzruszył ramionami.

— To jakiś słynny ogrodnik czy ktoś taki?

— To jeden z największych amerykańskich powieściopisarzy.

— A co napisał?

Nastąpiła długa pauza, potem na wargi taty wypłynął powoli uśmieszek zmieszania.

— No, widzisz, synu, nie mogę sobie przypomnieć tytułu chociaż jednej jego książki.

— A czytałeś je?

— Nie. Ani jednej. Tylko nie waż się powtarzać tego matce.

I wreszcie wczoraj wieczorem odważyli się poruszyć temat słonia. I całkiem nieźle poszło. Tylko tato wciąż pytał, jak się czuje, i chyba nie wierzył, kiedy Josh zapewniał go, zresztą zgodnie z prawdą, że normalnie. Zupełnie jakby pragnął usłyszeć, że Josh czuje się zupełnie zdołowany i przydałby mu się psychoanalityk. Że nosi dzielnie maskę spokoju, ale pod tą maską skręca go z bólu i gniewu.

Ale naprawdę tak nie było. Oczywiście, patrzenie dzień w dzień na przygnębioną mamę do przyjemności nie należało, a czasami bywało całkiem dołujące, jak na przykład dwa tygodnie temu, w Minnesocie, kiedy nakręciły się z Abbie i Josh musiał siedzieć między nimi na łóżku i obejmować obie, a one zawodziły przejmująco i wypłakiwały oczy.

Prawda wyglądała tak, że nie miał do taty żalu. Nawet go żałował. Odszedł biedaczysko, bo widocznie nie był szczęśliwy, ale to odejście też mu chyba szczęścia nie przyniosło. Czasami, kiedy spojrzało się na niego z zaskoczenia, twarz miał długą jak łopata. Naturalnie Joshowi było przykro, że tak się stało, ale żeby zaraz robić z tego powodu wielką tragedię albo się na człowieka zawziąć? Z drugiej strony Josh martwił się trochę, że takie podejście do sprawy może świadczyć, że coś z nim nie tak, że jest w jakiś sposób upośledzony emocjonalnie. Może powinien to przeżywać tak jak Abbie. Może powinien wykorzystać ten tydzień na mieszanie taty z błotem, wytykanie mu na każdym kroku, jaki to z niego łotr, zbereźnik, beznadziejny ojciec, mąż i fatalny przykład do naśladowania.

Ale Josh wcale tak o ojcu nie myślał. To wszystko było tak cholernie zakręcone, że właściwie nie wiedział, co naprawdę o tym myśli. Tylko czasami było mu wstyd i miał poczucie winy, że odejście taty praktycznie mało go obeszło. Czy to nie szokujące przyznać się przed sobą samym do czegoś takiego?

Taka jednak była prawda. Owszem, martwiło go, że wszyscy inni tak bardzo to przeżywają, ale sam specjalnie się nie przejął. Zresztą, co tu ukrywać, w pewnym sensie jego życie zmieniło się teraz na lepsze. Nie pozostawał już w cieniu taty. Nikt nie stał mu nad głową, nie truł, żeby nie popalał trawki, żeby nie pił, żeby wracał o przyzwoitej porze do domu. Niemal z dnia na dzień z krnąbrnego nastolatka przeistoczył się w jedynego mężczyznę w domu. Był teraz filarem, opoką, tym, który naprawia przepalone bezpieczniki, rąbie drwa i odgarnia szuflą śnieg z ganku.

Naturalnie Josh, kiedy rozmawiali wczoraj wieczorem w małej restauracyjce, w której jadali zwykle kolacje, bo wszędzie indziej było za tłoczno i za gwarno, słówkiem nie wspomniał o niczym z powyższego. Z jednej strony tacie, gdyby to usłyszał, mógłby się poprawić humor. Z drugiej mogłoby mu się zrobić przykro, że jego nieobecność aż tak bardzo co poniektórym nie doskwiera, ba, nawet wyszła im na dobre. Tak więc Josh siedział i słuchał w skupieniu przeprosin i tłumaczeń taty, a potem odpowiadał najbardziej wyczerpująco, jak potrafił, na pytania o mamę i o Abbie, i o to, jak sobie bez niego radzą, starając się nadać swoim odpowiedziom jak najbardziej pozytywny szlif, żeby nie wpędzać faceta w jeszcze większego kaca moralnego. Bo po jaki gwint mu mówić, jakie naprawdę są obie rozbite i nie do życia? I jakie to deprymujące? Z takiego założenia wychodził Josh, fan rocka mający jeszcze przed sobą cały rok szkoły średniej, a już głowa rodziny, nawet jeśliby kto pytał, dla ojca.

Tydzień, który spędzili z mamą u Abbie, atrakcyjnością dorównywał chyba tylko atakom astmy, które Josh miewał w dzieciństwie. Nie widział siostry od początku roku, od powrotu z wysepki Mustique (którą na zawsze zapamięta jako miejsce, gdzie pod palmami stracił wreszcie dziewictwo ze zmysłową Katie Bradstock). Zmiana, jaka w Abbie zaszła, zwalała z nóg. Ścięła włosy na krótko, ufarbowała je na czarno, a ubrana była jak coś, co wylazło z grobowca. Mama na jej widok zachowała się genialnie. Powiedziała, że Abbie ładnie wygląda i nawet powieka jej przy tym nie drgnęła. Abbie była wyraźnie rozczarowana.

Ale mniejsza o wygląd. Najbardziej szokowało, jak się teraz wysławiała i jakimi sypała tekstami. Każde zdanie okraszała przynajmniej jednym wulgaryzmem. Przez cały tydzień nawijała na okrągło, jaki to ten świat popierdolony i że już chuj w dupie, przejebane. Że wielkie korporacje zasyfiają wszystko po równo, rzeki, lasy, całą tę kurewską planetę. A my dajemy się dymać jak ta banda eunuchów bez jaj.

Zaczęło się już na lotnisku w Missouli, gdzie obsztorcowała mamę za wynajęcie SUV-a. Zawsze wynajmowali w Montanie samochód tego typu i Abbie nigdy wcześniej nic przeciwko temu nie miała. Tato mawiał, że na zachodzie, jak nie jeździsz czymś dużym, to cię mają za nic.

— Ty wiesz, ile to bydlę benzyny, kurwa, żłopie? — spytała.

— Nie wiem, kochanie — odparła z niezmąconym spokojem mama. — A ile, kurwa, żłopie?

— Na galonie nawet dwunastu mil nie ujedziesz. A wiesz, ile dwutlenku węgla i innego syfu wydala ten śmierdziel do atmosfery?

— Na pewno dużo, bo inaczej byś się tak nie unosiła.

Josh zasugerował Abbie, żeby trochę przystopowała, co okazało się wielkim błędem i przyniosło dokładnie odwrotny skutek. Tak się zirytowała, że mama wróciła czym prędzej do stanowiska Hertza i poprosiła o zamianę SUV-a na subaru.

Divide odpadało. Zbyt wiele bolesnych wspomnień mamy wiązało się z tym ranczem, chociaż Abbie twierdziła później, że chyba jednak powinni pojechać właśnie tam i odprawić egzorcyzmy, a przepędzone złe duchy napuścić na tatę. Wykupili tygodniowy pobyt na dennym ranczu o nazwie Lazy Spur, znajdującym się godzinę drogi od Missouli. Wyżywienie było tam beznadziejne, ludzie jeszcze bardziej, a konie miały chyba po sto lat i co chwila próbowały kogoś ugryźć. Abbie, nie zważając na zakaz trzymania psów w pokojach ani w ogóle na terenie rancza, zabrała ze sobą Soxa. Stoczyła o niego zażartą kłótnię z właścicielem, która skończyłaby się jak nic rękoczynami, gdyby mama się nie wtrąciła i nie wynegocjowała kompromisu.

Mama podejrzewała, że część buntowniczości Abbie i sporo z tego czarnego widzenia świata, z którym się ostatnio obnosiła, ma jakiś związek z jej nowym chłopakiem, Niemcem, którego poznała w Seattle. Joshowi, z tego, co o nim słyszał, facet się nawet podobał i żałował, że go nie zobaczą. Abbie powiedziała, że Rolf dużo podróżuje i cały ten tydzień spędza u przyjaciół w Eugene, w Oregonie. Później wymknęło się jej, że tak naprawdę wrócił do Missouli dwa dni przed odlotem mamy i Josha do domu.

— Nie moglibyśmy się z nim przynajmniej zobaczyć? — spytała mama. — Tylko żeby się przywitać?

— On tego nie uznaje — odburknęła Abbie.

— Czego? Witania się?

— Nie uznaje całej tej szopki z przedstawianiem rodzicom i w ogóle tych wszystkich burżujskich pierdół.

— Aha. W takim razie zrób to za nas, dobrze? Pozdrów go od dwojga burżujskich pierdołów.

— Dobrze.

Po atrakcjach Lazy Spur i tygodniu ze zbuntowaną Abbie pobyt z tatą na Cape Cod wydawał się niemal sielanką. Na wypatrywanie wielorybów było się właściwie skazanym, bo w Provincetown nic innego do roboty nie uświadczył, zwłaszcza kiedy psuła się pogoda, w domu nie było telewizora, a w kinach nie leciał film, którego by się jeszcze nie widziało. Jak się dobrze zastanowić, to może właśnie z tego powodu nie było tu żadnych wielorybów, nawet tych kochających inaczej. Znudziło im się i popłynęły gdzie indziej.

Ledwie przemknęło mu to przez myśl, ktoś przy relingu wrzasnął i wszyscy zaczęli wymieniać z ożywieniem uwagi, wyciągać szyje i patrzeć przez lornetki.

— Tam, tam! — pisnęła jakaś kobieta. — Na dziesiątej godzinie!

Josh w pierwszej sekundzie nie skojarzył, o co jej chodzi, i przestraszył się, że może przyjdzie im tu tkwić jeszcze z pięć godzin. Dopiero po chwili dotarło do niego, że podawała kierunek. Teraz i on zobaczył. Mniej więcej czterysta jardów od nich wynurzała się spod wody czarna bryła wielkości mrówki.

— Patrzcie! Patrzcie, wyrzuca fontannę!

Kapitan, a może główny obserwator wielorybów czy kto tam, obudził się i zaczął opisywać przez megafon to, co wszyscy sami już widzieli. Dodał, że to zdrowy wieloryb, jak nazwaliby go wielorybnicy, bo jego tran jest bogaty w olej. Innymi słowy, był to osobnik nadający się do ukatrupienia. Nieszczęsny wieloryb musi być z tej nazwy bardzo dumny, pomyślał Josh, dopóki nie zda sobie sprawy z implikacji.

Poczuł na plecach dłoń taty.

— No, Joshie, warto było poczekać, co?

Josh nie był przez chwilę pewien, czy tato mówi to poważnie, potem zobaczył uśmiech.

— Bezapelacyjnie.

— Jaki jest nasz pogląd na kwestię wielorybów, chronić je czy nie?

— Chyba... chronić.

Stwór teraz nurkował. Jego wielki ogon sterczał jeszcze przez chwilę nad wodą, po czym zanurzył się powoli w rozbryzgach piany. I tyle go widzieli. Więcej się ssaczysko nie pokazało. Ale uratowało tabunowi ludzi dzień i wszyscy wracali do portu z uśmiechami na twarzy, ciutkę duchowo wzbogaceni.

Nazajutrz Josh z tatą wyruszyli w drogę powrotną. Gawędzili, słuchali muzyki i zatrzymywali się co jakiś czas przed Starbucksem albo McDonaldem — za każdym razem żartując sobie z Abbie — żeby coś przekąsić. Odbyta dwa dni temu rozmowa o słoniu przełamała między nimi lody i Josh, po raz pierwszy od kiedy pamiętał, czuł się w towarzystwie ojca zupełnie swobodnie.

— Wiem, że trzeba z tym trochę zaczekać — powiedział

tato, kiedy stali w kolejce do promu, który miał ich przewieźć na Long Island. — Ale bardzo bym chciał, żebyś przyjechał kiedyś do Santa Fe i, no wiesz, poznał lepiej Eve.

— Chętnie.

Zamilkli i obserwowali statki w cieśninie, uwijające się mewy i nadpływający prom.

— Pobierzecie się?

Tato roześmiał się. Josh nie bardzo wiedział z czego. Może z nerwów.

— Za wcześnie o tym mówić, Joshie. Nie jesteśmy jeszcze z mamą rozwiedzeni.

— Wiem, ale żyjecie przecież z Eve, nie?

— Mieszkam u niej na razie, dopóki czegoś sobie nie znajdę.

— Będziesz tam pracował?

— Mam nadzieję, Josh. Rozmawiałem już z pewnymi ludźmi, mam na tapecie jedno małe zlecenie. Chcę wrócić do projektowania domów. Zawsze lubiłem to robić, ale okoliczności zmusiły mnie do zajęcia się czymś innym. Pora do tego wrócić.

Zamyślił się. Nad brzegiem łopotała na wietrze flaga narodowa, metalowa linka do jej wciągania uderzała z dźwięcznym pobrzękiwaniem o maszt.

— Może i ja zostanę architektem — odezwał się Josh. — Wcale nie miał takiego zamiaru. Chciał tylko zrobić przyjemność tacie i to pierwsze przyszło mu do głowy.

— Naprawdę?

— Tak.

— To wspaniale, Josh. Nie wiedziałem, że się tym interesujesz. Z rysunków zawsze byłeś dobry. Zaraz, jak nazywała się ta gra, w którą najczęściej grałeś na komputerze?

— SimCity.

— O, właśnie. Kurczę, dobry w tym byłeś.

— Do tej pory w nią grywam.

— Naprawdę?

Tato otoczył go ramieniem.

— Myślę, że byłby z ciebie niezły architekt.

W miarę zbliżania się do Syosset rozmowa coraz bardziej się rwała, tak jakby padał już na nich cień rozbitego domu. Josh wszedł pierwszy i mama zaczęła się z nim czule witać, nie zaszczycając ani jednym spojrzeniem taty, który stał onieśmielony pod ścianą. W końcu, kiedy wypytała już Josha, jak było, i orzekła, że musi umyć głowę, odwróciła się do taty i posłała mu ten zabawny, formalny uśmieszek.

— Cześć — powiedziała.

— Cześć, kochanie.

Dotknęli się policzkami. Jak dwie ocierające się o siebie góry lodowe.

— A my widzieliśmy wieloryba — powiedział Josh tonem chwalącego się czterolatka.

— Naprawdę?

— Tak. I to zdrowego wieloryba.

— Coś takiego, no to się cieszę, że nie był chory.

Josh podniósł z podłogi swoją torbę. U stóp schodów przystanął i obejrzał się. Tato uśmiechnął się i przekazał mu znak pokoju.

— Pokój blisko, stary.

Josh zasalutował jednym palcem i połową drugiego.

Zostawił rodziców stojących w sieni jak dwoje obcych sobie ludzi i wniósł torbę do swojego pokoju. Słyszał, jak mama mówi coś zniżonym, wzburzonym głosem i jak tato odpowiada jej potulnie. Chodziło o jakiś list, który dostała od jego prawników. Josh nie chciał nic o tym wiedzieć. Włączył radio i zadzwonił do Freddiego na komórkę, żeby spytać, co robi dzisiaj wieczorem paczka, i czy ma coś dobrego na pokurkę.

Rozdział 18

Najbardziej deprymujące w tym wszystkim było to, że nie widziało się w pełnej krasie i na własne oczy efektu swoich zabiegów. Zakradało się cichcem, robiło co trzeba, i w nogi. Chodziło o to, żeby kiedy obiekt stawał w płomieniach, znajdować się już daleko od miasta. Naturalnie następnego dnia oglądało się fotografie osmalonych zgliszczy w gazetach, ale to nie to samo, co obserwować na żywo, jak dochodzi do zapłonu i wszystko się hajcuje.

Abbie najbardziej lubiła wypisywać sprayem slogany na ścianach i wielkich witrynach wystawowych salonów sprzedaży. Robiła to, kiedy Rolf podkładał ogień. Świadomość, że w każdej chwili zza winkla może się wyłonić ochroniarz, wyzwalała nieprzerwany dopływ adrenaliny do krwi. W tym, co pisała, starała się wykazać inwencją twórczą. Jej najlepszymi jak dotąd hasłami były: TŁUŚCI ROZLAŹLI ZATRUWACZE oraz: SUV = AMERYKAŃSKI SYF, co się nawet rymowało. Rolf mówił, żeby nie przesadzała z tą twórczością, bo ludzie mogą nie zrozumieć przesłania. Na przykład PROFANATORZY i AMERYKAŃSKI KOMERCJALIZM są zbyt górnolotne, orzekł. Kazał jej też uważać na to, co pisze, oraz na styl, w jakim to pisze, żeby gliniarze myśleli, że działających komórek ruchu jest o wiele więcej niż w istocie. Najważniejsze to powtarzać przy każdej okazji ELF. A jeszcze lepiej, jeśli czas i miejsce na to pozwalają, w rozwinięciu: EARTH LIBERATION FRONT — Front Wyzwolenia Ziemi.

Jednej zasady przestrzegał bezwzględnie: Czas przebywania w obiekcie ograniczać do minimum. Zamarudzisz, to cię złapią, mawiał, i Abbie nie oponowała. Był chyba pierwszą w jej życiu osobą, której polecenia wypełniała bez szemrania i której poglądy, na ogół bez zastrzeżeń, respektowała. Wiedział tyle, że aż strach brał, zupełnie jakby miał w głowie ten najnowocześniejszy komputer. Można go było pytać o wszystko — politykę, środowisko, sprawy międzynarodowe, przestrzeganie praw człowieka w najmniej znanym kraju — a on zawsze znał odpowiedź. Uwielbiała siedzieć albo leżeć obok niego i słuchać, jak mówi.

Abbie zdawała sobie sprawę, że jej zachwyt i uległość mają coś wspólnego z faktem, iż jest od niej dziesięć lat starszy. I bezsprzecznie z tym napięciem seksualnym między nimi. Zawładnął nią bez reszty od pierwszego razu. Ciało miał takie gibkie i piękne. Pozwalała mu robić ze sobą rzeczy, o których nigdy by nie pomyślała, że będą sprawiały jej przyjemność. Rzeczy, na które, słysząc o nich wcześniej, zareagowałaby zgorszeniem, a nawet odrazą. Zupełnie jakby otworzył w niej jakiś tajemny pokój, do którego wchodziła teraz bez zahamowań i skrępowania.

Swój rozum, oczywiście, miała. Zdawała sobie sprawę, że poznał ją w okresie, kiedy była bezbronna, oszalała z wściekłości i rozżalenia. Ale wystarczyło kilka krótkich miesięcy, a odnalazła u jego boku ten niewiarygodnie nowy sens istnienia, nowy cel w życiu, przekonał ją, że może, że razem mogą wywierać realny wpływ na kształt świata. I za to, cokolwiek się stanie, będzie mu dozgonnie wdzięczna.

Lato, nie licząc tego tygodnia, który spędziła z mamą i Joshem, upłynęło im albo w drodze, albo w domku przy Czwartej Ulicy, który mieli tylko dla siebie. W tym czasie puścili z dymem dwóch dealerów SUV-ów — jednego w Sacramento, drugiego w Portland — paląc w sumie osiemnaście samochodów. Płomienie widać było podobno z odległości ponad mili. Informacja o tym trafiła na pierwsze strony wszystkich gazet, a ujęcia z akcji gaśniczej i pogorzeliska powtarzane były przez kilka godzin w każdym wydaniu wiadomości CNN. Oglądali je w pokoju motelowym pod Seattle, w którym przywarowali na kilka dni, zaśmiewając się, pałaszując pizzę na wynos i pieprząc się do upadłego, aż Abbie była już tak obolała, że dłużej nie mogła. Zwijali się wtedy w kłębki jak para poranionych zwierząt i zasypiali.

Ich ostatnia akcja sprzed dwóch tygodni nie zakończyła się już takim sukcesem. Pojechali do Reno sfajczyć kilka kondominiów wybudowanych na działkach położonych w strefie objętej ochroną. Ale coś poszło nie tak i pożar sam z siebie wygasł. Mimo to lokalne media cytowały dwa najlepsze kawałki graffiti, które Abbie wypisała sprayem na ścianach: GWAŁTOWI NA PRZYRODZIE STOP oraz WY JE BUDUJECIE, MY PALIMY. Ta ostatnia deklaracja miałaby dobitniejszy wydźwięk, gdyby kondominia rzeczywiście spłonęły. Rolf wpadł w szał i dostał obsesji na punkcie przyczyny nierozprzestrzenienia się ognia. Zazwyczaj stosował bawełniane szmaty nasączone olejem napędowym, a do opóźnienia zapłonu mieszaninę żelu do włosów z granulatem nasyconym chlorem, takim, jakiego używa się do odkażania basenów. Powiedział, że do czasu następnej akcji wymyśli coś lepszego.

Teraz był sierpień i ludzie zaczynali ściągać z powrotem do Missouli. Pierwsi wrócili Eric z Toddem, po nich Mel i Scott, jedni i drudzy pełni wrażeń z wakacji i współczucia dla Abbie, która została w Missouli i pewnie umierała z nudów. Dobrze było ich znowu widzieć i zabawnie mieć przed nimi taką tajemnicę. Wszyscy odnosili się do Rolfa z sympatią. Ale Rolfa nie interesowało ich towarzystwo i kiedy dom się zapełniał, on chciał się po cichu wynieść. Pewnego dnia powiedział, że musi na parę dni wyjechać. Nie mówił nigdy Abbie, dokąd się wybiera, a ona nigdy nie pytała, chociaż tym razem chyba się domyślała. Powiedział, żeby pod jego nieobecność postarała się znaleźć jakieś inne lokum, tylko dla nich dwojga.

Wkrótce rozpoczynał się jesienny semestr i na takie poszukiwania było trochę za późno. Wszystkie porządniejsze stancje zostały już wynajęte. Po trzech dniach Abbie znalazła pokój w jakiejś ruderze na rogu Helen Street. Budynek był ze zbutwiałych desek, a sam pokój ciemny i cuchnący mokrymi skarpetkami. Znajdował się na piętrze, ale miał osobne wejście po przegniłych drewnianych schodach przeciwpożarowych, których pokonanie sprawiało Soxowi z początku sporo kłopotu. Była tam łazienka wielkości ściennej szafy i aneks kuchenny zarośnięty warstwą tłuszczu. Mel pomogła jej przenieść rzeczy, a potem we dwie dokładnie wysprzątały tę norę, pomalowały ściany białą farbą emulsyjną i za pięć dolarów kupiły w sklepie Armii Zbawienia przy West Brodway czerwone aksamitne zasłony. Na początku następnego tygodnia, kiedy Rolf zadzwonił, że wraca, było tam już prawie jak w domu.

Rolf nie powiedział, o której będzie, a Abbie nauczyła się nie pytać. Czasami zjawiał się o piątej rano, wślizgiwał do łóżka i brał ją z marszu. Dzisiaj był drugi dzień zajęć i Abbie miała dwie godziny laboratorium biologicznego, które postanowiła sobie odpuścić. Wsadziła Soxa do drucianego koszyka za siodełkiem i popedałowała do Good Food Store kupić coś specjalnego na kolację.

Rolf był ortodoksyjnym wegetarianinem, a więc Abbie teraz też, chociaż do chwilowego sprzeniewierzenia się tym wszystkim wzniosłym zasadom nadal potrafił ją jeszcze skusić aromat pieczonego kurczaka albo smażącego się na patelni bekonu. Postanowiła przyrządzić parmigianę, jedno z jego ulubionych dań. Kupiła pomidory, bazylię, oberżynę, mozzarellę i parmezan, wszystko to ekologiczne (na tym akurat punkcie Rolf nie był taki nieprzejednany, ale prawie).

Potem zadzwoniła Mel i próbowała ją namówić na przyjęcie, które tego wieczoru wydawał Haker. Wybierali się całą paczką.

Nie przyszłaby z Rolfem? A gdyby do tego czasu nie wrócił, może mu przecież zostawić karteczkę, gdzie jest.

— Och, wiesz, chyba jednak zostanę w domu — powiedziała Abbie. — Mam referat do napisania, a poza tym...

— Abbie, przestań, będzie bombowo.

— Wiem, ale nie mam jakoś nastroju.

— Wy jesteście jak to stare małżeństwo.

— Wiem, niedługo zacznę mu robić swetry na drutach.

Wszyscy byli ciekawi Rolfa. Wiedzieli o nim tylko tyle, że Abbie poznała go w Seattle, że ją tam „uratował", kiedy zrobiła się zadyma. Mel twierdziła, że to było bardzo romantyczne i nazywała go już rycerzem w lśniącej zbroi. Wypytywali, czym się zajmuje i skąd pochodzi, więc Abbie powiedziała im to, co kazał jej mówić Rolf: robi doktorat na waszyngtońskim uniwersytecie stanowym i pisze pracę doktorską pod tytułem „Międzynarodowe przemiany społeczne a ochrona środowiska", ale to jeszcze długo potrwa. Nawet długo się wymawia, zażartowała i szybko skierowała rozmowę na inne tory. Nawet gdyby chciała powiedzieć im prawdę, to sama niewiele więcej o nim wiedziała.

Przykryła mały stół obrusem, postawiła na nim świece, butelkę wina i zajęła się przyrządzaniem parmigiany i sałatki, i o ósmej wszystko było już gotowe do podania. Kiedy dwie godziny później, po jeszcze jednym spacerze z Soxem po parku i nad rzeką, wróciła do domu, a Rolfa wciąż nie było ani nie zadzwonił do niej na komórkę, wyjęła posiłek z kuchenki, bo zaczął wysychać, usiadła przy stole i zjadła sama, czytając książkę. Była to biografia Fidela Castro, którą polecił jej Rolf. Nigdy by się nie odważyła mu tego powiedzieć, ale nużyła ją ta lektura.

Zjawił się dopiero o wpół do dziewiątej rano następnego dnia, kiedy wychodziła z Soxem, żeby wpaść przed zajęciami do kampusu, gdzie miała kilka spraw do załatwienia. Jak zwykle wrócił innym samochodem. Prawie zawsze były to nieoznakowane, niczym się niewyróżniające vany. Tym razem przyjechał

265

starym, szarym nissanem. Nigdy nie pytała, w jaki sposób ani skąd bierze coraz to inne wozy.

Zatrzymała się na małym podeście u szczytu schodów przeciwpożarowych i czekała, patrząc, jak się po nich wspina. Sox przestępował u jej nogi z łapy na łapę i zawzięcie merdał ogonem, ale nie zbiegał mu na spotkanie, bo nie czuł się jeszcze pewnie na tych schodach. Rolf nie uśmiechał się, nie odzywał, patrzył tylko na nią. Wszedł na podest, minął ją bez słowa i przekroczył próg. Wróciła za nim do środka, zamknęła za sobą drzwi, a wtedy odwrócił się i nadal milcząc, wsunął ręce pod jej kurtkę, położył dłonie na biodrach i pocałował. A potem wziął za nadgarstki, podprowadził do łóżka i przeleciał.

Siedzieli po turecku, pochyleni nad rozpostartym na podłodze planem miasta i zdjęciami, które porobił Rolf. Zdjęcia były ponumerowane i na odwrocie każdego znajdowała się szczegółowa informacja, gdzie zostało wykonane oraz co przedstawia. Film, który oglądali teraz na składanym ekraniku jego kamery wideo, był o wiele mniej wyraźny, bo musiał go kręcić z wnętrza furgonetki. Objaśniał jej na bieżąco, co na nim widać i na czym polega ich nowe zadanie.

Wysadzana drzewami uliczka, po obu stronach zaparkowane samochody. Osiedle eleganckie, ale nie aż tak luksusowe, jak Abbie się spodziewała, typowa dzielnica białych kołnierzyków, można by rzec. Domy niewielkie, ale stojące w sporych odległościach od siebie i od jezdni. Przed nimi starannie przystrzyżone trawniki i drogie samochody na podjazdach. Ale żadnych murów, ogrodzeń, bram, nic, co by świadczyło o stosowaniu jakichś wyrafinowanych środków bezpieczeństwa. Kamera zrobiła teraz najazd.

— To ten dom? — spytała Abbie.
— Mhm.
Rolf zatrzymał film na stop-klatce.

— Uliczka jest spokojna — powiedział. — Wieczorami ruch na niej zamiera. Jak po północy przejadą dwa samochody na godzinę, to już dużo.

— To ten samochód na podjeździe?

— Zostawiają go tam, żeby ludzie myśleli, że ktoś jest w domu. Wywoływaniu tego samego wrażenia mają służyć światła sterowane wyłącznikami czasowymi. Co wieczór zapalają się i gasną dokładnie o tej samej godzinie.

— Pałacem bym tego nie nazwała. Myślałam, że to będzie coś okazalszego.

— Nie bój się o niego. Pałac ma w Aspen, a drugi w Miami, gdzie większość czasu spędza jego żona. Z tego domu korzysta tylko wtedy, kiedy bawi w Denver, a i wówczas częściej go nie ma, niż jest, bo rżnie na mieście swoją kochanicę.

— Skąd to wszystko wiesz?

Obrzucił ją karcącym spojrzeniem i nie odpowiedział. Takich pytań nie wolno jej było zadawać. Najwyraźniej miał kontakt z jakąś siatką wywiadowczą, ale jej powiedział tylko, że zna parę osób, które zdobywają dla niego rozmaite informacje. Spytała kiedyś, czy należy do nich ta kobieta z pustostanu w Seattle, ta, która siedziała w kącie z laptopem. A wtedy Rolf powiedział, że o takich rzeczach nie będą dyskutowali, że bezpieczniej dla niej, żeby za wiele nie wiedziała. Abbie starała się nie brać sobie do serca tej jego tajemniczości, ale brała. Czuła się traktowana protekcjonalnie i odnosiła wrażenie, że on nie do końca jej ufa.

— No dobrze — powiedziała. — Ale skąd pewność, że tej nocy, kiedy to zrobimy, nikogo tam nie będzie? Oni mają dzieci, tak?

— Dwóch synów. Obaj studiują w innych miastach. Mam zresztą domowy numer telefonu. Trzy przecznice stamtąd jest budka telefoniczna. Wystarczy zadzwonić. Jeśli ktoś odbierze, odwołujemy akcję.

Puścił film dalej. Patrzyli teraz na inne miejsce: wąska aleja biegnąca szpalerem drzew tworzących jakby tunel. Po jednej jej stronie ciągnął się betonowy mur z bramami, przy których stały kontenery na śmieci.

— Od frontu dom jest zbyt wyeksponowany, a zainstalowane tam czujniki ruchu powodują włączenie się świateł alarmowych. Ta alejka przebiega na jego tyłach. Tam też mogą być światła, ale nawet jeśli się zapalą, to nikt tego nie zobaczy. Cały teren na tyłach otaczają drzewa.

Obraz kołysał się i był przyćmiony, ale kiedy kamerę uniesiono ponad mur, Abbie zobaczyła niewyraźne zarysy tyłów domu. Basen kąpielowy z małym, bielonym pawilonem letnim, opadający ku niemu trawnik z klombem kwiatowym, jakieś szklane drzwi.

— Tam musi być jakaś instalacja alarmowa.

— W środku? No jasne.

— To jak podłożymy ogień? Jeśli wybijesz szybę w oknie, włączy się alarm.

Rolf uśmiechnął się.

— Mają kota. Spokojnie, ta kobieta wszędzie go ze sobą wozi. W tej chwili zwierzak zażywa pewnie kąpieli słonecznych na Florydzie. Ale u dołu kuchennych drzwi jest mała uchylna klapka. Przyczepimy Soxowi do grzbietu puszkę z benzyną i wpuścimy przez nią do środka.

— Co zrobimy?!

Uśmiechnął się. Rolf rzadko stroił sobie żarty, a jeśli już, to nie aż tak śmieszne. Sox leżał na sofie z łbem na wyciągniętych przednich łapach i obserwował ich. Rolf poczochrał go za uchem.

— Kundel musi kiedyś zacząć zarabiać na swoje utrzymanie, nie?

— Och, piesku, kogo ten brzydki tatuś nazywa kundlem?

Wzięła Soxa na ręce i przytuliła, a on polizał ją po twarzy.

— Będę musiał coś wymyślić — podjął Rolf. — Opracowałem już lepszy zapłon, ale może tym razem użyję benzyny. Wytnę dziurę i wsunę do środka rurkę. Tak czy owak to mój problem.

Abbie serce waliło już jak młot. To było coś większego od wszystkich dotychczasowych akcji. Salony sprzedaży SUV-ów i puste kondominia były obiektami anonimowymi, tutaj rzecz nabierała charakteru osobistego. Brali na celownik dom J.T. McGuigana z McGuigan Gas & Oil, człowieka odpowiedzialnego za dewastację rancza Tya i zrujnowanie życia jego rodzicom. Teraz sukinsyn miał za to zapłacić. Spalą mu dom do fundamentów. Abbie żałowała — no, prawie żałowała — że McGuigan nie spłonie razem z nim.

Jeśli chodzi o stosowanie aktów przemocy, ELF miał zasady których ściśle przestrzegał. Znała je na pamięć. Zadawanie *szkód ekonomicznych* tym, którzy czerpali zyski z niszczenia środowiska naturalnego, było jak najbardziej dozwolone. Ale przy zachowaniu *wszelkich środków ostrożności, zapewniających, że w wyniku zadawania tych szkód nie ucierpi żadne zwierzę, człowiek czy jakakolwiek inna żywa istota*. Definicja ta obejmowała niestety nawet takie przestępcze świnie jak J.T. Mc Guigan.

Do czerwca, kiedy to Rolf po raz pierwszy uchylił przed nią rąbka tajemnicy okrywającej jego życie, Abbie nie słyszała o ELF. To, co jej powiedział, obudziło w niej podejrzenie, że jak zwykle nie mówi jej wszystkiego, dalej próbuje odgrywać tajemniczego człowieka. Ale z czasem doszła do wniosku, że prawdopodobnie niewiele więcej jest na ten temat do powiedzenia. Według Rolfa grupa wzorowana była na Froncie Wyzwolenia Zwierząt, który za cel obrał sobie hodowle zwierząt futerkowych oraz laboratoria przeprowadzające doświadczenia na zwierzętach. Członkami ELF byli ludzie uważający, podobnie jak on, że ruch ochrony środowiska naturalnego zszedł na manowce, został wykastrowany, zawłaszczony przez prawników i organizacje niemal tak rozrośnięte, skorumpowane i zbiurokratyzowane jak korporacje i departamenty, z którymi miały walczyć.

ELF nie ma żadnej scentralizowanej struktury, mówił Rolf, żadnego przywództwa ani hierarchii. Tworzą go ludzie idący za głosem własnego sumienia, działający indywidualnie albo w komórkach, tak jak oni dwoje. I dopóki przestrzegają zasad, mogą uderzać, gdzie i kiedy tylko chcą.

Pomysł spalenia domu McGuigana wyszedł od Abbie. Była zadowolona i dumna, że Rolf tak ochoczo go podchwycił. Robiła to dla Tya i jego rodziców, mściła się za nich, wysyłała McGuiganowi i całej reszcie tych zachłannych, idących po trupach, wyznających zasadę „po nas choćby potop" skurwieli sygnał, że to, co robią, nie jest akceptowane i nie będzie tolerowane. Oczywiście, był jeszcze jeden powód, o którym nikomu za nic nie wspomni i do którego istnienia sama niechętnie się przyznawała. Otóż, robiąc to dla Tya, pozbędzie się może z czasem choć w części poczucia winy, że go odtrąciła.

Kiedy wróciła od niego w maju, dzwonił niemal codziennie, prosił, żeby znowu przyjechała, albo pytał, czy sam może wpaść do Missouli. Zbywała go coraz to nowymi wymówkami i od jakiegoś czasu już do niej nie telefonował. Nie powiedziała mu o Rolfie, nie wspomniała słówkiem, że w jej życiu jest teraz ktoś inny. Może uczciwiej byłoby mu powiedzieć. Ale nie chciała go ranić, a poza tym była zbyt wielkim tchórzem. Zresztą odnosiła wrażenie, że on się czegoś domyśla. Tylko co to ma, u diabła, za znaczenie? To było dawno i nieprawda. Należał do jej dawnego świata. Był miłym facetem, ale ją mierził cały ten cyrk z „kocham cię".

Rolf wyłączył kamerę i zatrzasnął ekranik.

— No więc kiedy to robimy? — spytała Abbie.

Rozdział 19

Było dokładnie tak, jak powiedział. Przejeżdżali tędy toyotą Abbie już trzeci raz i światła w oknach zapalały się i gasły, tak jak mówił. Dokładnie o tych, co mówił, porach. Na podjeździe, tak jak na filmie wideo, stał samochód. Około północy wrócili kilka mil szosą na stację benzynową, kupili parę kanapek, owoce i butelkę wody mineralnej, potem znaleźli mały skwer i wyprowadzili na spacer Soxa.

Rolf krzywił się, że Abbie zabiera psa, ale postawiła na swoim. Powiedziała, że jest ich przynoszącą szczęście maskotką. A do tego dobrą przykrywką, bo wyglądają z nim po domowemu, jak mała rodzina. Jak dotąd, na wszystkich trzech akcjach, które przeprowadzili, maluch zachowywał się bez zarzutu, zwijał się w kłębek i czekał cierpliwie w samochodzie. Abbie poszła jednak na jedno ustępstwo i zdjęła mu z obroży plakietkę z numerem swojego telefonu, na wypadek gdyby się zgubił.

Przez cały tydzień było słonecznie i ciepło, ale kończył się już sierpień i noce stawały się coraz chłodniejsze. W prognozie pogody zapowiadano postępujące od zachodu zachmurzenie i te chmury właśnie nadciągały, przesłaniając stopniowo gwiazdy. Vana zostawili w bocznej uliczce obok jakiejś zaniedbanej działki nieopodal szosy i za piętnaście druga pojechali tam

271

wymienić go na toyotę. Włożyli ciemne kurtki, sprawdzili, czy mają wszystko, co trzeba, wrócili i jeszcze raz przejechali przed domem. Na ich oczach, dokładnie dziewięć po drugiej — tak jak powiedział Rolf — zgasły światła w oknach na piętrze. Zatrzymali się trzy przecznice dalej przy budce telefonicznej. Abbie została w vanie i nucąc pod nosem dla uspokojenia jakąś melodyjkę, patrzyła, jak Rolf wybiera numer. Stał jakiś czas ze słuchawką przy uchu, potem odwiesił ją i wrócił spacerowym krokiem do samochodu.

— Odebrała automatyczna sekretarka — powiedział, sadowiąc się za kierownicą.

— Trzeba było zostawić wiadomość.

Starała się udawać, że się nie denerwuje. Nie odpowiedział, obrzucił ją tylko jednym z tych swoich spojrzeń i zapuścił silnik. A jej przemknęło przez myśl, że automatyczne sekretarki niektórzy mają włączone przez cały czas, nawet jeśli są w domu. Milczała jednak. Powiedział jej już, że za nerwowo do tego podchodzi i że on wie na pewno, że dom stoi pusty. Sprawdził. Żona i synowie wyjechali, a McGuigan poleciał do Houston na jakąś konferencję branży gazowej.

Wrócili inną trasą, podobnymi uliczkami, minęli dom i skręcili w alejkę prowadzącą na jego tyły. Rolf zgasił reflektory i sunęli powoli utworzonym przez drzewa tunelem, spoglądając na podwórka mijanych domów. Nigdzie żywego ducha.

Zatrzymali się, nie dojeżdżając do tylnej furtki posesji McGuigana, Rolf zgasił silnik, opuścili szyby i siedzieli w ciemnościach, nasłuchując. Gdzieś za nimi, na jednej z posesji, obok których przed chwilą przejeżdżali, rozszczekał się pies. Znudziło mu się jednak szybko i przestał. Abbie słyszała teraz tylko swoje przyśpieszone tętno. Sox, zwinięty w kłębek w swoim łóżeczku na tylnej kanapie, wciśniętym między plastikowe kanistry z olejem napędowym i benzyną a czarny plecak ze wszystkimi narzędziami i przyborami Rolfa, obserwował ich szeroko otwartymi ślepkami.

Nałożyli rękawiczki i czarne kominiarki. Abbie jeszcze raz

sprawdziła, czy ma w kieszeniach puszki z czarną farbą w aerozolu. Wiedziała już, co napisze na ścianach letniego pawilonu, na który, jak zapewniał Rolf, pożar się nie rozprzestrzeni.

— Gotowa? — spytał.

Kiwnęła głową.

— Komórka wyłączona?

— Mhm.

— No to ruszamy.

Furtka była zamknięta, ale mur łatwy do pokonania. Rolf podskoczył, podciągnął się na rękach i już był po tamtej stronie. Podała mu jego torbę i pojemniki z paliwem. Podciągnął się znowu i pomógł jej przeleźć na podwórko. Przykucnęli i czekali, aż wzrok przyzwyczai się do zalegających tu ciemności. Z ust wydobywały im się obłoczki pary. Abbie spojrzała w niebo. Chmury gęstniały, w przerwach między nimi mrugało kilka gwiazd. Rolf zarzucił plecak na ramiona i dźwignął z ziemi dwa kanistry.

— Trzymaj się blisko — szepnął.

Ruszył truchtem w prawo przygarbiony, na ugiętych nogach. Do basenu i trawnika można było dojść ścieżką, ale on prowadził ją naokoło, pod osłoną drzew rosnących przy ogrodzeniu oddzielającym posesję od sąsiedniej. Biegli w kierunku domu, klucząc między krzewami i klombami.

Jeśli były tu w ogóle jakieś światła alarmowe, to jak dotąd się nie zapaliły. Minęli basen, letni pawilon, przesadzili niski betonowy murek, skrajem trawnika dotarli do wyłożonego terakotą tarasu i wciąż nic. Pod ścianą domu Rolf postawił na ziemi kanistry, zdjął plecak i położył go ostrożnie między nogami. Odpoczywali przez chwilę zdyszani, przywierając plecami do ceglanej ściany i nasłuchując. Gdzieś z oddali dolatywał monotonny szum autostrady, ale poza tym nic, głucha cisza.

Drzwi z klapką u dołu znajdowały się jakieś pięć kroków od miejsca, w którym teraz stali. Trochę dalej do ściany budynku przylegało coś w rodzaju solarium albo cieplarni z opuszczonymi do połowy żaluzjami i dwuskrzydłowymi szklanymi drzwiami. Rolf chciał już ruszyć dalej, kiedy nagle Abbie wypatrzyła coś w ciemnościach. Zarys głowy i ramion kogoś stojącego w tym solarium i patrzącego na ogród. Położyła dłoń na ramieniu Rolfa.

— Tam ktoś jest.

I kiedy na nią spojrzał, pokazała mu oczami. Pobiegł za jej wzrokiem i na długą chwilę oboje znieruchomieli.

— Opanuj się, to jakaś roślina — szepnął.

Miał rację. Teraz ona też widziała. Fikus albo jakaś palma. W pomieszczeniu było ich pełno. Głupio jej się zrobiło.

— Ile razy mam ci powtarzać? — wysyczał. — Tam nikogo nie ma. Idziemy. Łap się za te kanistry.

Podniósł plecak, podkradł się do drzwi i tam przykucnął. Abbie przydźwigała kanistry i patrzyła mu ponad ramieniem, jak czubkiem palca, ostrożnie, popycha klapkę. Uchyliła się. Rolf obejrzał się i uśmiechnął.

— Widzisz? Gość bardzo się postarał, żeby nam ułatwić zadanie. Teraz szybko, rób swoje, to nie potrwa długo. I czekaj tam na mnie, znajdę cię, jak tu skończę.

Zaczął rozpinać plecak.

Abbie odwróciła się i pobiegła w stronę letniego pawilonu. Wciąż czuła się jak kompletna idiotka i tak bardzo chciała się zrehabilitować, że w tym pośpiechu zapomniała o betonowym murku. Potknęła się o niego, wywinęła orła i wylądowała w krzewach róż. Jakaś gałązka omal nie wykłuła jej lewego oka. Abbie sama nie wiedziała, jak to możliwe, że nie krzyknęła. Pozbierała się i już zachowując większą ostrożność, podeszła do letniego pawilonu.

Jedną ścianę porastał bluszcz, ale ta od strony domu nadawała się idealnie. Wyglądała nawet tak, jakby ktoś oczyścił ją i pobielił właśnie na tę okazję. Abbie wyciągnęła z kieszeni kurtki puszkę z czarną farbą w aerozolu i przystąpiła do pracy.

Rolf uprzedził ją, żeby nie pisała niczego, co mogłoby ich w jakikolwiek sposób łączyć z ranczem rodziców Tya, a nawet

z tamtymi stronami, wymalowała więc w obu górnych naroż-
nikach dwa wielkie ELF, a pod spodem napisała: NISZCZY-
CIEL NATURY, poniżej zaś: ROPY ŻĄDZA DLA PIENIĄ-
DZA. Potem, na samym środku ściany, zaczęła pisać GAZO-
WYM WAMPIROM NA POHYBEL, ale przy NA skończył jej
się spray. Sięgała właśnie do kieszeni kurtki po drugą puszkę,
kiedy usłyszała za sobą szelest i kliknięcie.

— A ty co tu, u diabła, mażesz?

Aż podskoczyła. Świecąca prosto w oczy latarka na chwilę
ją oślepiła. Potem zobaczyła lufę myśliwskiej strzelby wymie-
rzoną prosto w jej pierś.

— Stój. Nie ruszaj się, kurwa! No? Zostań tam, gdzie jesteś.
Już zadzwoniłem pod dziewięćset jedenaście, słyszysz? Gliny
tu jadą, ale kiwnij tylko palcem, a łeb ci, kurwa, odstrzelę.

Oślepiona blaskiem, widziała tylko rozmyte zarysy jego
twarzy. Był młody, góra dwadzieścia kilka lat. Zauważyła, że
jest bez butów.

— Jezu! Dziewczyna?!

Kiwnęła głową. I w tym samym momencie dostrzegła za
jego plecami jakieś poruszenie. Gdyby ktoś z nim był, na
pewno by coś krzyknął. Może to Rolf. Tak, na pewno on.
Starała się nie patrzeć w tamtą stronę.

— Co to jest?

Próbował odczytać jej bazgroły na ścianie pawilonu.

— ELF? Coś ty, cholera, za jedna?

Teraz już widziała, że to Rolf. Podkradał się do faceta od
tyłu, był coraz bliżej. Najcichszy odgłos, trzask łamanej gałązki,
a gość odwróci się i strzeli. Może powinna coś powiedzieć,
odwrócić jego uwagę?

— Słuchaj — wykrztusiła — bardzo przepraszam...

— Przepraszasz? A to dobre.

— Mógłbyś nie świecić mi w oczy?

— Nie ruszaj się, powiedziałem!

— Ja zapłacę.

— Co?

275

— Zapłacę. Za wyrządzone szkody. Naprawdę. To tylko tak, dla zgrywu...

Rolf stał już za nim. Miał coś w ręku, jakąś pałkę — polano, a może klucz francuski. Ale kiedy to coś unosił, w domu błysnęło i huknęło. Mężczyzna odwrócił się na pięcie i zobaczył zamierzającego się Rolfa. Uchylił się odruchowo i zamiast w głowę, oberwał w bark. Rolf chwycił lufę strzelby. Facet upuścił latarkę, Abbie w dwóch susach dopadła do niego, wskoczyła mu na plecy, objęła za szyję i ścisnęła.

Dom stał w płomieniach. Buchały ze stojących otworem drzwi kuchennych i z okna obok. Powietrzem wstrząsnęła druga, o wiele silniejsza eksplozja. Rozprysły się szyby w oknach solarium, do niej też dotarł już pożar. Rolf z facetem, postękując, sapiąc i klnąc, toczyli bój o strzelbę, a Abbie siedziała wciąż temu ostatniemu na plecach, wykręcając mu z całych sił głowę i szarpiąc go za włosy. Wrzeszczał, przeklinał i usiłował ją z siebie zrzucić, ale kolby nie puszczał.

Strzelba wypaliła. Abbie odniosła wrażenie, że koń kopnął ją w pierś. Od huku popękały jej chyba bębenki w uszach. Na moment wszystko znieruchomiało. Otwartymi szeroko oczami patrzyła, jak Rolf zatacza się w tył, w stronę płonącego za nim domu. Była święcie przekonana, że to on dostał. Nadal ściskała faceta ramionami za szyję, ale on już nie walczył. Poluzowała powoli chwyt i poprzez dzwonienie w uszach usłyszała jego jęk. Czuła, jak się pod nią słania. Kiedy osunął się na kolana, zeszła z niego i w blasku leżącej na ziemi latarki zobaczyła ciemną plamę rozlewającą się po plecach podkoszulka mężczyzny.

Z jego krtani zaczął się wydobywać straszny gulgot. Zdjęta zgrozą, obeszła go szerokim łukiem, stanęła obok Rolfa i wtedy zobaczyła krew bluzgającą z osmalonej, dymiącej jeszcze dziury w klatce piersiowej mężczyzny.

— Boże! — jęknęła. — O mój Boże!

Mężczyzna patrzył z niedowierzaniem na swój tors, potem podniósł wzrok na Abbie i otworzył usta, tak jakby chciał coś powiedzieć.

Rolf chwycił ją za ramię i pociągnął.

— Chodź, spadamy.

— Nie możemy go tak...

— Nie ma czasu!

Ciągnął ją ścieżką w kierunku furtki. Abbie próbowała biec, ale co chwila oglądała się na klęczącego mężczyznę i płonący dom i dwa razy się potknęła. Rolf musiał się zatrzymywać i pomagać jej się podnieść. Okazało się, że furtka nie była zamknięta na klucz, a tylko na zasuwkę. Rolf otworzył ją i już biegli alejką w stronę vana. Nie zamykali go, żeby w razie czego nie tracić później czasu na grzebanie kluczykiem w zamku. Rolf otworzył drzwiczki od strony pasażera, wepchnął Abbie do środka, zatrzasnął je, obiegł wóz, wskoczył za kierownicę i sięgnął do kieszeni po kluczyki.

— Kurwa mać — mruknął. — Kurwa! Kurwa! Kurwa! Nie mógł ich znaleźć. Usłyszeli czyjś krzyk.

— Hej! hej! — darł się ktoś.

Obejrzeli się. Alejką nadbiegał jakiś mężczyzna. Rolf znalazł już kluczyki i wsuwał do stacyjki. Silnik zaskoczył od pierwszego razu, ale mężczyzna dobiegł już do vana, chwycił za klamkę tylnych drzwi i kiedy ruszali, otworzył je.

— Stać! Stać, gnoje!

Nie był młody — miał ze czterdzieści parę lat — ale dobrze zbudowany i wysportowany. Usiłował wskoczyć na tył nabierającego szybkości vana. Sox, o którym Abbie zupełnie zapomniała, stał w swoim łóżeczku i ujadał zawzięcie. Obróciła się w fotelu i sięgnęła po niego, ale był za daleko, i przestraszony zamieszaniem nie chciał podejść. Facet klęczał już jednym kolanem na progu otwartych tylnych drzwi vana i próbował podciągnąć drugie. Ale dojeżdżali już do wylotu alejki i kiedy wypadali z niej na ulicę, Rolf skręcił gwałtownie kierownicę w prawo. Van, przechylając się na dwa koła, wszedł z przeraźliwym piskiem opon w ostry wiraż. Facet porwany siłą odśrodkową odpadł od wozu i potoczył się jak szmaciana lalka po jezdni. Razem z nim wyleciało z vana wszystko, co wieźli z tyłu, z Soxem włącznie.

— Stój! — wrzasnęła Abbie. — Zgubiliśmy Soxa!
— Ocipiałaś?!
— Sox wypadł!
— Chuj z nim.
— Rolf, musisz się zatrzymać!
Chwyciła za kierownicę, ale odepchnął ją brutalnie, z taką siłą, że wyrżnęła głową w szybę.
— Skurwysynu!
— Stul dziób! Morda w kubeł!
Obejrzała się, ale psa nie zobaczyła. Spojrzała na swoje dłonie. Były we krwi. Zaskowyczała.
W kilka krótkich sekund wszystko wymknęło się spod kontroli. Nie wierzyła, że to dzieje się naprawdę. Przed oczami przewijała się jej karuzela slajdów: płonący dom, klęczący tam i patrzący na dymiącą dziurę w piersi mężczyzna, te jego oczy, kiedy podniósł na nią wzrok...
Spojrzała przez łzy na Rolfa. Dysząc ciężko, z grymasem skupienia na twarzy gnał jak szalony labiryntem uliczek. Domy, witryny sklepów, światła reflektorów, ambulans na sygnale z migającym kogutem, wszystko to przemykało obok i uciekało w tył.
— Musimy zawrócić.
— Cicho.
— To był wypadek. Możemy im powiedzieć. Musimy zawrócić i powiedzieć.
— Abbie, weź się zamknij.
— Rolf, a jak ten człowiek umrze?! Pomyślą, że go zabiliśmy!
— On już nie żyje, kretynko!
Wypadli na główną ulicę i Rolf trochę zwolnił. Zerkał tylko co chwila w lusterko wsteczne. Słychać było coraz więcej syren, z przeciwka, błyskając kogutami, nadjeżdżały na pełnym gazie dwa policyjne radiowozy. Minęły ich, nie zwalniając.
— Do kurwy nędzy, przestań ryczeć! — wycedził przez zaciśnięte zęby Rolf.

278

Pojawiły się tablice informujące, że zbliżają się do autostrady. Minęli się z kolejnym wozem policyjnym i droga opustoszała. Rolf zwolnił jeszcze bardziej, zerknął w lusterko wsteczne i skręcił w lewo w boczną ulicę, a potem jeszcze dwa razy. Jechali pewien czas przez jakiś wygwizdów, by w końcu zaparkować za toyotą.

— Wysiadaj — powiedział. — Abbie, wysiadamy! Rusz się! Ale ona nie mogła. Nie miała siły. Nie potrafiła oderwać wzroku od swoich dłoni. Próbowała wycierać je o spodnie, ale wciąż miała zakrzepłą krew pod paznokciami i w zgięciach kciuków.

Rolf wysiadł sam, otworzył toyotę, potem wrócił biegiem, wyciągnął Abbie z vana i powlókł chodnikiem do samochodu, rozglądając się bez ustanku, czy ktoś nie nadjeżdża albo ich nie obserwuje. Wepchnął ją na fotel pasażera i zatrzasnął drzwiczki. Słyszała, jak otwiera bagażnik i coś z niego wyjmuje. Po chwili trzasnęła zamykana klapa, Rolf zajął miejsce za kierownicą i zapuścił silnik. Zawrócił sprawnie, zatrzymał się obok porzuconego vana i opuścił szybę. Van też miał otwarte okno. Rolf zapalił zapałkę, wrzucił ją do niego i jednocześnie wcisnął do dechy gaz. Abbie obejrzała się i po sekundzie poczuła, jak powietrze się spręża, a van za nimi eksploduje kulą ognia.

Wkrótce byli już na szosie i pod łukami pomarańczowych świateł, jak przez bramy piekieł, wyjeżdżali z miasta w oczekujący tam na nich mrok. Głowę miała tak pełną widoku tych obcych zakrwawionych dłoni, że było jej wszystko jedno, dokąd jadą i jakie życie ich tam czeka.

Rozdział 20

Eve nie cierpiała się fotografować, a jeszcze bardziej odpowiadać na pytania o swoją pracę. Tak więc wywiad dla lokalnej sieci telewizji kablowej był dla niej podwójnie stresujący. Dziennikarz wyglądał na czternastolatka i już na samym wstępie wyznał, że zwykle relacjonuje mecze koszykówki, a o sztuce nie ma zielonego pojęcia. I nie mówił tego bynajmniej powodowany fałszywą skromnością. Naprawdę nie miał.

Ustawiono ją przed jednym z jej nowych obrazów, nie tym, który sama by na tę okazję wybrała i którego w gruncie rzeczy nie lubiła i nie dałaby na wystawę, gdyby Lori jej do tego nie zmusiła. Ale kamerzystce spodobała się kolorystyka i powiedziała, że jeśli Eve przed nim stanie, to będzie lepsze tło, a przy okazji obejmą kadrem kilkoro zaproszonych na wernisaż gości i tamtą ładną roślinę doniczkową na parapecie.

— No więc — zaczął młody człowiek — maluje je pani, że tak powiem, po kawałku, to znaczy, że tak powiem, najpierw jeden mały fragmencik, potem drugi mały fragmencik i tak dalej? Czy raczej wszystko za jednym zamachem, a potem, że tak powiem, tylko pani uzupełnia?

Eve widziała Bena opierającego się ramieniem o ścianę, z lampką czerwonego wina w ręku. Rozmawiał z Lori, ale ich uśmiechy świadczyły, że podsłuchują, jak udziela wywiadu. Dranie.

— To zależy od obrazu — odparła Eve. — Na przykład przystępując do pracy nad tym, miałam dokładnie sprecyzowaną wizję kształtów i ich wzajemnych relacji. No i poszło, jak pan to określił, za jednym zamachem. Zdarza się jednak często, że zachodzi coś, co wypacza pierwotną koncepcję, jakiś wypadek.

Chłopaczek ściągnął brwi.

— Ma pani na myśli samochodowy?

— Nie, mam na myśli wypadek przy pracy. Dajmy na to, podczas przygotowywania płótna popełnia pan jakiś błąd i kiedy spojrzy pan na obraz z dystansu, okazuje się nagle, że wyszedł lepiej, niż można by się spodziewać.

Widziała, że dziennikarz nie ma zielonego pojęcia, o czym ona mówi. Przemknęło jej przez myśl, że może powinna zmienić temat i pogawędzić z nim o koszykówce.

Ludzie zaczynali już wychodzić na Canyon Road i w galerii robiło się coraz chłodniej i ciszej. Wernisaż ściągnął tłumy, chociaż Eve mało kogo z tych ludzi znała. Lori, żeby napędzić jej nowych klientów, solidnie się napracowała przy układaniu listy gości, nie była to więc jak zwykle zbieranina przyjaciół i znajomych z osobami towarzyszącymi, których zwabia tylko pinot noir i kanapki. Wiele galerii, żeby zniechęcić takich amatorów darmowej wyżerki i wypitki, nie podaje na wernisażach niczego mocniejszego niż poncz, ale Lori udawało się łączyć nielimitowany poczęstunek winem ze sprzedażą wielu obrazów. Eve widziała, jak Lori przez cały wieczór uwijała się po sali, przylepiając małe kółeczka na płótnach. Sporo miało kolor czerwony, co znaczyło, że interes został przypieczętowany i pieniążki zmieniły właściciela. Zielone, których było więcej, oznaczały, że obraz został na tydzień zarezerwowany bez wpłaty zaliczki, a więc nie było się nimi co podniecać. Zazwyczaj znaczyło to tyle, że ktoś wychylił za dużo lampek wina i jutro o wszystkim zapomni.

Młodemu człowiekowi, dzięki Bogu, skończyły się już chyba pytania. Eve odpowiedzi już dawno się skończyły.

— Bardzo pani dziękuję.

— Nie ma za co. Dziękuję za przybycie.

Dziennikarz oddalił się ze swoją kamerzystką zrobić jeszcze parę ujęć, a Eve, krzywiąc się, podeszła do Lori i Bena. Ben oddał jej swoją lampkę. Upiła łyczek wina.

— Dobra byłaś — powiedział Ben.

— Chrzanisz. Widząc te wasze kpiące uśmieszki, nie mogłam pozbierać myśli.

— On też, a więc się dobraliście.

Otoczył ją ramieniem i pocałował w policzek. Lori nachyliła się do niej, tak żeby tylko oni dwoje słyszeli.

— Sprzedaliśmy wagon płócien — szepnęła konspiracyjnie. — Widziałaś? Dwadzieścia trzy, może nawet dwadzieścia cztery. Fantastycznie.

— Lori mówi, że tym razem potrąca sobie tylko pięć procent — dorzucił Ben.

— Jak sobie narysujesz, stary.

Roześmiali się. Potem Lori przeprosiła ich pod pretekstem, że musi pomóc Barbarze, swojej asystentce, która siedziała za biurkiem we frontowej sali, inkasując zaliczki i załatwiając papierkową robotę. Eve spojrzała na Bena. Był taki przystojny w tej czarnej lnianej koszuli i białych spodniach. Nadal otaczał ją ramieniem i teraz lekko uścisnął.

— Jestem z ciebie dumny — powiedział.

— Och, przestań.

— Żałuj, że nie słyszałaś, co ludzie tu mówili. Wprost piali z zachwytu.

— Naprawdę?

— Tak, mówili, że lepszego pinot noir nie pili jeszcze na żadnym wernisażu.

Uszczypnęła go w ramię.

— Nie, poważnie. Wszyscy byli oczarowani. Na te dwa wilkoanioły było ze dwudziestu chętnych. Pamiętasz tę kobietę z Los Angeles w czerwonej sukni i kolczykach? Stała i patrzyła na nie przez dobre dziesięć minut. Miała łzy w oczach.

— Czy to dobrze?

— Dobrze. Obraz ją zafascynował. Przeżywała chwilę katharsis.

Eve uśmiechnęła się i pocałowała go.

— Kocham cię — powiedziała cicho.

Jedli kolację w El Farol z Lori i jej nowym przyjacielem, Robertem, który pracował w jakimś ośrodku wojskowym w San Diego zajmującym się najnowocześniejszą techniką i często musiał latać do Los Alamos na spotkania tak ściśle tajne, że nie wolno mu było o nich opowiadać nawet sobie samemu. Był chudym, niskim facetem o szczurzej twarzy, nosił okulary w złotej oprawce i miał zwyczaj zasypywania ludzi faktami nawet dość interesującymi, ale nieprowadzącymi do rozwinięcia prawdziwej konwersacji. Ben sobie z niego pokpiwał.

— Czy wiecie, ilu ludzi jest na świecie? — spytał Robert między jedną a drugą łyżeczką *crème brulé*.

Nikt nie pamiętał.

— Sześć miliardów.

Zawiesił głos, czekając na wyrazy uznania dla swojej rozległej wiedzy.

— A wiecie, ile jest ptaków?

Nikt nie wiedział.

— Sto miliardów.

Powtórzył to jeszcze raz, na wypadek gdyby ktoś nie dosłyszał.

— A wiecie, jaki ułamek powierzchni Ziemi zajmują lądy, a jaki oceany?

— Nie — powiedział Ben. — Ale mam przeczucie, że zaraz się dowiemy.

Robert puścił ten docinek mimo uszu. Eve przechwyciła spojrzenie Bena i omal nie parsknęła śmiechem.

— Jedna trzecia to ląd, dwie trzecie ocean. Co znaczy, że

283

lądu jest sto dziewięćdziesiąt jeden milionów mil kwadratowych. Z czego wynika, że...

Zawiesił głos dla uzyskania lepszego efektu. Ben pochylił się w przód ze śmiertelnie poważną miną, udając niezmiernie zainteresowanego tym, co z tego wynika, a pod stołem trącił kolanem Eve.

— ...że na jeden akr przypada dwa koma pięć ptaka.

Wszyscy starali się, jak kto potrafił, udawać zdumionych i oświeconych.

— Gdzie Lori go wynalazła? — spytał potem Ben, kiedy szli pod górę do samochodu. — I co w nim widziała?

— Mówi, że on jest niesamowity w łóżku.

— Naprawdę? Jezu. I co, szepce jej do ucha słodkie fakty i liczby?

— Mhm. Podobno to strasznie podnieca.

— Naprawdę?

— Jeszcze jak.

Ben zastanowił się, a potem nachylił do jej ucha.

— Czy wiesz, że Hawaje to prawie anagram dla wajchy? Jęknęła cichutko.

— Tak, tak, wystarczy tylko wymienić e na c.

— Przestań, przestań.

Szli przez chwilę w milczeniu, objęci, echo ich kroków odbijało się od ceglanych ścian budynków. Noc była pogodna i niemal mroźna, jesień przechodziła w zimę. Boże, pomyślała Eve, są już ze sobą blisko rok. A dwa lata, prawie co do dnia, upłynęło od tamtego wieczoru w Nowym Jorku, kiedy poszli na *Pocałuj mnie, Kate*, a potem na kolację. Czasami wydaje się, że to było wczoraj, kiedy indziej, że przed wiekami.

Nie spodziewała się, że pójdzie tak łatwo. Zorientowała się od razu, kiedy go tylko zobaczyła, że ma skłonności do melancholii. I czasami zastanawiała się, czy to aby nie przez tę wadę wydał jej się pociągający. Bo chociaż sama nigdy świadomie tak nie robiła, to wiedziała, że kobieta potrafi mylić miłość z litością i wiązać się z mężczyzną z chęci przyjścia mu

284

z pomocą. Albo traktować go jako rodzaj wyzwania, wmawiając sobie, że ona i tylko ona może go wyprowadzić na prostą, matkować mu i uczynić szczęśliwym. Nie uważała się za kobietę tego rodzaju, miała nadzieję, że taka nie jest. Ale czy można to wiedzieć na pewno?

Szczerze mówiąc, Ben też nie był tego rodzaju mężczyzną. I Eve wolała myśleć, że zakochała się w człowieku, którego dostrzegła pod tą maską smutku. W człowieku, którym Ben dzień po dniu coraz bardziej się stawał. Na przykład dzisiaj. Taki był swobodny, na luzie i wesoły. Kiedy taki bywał, nie zamieniłaby go na żadnego innego.

Ale zdarzało się, że traciła pewność, czy ich związek przetrwa. Nie spotkała jeszcze mężczyzny tak łatwo poddającego się poczuciu winy. Był w tym mistrzem mad mistrze, profesorem. Podczas tych pierwszych miesięcy po odejściu od Sarah, kiedy mieszkał w Kansas i przyjeżdżał do Santa Fe najwyżej na tydzień albo dwa, zadręczał się do tego stopnia, że chciała go już poprosić, żeby przestał ją odwiedzać, przynajmniej do czasu, kiedy dojdzie ze sobą do ładu. Zupełnie jakby miał jakieś bezdenne szambo, do którego wlewa wszystko, o co tylko może się obwiniać, by potem schodzić do niego codziennie i pławić się w tym.

I nie chodziło tylko o Sarah i dzieci. O wyrzuty sumienia przyprawiała go również matka. Mieszkanie z nią działało na niego deprymująco. Irytowało go, że ona tak koło niego skacze, że opowiada wciąż te same historyjki, jak to zrobił coś cudownego w młodości, i mówił jej w końcu coś przykrego, a potem przez tydzień nie mógł sobie tego darować. Denerwowało go nawet, że tak szybko zapomniała, jak w pierwszej chwili zareagowała na wieść, że odszedł od Sarah, i zaczęła pisać historię na nowo. Podsłuchał raz, jak opowiadała przez telefon przyjaciółce, że nigdy nie był z Sarah szczęśliwy i że tak naprawdę to święty z niego człowiek, że tak długo z nią wytrzymał.

Głównym źródłem jego poczucia winy była, rzecz jasna,

Abbie. Eve pamiętała, jak na początku roku próbowała go pocieszać, że to tylko kwestia czasu, że za kilka miesięcy Abbie ochłonie i lepiej go zrozumie. Ale tak się nie stało. Wprost przeciwnie, wrogość dziewczyny wobec ojca jeszcze bardziej się pogłębiła i utrwaliła. Wrócił z Missouli załamany. Eve miała ochotę zadzwonić do dziewczyny i powiedzieć jej, żeby wreszcie dorosła i przestała być taką zapiekłą egoistką, ale tego nie zrobiła.

Od tamtego czasu Ben starał się uczyć żyć ze świadomością, że córki, przynajmniej w przewidywalnej przyszłości, nie odzyska. Posłuchał w końcu rady Eve i poszedł do psychoanalityka. Zrobił to już kiedyś jeden jedyny raz, po śmierci ojca, ale wtedy skończyło się na trzech wizytach. Słyszała, jak wypowiadał się z przekąsem o całej tej „psychoanalitycznej kulturze". Ludzie, mawiał, powinni sami sobie radzić ze swoimi problemami. Ale doszedł najwyraźniej do wniosku, że sam sobie nie poradzi, znalazł psychologa, który mu się spodobał, i teraz bywał u niego przykładnie dwa razy w tygodniu.

Niechętnie opowiadał Eve o tych sesjach, ale z tego, co czasem przebąkiwał, wynikało, że rozmawiają wiele o tym, jak w niemal każdym obszarze życia to, co się raz zrobiło, staje się szybko jedynym, co potrafi się robić. Rozżalenie i poczucie winy mogą łatwo wejść człowiekowi w nawyk, podobnie jak dłubanie w nosie w samochodzie. Poczucie winy, powiedział mu psychoanalityk, to sposób natury na skłanianie człowieka do ponownego przeanalizowania tego, co zrobił, by mógł przejść nad tym do porządku dziennego. Jeśli jednak ktoś się zaprze, że nie chce nad tym czymś przejść do porządku dziennego, to poczucie winy staje się jak łobuz z placu zabaw, który się uwziął, żeby mu uprzykrzać życie. Zasugerował Benowi, że ilekroć będzie go ciągnęło do tego szamba z wyrzutami sumienia, to niech przystanie na skraju, spojrzy w dół i zastanowi się, czy naprawdę tego dnia chce się w nim taplać.

Do tej pory zdarzało mu się jeszcze zdrowo w nim wytaplać, ale już nie codziennie. I przez całe lato Eve obserwowała z zadowoleniem, jak staje się coraz bardziej wyluzowany i weselszy. Pablo go uwielbiał i wyglądało na to, że z wzajemnością. Ben miał podejście do dzieci. Eve lubiła słuchać, jak się przekomarzają i zaśmiewają, i patrzeć, jak się bawią, rzucając między sobą futbolówkę, grając w softball albo udając zapaśników sumo.

Po przeprowadzce tutaj Ben starał się wynająć mieszkanie, ale długo nie mógł znaleźć takiego, które by mu w pełni odpowiadało. Na początku nie odwodziła go od tego. Do tamtej pory najdłuższym okresem, przez jaki kiedykolwiek gościła go u siebie, były dwa tygodnie, i chociaż mile te jego pobyty wspominała, to wydawało jej się, że jeszcze za wcześnie, by wprowadził się do niej na stałe. Ale był łatwy we współżyciu, prawdopodobnie dzięki wieloletniej praktyce. I po krótkim czasie, prawie na ten temat nie rozmawiając, oboje uznali, że już tu zostanie. Wynajął sobie jednak pokój przy tej samej ulicy, który wykorzystywał teraz na biuro.

Eve trochę nad nim pracowała, bo w jej przekonaniu był zbyt pedantyczny i drobiazgowy. Wszystko musiało mieć u niego swoje miejsce, podczas gdy ona była bardziej roztrzepana i często zostawiała po sobie nieporządek. Zresztą nazwijmy rzeczy po imieniu — bałaganiła. Czasami przyłapywała go na tym, że po niej sprząta albo sprawdza, czy zamknęła samochód (nigdy nie zawracała sobie tym głowy), i dopiero kiedy posyłała mu znaczące spojrzenie, reflektował się i unosił w przepraszającym geście rękę.

— Po co zamykać ten samochód?

— Na świecie są złodzieje.

— Nie zamykam go od dziesięciu lat i jakoś nikt mi go jeszcze nie ukradł.

— No to masz wielkie szczęście.

Starała się mu uzmysłowić, że to, co uważa za przezorność, można również interpretować jako czarnowidztwo. A tak się ciekawie składa, że komuś, kto na każdym kroku spodziewa się najgorszego, to najgorsze w końcu się przytrafia.

— Podaj mi choć jeden przykład — zażądał.

— Boże, takich przykładów jest bez liku.

— Tylko jeden.

— Proszę bardzo. Zakazałam Pablowi wkładać kask ochronny, kiedy wsiada na rower.

— Przecież może się przewrócić, na litość boską.

— No i widzisz?

— Chcesz przez to powiedzieć, że jeżdżenie na rowerze w kasku zwiększa prawdopodobieństwo wywrotki?

— Mhm. Właśnie to chcę powiedzieć.

— Eve, i ty wierzysz w takie bzdury?

— Dla jednych bzdury, dla innych nie. Ale dzieci muszą się uczyć. Nie ochronisz ich przed wszystkim. Na przykład wczoraj, kiedy wspinał się na to drzewo, a ty byłeś cały w nerwach, że spadnie.

— Kark mógł sobie skręcić.

— Ale nie skręcił.

Ben potrząsnął głową. Podeszła i objęła go.

— Posłuchaj, kochanie — powiedziała. — Jedno ci powiem. Myśląc negatywnie, ściągasz tylko na siebie nieszczęścia i niepowodzenia. Myślenie pozytywne ma moc.

Nie wyglądał na przekonanego, ale przynajmniej dało mu to do myślenia. Kilka dni później wspomniał, że Sarah zarzuciła mu kiedyś, jakoby miał bzika na punkcie kontrolowania wszystkiego. Spytał Eve, czy się z nią zgadza, a potem przez całe dwa dni chodził jak struty, kiedy w możliwie najoględniejszy sposób dała mu do zrozumienia, że tak. Ale było już z nim pod tym względem lepiej, starał się, naprawdę się starał.

Wiedziała, że brakuje mu przyjaciół, że czuje się skrzywdzony i odtrącony przez tych, którzy wyciągając pochopne wnioski, nie próbując nawet wysłuchać jego wersji, w ciemno wzięli stronę Sarah. Największy żal miał do swojego dawnego partnera i najlepszego kumpla, Martina. Po powrocie z Joshem z Cape Cod, Ben pojechał do niego odebrać obrazy Eve zamówione dla nowego biurowca Cold Spring Harbor. Martin nie chciał ich powiesić i stały, zbierając kurz, w garażu ICA. Kazał Benowi czekać na siebie dwadzieścia minut w recepcji, potem był chłodny, opryskliwy i traktował go niemal jak obcego. Jeszcze niedawno taka zniewaga zdołowałaby Bena na tydzień, teraz rzadko rozpamiętywał podobne incydenty dłużej niż dzień. Eve już sobie wyobrażała, jakiego wysiłku wymaga to od człowieka, który przez całe dotychczasowe życie taką wagę przykładał do tego, co myślą o nim inni. Nawet kiedy posłał e-mail do Abbie, co czynił prawie codziennie, albo telefonował do niej i zostawiał wiadomość w poczcie głosowej, a odzewu nie było, nie złazi już z tym do swojego szamba.

Byli już pod domem. Wysiedli z samochodu, pchnęli skrzypiącą furtkę z sosnowych palików i weszli do ogródka pod małym łukiem z suszonej na słońcu cegły. Powietrze stało i wiatrowe dzwoneczki na drzewie wiśni zwisały nieruchome i ciche. W skrzynkach na balustradzie tarasu od strony kuchennych drzwi rosły jeszcze żółte róże. Eve, przechodząc, zerwała jedną i powąchała. Płatki zwarzył przymrozek, ale zapach nie zanikł. Oddała ją Benowi.

Maria, opiekunka do dziecka, spała na sofie przed telewizorem. Obudziła się, kiedy Eve położyła jej dłoń na ramieniu. Ben zapomniał dzisiaj swojego telefonu komórkowego. Zostawił go w sypialni i Maria powiedziała, że aparat dzwonił kilka razy, ale ona nie była pewna, czy wypada odebrać. Zapłacili jej i dziewczyna poszła do domu. Eve zajrzała do Pabla, a Ben pomaszerował do sypialni odsłuchać pocztę głosową.

Wiadomości były trzy, każda kolejna nagrana coraz bardziej zniecierpliwionym tonem, i wszystkie od Sarah. Czy mógłby do niej oddzwonić? To bardzo ważne! Gdzie go, u diabła, nosi?!

Sarah była przekonana, że ktoś wpuszcza ją w maliny. Jeffrey dzwonił czasami i zmieniając nie do poznania głos, podawał się za strażaka albo jakiegoś słynnego bufonowatego autora, raz nawet za przedstawiciela agencji chłopców do towarzystwa z okręgu Nassau proponującego darmowy weekend ze specjalnymi atrakcjami. Tak więc, kiedy zadzwonił telefon i mężczyzna po tamtej stronie linii przedstawił się jako agent specjalny Frank Lieberg z FBI, odparowała bez wahania, tak, prawda była, a ja jestem J. Edgar Hoover, ty zaś, chłopie, wyleciałeś właśnie na zbity pysk z roboty. Nastąpiła pełna konsternacji chwila milczenia, po której mężczyzna, spuszczając nieco z tonu, zapytał, czy aby na pewno rozmawia z panią Sarah Cooper, i dopiero wtedy Sarah przemknęło przez myśl, że to mimo wszystko nie jest kawał.

— Przepraszam — bąknęła. — Tak, to ja... to znaczy, tak, na pewno ze mną.

— Pani Cooper, czy jest pani matką niejakiej Abigail Cooper, studentki pierwszego roku na Uniwersytecie Montany?

To było jak uderzenie potężnego dzwonu. Odniosła wrażenie, że niewidzialna siła wyciska jej z płuc całe powietrze. Zduszonym głosem wykrztusiła, że tak, jest jej matką.

Agent Lieberg zapytał, czy nie orientuje się czasem, gdzie aktualnie przebywa Abbie. Oczywiście, że się orientuje, żachnęła się, na uniwersytecie, a gdzieżby indziej. Czy byłby jej łaskaw powiedzieć, o co właściwie chodzi? Stała w kuchni, bo telefon zaskoczył ją, kiedy przygotowywała sobie coś na kolację. Kolana tak jej się trzęsły, że musiała się oprzeć o ladę. Na ekranie kuchennego telewizora Al Gore całował żonę i machał do wiwatującego gdzieś na Florydzie tłumu.

Abbie od ponad tygodnia nie telefonowała ani nie przysłała żadnego e-maila, ale to się często ostatnio zdarzało. Sarah dzwoniła do niej tego ranka, lecz jak zwykle od razu włączyła się poczta głosowa. Zostawiła więc tylko wiadomość, prosząc o kontakt pogodnym, konwersacyjnym tonem, żeby sobie broń Boże nie pomyślała, że ma do niej żal.

— Pani Cooper, dzwonię do pani z naszego biura w Denver. Sprawa jest tego rodzaju, że najlepiej byłoby wyłuszczyć ją osobiście. Chciałbym umówić panią ze swoimi kolegami z Nowego Jorku. Czy nie ma pani nic przeciwko temu?

— Chyba nie. Ale o co chodzi? Czy Abbie coś się stało?

— Pani Cooper...

— Słuchaj pan, do jasnej ciasnej, dzwoni pan ni z gruszki, ni z pietruszki, a potem nie chce mi powiedzieć...

— Moi koledzy powiedzą pani wszystko, co im wolno. W tej chwili mogę pani wyjawić tylko tyle, że musimy pilnie porozmawiać z Abigail...

— Abbie.

— Mamy do niej kilka pytań w związku z wypadkiem, do jakiego doszło w ten weekend w Denver.

— W Denver? Jaki wypadek? Nic jej nie jest?

— Z tego, co wiemy, nic. Mamy tylko trudności z nawiązaniem z nią kontaktu. Pani Cooper, czy jest tam z panią mąż?

— On już tu nie mieszka. Co to był za wypadek?

Nie chciał jej nic więcej powiedzieć. Uprzedził tylko, że najdalej za godzinę zjawią się u niej jego koledzy. Zapytał, czy prócz niej będzie ktoś jeszcze w domu. Powiedziała, że niedługo wraca syn.

Zakończywszy rozmowę, zadzwoniła od razu do Josha na komórkę i poprosiła, żeby szybko wracał do domu, potem wybrała po raz pierwszy numer Benjamina, ale znowu włączyła się ta przeklęta poczta głosowa. Spróbowała dodzwonić się do Abbie — z tym samym rezultatem. Weszła do Internetu i przejrzała wypadki, do których doszło w ostatni weekend w Denver, ale miała za mało danych, by zawęzić zakres poszukiwań i nie znalazła nic, co by się jej z czymś skojarzyło.

Dwaj agenci FBI zjawili się tuż przed ósmą. Byli jak odlani z jednej formy, brakowało im tylko kapeluszy. Ciemne garnitury, krawaty, włosy na zapałkę. Nie chcieli niczego do picia, z wielkimi oporami dali się posadzić przy stole kuchennym. Josh z Sarah usiedli naprzeciwko nich i zamienili się w słuch. Wysłuchawszy, co mieli jej do powiedzenia, Sarah odniosła wrażenie, że serce wypompowuje jej całą krew z żył i na jej miejsce wtłacza grozę w stanie ciekłym. Splatała trzymane na stole dłonie tak ciasno, że kłykcie całkiem pobielały. Josh położył jej rękę na przedramieniu.

Strzałem z bliskiej odległości w klatkę piersiową zamordowano młodego mężczyznę, a dom jego ojca spalono do fundamentów. Widziano dwoje młodych ludzi uciekających z miejsca zdarzenia szarym vanem, którego wypalony wrak później odnaleziono. Naoczny świadek zdarzenia, który próbował ich zatrzymać, doznał ciężkiego urazu głowy i leży teraz w stanie śpiączki w szpitalu. Z vana wypadł pies, którego trzeba było później uśpić. Miał wszczepiony w kark mikrochip weterynaryjny. Z tego chipa odczytano nazwisko, adres i numer telefonu właścicielki, niejakiej Abigail Cooper z Missouli w Montanie. Abbie nie przychodzi na zajęcia, nie ma jej w mieszkaniu, nie widziano jej od dziesięciu dni ani w kampusie, ani w mieście.

Interesowały ich poglądy polityczne Abbie, potem zapytali Sarah, czy wiadomo jej coś o przynależności córki do którejś z radykalnych grup obrońców środowiska naturalnego. Sarah odparła, że owszem, Abbie działała w Greenpeace, co nie wiedzieć czemu przywołało na ich usta ironiczne uśmieszki. Powiedzieli, że chodzi im o bardziej ekstremalne grupy, takie jak Earth Liberation Front, o którym Sarah nigdy nie słyszała.

Prawda była taka, że Abbie, która jeszcze przed rokiem z takim przejęciem opowiadała o swojej pracy na rzecz ochrony środowiska, o spotkaniach, na które chodziła, o kampaniach, w których brała udział, ostatnio przestała poruszać ten temat. W lecie dała tylko do zrozumienia, że teraz uważa to za stratę czasu. „To tak, jakby przestawiać meble na »Titanicu«" — tak się wyraziła. Jakiś dziwny instynkt macierzyński podpowiedział Sarah, że lepiej o tym teraz nie wspominać.

Agenci poprosili o pokazanie im pokoju Abbie. Sarah była tak oszołomiona tym wszystkim, czego się dowiadywała, że bez słowa protestu zaprowadziła ich na górę. Stała w progu i patrzyła, jak się rozglądają. Pokój obwieszony plakatami, fotografiami, ozdóbkami i dyplomami, zapełniony rzędami wytrzeszczających ślepka pluszowych przytulanek, już przypominał kapliczkę. Spytali, czy mogą pobrać parę włosów Abbie z leżącej na toaletce szczotki. Może to pomóc w wyeliminowaniu córki z grona podejrzanych, wyjaśnili uprzejmie. Poprosili też o kilka ostatnich zdjęć Abbie. Sarah nie widziała powodu, dla którego miałaby im odmawiać.

Kiedy zadzwonił Benjamin, leżała już w łóżku. Zażyła proszek nasenny, ale nie działał, nawet po bourbonie, którego wypiła przed wejściem na górę, zapaliła więc z powrotem lampkę i próbowała czytać. Ale galopada myśli nie pozwalała jej się skupić. Już piąty raz czytała ten sam akapit. Oprócz Benjamina zadzwoniła jeszcze tylko do Iris. Nikogo więcej nie chciała wtajemniczać. Od Iris usłyszała dokładnie to, co się w takich sytuacjach mówi — że to pewnie jakaś straszna pomyłka, nieporozumienie. Przyjaciółka zaoferowała się, że przyleci rano, ale Sarah jej to wyperswadowała. Obiecała, że zadzwoni, gdy tylko dowie się czegoś więcej. Na dźwięk głosu Benjamina coś w niej pękło.

— Gdzieś ty się, u diabła, włóczył? — wrzasnęła. — Przez cały wieczór do ciebie wydzwaniam.

— Przepraszam, byłem...

— Jezu, a ja tu odchodzę od zmysłów.

— Co się stało?

Głupio się jej zrobiło, że tak na niego naskoczyła, bo w gruncie rzeczy skąd mógł wiedzieć. Ale to było silniejsze od niej. Ostatni raz rozmawiali przed paroma tygodniami, a i wtedy tylko o rozwodzie, o jakiejś nowej podstępnej pułapce, którą ze swoimi adwokatami próbował na nią zastawić. Naturalnie, ilekroć mówiła mu wprost, że go przejrzała i że nie z nią te numery, była to zawsze wina prawników, nigdy jego. Poinformowała go o wizycie agentów FBI i powtórzyła, co od nich usłyszała. Słuchał w grobowym milczeniu, od czasu do czasu tylko prosząc, żeby wyjaśniła coś, czego nie zrozumiał.

— Natychmiast tam lecę — powiedział, kiedy skończyła.

— Dokąd? Do Denver?

— Do Missouli. Musimy ją odszukać. Ktoś tam musi wiedzieć, gdzie jest. Jak się czujesz?

Przełknęła z trudem, łzy napłynęły jej do oczu.

— Sarah?

— A bo co?

— Może też byś tam przyleciała? Spotkalibyśmy się w Missouli.

— A co z Joshem? Nie mogę go tu przecież samego zostawić.

— Dobrze, to może najpierw przylecę do Nowego Jorku.

— Nie bądź śmieszny, Benjaminie! Po co?

— Nie, to nie. Rozumiem.

Ach, jaki on wyrozumiały. Wyobraziła go sobie, jak stoi tam ze skruszoną miną winowajcy. I nagle zelektryzowała ją pewna myśl. Wyrzuciła ją z siebie, nie mogła się powstrzymać:

— Czy ona tego wszystkiego słucha?

Na chwilę zapadło milczenie. Chyba nie skojarzył, o co jej chodzi, albo udawał, że nie kojarzy. Pewnie leżą teraz razem w łóżku.

— No, słucha?

— Nie, Sarah — odparł znużonym głosem. — Nie słucha.

Rozdział 21

Młody policjant odczepił jeden koniec żółtej plastikowej taśmy z nadrukiem NIE PRZEKRACZAĆ przeciągniętej w poprzek wejścia na drewniane zewnętrzne schody przeciwpożarowe i odsunął się, żeby ich przepuścić. Agent Jack Andrews podziękował mu skinieniem głowy i wprowadził Bena po stopniach przylegających do ściany z gnijących desek na mały podest przed drzwiami mieszkania. Pęknięta szybka w tych drzwiach była przesłonięta od wewnątrz brudną firanką. Agent Andrews przekręcił klucz w zamku i wszedł pierwszy do środka. Pokoik był zimny, mały i zatęchły. Jedyną namiastkę luksusu stanowiły tu przydługie zasłony z czerwonego aksamitu. Na podłodze stała psia miska z resztkami pokarmu.

— Studenckie życie, co? — zauważył agent Andrews.

Ben wzruszył ramionami, kiwnął głową i spróbował się uśmiechnąć.

— Był pan już tutaj?

— Nie. Kiedy ostatnio odwiedziłem ją w Missouli, mieszkała w domku przy Czwartej Ulicy. To było wiosną.

— Sprawdzaliśmy już tam. Widzę, że nie za często się pan z nią widywał.

— Od kiedy rozstaliśmy się z jej matką, nie chciała... Tak, nie za często. Tak tutaj było, kiedy weszliście?

— Zabraliśmy trochę rzeczy do analizy. Komputer, jakieś gazetki, fotografie, parę drobiazgów. Poza tym wszystko jest tak, jak było.

— Wolno wam to robić? To znaczy...

— Tak, proszę pana. Wolno.

Wcześniej, w swoim biurze w Budynku Federalnym po drugiej stronie rzeki, agent Andrews opowiedział Benowi o innych incydentach. O podpaleniach i podobnych graffiti, które znajdywano później na ścianach pogorzelisk. Doszło do nich w trzech różnych stanach i z tego powodu zainteresowało się nimi FBI. Uwagę Biura zwrócił również fakt, że były to bezsprzecznie akty ekoterroryzmu. Bena ogarnął pusty śmiech. Terroryzm? Sacramento, Reno, Portland? Sam pomysł, że Abbie ugania się po całym zachodzie i podkłada ogień pod jakieś obiekty, był tak absurdalny, że szkoda słów. A tu jeszcze to Denver, Jezu! Andrews uśmiechnął się wyrozumiale i zajrzał do notatek. A potem spytał o jej przyjaciela, niejakiego Rolfa. Chciał wiedzieć, czy Ben kiedykolwiek się z nim widział albo rozmawiał. Ben odparł, że ani on, ani Sarah nie znają człowieka.

Mieli billingi wszystkich połączeń przychodzących i wychodzących, zrealizowanych za pośrednictwem telefonu komórkowego Abbie, i sprawdzali skrupulatnie każdy numer, pod jaki dzwoniła oraz spod jakiego dzwoniono do niej od czasu, kiedy dostała aparat. Andrews powiedział, że dzwoniono do niej dość często z Sheridan w Wyoming, z domu pana Raya Hawkinsa. Czy to nazwisko coś Benowi mówi?

— To pewnie Ty. Jeśli dobrze pamiętam, jego ojciec ma na imię Ray. Ty i Abbie przez jakiś czas byli sobie bliscy. Ale czy nadal tak jest, nie wiem. Żona będzie lepiej zorientowana.

Ben obszedł małe mieszkanko, nie bardzo wiedząc, czego szuka ani po co go tu w ogóle przyprowadzono. Ale, na Boga, nie mógł tak bezczynnie stać. Zadzwoniła komórka Andrewsa. Agent sięgnął po nią i wyszedł na podest odebrać. Do uszu Bena docierały przez chwilę powtarzane w rozmaitych kombinacjach pomruki „tak", „rozumiem" i „w porządku", potem Andrews, chowając komórkę do kieszeni, wrócił do środka.

— Panie Cooper, mam panu do zakomunikowania, że nasze biuro w Denver udostępniło dzisiaj rano nazwisko i fotografię pańskiej córki mediom. Nie wiedziałem, że dojdzie do tego tak szybko.

— Jezus Maria.

W tym momencie do mieszkania zajrzał policjant.

— Sir?

Andrews wyszedł do niego na podest i policjant powiedział coś zniżonym głosem.

— W porządku, dziękuję.

Policjant zszedł z powrotem po schodach. Andrews odwrócił się do Bena.

— Lepiej już chodźmy. Jedzie tu ekipa telewizyjna.

— Co takiego? Jezu!

— Idziemy.

Ale było już za późno. Kiedy zbiegali po schodach, przy krawężniku zatrzymywały się półciężarówka i van z anteną satelitarną na dachu. Drzwiczki otworzyły się jak na komendę i z samochodów zaczęli się wysypywać ludzie z kamerami i mikrofonami. Policjant rozłożył ręce, żeby ich zatrzymać, ale to przekraczało możliwości jednego człowieka.

— Panie Cooper? Panie Cooper? Można na słówko, bardzo prosimy? Panie Cooper?

Przeciskali się do samochodu, Andrews próbował go osłaniać.

— Panie, panowie, spokojnie. Dajcie nam przejść. Dziękuję, bardzo dziękuję.

Ale jego apele na nic się zdały.

— Panie Cooper, czy Abbie się do pana ostatnio odzywała?

— Proszę państwa! — huknął Andrews. — Pan Cooper z całą pewnością wyda później oświadczenie. Teraz nie jest upoważniony do...

— Panie Cooper, czy zna pan aktualne miejsce pobytu Abbie?

Byli już przy samochodzie. Andrews otwierał drzwiczki od strony pasażera, ale namolny tłum otoczył już Bena i napierał. Ben, wsiadając, pochylił się, ale niewystarczająco nisko, i uderzył się w głowę. Kiedy Andrews chciał zatrzasnąć za nim drzwiczki, jeden z reporterów podetknął Benowi pod sam nos mikrofon.

— Panie Cooper, czy Abbie to zrobiła?

— Co za durne pytanie?! — krzyknął Ben. — Oczywiście, że nie!

Drzwiczki się zatrzasnęły. Wdusił czym prędzej przycisk blokady i starał się nie patrzeć na kamery i twarze nadal wykrzykujące pytania tłumione teraz przez zasuniętą szybę. Czuł się jak przestępca. Andrews siedział już za kierownicą i uruchamiał silnik.

— Przepraszam.

Ben był tak wstrząśnięty, że nie mógł wykrztusić słowa. Pokręcił tylko z niedowierzaniem głową.

— Rzecz w tym, panie Cooper, że my ostatnio rzadko ją widywaliśmy — powiedziała Mel. — Od kiedy zaczęła spotykać się z Rolfem, zrobił się z niej odludek. Trzymali tylko ze sobą, oboje stronili od ludzi.

Siedzieli w kącie gwarnej, zatłoczonej restauracji Depot, niedaleko torów kolejowych. Ściany obwieszone były obrazami, które przedstawiały scenki z Dzikiego Zachodu, ale malowane były z przymrużeniem oka i utrzymane w intensywnych, kiczowatych tonacjach różów, purpur i jaskrawych zieleni. Muzyka ryczała, ale dzięki temu mieli przynajmniej pewność, że nikt ich nie podsłucha. Mel siedziała ze swoim chłopakiem, Scottem, po jednej stronie stolika, Ben naprzeciwko nich obok starszego, brodatego faceta, który przedstawił mu się jako Haker, ale nie było to chyba jego prawdziwe imię. Wszyscy zamówili steki — największe, jakie Ben w życiu widział — po których na talerzach tej trójki został już tylko tłuszcz. Ben ledwie swój napoczął. Nie był głodny.

Chciał porozmawiać tylko z Mel i kiedy tu przyszedł — spóźniony, po kolejnej długiej, przybijającej rozmowie telefonicznej z Sarah — ze zdziwieniem zobaczył ją w towarzystwie. Kiedy koszmar z mediami trochę przycichł i Ben zadzwonił do Mel po południu, zachowywała dystans. Pewnie Abbie naopowiadała jej o nim różnych rzeczy. A może po prostu, jak wszyscy, była wstrząśnięta tym, co się dzieje. Z początku nie chciała się z nim spotkać, ale w końcu ustąpiła. Scotta i Hakera zwerbowała niewątpliwie w charakterze moralnego wsparcia. Teraz jednak wszyscy trochę się już rozluźnili.

— A możesz mi coś powiedzieć o Rolfie? — spytał Ben. — Oboje z żoną wiemy tylko, że Abbie poznała go w Seattle.

— Sęk w tym, panie Cooper — odparła Mel — że my go właściwie nie znamy. Powiedział nam parę razy „cześć". I nic poza tym, naprawdę.

— Studiuje tutaj?

Mel zerknęła jakoś nerwowo na Scotta, a potem oboje spojrzeli na Hakera, jakby to on był tutaj od udzielenia tej odpowiedzi. Haker odchrząknął.

— Nie. Puścił w obieg tekst, że robi doktorat na waszyngtońskim uniwersytecie stanowym, ale to nieprawda. Znam tam mnóstwo ludzi i nikt nigdy o nim nie słyszał. W Seattle mieszkał przez jakiś czas z paroma innymi w pustostanie. Stamtąd odebraliśmy Abbie, kiedy została ranna podczas demonstracji. Poprosiłem znajomego, żeby zajrzał do tej meliny. Nikogo już tam nie zastał.

Pociągnął łyk piwa i dodał:

— Będę z panem szczery, ja nie wierzę, że Rolf to jego prawdziwe imię.

— Dlaczego?

— Panie Cooper, już wiele lat działam aktywnie na rzecz ochrony środowiska. Znany jestem z tego, że sam lubię czasami zagrać ostrzej.

— Zagważdżać drzewa i tak dalej?

Haker udał wstrząśniętego.

— Nie wymawiaj pan tego słowa nadaremnie. Owszem, między innymi. Tak czy owak poznaje się ludzi. To coś w rodzaju siatki. I co jakiś czas dołącza do niej osobnik, który wyraźnie ma, że tak to określę, własną wizję. Rozesłane zostają wici.

Ben nie miał pojęcia, o czym Haker mówi i chyba było to po nim widać. Zupełnie jakby facet chciał mu coś powiedzieć, ale ogródkami, nie ubierając tego w słowa. Haker spojrzał na Scotta i Mel. Scott kiwnął głową i Haker, nachylając się do Bena, podjął:

— Kilka lat temu, zrobiło się dosyć obciachowo — ktoś zaczął iść na całość. Działał trochę w Oregonie, głównie w północnej Kalifornii. Bomby w listach, bomby rurowe, coś w tym stylu. Celami były głównie agencje federalne, BLM*.

Służba Leśna, firmy zajmujące się wyrębem lasów i wydobywaniem bogactw naturalnych. Nikt nie zginął, ale paru rannych było. Jakiemuś dyrektorowi od wycinki drzew urwało rękę. Do czego zmierzam. Otóż kręcił się tu wtedy jeden taki gość, którego większość ludzi podejrzewała o maczanie w tym palców. Lekki europejski akcent — Niemiec, może Szwajcar. Wysportowany, dosyć przystojny. Twierdził, że nazywa się Michael Kruger, a może Kramer, jakoś tak. W końcu aresztowano trzy czy cztery osoby. Dostały wieloletnie wyroki. A on znikł.

— I myśli pan, że Rolf to on?

Haker uniósł dłonie w obronnym geście.

— Nie wiem. Może tak, może nie.

— Mówił pan o tym komuś?

Haker roześmiał się.

— Ma pan na myśli gliny? Nie.

— A ja mogę?

Haker rozsiadł się wygodnie, sięgnął po piwo i posłał mu ironiczny uśmieszek.

---

* Bureau of Land Management — Biuro Zarządu Gruntami.

— Człowieku, oni na pewno już dawno na to wpadli.

Ben spytał, co przez to rozumie, ale Haker nie był skory do wyjaśnień. Spytał tylko Bena, czy FBI zamierza upublicznić fotografię i dane Rolfa, tak jak to zrobiło w przypadku Abbie. Ben wiedział tylko tyle, ile powiedział mu Andrews: nie mają jeszcze o tej osobie informacji wystarczających do identyfikacji. Haker uśmiechnął się sceptycznie.

— Tak, na pewno — mruknął. I dopił piwo.

Kiedy żegnali się na ulicy pod restauracją, Mel wzięła Bena za rękę i powiedziała, że jest przekonana, że Abbie nie zrobiła żadnego głupstwa i że wszystko na pewno się wyjaśni. Ben uśmiechnął się i powiedział, że on też tak myśli. Pocałowała go w policzek, odwróciła się szybko i oddaliła z kolegami. I całe szczęście, bo nie wiedzieć czemu ten drobny gest solidarności wycisnął mu łzy. Płakał przez całą drogę do hotelu.

Sarah prosiła, żeby zaraz po tym spotkaniu zadzwonił do niej bez względu na porę. Tak więc, znalazłszy się w swoim pokoju — oświetlanym jedynie przez lampkę nocną i błękitną poświatę wyciszonego telewizora — wybrał jej numer, który kiedyś należał również do niego. Ale włączyła się automatyczna sekretarka i nagranym przed dwoma laty głosem Abbie oznajmiła:

Cześć, dodzwoniłeś się do rezydencji państwa Cooperów. Jesteśmy wszyscy zbyt zajęci i ważni, żeby z tobą w tej chwili rozmawiać, ale zostaw, proszę, wiadomość, a my, jeśli uznamy, że jest naprawdę dowcipna i oryginalna, na pewno oddzwonimy. Pa, pa!

— Sarah?

Myślał, że odbierze, ale tego nie zrobiła. Zostawił krótką wiadomość i po chwili zastanowienia zadzwonił na jej komórkę.

— Benjamin?

— Cześć. Dzwoniłem pod domowy numer.

— Jesteśmy u Martina i Beth.

— Z Joshiem?

— Tak. Musieliśmy uciekać. To było oblężenie. Dziennikarze z gazet, ekipy telewizyjne. Wymknęliśmy się od tyłu. Istny koszmar.

Głos miała jakiś odrętwiały, kruchy, była chyba bliska załamania.

— W wiadomościach powiedzieli, że ona jest poszukiwana za morderstwo. — I tutaj głos się jej załamał. — Och, Benjaminie...

— Kochanie.

Szlochała. Nie mógł tego słuchać.

— Och, kochanie.

— Przyjedź, proszę, Przyjedź.

Był to jeden z tych przeuroczych jesiennych wieczorów — pogodny, ciepły, bezwietrzny, nasycony złocistym blaskiem. Klony w ogrodzie za domem Ingramów płonęły bursztynem i czerwienią, ich długie cienie kładły się na trawnik. Sarah patrzyła na nie od pięciu minut. Stała na tarasie przy otwartych drzwiach kuchni i oparta o ścianę paliła kolejnego papierosa. Wysuwał się jej co chwila spomiędzy palców. Wypaliła już dzisiaj pół paczki. Czas z tym skończyć. Jutro.

— Sarah?

W drzwiach stała Beth. Wzięła w pracy dzień wolny, żeby z nią zostać.

— On już jest.

Sarah weszła za nią do środka. Przecięły kuchnię i skręciły w korytarz z podłogą z wyfroterowanych drewnianych paneli, na którą padał wydłużony trójkąt słonecznego blasku wlewającego się przez okno w połowie wysokości klatki schodowej. Beth otworzyła drzwi i wyszła przed dom. Podjazdem oddalała się taksówka, Benjamin, w długim, szarym płaszczu, nadchodził alejką. Na widok Beth przystanął i odstawił na ziemię torbę, żeby się z nią przywitać. Sarah zatrzymała się w progu, osłoniła oczy przed słońcem i czekała, aż do niej podejdzie. Wyglądał na zmęczonego, oczy miał podkrążone i patrzył na nią z tym pięknym, dzielnym, smutnym uśmiechem. Boże, pomyślała. Jak to możliwe, że w takiej chwili, kiedy cały świat tak niespodziewanie zawalił się jej na głowę, on nie należy do niej?

Otworzył ramiona, a ona przywarła do niego całym ciałem, kurczowo, jak tonący do ostatniej deski ratunku. Jej ramionami, całym ciałem, wstrząsał szloch. Przytulił sobie jej głowę do piersi i gładził ją po włosach jak za starych dobrych czasów. A kiedy w końcu podniosła na niego wzrok, pocałował w czoło i delikatnie otarł palcami łzy. Żadne nie odezwało się jeszcze słowem.

Obserwująca ich z boku Beth też ocierała łzy. Objęci weszli za nią do środka. W korytarzu zatrzymali się znowu i uściskali.

— Cuchniesz samolotami — powiedziała.

— To moja nowa woda kolońska — kerosen for men.

— Och, Benjaminie. Powiedz, że to tylko zły sen.

— Jest Joshie?

— Chciał iść do szkoły.

— Dziennikarze wciąż koczują pod domem?

— Przejeżdżałam tamtędy około drugiej po południu — odezwała się Beth. — Kilku jeszcze było. Alan mówi, że jak wydasz oświadczenie, to prawdopodobnie zostawią was w spokoju.

Beth skontaktowała ich z zaprzyjaźnionym prawnikiem, Alanem Hershem, który specjalizował się w sprawach wzbudzających duże zainteresowanie mediów. Był teraz ich pełnomocnikiem w kontaktach z policją. Planowali zwołać nazajutrz konferencję prasową, na której Benjamin i Sarah odczytają uzgodnione wspólnie oświadczenie. Hersh domagał się również obecności Josha. Sarah była temu przeciwna.

Beth posadziła ich w kuchni i nalała po kieliszku wina, a oni, chociaż nie było jeszcze szóstej, specjalnie nie protestowali. Benjamin spytał Beth o synów, którzy już studiowali. Odparła, że świetnie im idzie. Tematy do luźnej rozmowy szybko się im wyczerpały.

— Słyszałeś, że aresztowali dzisiaj Tya? — spytała Sarah.

— Co takiego?!

— Dzwoniła do mnie jego matka. Była strasznie roztrzęsiona. Okazuje się, że ojciec tego chłopca, którego zastrzelono w Denver, jest właścicielem firmy, która poszukuje złóż gazu na terenie ich rancza. Mieli z nim na pieńku. Zdewastował podobno całą okolicę. Policja wie, że Ty przyjaźnił się z Abbie, mają wykaz wszystkich jego telefonów na jej komórkę. Podejrzewają, że jest w to w jakiś sposób zamieszany, że może to właśnie on był z Abbie w tamtym vanie.

— Ty? — żachnął się Benjamin. — W żadnym wypadku.

— To samo jej powiedziałam. Ale twierdzą, że miał motyw.

Sarah powtórzyła mu jeszcze ostrzeżenie Hersha, który radził, żeby uważali, co mówią przez telefon i piszą w e-mailach, bo istnieje „wielkie prawdopodobieństwo", że są monitorowani, na wypadek gdyby Abbie chciała się z nimi skontaktować. Powiadomił ją też, że konto bankowe oraz karty kredytowe Abbie zostały już zablokowane. A konta bankowe jej i Benjamina też bez wątpienia będą pod stałą obserwacją, na wypadek gdyby próbowali przekazać jej jakieś pieniądze.

— Przecież im tego nie wolno! — zaperzył się Benjamin.

— Jego zdaniem bezpieczniej założyć, że jesteśmy inwigilowani.

— Jak to, wszędzie? Przez cały czas ktoś będzie za nami łaził? Za Joshiem też? W szkole?

Sarah wzruszyła ramionami. Benjamin pokręcił głową.

— Nie wierzę. A ty, Beth?

— Może za dużo filmów się naoglądałam.

Josh wrócił ze szkoły. Benjamin wstał i uściskał go serdecznie. Potem z pracy wrócił Martin i zasiedli w piątkę do kolacji. Próbowali rozmawiać o innych sprawach, ale brzmiało to jakoś sztucznie. Martin i Benjamin dawno się nie widzieli i chociaż starali się obaj tego nie okazywać, widać było wyraźnie, że osad wzajemnej urazy jeszcze nie wywietrzał.

A telefon nie przestawał dzwonić. FBI i Alan Hersh chcieli dogadać ostatnie szczegóły konferencji prasowej i przesyłali im e-mailem szkic oświadczenia. Sarah, Benjamin i Beth przeszli za Martinem do jego gabinetu, Martin usiadł do komputera, wspólnie zredagowali tekst i odesłali go z powrotem. Treść sprowadzała się w zasadzie do podkreślenia, jaką cudowną dziewczyną jest Abbie, jacy są z niej dumni i jak przekonani o jej niewinności. Potem następował bezpośredni apel do niej, żeby się ujawniła i pomogła wszystko wyjaśnić. A kończyło się to słowami: *Kochamy cię, córeczko i prosimy — wracaj do domu.*

— Myślę, że ty to powinnaś odczytać — mruknął Benjamin.

— Nie mogę.

— Kochanie, będę stał obok. Joshie też. Sam bym to zrobił, ale wiesz, jak jest między mną i Abbie. Ona musi to usłyszeć od ciebie.

Sarah opierała się jeszcze jakiś czas, ale wiedziała, że Benjamin ma rację. Będzie się musiała zmobilizować i znaleźć w sobie siłę.

Dom Ingramów miał od strony ogrodu przybudówkę dla gości z tarasikiem i trzema sporymi pokojami, każdy z własną łazienką. Dzięki przybudówce Beth nie miała kłopotu z rozlokowaniem Cooperów na noc. Poprzedniego wieczoru Sarah z Joshem zajęli już dwa z trzech pokoi, teraz Ben wstawił swoją torbę do trzeciego. Po późnowieczornym dzienniku telewizyjnym — w którym, dzięki Bogu, nie wspomniano o Abbie ani o morderstwie — Ingramowie powiedzieli „dobranoc" i wycofali się do swojej sypialni, a Cooperowie poszli do przybudówki.

Usiedli we trójkę na łóżku Sarah, żeby porozmawiać chwilę we własnym gronie. Josh powiedział im o filmie wideo, który z Frankiem i jeszcze paroma chłopakami kręcą w szkole. Potem wstał, pożegnał się i poszedł do swojego pokoju. Benjamin najchętniej zrobiłby to samo, bo kiedy zostali z Sarah tylko we dwoje, poczuł się jakoś niezręcznie. Wstał z łóżka, przeciągnął się, napomknął, że jutro czeka ich długi, ciężki dzień, po czym pochylił się, cmoknął ją w policzek i ruszył do drzwi.

— Zostań — powiedziała cicho Sarah.

Zatrzymał się, odwrócił, i spojrzał na nią pytająco.

— Śpij tutaj. Proszę. Potrzebuję cię. Tylko na tę noc.

Zawrócił od drzwi, usiadł na łóżku, objął ją i przytulił. Rozebrali się dyskretnie, jak obcy sobie ludzie. Dziwnie zrobiło jej się na duszy, kiedy w łazience zobaczyła obok swojej jego saszetkę z przyborami toaletowymi i te wszystkie znane sobie przedmioty, które nie pojawiły się już w jej życiu. Jego maszynkę do golenia, mały czerwony futeralik z zestawem do manikiuru, który kiedyś mu kupiła, dezodorant, którego zawsze używał. Kiedy wróciła z łazienki, światło w sypialni było już zgaszone. Wśliznęła się do łóżka i przez długi czas leżeli obok siebie wpatrzeni się w sufit, a z mroku wynurzały się powoli otaczające ich kształty i cienie.

— Brakuje mi ciebie, Benjaminie. Bardzo brakuje.

— Och, kochanie.

— Jakoś żyję. Z dnia na dzień. Ale to tak, jakby...

Musiała przełknąć. Przyszło jej to z trudem. Tylko się nie rozpłacz, powtarzała sobie w duchu, tylko się nie rozpłacz.

— ...tak, jakby była mnie teraz połowa. Druga połowa odeszła.

Przekręcił się na bok, otoczył ramieniem... i nie mogła powstrzymać już łez.

— Kocham cię, Benjaminie.

Prawdopodobnie pomyśli później, że to sobie zaplanowała. A wcale tak nie było. Nie było żadnego planu. Tylko powolne, nieubłagane przyciąganie się dwóch zranionych dusz. Odwróciła się do niego, objęła ręką w pasie i poczuła ciepło jego ciała, znajome kształty i kanciastości, napór jego torsu na swoje piersi. Jej policzek przy jego szorstkiej szczęce, jej usta w miękkim zagłębieniu jego szyi. Wdychała jego niezapomniany zapach.

— Sarah, posłuchaj, my...

— Sza. Proszę.

Poczuła, jak budzi się do życia pod jej udem, a kiedy naparła silniej miednicą, zaczął nabrzmiewać i twardnieć. Podciągnęła szybko koszulę nocną, wsunęła mu rękę w szorty i ścisnęła. Jęknął cichutko, odnalazł jej usta, całując, przeniósł się między jej rozchylone uda, zsunął szorty i wszedł w nią.

I znowu był jej. Co z tego, że tylko na tę przygnębiającą i skradzioną noc. Był jej.

Rozdział 22

Abbie wcześniej tylko raz była w San Francisco. Z rodzicami na wakacjach, kiedy miała dwanaście lat. Zatrzymali się wtedy w hotelu, do którego, jak się później okazało, zjeżdżali na rekonwalescencję ludzie po operacjach plastycznych. Wszyscy chodzili w bandażach, niektórzy mieli nimi owinięte całe głowy wraz z twarzami i próbowali jeść śniadanie przez szczeliny, które pozostawiono im wokół ust. Tato powiedział, że przypomina mu to casting do *Niewidzialnego człowieka*. Była pełnia lata, ale ani razu nie widzieli słońca, bo miasto przez cały czas spowijała wilgotna mgła. Ale i tak dobrze się bawili, zaliczyli wszystkie turystyczne atrakcje — jeździli tramwajami, kolejkami linowymi, buszowali między straganami na Fisherman's Wharf, kupowali T-shirty.

Tym razem było trochę inaczej.

Stała w obskurnym korytarzyku przed biurem kierownika, dwa kroki od toalet, i czekała na swoje pieniądze. Korytarzyk oświetlała jedna goła żarówka, ściany pomalowane były na czerwono i upstrzone archipelagiem białych placków w miejscach, z których przy zrywaniu ogłoszeń wraz z taśmą klejącą zeszła farba.

W drugim końcu korytarza widziała zadymioną, czerwoną poświatę baru, gdzie władzę nad szafą grającą dzierżyli jak zwykle heavymetalowcy. Zawsze puszczali muzykę tak głośno, że musiała opanować sztukę czytania z ruchu warg, bo bez tego przyjmowanie zamówień od klientów byłoby nie do pomyślenia. Po zejściu ze zmiany jeszcze przez godzinę dzwoniło jej w uszach.

Było po północy i czekała już pięć minut. Za tymi zamkniętymi na klucz drzwiami kierownik Jerry — dwieście pięćdziesiąt funtów żywej, rozlazłej wagi — odliczał napiwki, rozmawiając jednocześnie przez telefon z którymś ze swoich bezdennie głupich kumpli. I pewnie dlatego tak powoli mu szło to liczenie. Wielozadaniowość nie należała do jego wrodzonych cech.

— Gites — mówił. — Masz to jak w banku, stary. Muszę kończyć. Tak. Na razie.

W zamku zgrzytnął klucz i kiedy drzwi się otwierały, zobaczyła Jerry'ego odjeżdżającego na swoim krześle na kółkach z powrotem do biurka, gdzie wśród rozkładających się pokładów niedojedzonych hamburgerów, pizz, kubków po kawie i Bóg wie czego na tym żerującego, leżały pieniądze podzielone na pięć małych kupek. Biuro, jak wszystko inne u Billy'ego Z., z kuchnią włącznie, było jedną wielką wylęgarnią zarazków. Kim jest czy może był Billy Z., Abbie nie miała pojęcia. Może zjadł coś ze swojego menu i padł martwy. Albo wyżył, i z tego właśnie słynie.

— Hej, Becky, przepraszam za bałagan.

Abbie kiwnęła tylko głową. Wręczył jej jedną z kupek banknotów. Przeliczyła.

— Tu jest tylko osiemnaście dolarów.

Odgryzł kęs hamburgera i wzruszył ramionami.

— Mały ruch.

Nie chciało jej się wdawać w dyskusje. Wepchnęła pieniądze do kieszeni kurtki i odwróciła się.

— Wszystko w porządku?

— Słucham?

— Bo tak mało się odzywasz.

— I co z tego? Za to mi nie płacą.

— Hej, spokojnie, mała. Bez urazy.

Najchętniej czymś by w niego rzuciła, ale posłała mu tylko ponure spojrzenie i wyszła.

— Ja też cię kocham! — zawołał za nią.

Ten grubas tak się guzdrał, że uciekł jej autobus do Oakland. Kiedy dobiegała do szczytu wzgórza, ruszał właśnie z przystanku i oddalał się w kierunku głównej ulicy. Usiadła na murku i zapaliła papierosa. Musiała zaczekać na następny. Oprócz samochodów przejeżdżających główną ulicą, jedynym przejawem życia był czarny kot siedzący na chodniku po drugiej stronie jezdni, pod płotem złomowiska, na którym piętrzyły się stosy sprasowanych samochodów. Dokonywał toalety na skraju kałuży zimnego blasku rozsiewanego przez samotną latarnię uliczną. Co chwila nieruchomiał i wlepiał żółte ślepia w Abbie, by po chwili powrócić do nonszalanckiego oblizywania łapek.

— Hej, kotku — zawołała cicho. — No, chodź. Podejdź tutaj.

Oczywiście nie posłuchał.

Zbliżał się kwiecień, ale noc była chłodna i wilgotna, w powietrzu czuło się jeszcze zimę. Może to ta pogoda tak ją przygnębiała. Kiedy było ładnie i słonecznie, świat jawił jej się w jaśniejszych barwach, ale w takie ponure dni dopadała ją chandra, a wraz z nią nieprzeparta pokusa zatelefonowania do mamy.

Ostatni raz słyszała jej głos z telewizora, kiedy mama prosiła, żeby się ujawniła. Abbie patrzyła na to z przykrością, chociaż niewiele do niej docierało, bo była trochę otumaniona pigułkami, które dał jej Rolf. Było to zaraz po tym, jak przyjechali do Los Angeles i zamelinowali się u jakichś jego znajomków. Jeden dzień zlewał się z drugim, z tygodni robiły się miesiące. Leżała tylko w łóżku przy zaciągniętych zasłonach i z grającym na okrągło telewizorem. Rolf donosił jej jedzenie, czasem coś do zapalenia, albo się z nią kochał. Nie pamiętała nawet Święta Dziękczynienia ani Bożego Narodzenia. Za to w pamięci utkwił jej obraz mamy, taty i biednego Josha, jak stoją bladzi, stremowani i dzielni przed tłumem dziennikarzy, lasem mikrofonów, w błyskach fleszów, i mama mówi, jaka to Abbie jest niewinna i jak bardzo ją kochają.

Gdyby nie była wtedy taka otumaniona, może by i do nich od razu zatelefonowała, a potem poszła nawet na posterunek policji i powiedziała, kim jest. Nie, Rolf by jej na to nie pozwolił. Wiedziała, jak się trzęsie, żeby nie palnęła czasem takiego głupstwa. Kładł jej do głowy, że muszą zaczekać, aż sprawa przycichnie i media przestaną o niej trąbić. No i oczywiście, jak zawsze miał rację.

Dom, w którym na początek się zamelinowali, stał w Whittier, na rozległych peryferiach wschodniego Los Angeles. Była to podupadła, ale bynajmniej nie jakaś zakazana dzielnica, miejsce, gdzie każdy pilnuje własnego nosa, a policja nie zagląda, chyba że dojdzie do morderstwa. Za współlokatorów mieli dwóch mężczyzn i kobietę i Abbie nie mogła dociec, czym ta trójka właściwie się trudni. Dwoje co rano wychodziło, jakby do pracy, ale jedno zostawało zawsze w domu. Z nieprzerwanego strumienia gości można było wnosić, że handlują narkotykami. Wiedziała, że jeden z mężczyzn ma broń, i podejrzewała, że pozostała dwójka również. Ale wobec niej byli nastawieni przyjaźnie, o wiele przyjaźniej niż tamta zbieranina z pustostanu Rolfa w Seattle. Odnosili się do niej z sympatią, nawet z szacunkiem. Inna sprawa, że dla nich nie była rozpieszczoną, szukającą wrażeń studentką z zamożnego domu.

Horror tamtej nocy w Denver zaczynał stopniowo, pomalutku, jeśli nie odchodzić w zapomnienie, to przynajmniej osadzać się w „kontekście", jak to określał Rolf. To był wypadek, powtarzał, i nie wolno jej kupować wypaczanej przez media wersji wydarzeń. Zapewniał — i Abbie mu wierzyła — że jest mu przykro z powodu śmierci syna McGuigana. Ustalono już, że chłopak, korzystając z nieobecności rodziców, sprowadził sobie do domu panienkę. Pewnie wyjrzał przez okno, zobaczył Abbie i wyszedł ze strzelbą, a Rolfa nie zauważył, chociaż o mało się o niego nie potknął. Na szczęście dziewczyna, widząc szamotaninę w ogrodzie, uciekła w popłochu i kiedy doszło do wybuchu, nie było jej już w domu. To przykre, że chłopak zginął, fakt, źle się stało, mówił Rolf, ale na linii frontu takie rzeczy się zdarzają. No i nie wolno zapominać, co jego ojciec zgotował rodzicom Tya, jak zrujnował im życie, i nie tylko im jednym. To J.T. McGuigan, nie oni, ponosi największą odpowiedzialność za śmierć swojego syna.

Rolf mówił tak, zanim zobaczyli w telewizji, jak policja aresztuje Tya. Był to moment, kiedy Abbie załamała się i niewiele brakowało, a oddałaby się w ręce władz. Włożyła już nawet kurtkę, żeby wybiec z domu i szukać telefonu, ale Rolf chwycił ją i nie puścił, chociaż wyrywała się, pomstowała i okładała go pięściami. Jak mogło przyjść kretynom do tych zakutych pał, że Ty ma z tym coś wspólnego? Rolf przekonywał ją, że to prawdopodobnie taktyczna zagrywka, którą federalni chcą ją wywabić z kryjówki. I okazało się, że miał rację, bo po paru dniach Tya zwolniono. Znalazło się na szczęście paru świadków, którzy zeznali, że w noc śmierci młodego McGuigana widzieli go w Sheridan. Ale jeśli wierzyć gazetom, ci cholerni fedzie wciąż nie wykluczają, że jest w to w jakiś sposób zamieszany.

Prosiła i prosiła, żeby pozwolił jej zadzwonić do mamy, ale Rolf był nieubłagany. Niedługo, mówił, ale jeszcze nie teraz. To niebezpieczne. Pozwolił jej jednak napisać list, który potem dokładnie przestudiował, sprawdzając, czy coś się jej nieopatrznie nie wymknęło. A ona napisała tylko, żeby się nie martwili, ma się dobrze, że to, co się stało, to był wypadek, i że przeprasza za wszystkie nieprzyjemności, których im przysporzyła. Rolf powiedział, że nie mogą go nadać z Los Angeles. Zaadresował list do znajomego mieszkającego w Miami, który dopiero stamtąd miał go wysłać do Nowego Jorku. Czy doszedł, Abbie nie wiedziała.

Kot po tamtej stronie jezdni wciąż się mył. Na Abbie nie zwracał już najmniejszej uwagi. Nadjeżdżał autobus. Wstała z murka, a kiedy zwolnił, zatrzymał się na przystanku i otworzył z sykiem drzwi, wsiadła. Pasażerów było może z sześcioro. Dopiero idąc już przejściem między siedzeniami na tył wozu, zauważyła, że dwoje z nich to policjanci.

Mężczyzna i kobieta siedzieli obok siebie i rozmawiali. Sądząc z ich zachowania, byli po służbie i wracali do domu. Przelotne spojrzenie, jakim mężczyzna obrzucił zbliżającą się Abbie, wystarczyło, żeby serce zaczęło jej walić jak młot. Rolf mówił, że w takich sytuacjach najgorzej okazać zdenerwowanie albo uciec wzrokiem. Spojrzała facetowi prosto w oczy i uśmiechnęła się. On też się uśmiechnął i przestał się nią interesować.

Usiadła dwa rzędy za nimi i wpatrywała się w ich potylice. Wciąż rozmawiali, ale nie słyszała o czym. W pewnej chwili mężczyzna roześmiał się i Abbie uznała, że zagrożenie minęło.

Spojrzała w okno i zobaczyła w nim swoje odbicie. Tyle miesięcy, a ona wciąż nie mogła do niego przywyknąć. Ciemnobrązowe, ścięte na krótko i ułożone na żel włosy, ufarbowane na ten sam kolor brwi. Małe, prostokątne okulary w czarnej oprawie ze zwykłymi szkłami, srebrny ćwiek w lewym nozdrzu. Nie rozumiała, dlaczego widok policjanta wciąż wywołuje u niej taką panikę, bo sama siebie nie poznawała. Nikt nie wziąłby jej teraz nawet za najdalszą krewną tamtej szczęśliwej blond księżniczki, której zdjęcie z dyplomu ukończenia szkoły średniej drukowano we wszystkich gazetach i pokazywano co wieczór w telewizji, dopóki nie znudziła im się ta historia i, dzięki Bogu, zajęli się czymś aktualniejszym.

Rolf poprzestał na zapuszczeniu brody i przystrzyżeniu włosów. A i tego nie musiał robić. Ci kretyni, stwierdziwszy, że wspólnikiem „ekoterrorystki Abbie Cooper" nie był jednak Ty, opublikowali portret pamięciowy Rolfa tak niepodobny do oryginału, że zakrawało to na żart. Utrafili tylko z wiekiem, oceniając go na „trzydzieści pięć do czterdziestu lat".

Po przybyciu do Los Angeles Rolf w ciągu tygodnia załatwił dla nich nowe dokumenty. On nazywał się teraz Peter Bauer, ona Rebecca Jane Anderson. Miała prawo jazdy, numer ubezpieczenia społecznego oraz uwiarygadniające go karty kredytowe. Ale wkrótce będzie musiała zaczynać od początku i przyzwyczajać się, że jest jeszcze kimś innym, bo Rolf nie był zadowolony z jakości wykonania ich fałszywych praw jazdy i zamówił już nowe, droższe. Miały kosztować po tysiąc dolarów każde i dlatego Abbie musiała zatrudnić się w charakterze kelnerki u Billy'ego Z.

Rolf nie chciał jej zdradzić, jak organizuje te dokumenty. Przebąkiwał tylko o jakimś „przyjacielu". Ale po trzech miesiącach pobytu w Los Angeles oraz dwóch i pół tutaj, w San Francisco, słuchając, obserwując i mając wreszcie więcej swobody działania, bo Rolf już jej tak nie kontrolował, sama sporo wydedukowała.

Wiedziała teraz na przykład, że najlepszym sposobem na zdobycie nowych dokumentów jest studiowanie nekrologów w gazetach. Widziała kiedyś film, w którym go stosowano, i myślała wtedy, że to wymysł scenarzysty, ale okazywało się, że metoda jest wzięta z życia. Wystarczyło znaleźć nekrolog kogoś mniej więcej w swoim wieku, a potem wystąpić listownie z prośbą o wydanie urzędowo poświadczonej kopii aktu urodzenia tej osoby. To nie do wiary, że człowiek umiera, a trzeba miesięcy, a niekiedy nawet lat, zanim władze zorientują się, że nie ma go już wśród żywych.

Wyrobienie sobie karty kredytowej było już naprawdę dziecinnie proste. Banki bez przerwy rozsyłają do ludzi listy z propozycją wydania nowej karty i w dziewięciu wypadkach na dziesięć propozycje te lądują w kuble na śmieci. Wystarczyło pogrzebać po śmietnikach, znaleźć taką, wypełnić formularz, zgłosić zmianę adresu i bingo, po paru dniach przysyłali ci kartę. Oczywiście za długo nie można było z niej korzystać, bo groziło to wpadką, wykorzystywało się więc czym prędzej przyznany limit, pozbywało karty i szło znowu na obchód śmietników. Rolf powiedział, że wybieranie za ich pomocą gotówki z bankomatów jest ryzykowne, bo każda taka transakcja jest rejestrowana przez kamery. Kupowali więc na te karty towar i odsprzedawali go. Obojętnie jaki, bo Rolf na wszystko potrafił znaleźć kupca, ale przeważnie był to sprzęt elektroniczny — komputery, aparaty fotograficzne, telefony komórkowe — nigdy nic dużego.

Sama nie mogła się sobie nadziwić, że tak łatwo przystosowała się do tego, co Rolf nazywał życiem poza nawiasem. Jeśli miała być wobec siebie szczera, podniecało ją nawet takie życie. Czasami, w chwilach szczególnego uniesienia, wyobrażała sobie, że są czymś w rodzaju ekowojowników, uwspółcześnioną wersją Bonnie i Clyde'a — ale Rolfowi wolała się z tych fantazji nie zwierzać. Skrytykowałby ją za takie romantyczne rojenia.

I nikogo tak naprawdę nie krzywdzili — przynajmniej jeśli chodzi o posługiwanie się tymi wyłudzonymi kartami kredytowymi. Rolf powiedział, że najwyższa suma, jaką obciąża się ludzi za transakcje zawarte przy użyciu ich karty przez osobę nieupoważnioną, to pięćdziesiąt dolarów. Czyli głównymi poszkodowanymi były firmy udzielające kredytów i bogate korporacje, a nie ich klienci. A skoro te pazerne sukinsyny przez cały czas skubią wszystkich po równo, mówił, to co ich żałować?

Do San Francisco przyjechali w styczniu. Przez jakiś czas mieszkali w tragicznym pustostanie w Mission, teraz przeprowadzili się do Oakland i mieli wreszcie własne mieszkanie. Nic specjalnego, dwa pokoiki w zakazanej dzielnicy, ale Abbie, tak jak wcześniej w Missouli, wysprzątała je, odmalowała i od razu zrobiło się przytulniej. Rolf śmiał się, że Abbie nie może się wyzbyć swoich burżujskich naleciałości. Ale powiedziała mu, że nie dba o jego opinię (co nie było prawdą), a poza tym co w tym burżujskiego, że ktoś nie chce mieszkać w chlewie, w którym tną go pchły i pluskwy? Gdyby miała więcej pieniędzy, zrobiłaby z tego mieszkanka apartament.

Czuli się teraz szczęśliwsi. Trauma ustąpiła i znowu byli sami, tylko we dwoje. Lubiła się koło niego krzątać, gotować mu i robić małe niespodzianki. Co piątek kupowała świeże kwiaty, wkładała je do dzbanka i stawiała na stole kuchennym. I chociaż mówił, że to marnowanie pieniędzy, i udawał, że mu nie zależy na takich trywialnych gestach, wiedziała, że w skrytości ducha jest zadowolony. Najbardziej lubiła weekendy, kiedy wyprawiali się za miasto i jeździli na rowerach po nadbrzeżnych wzgórzach i lasach. Rozmawiali, śmiali się i kochali. Mówiła mu po wielokroć, że go kocha, ale od niego jeszcze tego nie usłyszała. Takie wyznania nie leżały po prostu w jego naturze. Była jednak pewna, że w końcu to z siebie wydusi. Przed dwoma tygodniami, na zimnej, wietrznej plaży, narysował na piasku serce i wpisał w nie ich splecione inicjały.

Żeby szybciej zgromadzić pieniądze na nowe dokumenty, Rolf też niedawno załatwił sobie posadę. Pracował jako barman na Fisherman's Wharf i chociaż pensję miał tam, podobnie jak Abbie, bardzo skromną, to tak naprawdę na boku wyciągał pięćdziesiąt razy więcej. Nie wiedziała o tym, dopóki nie znalazła na podłodze w sypialni dziwnego małego urządzenia. Było czarne i wyglądało jak pager albo bardzo mały telefon komórkowy. Kiedy spytała co to, uśmiechnął się tylko. Powiedziała, że mu go nie odda, dopóki nie odpowie, a wtedy zaczął ją gonić po całym mieszkaniu. Ustąpił dopiero, kiedy zagroziła, że wrzuci to coś do muszli klozetowej i spuści wodę.

— No dobrze — powiedział. — To jest skimmer. A teraz oddaj.

Ruszył w jej stronę, ale kiedy wyciągnęła rękę przed siebie, a drugą, tę, w której trzymała urządzenie, nad muszlę klozetową, zatrzymał się.

— A do czego służy ten skimmer?

Westchnął i pokazał palcem na szczelinę z boku urządzenia. Powiedział, że jeśli przeciągnie się przez nią kartę kredytową, to urządzenie sczyta z paska magnetycznego karty wszystkie zakodowane na nim informacje. Jeśli się wie, gdzie się z tym udać, to za takie informacje z jednej tylko karty można zainkasować pięćdziesiąt dolarów. Rolf, a jakżeby inaczej, wiedział, gdzie się z tym udać. Powiedział, że załatwi jej taki aparacik i będzie mogła z niego korzystać u Billy'ego Z., ale Abbie nie chciała. To za brutalne, za bezczelne, za bardzo osobiste, orzekła. Nie uśmiechało jej się okradać w ten sposób ludzi, których obsługuje, do których się uśmiecha i od których dostaje później napiwek. Rolf pokręcił głową i roześmiał się. Autobus dojeżdżał do Oakland, następny przystanek miał w dzielnicy Abbie. Wszyscy, prócz dwojga policjantów, już wysiedli. I teraz kobieta po raz pierwszy się na nią obejrzała. Abbie zdrętwiała. Może ją rozpoznali. A jeśli nawet nie, to nie powinna im zdradzać, gdzie mieszka. Może nie wysiadać tutaj, jechać dalej, dopóki oni nie wysiądą, a potem wrócić innym autobusem. Nie, cholera, za późno już, a do tego jest taka zmęczona. Bez przesady.

Autobus zaczął zwalniać. Wstała i ruszyła przejściem między siedzeniami do przedniego wyjścia. Ale z nerwów zapomniała o światłach u stóp wzgórza. Zapaliło się czerwone, autobus zatrzymał się, dotarła do wyjścia za wcześnie i musiała teraz stać przed dwójką policjantów. Przyglądali się jej, a ona próbowała udawać, że tego nie zauważa albo nic sobie z tego nie robi. Postawiła kołnierz kurtki.

Policjant powiedział coś i chociaż nie dosłyszała co, wiedziała, że zwraca się do niej. Spojrzała na niego.

— Słucham?

— Powiedziałem, że do góry głowa, wiosna już blisko.

— A, tak. Miejmy nadzieję.

Światło zmieniło się na zielone i autobus ruszył. Abbie uśmiechnęła się i odwróciła wzrok, nie podejmując konwersacji.

— Późno kończysz pracę?

Kiwnęła głową, udając zmęczoną, ale pogodzoną z losem.

— Niestety. Późno. Państwo też, prawda?

— Też. Ale jutro już nie. Trafił mi się patrol na polu golfowym.

— Gratulacje.

Autobus już się zatrzymał, ale jej się wydawało, że upłynęła cała wieczność, zanim z sykiem otworzyły się drzwi.

— Dobranoc — rzuciła przez ramię, wysiadając.

— Dobranoc.

Światło w living roomie było zgaszone, ciemności rozpraszała tylko niebieskawa poświata sącząca się z włączonego w sypialni telewizora. Ryglując drzwi wejściowe, zawołała go po imieniu, ale nie odpowiedział. Ruszyła przez pokój w stronę sypialni. Leżał na materacu, który znaleźli na śmietniku. Pracował na swoim nowym laptopie, ale kiedy weszła, zamknął wieko.

— Cześć — powiedziała.

— Ile razy mam ci powtarzać, żebyś nie zwracała się do mnie Rolf?

— Przepraszam. Ty też mówisz mi nadal Abbie.

— Ale wiem, że się nie przejęzyczę w niewłaściwej chwili.

Zdjęła kurtkę i uklękła obok niego na łóżku.

— A skąd wiesz, że ja się przejęzyczę?

— Jesteś w tym jeszcze zielona. Musisz ćwiczyć.

— Tak jest.

Pocałowała go w czoło, a potem, czulej, w usta, ale nie wyczuła najmniejszej reakcji.

— Ktoś tu wszedł do łóżka nie tą nogą — zauważyła. — Co ja takiego zrobiłam?

Nie odpowiedział od razu. Patrzył w ekran telewizora stojącego na skrzynce za drzwiami. Fonia była wyłączona. Prezydent Bush ubrany po kowbojsku szedł wyciągniętym krokiem przez jakieś ranczo, obok niego truchtał absurdalnie mały, czarny piesek.

— Trzeba się będzie stąd wynosić — odezwał się Rolf.

— Dlaczego? Nie podoba ci się to mieszkanko?

— Mam na myśli miasto, na miłość boską.

— Wyjeżdżamy z San Francisco?

— Piłaś coś? Strasznie wolno kojarzysz.

— Jezu. Co cię ugryzło?

Odwrócił się, wstał z łóżka i wszedł do łazienki.

— Rolf... nie chciałam... Powiedz mi wreszcie, co się stało.

— Ktoś ma za długi język. Nie wiem kto. Może ty.

— Co?!

— Sam nie wiem. Słyszałem dzisiaj. Tutejsi fedzie dostali chyba jakiś cynk i węszą. Tak czy inaczej musimy pryskać. Jutro.

— A dokąd?

— Jeszcze nie wiem. Do Chicago, może do Miami.

— Masz już te nowe dokumenty?

— Tak samo sfuszerowane jak stare. I pieniądze się nam skończyły. Będziesz musiała wydębić trochę gotówki od tych swoich nadzianych rodziców.

Rozdział 23

Josh pogodził się już właściwie z myślą, że między nim a Katie Bradstock wszystko skończone. Od jej wyjazdu na studia do Ann Arbor widzieli się tylko raz. Wymieniali się wciąż e-mailami, ale jego były o wiele bardziej zaangażowane niż jej. Może stąd brały się jego podejrzenia. On, z myślą, że ją to podrajcuje (jego rajcowało, kiedy to pisał), wystukiwał pracowicie na klawiaturze seksowne teksty o tym, co ze sobą robili albo mogą jeszcze robić, a jej to jakoś nie ruszało. On pisał, na przykład: „Pamiętam cień twych sutek w blasku księżyca", a ona mu odpisywała: „W poniedziałek graliśmy w koszykówkę, a potem poszliśmy całą paczką do Wendy". Prawdopodobnie miała nowego chłopaka. Tak, na pewno miała.

Potem przyszło mu do głowy, że skoro Abbie jest poszukiwana przez policję, to może Katie się wstydzi, bo a nuż jakiś cichociemny zboczek z FBI czyta wszystko, co do siebie wypisują. I kto wie, czy naprawdę tak nie było. Tak czy siak Katie Bradstock ze swoimi sutkami w blasku księżyca znajdowała się pięćset mil stąd, w Ann Arbor, a on w Syosset i trzeba spojrzeć prawdzie w oczy: nic z tego nie będzie. Freddie powtarzał mu od miesięcy — znajomości na odległość umierają śmiercią naturalną.

Jakież więc było jego zaskoczenie, kiedy dostał od niej list, w którym pisała, że musi się z nim koniecznie spotkać. Musiało chodzić o coś bardzo ważnego, a przy tym tajnego, bo przysłała ten list na adres jego szkoły i prosiła, żeby nic o nim nie mówił mamie ani tacie. List narobił mu trochę obciachu, bo przecież nikt nie koresponduje za pośrednictwem szkoły, i wywołał komentarze w rodzaju: „Ej, Josh, od kogo ten miłosny liścik?". O treści powiedział tylko Freddiemu, który podrapał się po brodzie i spytał, kiedy ostatni raz widzieli się z Katie.

— Nie pamiętam, jakieś dwa miesiące temu. Bo co?

— Osiem, dziewięć tygodni się uzbiera?

— Chyba tak. A co?

— I spaliście ze sobą?

— No jasne. — Starał się, żeby zabrzmiało to nonszalancko i po męsku. Tak naprawdę dał wtedy straszną plamę. — Bo co?

— Ona jest w ciąży.

Jezu Chryste! Następne trzy dni upłynęły Joshowi w oparach udręki. To na pewno to. Bo z jakiego innego powodu byłaby taka tajemnicza? Od razu zadzwoniłby do niej na komórkę, ale surowo mu tego w liście zakazała. Podała mu jakiś numer, którego nie znał, i napisała, żeby zadzwonił pod niego w najbliższy czwartek punkt pierwsza. Koniecznie z budki telefonicznej i niech się najpierw upewni, czy nikt go nie obserwuje ani nie podsłuchuje. Jezu Chryste!

Kiedy nadszedł czwartek i Josh zadzwonił o pierwszej z jednego z automatów pod szkolną stołówką, odebrała natychmiast. Słyszał w tle samochody, z czego wynikało, że i ona prawdopodobnie jest w budce telefonicznej.

— O co chodzi? — spytał.

— Muszę się z tobą zobaczyć. Mogłabym przyjechać w ten weekend do Nowego Jorku. W sobotę po południu. W Bloomingdales. Będziesz?

— Tak, postaram się. Katie, co, u diabła, jest grane?

— Nie mogę teraz powiedzieć. Na piętrze z kosmetykami, dobrze? Będę czekała przy stoisku Clarins. O drugiej. Przyjdziesz?

— Przy jakim stoisku?

Przeliterowała mu cierpliwie. Przełknął z trudem.

— Katie?

— Co?

— Jesteś, no... w ciąży?

— Co?! Skądże znowu. Pogięło cię? Słuchaj, muszę już kończyć. To do soboty. Aha, Josh, jeszcze jedno.

— Tak?

— Upewnij się, czy nikt cię nie śledzi, dobrze?

Dopiero teraz dotarło do niego, o co może chodzić. Kurczę, że też wcześniej na to nie wpadł.

— Chodzi o Abb...

— Zamknij się, Josh, na miłość boską. Muszę kończyć.

I rozłączyła się. No i kluczył teraz po Bloomindales. Przyszedł godzinę wcześniej i zwiedził już wszystkie kąty domu towarowego, oglądając się co chwila przez ramię, zerkając w lustra, wjeżdżając i zjeżdżając windami i schodami ruchomymi, wypatrując w tłumie tych, którzy mogą przejawiać zbytnie zainteresowanie jego osobą albo ostentacyjnie go ignorują. To cud, że sklepowi detektywi jeszcze go nie zgarnęli.

Do tej pory nie brał całej tej szopki z inwigilacją zbyt poważnie. W to, że czytają e-maile i że na podsłuchu są domowe telefony, może nawet jego komórka, skłonny był jeszcze uwierzyć. I kiedy policja zaczęła szukać Abbie, przez kilka tygodni, w drodze do i ze szkoły, zwracał uwagę, czy ktoś go nie obserwuje z zaparkowanego samochodu albo vana z przyciemnionymi szybami, jak to się zawsze praktykuje na filmach. Szybko jednak doszedł do wniosku, że jeśli go nawet szpiegują, to są w tym cholernie dobrzy, bo nigdy niczego podejrzanego nie zauważył. Musieli się też cholernie nudzić. Jezu, sam uważał swoje życie za nudne. O ile nudniejsze musiało się ono wydawać tym biednym palantom, którym kazano śledzić takiego szaraka?

Freddie, który był geniuszem komputerowym i wszystkie nowinki techniczne miał w małym palcu, powiedział, że teraz i tak robi się to elektronicznie, z wykorzystaniem satelitów wyposażonych w aparaty fotograficzne z takim zoomem, że sfotografują pryszcza na nosie. Jeśli to prawda, to na nic wszystkie jego uniki. Jadąc tu pociągiem z Long Island, miał na oku każdego podejrzanego i zrobił nawet dwa okrążenia wokół Penn Station, zanim wsiadł do taksówki i kazał się wieźć na Pięćdziesiątą Piątą róg Park Avenue. Stamtąd, okrężną trasą, lawirując, oglądając się przez ramię, czasem nawet po dwa razy z rzędu, doszedł na piechotę do skrzyżowania Pięćdziesiątej Dziewiątej z Lexington i dał nura do domu towarowego.

No nareszcie. Godzina druga, stoisko Clarins, a przy nim Katie Bradstock, blondwłosa, śliczna, w jasnobrązowej pasowanej kurtce biodrówce z futrzanym kołnierzem, w czarnych spodniach bojówkach, srebrnych tenisówkach, i taka zaaferowana. Joshowi serce żywiej zabiło na jej widok. Zobaczyła go, uśmiechnęła się i natychmiast zaczęła omiatać wzrokiem otoczenie, sprawdzając, czy nikt za nim nie idzie. Objął ją i pocałował. Próbowała odwzajemnić te czułości, ale widział, jaka jest spięta i wystraszona.

Kazała mu za sobą iść i ruszyła krokiem tak szybkim, że ledwie za nią nadążał. Wkrótce byli już na zalanej kwietniowym słońcem ulicy i maszerowali trotuarem w tempie chodziarzy. Katie bez wahania skręciła do Starbucks, widocznie była tu już wcześniej na zwiadach. Kiedy czekali na zamówioną kawę, próbował zabawiać ją rozmową. Pochwalił się, że przyjmują go na Uniwersytet Nowego Jorku i że nie może się już doczekać inauguracji. Nie zauważył, żeby zrobiło to na niej wrażenie. Prawdę mówiąc, to prawie go nie słuchała. Odezwała się dopiero, kiedy zaszyli się z kawą w kącie, gdzie nikt nie mógł ich podsłuchać.

— Widziałam się z Abbie.

— Widziałaś się z nią?!

— Przyjechała do Ann Arbor. W zeszłym tygodniu. Przyszła do mnie na McKinley...

— Jak to? Tak po prostu? Przyszła i zapukała?

— Josh, bądź cicho i daj mi mówić, dobrze?
— Przepraszam. Już się nie odezwę.
— Obserwowała dom i poszła za mną. Miałam rano zajęcia. Kiedy się skończyły, znowu mnie śledziła, i kiedy zostałam sama, podeszła od tyłu i powiedziała cicho: „Katie?".
— Jezu Chryste.
— Nie poznałam jej. Przysięgam na Boga. Zmieniła się nie do poznania. Włosy, wszystko. Jakby dziesięć lat jej przybyło. Była w okularach i takiej starej czarnej kurtce. „Przepraszam, czy my się znamy?" — pytam, a ona się uśmiecha i mówi: „Katie, to ja, Abbie".

Nachylała się do niego i mówiła zniżonym głosem, niezupełnie szeptem, ale prawie, i przez cały czas oglądała się za siebie i na boki, sprawdzając, czy ktoś ich nie obserwuje.

— I co zrobiłaś? — spytał Josh.
— Poszłyśmy na spacer, znalazłyśmy ustronne miejsce, usiadłyśmy i zaczęłyśmy rozmawiać.
— Powiedziała ci, jak z tym było?
— O tyle, o ile. Że to był nieszczęśliwy wypadek. Myśleli, że nikogo nie ma w domu. Chcieli go tylko spalić...
— Tylko spalić. Ha, w takim razie wszystko w porządku.
— Słuchaj, pytałeś, tak? No to ci odpowiadam. Powiedziała, że chcieli w ten sposób pokazać ojcu tego faceta, właścicielowi firmy gazowej, że nie może bezkarnie traktować ludzi tak, jak potraktował rodziców Tya. Nie mieli zamiaru nikogo zabijać.
— To dlaczego się teraz ukrywa?
— Powiedziała, że tak jakoś wyszło, a teraz jest już za późno na ujawnienie, bo nikt im nie uwierzy.
— Znaczy nadal jest z tym Rolfem?
— Tak. Mówi, że go kocha i tylko on jeden jej został.
— O kurczę.
— Josh, ona potrzebuje pieniędzy.
— A jak to sobie, u diabła, wyobraża? Mama mówi, że FBI ogląda każdego centa, którego wydajemy.

— Mówi, że wasz dziadek będzie wiedział, jak przekazać jej parę tysięcy dolarów w gotówce, tak żeby ich nie namierzyli.

— Parę tysięcy dolarów?!

Josh pokręcił głową i spojrzał w okno. Słoneczny wiosenny dzień za szybą przydawał temu wszystkiemu surrealizmu. Przeniósł wzrok z powrotem na Katie. Płakała. Wziął ją za rękę.

— Nawet nie wiesz, jak ja się boję — powiedziała.

Objął ją i przytulił. Jej włosy pachniały świeżo i cudownie. Boże, jakby chciał... Wzięła się w garść. Usiadła prosto, wyciągnęła z kieszeni chusteczkę higieniczną i otarła łzy oraz spływający z nimi makijaż. Potem sięgnęła po torebkę i wyciągnęła z niej szarą, zaklejoną kopertę.

— Prosiła, żeby ci to przekazać. Nie wiem, co jest w środku, i nie chcę wiedzieć. Nie chcę mieć z tym już nic wspólnego, słyszysz? Nie chcę sobie zniszczyć życia. Ani swojej mamie i tacie. Kocham Abbie, a raczej osobę, którą była, ale powiedziałam jej, żeby więcej się ze mną nie kontaktowała. I jeszcze jedno, Josh...

Przełknęła z trudem, widać było, że toczy ze sobą jakąś wewnętrzną walkę. Otarła po raz ostatni oczy i zamknęła torebkę.

— Ty też się już ze mną nie kontaktuj.

— Katie...

— Mówię poważnie. Nie przysyłaj mi e-maili, nie dzwoń. Nigdy. Dobrze?

Wstała, pocałowała go w czoło, wyszła zdecydowanym krokiem na zalaną słońcem ulicę i zniknęła mu z oczu.

Josh siedział długo wpatrzony w kopertę, a w głowie kłębiło mu się tyle myśli i emocji, że trudno było skupić się na jakiejś konkretnej i w ogóle na czymkolwiek. Kurczę, jak to się wszystko totalnie popierdzieliło. Westchnął ciężko i otworzył kopertę. W środku znalazł pojedynczą, złożoną we czworo kartkę wyrwaną z notatnika. Te trzy krótkie zdania skreślone ładnym charakterem pisma Abbie trudno było nawet nazwać listem:

Josh, bądź o trzeciej na rogu Pięćdziesiątej Ósmej i Madison.

UPEWNIJ SIĘ, czy nikt cię nie śledzi. Zniszcz to od razu. A.

Zmiął kartkę i wrzucił do kosza na śmieci, ale po namyśle wygrzebał ją stamtąd, poszedł do toalety i spuścił z wodą. Spojrzał na zegarek. Na dotarcie tam miał prawie dwadzieścia minut, ale mimo to pierwsze dwie przecznice pokonał biegiem i o mało nie wpadł pod samochód na czerwonym świetle. Przywołany do rzeczywistości wściekłym rykiem klaksonów, resztę drogi przeszedł, oddychając głęboko, żeby uspokoić rozstrojone nerwy, niewiele to jednak pomagało.

Był na miejscu pięć minut przed czasem. Teraz mijała trzecia dwadzieścia, a jej ani widu, ani słychu. Na agenta FBI zaczynał mu już wyglądać każdy przechodzień, każdy pasażer przejeżdżającego samochodu, wielce podejrzana była też grupka turystów po drugiej stronie ulicy, stercząca tam od pięciu minut i udająca, że studiuje plan miasta. Cholera, jeden z nich pstryknął mu nawet zdjęcie! Na bezchmurnym niebie roiło się od satelitów fotografujących jego pryszcze.

Kiedy dochodził już do wniosku, że Abbie się nie zjawi i nie ma co tu dłużej sterczeć, przy krawężniku zatrzymała się taksówka, otworzyły się drzwiczki i jakaś kobieta w ciemnych okularach kiwnęła na niego, żeby wsiadał. W pierwszym odruchu, naładowany przez strach i swoje paranoiczne zwidy nieufnością do całego świata, pomyślał: Za cholerę! Ale kiedy się odwracał, kobieta zdjęła okulary i okazało się, że to jego siostra.

— Cześć, siemasz! — powiedziała i przesunęła się w głąb taksówki, robiąc mu miejsce obok siebie. — Wskakuj.

Jej beztroski ton zbił go z pantałyku. Zupełnie jakby spotkała znajomego, z którym nie tak dawno się widziała. Stał i gapił się na nią z rozdziawionymi ustami jak ostatni debil. Wypadła na chwilę z roli, ściągając groźnie brwi i poklepując ze zniecierpliwieniem siedzenie, a z ruchu jej warg odczytał, że ma się, kurwa, ruszyć i wsiadać.

Posłuchał, zatrzasnął za sobą drzwiczki i kiedy taksówka włączała się do ruchu, spojrzał na siostrę, szukając pod tą obcą maską czegoś, co przypominałoby mu Abbie, którą znał. Chciał wypowiedzieć jej imię, ale nie dopuściła go do głosu.

— No, fajnie cię widzieć!

Zrozumiał, że chce, by on też grał.

— Tak, fajnie. Co u ciebie?

Nachyliła się i powiedziała taksówkarzowi, żeby wjechał w park, potem opadła na oparcie i spojrzała na niego z uśmiechem.

— O, dużo by mówić — zaszczebiotała. — A u ciebie?

— Lepiej być nie może.

Powiedział to z sarkazmem, którego nie próbował nawet specjalnie ukrywać. Szok, o jaki przyprawił go jej widok, zaczynał powoli przeradzać się w gniew. Jak śmie traktować go jak marionetkę? Za kogo się, u diabła, uważa?

— No to się cieszę — powiedziała rozkosznie.

Zerknęła na kierowcę i napotkała jego spojrzenie w lusterku wstecznym. Odwrócił szybko wzrok. Wyjrzała przez tylną szybę, sprawdzając — Josh wiedział, bo miał to już przećwiczone — czy nikt za nimi nie jedzie.

— Szafa gra — mruknął.

Uśmiechnęła się do niego, teraz bardziej nerwowo. Pokręcił głową i spojrzał w okno.

W połowie przecinającej park ulicy poprosiła kierowcę, żeby się zatrzymał, bo chcą wysiąść. Z pozy, jaką przyjęła, Josh wywnioskował, że to on ma płacić za kurs. Musiała jeździć tą taksówką już od dłuższego czasu, bo licznik wybił trzydzieści pięć dolarów, z napiwkiem wyszło czterdzieści. I został prawie bez centa przy duszy, co jeszcze bardziej go rozsierdziło. Zauważyła to.

— Zwrócę ci — powiedziała.

— Aha, już to widzę.

Weszli w milczeniu do parku. Wiosenna pogoda ściągnęła tu tłumy biegaczy, deskorolkowców i turystów rozjeżdżających się zaprzężonymi w konie bryczkami. Niektóre drzewa już kwitły, liście cieszyły oko czystą zielenią. Josh wciąż się dąsał. Kiedy wzięła go pod rękę, w pierwszym odruchu o mało nie odtrącił jej łokciem, w porę się jednak opanował.

— Co u mamy?

— O, u niej... cała w skowronkach. Szczęśliwa jak nigdy.

— Josh...

— Jezu, Abbie! — Nie wytrzymał i teraz odtrącił jej rękę, może trochą za gwałtownie. — Co ty, u diabła, wyprawiasz?! Facet przejeżdżający na deskorolce obejrzał się za nimi.

— Josh, proszę cię...

— Odwal się. Nie chcemy brać udziału w tej idiotycznej grze, którą prowadzisz. Rozumiesz? No, rozumiesz?

Odwróciła wzrok i kiwnęła głową. Była w ciemnych okularach i czarnej kurtce. Ta blada twarz, ta cienka jak u kurczaka szyja. I te czarne włosy, z którymi wyglądała jak uchodźca, jak niedobitek jakiejś nienazwanej wojny.

— Masz pojęcie, w co wrobiłaś mamę? I tatę? I mnie, i Katie, i wszystkich? Wiesz, ilu ludziom zatrułaś życie?

— Wyobrażam sobie.

— O, naprawdę? A teraz raczysz łaskawie nawiązać z nami kontakt, bo forsy ci potrzeba. Jezu, Abbie. To się w pale nie mieści.

— Napisałam list.

— Kiedy? Nie dostaliśmy żadnego listu.

— Napisałam do mamy parę miesięcy temu.

— No to nie doszedł.

Szli długo w milczeniu. Jakiś facet grał na trawie w piłkę z dwiema dziewczynkami, kibicowała im ciężarna kobieta leżąca w cieniu drzewa. Josh zerknął na Abbie. Patrzyła w drugą stronę, ale zauważył lśnienie łez na policzkach pod okularami przeciwsłonecznymi.

— O, jasny gwint, Abbie.

328

Otoczył ją ramionami i przytulił. Przywarła twarzą do jego piersi i rozszlochała się na dobre. Była krucha jak ptaszek, gdyby za mocno ścisnął, połamałby jej chyba kości. I dziwnie pachniała — stęchlizną, jak ubrania trzymane za długo na strychu.

— Przepraszam — wymruczała. — Nie chciałam tego robić.

— Już dobrze.

On też był bliski płaczu. Cholera, nie płakał od podstawówki i teraz też się nie złamie.

— Tęskniliśmy za tobą, do licha. Zupełnie jakbyś wyrwała w naszym życiu wielką dziurę. Mama dzielnie się trzyma, ale w środku jest załamana, boi się, że stanie się coś jeszcze, i... Cholera, Abbie, sam nie wiem. Wszystko tak się totalnie popieprzyło. Tak nie powinno być.

— Wiem.

— Dlaczego nie zgłosiłaś się na policję? Cokolwiek by z tego wynikło, gorzej niż teraz nie mogłoby być.

— Owszem, mogłoby.

— Słuchaj, wszyscy wiedzą, że to pewnie ten Rolf musiał...

Odsunęła się od niego, zdjęła okulary i zaciśniętą pięścią otarła gniewnie oczy.

— Nic o nim nie wiesz. Nawet go nie widziałeś.

— Tak, ale...

— Więc nie wypowiadaj się na tematy, o których nie masz pojęcia! Nie wiesz, co się stało. Nikt nie wie. To był wypadek. Wszyscy mają go za złego ducha, który sprowadził mnie na manowce, ale to nieprawda. Nie znam człowieka, któremu bardziej leżałoby na sercu to, co dzieje się na tym świecie.

Wycierała szkła okularów ze złością jak wariatka, palcami i kciukiem, i tylko bardziej je zamazywała. Wziął je od niej, wyczyścił jak należy rąbkiem T-shirta i oddał. Nie spojrzała na niego, dopóki ich nie założyła.

— Słuchaj, nie mam wiele czasu. Musimy porozmawiać o pieniądzach.

— Abbie, tobie potrzebna pomoc.

— A myślisz, że na co mi te zasrane pieniądze?!

Josh westchnął. Rozejrzała się nerwowo i znowu ruszyła przed siebie. Dogonił ją.

— Mam poprosić mamę? Mam jej powiedzieć, że się z tobą widziałem?

— Sama nie wiem. Ty mi doradź.

— Też nie wiem. W każdym razie wszystkie nasze konta są pod obserwacją.

— No to coś sprzedajcie.

— Mamy coś sprzedać?!

— Albo pogadajcie z dziadkiem. On się zna na forsie. Podejrzewam, że pierze ją tym swoim nadzianym klientom.

Spytał, ile potrzebuje, i zatkało go, kiedy odparła, że dwadzieścia tysięcy dolarów. Nie chciała mu powiedzieć, po co jej aż tyle, wpadła znowu w gniew, a kiedy próbował naciskać, przyśpieszyła kroku.

Teraz byli już na Central Park West. Przeprowadziła go na drugą stronę i zagłębili się w boczną ulicę. Josh uświadomił sobie, że zmierzają w jakieś konkretne miejsce, i spytał, dokąd idą. Powiedziała, że do RadioShack, żeby kupił tam sobie telefon komórkowy na kartę, za pomocą którego będzie się z nią kontaktował. Ona do sklepu nie wejdzie, a więc będzie musiał sam wybrać odpowiedni, taki, który można aktywować bez podawania swoich danych czy adresu. Będzie kosztował około stu dolarów, powiedziała, i niech zapłaci gotówką, żeby nie zostawić żadnego śladu.

Kiedy Josh poskarżył się, że po zapłaceniu za jej taksówkę nie ma przy sobie tylu pieniędzy, odparła — z sarkazmem, jakby miała do czynienia z półgłówkiem — że dlatego właśnie idą najpierw do bankomatu, z którego pobierze też trochę forsy dla niej. Josh był przyzwyczajony do rozstawiania po kątach przez starszą siostrę, ale w tej wybuchowej, zdrowo stukniętej obcej z jej wykalkulowaną listą instrukcji było coś takiego, że miał ochotę chwycić ją i potrząsnąć, żeby oprzytomniała. Nie zrobił tego jednak.

Zresztą na Abbie pewnie by to i tak nie podziałało. Całe

wcześniejsze emocjonalne rozchwianie znikło bez śladu. Przyjechała tu najwyraźniej załatwić interes i wszystko miała dokładnie zaplanowane. Tę komórkę na kartę będzie wykorzystywał tylko do odbierania wiadomości od niej, ciągnęła. Tylko oni dwoje będą znali numer i wiedzieli o tym telefonie. Nie wolno mu o nim powiedzieć nawet mamie. Po uaktywnieniu ma go od razu wyłączyć, a potem włączać tylko rano i wieczorem, żeby odsłuchać pocztę głosową. Ale nigdy, przenigdy, nie wolno mu tego robić w domu, bo tam wszystkie rozmowy są z pewnością na podsłuchu.

Znaleźli bankomat na Broadwayu, Josh wypłacił dwieście pięćdziesiąt dolarów i sto dał jej. Potem poszli do znajdującego się kilka przecznic dalej salonu RadioShack, ona zaczekała w kafejce, a Josh wszedł do środka i o nic niepytany, za sto dwadzieścia dolarów kupił telefon na kartę z trzydziestoma minutami darmowych rozmów.

Kiedy wrócił do kafejki, Abbie siedziała jak na szpilkach i mówiła, że na nią już czas. Zapisała numer jego nowego telefonu i wręczyła mu kartkę z dwoma kolumnami liter i liczb. Głosem tak cichym, że musiał prawie przystawić ucho do jej warg, wyjaśniła, że to kod, którym będzie się posługiwała. Nie wolno mu go nikomu pokazywać. Każda cyfra od zera do dziewięciu jest przyporządkowana losowo jednej literze alfabetu. Kiedy będzie chciała porozmawiać z Joshem, zadzwoni na jego nową komórkę i zostawi wiadomość składającą się z dwóch słów; pierwsze będzie zakodowanym numerem telefonu, z drugiego odszyfruje dzień i godzinę, o której ma pod ten numer zadzwonić. Dzwonić ma zawsze o pierwszej piętnaście po południu, a jeśli nikt nie odbierze, niech próbuje jeszcze raz godzinę później, potem znowu godzinę później i tak dalej. Ma korzystać tylko i wyłącznie z automatów i zawsze upewnić się najpierw na sto procent, że nikt go nie obserwuje. Josh miał w głowie mętlik od tylu instrukcji naraz. Ale nie mógł się powstrzymać i spytał, czy całą tę konspirację godną Jamesa Bonda obmyślił Rolf. Prychnęła tylko z irytacją.

W najbliższą środę zostawi mu wiadomość zawierającą numer telefonu, pod który będzie musiał zadzwonić następnego dnia o pierwszej po południu. Tyle czasu powinno mamie wystarczyć na zorganizowanie pieniędzy.

— Będzie pewnie chciała z tobą porozmawiać — zauważył Josh.

Abbie odwróciła wzrok i zastanowiła się.

— Proszę cię — dorzucił Josh. — Pozwól jej usłyszeć twój głos.

Kiwnęła głową.

— Dobrze. Niech zadzwoni. Ale tylko z automatu, w dniu i o godzinie, które podam tobie. I z jakiegoś bezpiecznego miejsca, gdzie na pewno nie będzie śledzona. Poucz ją, jakie ma zachować środki ostrożności i jakie to ważne. I uprzedź, że jak zacznie mi działać na nerwy, to się rozłączę, słyszysz?

Jezu, pomyślał Josh. Jak jej zacznie działać na nerwy? I to ciągłe przypominanie o zachowaniu „środków ostrożności". Czy jej się wydaje, że on się jeszcze nie zorientował, co się wokół niego dzieje? Ale nic nie powiedział, tylko kiwnął głową.

Wstała i wyszła. Myślał, że zostawiła go tak bez pożegnania. Ale zatrzymała się na ulicy i zaczekała na niego, a kiedy do niej dołączył, obdarzyła go bladym uśmiechem i w tym momencie zobaczył siostrę, którą kiedyś znał.

— Dzięki, Joshie.

— Nie ma za co. Chciałbym tylko...

— Wiem.

Cmoknęła go w policzek, odwróciła się i oddaliła szybkim krokiem. Na rogu było zejście do metra. Stał i patrzył za nią, jak lawiruje w tłumie przechodniów niczym ulotny czarny duch. Myślał, że może się jeszcze obejrzy, ale tego nie zrobiła. Trotuar zalany był słońcem, ale na zejście do metra padał ostry cień wysokiego budynku. Wkroczyła w ten cień, zaczęła zstępować po schodach i po chwili pochłonęły ją ciemności.

Rozdział 24

Ojciec od dziesięciu minut truchtał na tej przeklętej maszynie do biegania — stepperze czy jak to się tam nazywało — i może sprawiało mu to nawet przyjemność, ale Sarah miała już dosyć. Nie odrywał oczu od swojego odbicia w lustrze, które wisiało przed nim na ścianie, chociaż jej zdaniem nie było się czym zachwycać. Pot lał się z niego strumieniami, piersi pod przepoconym T-shirtem podrygiwały przy każdym stąpnięciu, policzki wydymały się i zapadały jak skrzela wyrzuconej na brzeg ryby.

Niepotrzebnie tu za nim schodziła. Poranne ćwiczenia były dla niego świętością. A ta ich niedzielna wersja — podwójną. Już dwa razy powiedział nie — wczoraj wieczorem, zaraz po jej przyjeździe, i dzisiaj rano. Ale przed odjazdem musi zrobić jeszcze jedno podejście.

— Tato, a nie mógłbyś...

— Już powiedziałem, Sarah. Nie ma mowy.

— Proszę, poświęć mi minutę.

— Poświęciłem już więcej. Przyjąłem do wiadomości, co miałaś mi do powiedzenia. I odpowiedź nadal brzmi „nie".

— Przestań!

W normalnych okolicznościach nie odważyłaby się na to. Teraz, podnosząc głos, pacnęła jednocześnie dłonią wyłącznik steppera i siła bezwładności poniosła ojca do przodu. Gdyby w ostatniej chwili nie chwycił się poręczy, zaryłby chyba nosem w podłogę.

— Co ty, u diabła, wyprawiasz?!

— Tato, do jasnej cholery! Musisz mnie wysłuchać.

Nigdy nie zwracała się tak do ojca i już chciała przeprosić. Ale ze zdziwieniem zauważyła, że jej wybuch przyniósł skutek.

— Sarah, wałkowaliśmy to już dziesięć razy.

— To twoja wnuczka, na litość boską!

Zszedł z maszyny i sięgnął po wiszący na oparciu krzesła ręcznik.

— Widzę, że nie z samą Abbie problem — powiedział, wycierając się. — Wyście wszyscy powariowali. Ile razy mam powtarzać? To, o co prosisz, jest nielegalne, Sarah. Nielegalne.

— Od kiedy to zrobiłeś się taki praworządny?

— Co proszę?

— Och, przestań, tato. Nie oszukujmy się. Nie próbuj mi wmawiać, że zawsze grałeś czysto. A te podejrzane transakcje na rynku obligacji, te wszystkie zagraniczne lokaty, te podróże na Kajmany? Nie jestem taka głupia.

— Jak śmiesz.

Zdjął z wieszaka szlafrok i wstąpił na schody prowadzące do kuchni. Sarah była bardziej niż on wstrząśnięta tym, co przed chwilą powiedziała. Zupełnie jakby do głosu w niej doszła jakaś opiekuńcza matka kwoka. Ale widząc efekt, jaki to przyniosło, nie zamierzała składać broni. Weszła za nim po schodach do kuchni. Matka siedziała przy blacie śniadaniowym i udawała, że czyta gazetę. Jej uniesione brwi i sposób, w jaki przechylając lekko szklankę, sączyła sok pomarańczowy, powiedziały Sarah, że słyszała rozmowę w sali gimnastycznej. Znaleźli się na nowym terytorium i matka była zainteresowana. Ojciec otworzył lodówkę i nalał sobie szklankę wody mineralnej.

— Porozmawiajmy, tato.

— Co miałem do powiedzenia, już powiedziałem. A ty powiedziałaś więcej niż trzeba.

— Mogłam skłamać, że to dla mnie.

— Może trzeba było. Na co jej to? Na majstrowanie bomb? Zabijanie ludzi? No, na co?

— Przecież wiesz, że Abbie nie jest taka. To był nieszczęśliwy wypadek.

— To powinna oddać się w ręce władz i powiedzieć, jak było naprawdę.

— Może to zrobi. Jeśli uda nam się nawiązać z nią jakiś kontakt.

Wychylił duszkiem wodę i dolał sobie jeszcze. Nie patrzył na nią.

— Tato?

— Co?

— Gdybym to ja była na jej miejscu, śmiertelnie wystraszona, przymierająca głodem... — Przygryzła wargę. Cholera, żeby się tylko nie rozpłakać. — Zrobiłbyś to dla mnie?

Matka, która wciąż udawała, że czyta gazetę, mruknęła coś pod nosem. Ojciec odwrócił się i spojrzał na nią.

— Co powiedziałaś?

— Powiedziałam, że na pewno byś zrobił.

Opróżnił drugą szklankę, odstawił ją ze stuknięciem na ladę, jeszcze raz wytarł sobie ręcznikiem twarz i kark.

— Dam ci dziesięć tysięcy.

— Piętnaście.

— Niech będzie, piętnaście. Ale to wszystko. Nie chcę więcej o tym słyszeć. To dla ciebie, a co z tym zrobisz, to już twoja sprawa.

Sarah podeszła i zarzuciła mu ręce na szyję.

— Dziękuję, tatusiu.

— Chyba zwariowałem.

Sarah myślała, że zorganizowanie takiej sumy potrwa ze dwa dni, ale on, wziąwszy prysznic i przebrawszy się, poszedł bez słowa do sejfu w swoim gabinecie i godzinę później wracała już do domu z wypchaną pieniędzmi żółtą plastikową torbą w bagażniku.

Ustawiczne zerkanie w lusterko wsteczne, żeby się upewnić, czy nie jest śledzona, zdążyło już wejść jej w krew, ale jeszcze nigdy nie zauważyła niczego podejrzanego. Dzisiaj jednak podejrzani byli wszyscy. Dzisiaj bała się nie tylko policji, ale i złodziei. W każdym przechodniu czekającym na zmianę świateł widziała potencjalnego rabusia. Rozumiała teraz, co przeżywał Josh, idąc na spotkanie z Abbie.

Kiedy po zastanawiającej wyprawie do miasta „na zakupy", wrócił wczoraj wieczorem do domu, od razu wiedziała, że coś się stało. Posadził ją na sofie w living roomie i powiedział co. I Sarah, wyciągnąwszy z niego tyle, ile się dało (kłamać nie umiał i była pewna, że wszystkiego jej nie powiedział), spakowała do torby rzeczy na noc, wsiadła do samochodu i pojechała prosto do Bedford. Josha też chciała zabrać, bo jego relacja z pierwszej ręki ze spotkania z Abbie mogła zaważyć w negocjacjach z ojcem, ale Josh powiedział, że nie może, bo jest umówiony z Freddiem. Biedaczek pewnie nadal przeżywał spotkanie z siostrą i Sarah nie naciskała. Ale teraz, wracając do domu, osaczona zewsząd przez domniemanych policjantów i złodziei, żałowała, że nie postawiła na swoim.

Dopiero teraz przyszło jej do głowy, że o spotkaniu Josha z Abbie powinni powiadomić Benjamina. Nie uśmiechało jej się do niego dzwonić, ale miał przecież prawo wiedzieć. Ostatni raz rozmawiali wkrótce po katastrofie. Po tamtej nocy przed konferencją prasową, kiedy się kochali, wmówiła sobie naiwnie, że nie wszystko jeszcze stracone. Że wstrząśnięty tym, co stało się z Abbie, oprzytomnieje i wróci na łono rodziny. Kochał ją przecież, wiedziała. Najlepszym dowodem była tamta noc. Mężczyźni nie,potrafią udawać tych rzeczy.

Ale po paru dniach wyjechał. Z powrotem do Santa Fe. Z upływem tygodni i miesięcy zaczynała rozumieć, że się łudziła. Nic się nie zmieniło. Pogłębiły się tylko poczucie osamotnienia i rozżalenie. I było jej głupio, strasznie głupio, że poszła z nim do łóżka tamtej nocy. Jak on mógł kochać się z nią tak czule, z taką skruchą, skoro najwyraźniej nie miał najmniejszego zamiaru wrócić do domu, no jak mógł?

To jednak jeszcze nic wobec moralnego kaca giganta, którego sama sobie zgotowała w zeszłym miesiącu, kiedy wróciwszy z Pittsburgha, po tygodniowym pobycie u Iris, zastała dom pusty. Ochłodziło się nagle i zrobiło niemal zimowo, a piec wyzionął ducha i nie było ogrzewania ani ciepłej wody. Josh gdzieś balował, podobnie chyba wszyscy, do których dzwoniła — Martin z Beth, Jeffrey ze swoim przyjacielem Brianem. Włożyła dwa swetry i płaszcz, rozpaliła w kominku w living roomie i wypiła całą butelkę chianti. Potem otworzyła drugą i zrobiła to, czego przysięgała sobie więcej nie robić, a mianowicie telefonować po wieczornym drinku.

Benjamin odebrał z pełnymi ustami, pewnie jadł nastrojową kolację à deux przy świecach z Katalizatorem. I Sarah naskoczyła na niego jak harpia, obwiniając o wszystko, co tylko przyszło jej do głowy, nawet o to, czego nie zrobił i nigdy by się nie dopuścił. Jak to nigdy jej nie kochał, nigdy nie kochał żadnego z nich, jak to zawsze na pierwszym miejscu była u niego praca i jego przeklęte ego. I jak zrujnował i zmarnował jej życie, ukradł te bezcenne lata, kiedy mogła zajmować się tyloma praktyczniejszymi, pożyteczniejszymi rzeczami, pracować nad sobą, robić karierę, zamiast się poświęcać, i to tylko po to, żeby na koniec ciśnięto jej to w twarz.

Z odgłosów w tle wynikało, że przeszedł chyba do innego pokoju, by oszczędzić Katalizatorowi rumieńców. Po jakimś czasie jego próby dojścia do głosu stały się bardziej stanowcze.

— Sarah, posłuchaj. Daj mi coś powiedzieć. Proszę. Bo się zaraz rozłączę!

— Tak, no to się rozłączaj! Idź pieprzyć tę dziwkę tak jak wtedy mnie. I sam też się pieprz przy okazji.

Ci podsłuchiwacze rozmów telefonicznych z FBI, którzy całymi nocami grają z nudów w pokera czy co tam robią dla zabicia czasu, musieli mieć niezły ubaw.

Miała nadzieję, że wspomnienie tego, co wygadywała, zagłuszy może poranny kac, ale nie zagłuszył. Już kilka razy chciała zadzwonić do Bena z przeprosinami, ale jakoś nie potrafiła zdobyć się na odwagę. Teraz jednak odezwała się Abbie, Josh się z nią widział, nie było wyjścia. Benjamina należało o tym w jakiś sposób, bez wzbudzania podejrzeń, powiadomić.

Tego popołudnia, schowawszy pieniądze w pralce (kryjówka ta, wobec braku sejfu, wydała jej się tak samo dobra jak każda inna), puściła do Josha oko i poprosiła, żeby wyszedł z nią do ogrodu i pomógł coś zasadzić. Pewności nie miała, ale podejrzewała, że FBI założyło podsłuch nie tylko w telefonach. Okazji po temu mieli aż nadto. W ciągu ostatnich miesięcy przewinęło się przez dom tylu agentów przetrząsających rzeczy Abbie i zadających miliony pytań niezbędnych jakoby do jej „wyprofilowania", że nie było wykluczone, że podłożyli gdzieś pluskwę. Do tej pory nie mieli czego podsłuchiwać, teraz sytuacja się zmieniła i Sarah wolała nie ryzykować.

Josh nie wiedział o jej napastliwym telefonie, powiedziała mu więc, pomijając pewne drastyczne szczegóły. Niebywałe, jak wydoroślał od czasu odejścia ojca. Ważne emocjonalne sprawy Sarah omawiała zawsze z Abbie. Ale Josh okazał się tak samo dobrym słuchaczem i lepszym, może tylko oszczędniejszym w słowach, doradcą. Zanim ta sugestia w ogóle zaświtała Sarah w głowie, powiedział, że sam zadzwoni do Benjamina.

Miał już wszystko obmyślone. Żeby nie wzbudzić podejrzeń podsłuchiwaczy, zacznie rozmowę z ojcem od poskarżenia się, ile to ma załatwiania w związku ze zbliżającą się inauguracją roku akademickiego na Uniwersytecie Nowego Jorku. Góra formularzy do wypełnienia i tak dalej. Niby to mimochodem napomknie, że Sarah jest bardzo zaambarasowana ich ostatnią rozmową telefoniczną, i zaproponuje, żeby może zjedli we trójkę lunch albo kolację, skoro już ojciec przyjeżdża do Nowego Jorku. Sarah spodobał się ten plan.

Wrócili do środka i Josh pobiegł na górę telefonować, a Sarah podjęła próbę skoncentrowania się na przygotowywaniu kolacji. Po pięciu minutach Josh był z powrotem na dole. Wszystko ustalone, powiedział. Benjamin przylatuje w piątek. Pójdą na kolację. Przesyła pozdrowienia.

Josh nie chciał zdradzić, skąd wie, pod jaki numer dzwonić. Powiedział, że obiecał Abbie nikomu tego nie mówić i że tak będzie bezpieczniej. Poprzedniego dnia, po powrocie ze szkoły, wręczył Sarah karteczkę z numerem telefonu. Z kierunkowego wynikało, że to gdzieś w New Jersey, a on dodał, że chodzi prawdopodobnie o budkę telefoniczną. Na przykład na jakiejś poczcie albo na stacji benzynowej.

Sarah od tygodnia łamała sobie głowę, skąd najlepiej będzie zadzwonić, i ostatecznie zdecydowała się na Roberto's, restaurację, w której bywali często z Benjaminem. Na zapleczu, za toaletami, znajdowały się tam dwa automaty umożliwiające swobodną rozmowę, bo krzątanina i hałasy dobiegające z pobliskiej kuchni zagłuszały skutecznie wszystko, co się mówiło. Poza tym miała tam blisko z księgarni. I tak w czwartek, o dwunastej piętnaście, oznajmiła Jeffreyowi ni z tego, ni z owego, że postawi mu lunch.

Kiedy weszli, w restauracji było pustawo, ale przed pierwszą sala zaczęła się zapełniać. Jedli swoje sałatki cesarskie i gawędzili o sprawach zawodowych, potem Jeffrey zaczął jej opowiadać nowy francuski film, na którym byli z Brianem w Angelika Center. Sarah próbowała udawać zainteresowanie, ale ilekroć ktoś z konsumentów kierował się w stronę toalet, zaczynała się zastanawiać, co to będzie, jeśli o pierwszej, kiedy sama się tam uda, okaże się, że oba automaty są okupowane. Spojrzała na zegarek. Jeszcze cztery minuty.

— Dobrze się czujesz?

— Słucham?

Jeffrey przyglądał się jej z troską.

— Jakaś jesteś rozkojarzona.

— Nie, wszystko w porządku. Jeffrey, przepraszam cię. Właśnie sobie przypomniałam. Miałam dzisiaj rano zadzwonić do Alana Hersha. To chyba coś ważnego, a mnie zupełnie wyleciało z głowy. Wybaczysz na momencik?

— Jasne.

Sięgnęła po torebkę, wstała i ruszyła szybkim krokiem przez salę. Lawirując między stolikami, odnosiła wrażenie, że wszyscy badawczo się jej przyglądają. Czuła się jak Al Pacino w *Ojcu chrzestnym*, idący do toalety po pistolet. Oba automaty były wolne. Wybrała ten bardziej oddalony od toalet. Była za dwie pierwsza. Postawiła torebkę na małej stalowej półeczce, wyjęła z niej celofanowy woreczek z ćwierćdolarówkami i karteczkę Josha. Kiedy sekundnik zegarka zbliżał się do dwunastki, z walącym sercem i rękami trzęsącymi się tak, że omal nie rozsypała monet, podniosła słuchawkę, wsunęła ćwierćdolarówkę w szczelinę i wybrała z klawiatury numer.

— Halo?

Sarah przełknęła z trudem i przez chwilę nie mogła wydusić z siebie słowa. Zamurowało ją na dźwięk tego głosu, którego od tylu miesięcy nie słyszała.

— Mama?

— Cześć, kochanie.

— Och, mamo.

Ze zduszonego tonu, jakim zostało to wykrztuszone, Sarah domyśliła się, że nie ona jedna walczy ze łzami. I nagle stwierdziła, że nie wie, co powiedzieć. Tyle tego było, a w głowie pustka.

— Jak się czujesz, dziecko?

— Dobrze. A ty?

— Ja też dobrze.

Zamilkły na chwilę. Sarah słyszała w tle muzykę, potem ryknął samochodowy klakson. Chciała zapytać Abbie, gdzie jest, ale wiedziała, że jej nie wolno.

— Tak mi przykro, mamo.

— Och, dziecko.

340

— Słuchaj, mam mało czasu...

— Kochanie, wróć do domu, proszę...

— Mamo...

— Wszyscy zrozumieją, jeśli im powiesz, co zaszło...

— Przestań! Mówiłam Joshowi, żebyś tego nie robiła!

— Przepraszam, przepraszam.

Znowu długa pauza.

— Zdobyłaś pieniądze?

— Abbie, kochanie...

— Zdobyłaś?

— Tak.

— To dobrze. Teraz słuchaj uważnie. Powiem ci, co masz robić. To bardzo ważne, żebyś postępowała ściśle według moich wskazówek. Masz coś do pisania?

Korytarzem nadchodził jakiś mężczyzna. Sarah odwróciła się do niego plecami, otarła łzy i sięgnęła po kosmetyczkę. Zakładała, że facet zmierza do toalet. Ale nie. Podszedł do sąsiedniego automatu.

— Mamo?

— Tak, tak. Jedną chwileczkę.

Znalazła długopis, ale ręce tak jej się trzęsły, że strąciła kosmetyczkę z półki i cała zawartość rozsypała się po podłodze.

— Niech to szlag!

Mężczyzna, sympatyczny młodzieniec w brązowej sportowej kurtce, przykucnął obok i pomógł jej wszystko pozbierać. Spojrzał jej prosto w oczy, może trochę za śmiało, i uśmiechnął się. Czyżby to...? Podziękowała mu, wyprostowała się i znowu podniosła słuchawkę.

— Przepraszam — powiedziała, siląc się na beztroski ton, który nawet w jej własnych uszach brzmiał głupkowato. — Upuściłam kosmetyczkę.

— Jesteś gotowa? — spytała Abbie.

Ktoś popukał Sarah w ramię. Zaskoczona, o mało nie krzyknęła. Mężczyzna podawał jej szminkę. Uśmiechnęła się i podziękowała mu.

— Jest tam ktoś z tobą? — spytała z niepokojem Abbie.

— Już w porządku.

— Kto to?

— Bez obawy, wszystko gra.

Wiedziała, że musi teraz przybrać wesoły, rozkoszny ton. Tak na wszelki wypadek. Facet nie był raczej agentem. Tak by tego chyba nie robili, w taki mało subtelny sposób. Nieprawdaż? Wyczuwała, że Abbie zaraz odwiesi słuchawkę. Ale tego nie zrobiła. Spytała jeszcze raz Sarah, czy jest gotowa, a potem zaczęła dyktować instrukcje.

Kiedy Sarah wróciła wreszcie do stolika, Jeffrey powiedział, że chciał już jej śpieszyć na ratunek. Kończył swój makaron, a jej porcję kazał zabrać i podgrzać. Kelner zauważył, że wraca, i natychmiast go przed nią postawił. Nigdy w życiu nie była mniej głodna. Jeffrey zapytał, czy wszystko w porządku. Odparła, że tak, i podziękowała za troskę. Wszystko było w jak najlepszym porządku.

Rozdział 25

Ben dotarł do centrum handlowego kilka minut po siódmej trzydzieści, godzinę przed czasem. Bał się, że utknie w korku albo że po ciemku zabłądzi, jeśli centrum okaże się jednym z tych molochów z dwudziestoma akrami parkingu, i sprawa weźmie z jego winy w łeb. Było jeszcze większe, niż się spodziewał, ale szczęśliwym trafem bez kłopotu znalazł wskazane miejsce.

Strefa M, rząd 18, w samym rogu parkingu, naprzeciwko Petland i Old Navy. Widział nawet ten czarny baniak na śmieci, trzeci od lewej, do którego miał wrzucić torbę. Nie było tu chyba kamer systemu bezpieczeństwa i prawdopodobnie dlatego Abbie wybrała właśnie to miejsce. Przemknęło mu przez myśl, że ona może już tu jest, obserwuje go skądś w tej chwili. Jeśli tak, to lepiej się za bardzo nie rozglądać, bo jeszcze ją spłoszy.

Okrążył parking, zwalniając od czasu do czasu, żeby przepuścić ludzi pchających wyładowane wózki do swoich samochodów, potem wyjechał z powrotem na szosę, kierując się na zachód. Pół mili dalej zobaczył neon w postaci czerwonej mrugającej strzałki i tablicę z napisem Bar Rodeo. Skręcił tam, zaparkował, wszedł do środka, usiadł przy barze i zamówił piwo.

Był prawie pewien, że nie jest śledzony. Z Waldorfa, gdzie się zatrzymał, wymknął się bocznymi drzwiami, potem kluczył po Manhattanie, trzy razy zmieniając taksówki, następnie wszedł do domu towarowego Macy's i wyszedł wyjściem z drugiej strony, tam złapał czwartą taksówkę i kazał się wieźć do agencji wynajmu samochodów. Agent, któremu udałoby się go nie zgubić, a potem dojechać za nim aż do Newark, zasługiwałby na natychmiastowy awans i podwyżkę.

Bar Rodeo udawał niezbyt przekonująco, że znajduje się gdzieś na zachodzie. Na ścianach wisiały zdjęcia kowbojów i podrabiany chyba łeb smętnego bizona, który zdawał się oglądać mecz w telewizorze nad barem. A barman w czerwonej atłasowej kurtce i pod czarnym, wąskim krawatem, każdego wchodzącego klienta witał obligatoryjnym, trochę może nieszczerym „siemasz".

Ben nie otrząsnął się jeszcze w pełni z szoku, jakiego tu doznał. Przyleciał do Nowego Jorku porozmawiać z Joshem o studiach i zawrzeć pokój z Sarah. No i co? Siedzi teraz tutaj, przygotowując się do wrzucenia cichaczem do baniaka na śmieci w New Jersey piętnastu tysięcy dolców przeznaczonych dla córki terrorystki.

Wczoraj wieczorem, ledwo zdążył pomyśleć w gwarnej restauracji w Oyster Bay, że to zawieranie paktu o nieagresji z Sarah idzie lepiej, niż się spodziewał, Sarah i Josh spojrzeli po sobie, kiwnęli głowami, po czym pochylili się każde nad swoim stekiem i zastrzelili go nowiną.

Oboje, rzecz jasna, tkwili w konspiracji o wiele głębiej niż on. Josh posługiwał się odzywkami w rodzaju „spalona przykrywka" i „zrobić podrzutkę", z nonszalancją starego mafiosa. Ben tylko siedział, a oczy robiły mu się coraz większe i okrąglejsze. Josh zajmował się w tym spisku stroną praktyczną, Sarah psychologiczną. Mówiła wciąż o Rolfie.

— Ona jest całkowicie pod jego zgubnym wpływem — ciągnęła. — Josh twierdzi, że zmieniła się nie do poznania. I ja to słyszałam w jej głosie. Była w nim jakaś nutka zawziętości, coś maniakalnego. Ona potrzebuje pomocy, Benjaminie. Musi-my ją wyrwać ze szponów tego człowieka.

Ben w pełni się z tym zgadzał. Przed dwoma tygodniami odwiedził go nowy agent FBI z Denver, który, jak się okazało, przejął sprawę od Franka Lieberga. Nazywał się Kendrick i wydawał się być facetem o wiele sympatyczniejszym od agentów, z którymi mieli do tej pory do czynienia. W pewnej chwili wyjął nawet portfel, pokazał Benowi zdjęcie swojej córki i powiedział, że nawet nie próbuje sobie wyobrażać, jak by zareagował, gdyby przydarzyło jej się coś podobnego.

To, co spotkało Abbie, powiedział Benowi, to klasyczny przypadek zauroczenia, nazywany teraz syndromem Patti Hearst: młoda kobieta z kochającej się, dobrze sytuowanej rodziny w chwili słabości zostaje omotana przez charyzmatycz-nego mężczyznę, zawsze starszego i bardziej doświadczonego. Mężczyzna ów przekonuje ją, że wartości, w których była wychowywana, są z gruntu fałszywe i wątpliwe moralnie, i wprowadza ją na nową drogę życia, gdzie przestępczość staje się romantyczną i nawet podniecającą moralną alternatywą. Zazwyczaj w grę wchodzi tu chęć dokuczenia, zrobienia na złość rodzicom, a nawet ich ukarania. Oraz często, dodał Kendrick z pewnym zażenowaniem, element silnego pociągu seksualnego, który zniekształca rzeczywistość i jeszcze bardziej przywiązuje kobietę do jej mentora.

Ben zaczął go wypytywać o Rolfa i z przygnębieniem stwier-dzał, jak mało wciąż o nim wiedzą. Już ponad sześć miesięcy temu przekazał im, co usłyszał od Hakera tamtego wieczoru w Missouli. Że Rolf jest być może Michaelem Krugerem czy Kramerem, człowiekiem zamieszanym w zamachy bombowe sprzed kilku lat. Kendrick powiedział, że sprawdzili każdy możliwy ślad, ale nie trafili na nic, co rzucałoby nowe światło na prawdziwą tożsamość Rolfa.

Częściowo przez wzgląd na ich niedawną burzliwą rozmowę telefoniczną, a częściowo dlatego, że nie chciał jej denerwować czymś, czego pewnie i tak sama się w mniejszym lub większym stopniu domyślała, Ben nie powtórzył Sarah swojej rozmowy z agentem Kendrickiem. A poruszanie tego tematu wczoraj wieczorem przy kolacji wydawało mu się nie na miejscu, zwłaszcza w obecności Josha. Rozmawiali więc o „zrobieniu podrzutki", i knuli plan, w którym Benowi coraz wyraźniej przypadała rola głównego rozgrywającego i który (chociaż nie potrafiłby wymienić paragrafu ani ustępu) ani chybi zaprowadzi go za kratki, jeśli zostanie przyłapany. Boże, zmiłuj się, pomyślał, nasza złota dziewczynka zrobiła z nas wszystkich kryminalistów.

Sącząc piwo i z roztargnieniem oglądając mecz nad głową młodego barmana, Ben dochodził do wniosku, że Sarah chyba jednak miała rację. To ona powinna to zrobić, nie on. Abbie, zanim jeszcze zaczęła się ukrywać, dała jasno do zrozumienia, że nie chce go widzieć. Jeśli zobaczy go dzisiaj w tym swoim nowym nieobliczalnym stanie umysłu, może wpaść w szał. A widok matki mógłby ją rozbroić i wzruszyć. Abbie zażądała, żeby pieniądze dostarczył Josh, i ten kochany dzieciak chętnie by się tego zadania podjął. Ale Ben i Sarah ani myśleli mu na to pozwolić. Po przedyskutowaniu wczoraj wieczorem wszystkich za i przeciw doszli do wspólnego wniosku, że wykonawcą powinien zostać Ben. Był fizycznie najsilniejszy. I gdyby nadarzyła się po temu okazja, zdołałby ją chwycić, obezwładnić, może nawet wciągnąć do samochodu i przemówić do rozsądku. Może.

Pomyślał o Eve i naszła go nieodparta chęć, żeby do niej zadzwonić, ale zaraz przypomniał sobie, że zgodnie z instrukcjami Abbie zostawił swoją komórkę w hotelu, bo policja mogłaby wykorzystać jej sygnał do namierzenia go. Zresztą rozmawiał z Eve przed dwoma godzinami, nie zdradzając naturalnie słowem, jaka misja przypadła mu w udziale. Powiedziała mu coś, co wytrąciło go trochę z równowagi.

Otóż wczoraj wieczorem zastała Pabla przed telewizorem, oglądającego na wideo film z kasety, którą, jak twierdził, znalazł w szafie w sypialni. Było to jakieś amatorskie nagranie. Eve zainteresowała się. Dwoje nieznanych jej dzieci, chłopiec i dziewczynka, pluskało się na płytkiej wodzie na jakiejś plaży. Potem kamera wykonała panoramowanie i na ekranie pojawiła się Sarah w kostiumie kąpielowym. Zasłaniała się rękami i próbowała uciec z kadru, a zza kamery dobiegał śmiech Bena i upominanie, żeby się tak nie miotała, bo wygląda rewelacyjnie.

Była to jedna z kaset, którą spakował w tajemnicy, odchodząc z domu. Kiedyś, pod nieobecność Eve, próbował ją obejrzeć, ale za bardzo ściskało go w krtani i dał sobie spokój. Pablo wiedział oczywiście, że Ben ma dwoje dorosłych dzieci, ale upierał się, że ta dwójka to jeszcze inne i dopytywał się, kiedy będzie się z nimi mógł spotkać i pobawić.

Było już piętnaście po ósmej. Ben dopił piwo, zapłacił, a barman pożegnał go słowami: „do rychłego, stary, wpadaj częściej". Ben obiecał, że nie omieszka.

Zapadał zmrok. Powietrze było chłodne i czyste, różnokolorowe neony po obu stronach drogi świeciły ostrym blaskiem. Ben wyjechał powoli z parkingu, wrócił pod centrum handlowe i zrobił wokół niego jeszcze jedną rundę. Było nadal otwarte, ale stało przed nim teraz mniej samochodów niż poprzednio. W strefie M naliczył ich trzydzieści parę, wszystkie puste. Może Abbie przyjdzie na piechotę.

W trakcie drugiego okrążenia zegar z deski rozdzielczej przeskoczył na 20.28 i tym razem, podjechawszy pod Petland, Ben skręcił w strefę M i sunął powoli w stronę narożnika i rzędu 18. Stały tam tylko dwa samochody, oba w odległości dwudziestu kroków od trzeciego baniaka na śmieci, i nikogo w nich nie było. Będzie mógł zaparkować przy samym baniaku. Nieco dalej, za namalowanym na betonie białym pasem, w strefie L, dwoje starszych ludzi usiłowało przetaszczyć coś ciężkiego z wózka do bagażnika wysłużonego kombi. Poza nimi w zasięgu wzroku ani żywego ducha.

Ben zatrzymał wóz, wrzucił wsteczny i wjechał tyłem na wolne miejsce parkingowe. Tylny zderzak dzieliły teraz od baniaka trzy kroki. Kiedy zegar przeskoczył na 20.30, Ben, nie

347

gasząc silnika, wysiadł, obszedł samochód, stanął przy bagażniku i rozejrzał się jeszcze raz. Para w strefie L kłóciła się, ale żadne z nich nie patrzyło w jego stronę. Otworzył szybko bagażnik, wyjął żółtą plastikową torbę i jednym płynnym ruchem wrzucił ją do baniaka na śmieci. Następnie zatrzasnął bagażnik i zgodnie z instrukcją Abbie wsiadł za kierownicę i ruszył.

Jadąc przez parking w kierunku szosy przebiegającej przed centrum handlowym, zerkał w lusterko wsteczne i na boki. Ale nigdzie jej nie widział. Przed Old Navy zatrzymał się, żeby przepuścić wyjeżdżający z miejsca parkingowego samochód, po czym ruszył za nim i skręcając powoli za róg, obejrzał się po raz ostatni przez ramię. Bez zmian. Do baniaka nie podjeżdżał żaden samochód. Nikt się tam nie kręcił.

Abbie na pewno gdzieś tu była i obserwowała go z ukrycia. Żeby utwierdzić ją w przekonaniu, że wciąż stosuje się ściśle do instrukcji, jechał po białych strzałkach wskazujących drogę do wyjazdu, tak jakby oddalał się stąd na dobre.

Ale to była tylko zmyłka. Wszystko już sobie obmyślił. Jakieś trzysta jardów szosą od centrum handlowego było małe wzniesienie, a zaraz za nim światła. Zniknie jej z oczu, zanim tam dojedzie, a przy tym oddali się na tyle, żeby nabrała pewności, że już nie wróci. A on tymczasem skręci na światłach w prawo, na następnych znowu w prawo i wjedzie na parking przed centrum od drugiej strony.

Trzy minuty później minął sklep JCPenney, potem Bed Bath & Beyond i po drugiej stronie alejki przedzielającej strefy parkingowe zobaczył Petland. Musiał przepuścić trzy samochody. Wytężając w ciemnościach wzrok, przyglądał się twarzom ludzi, którzy w nich siedzieli, ale w żadnym nie było Abbie. Przeciął alejkę i po prawej zobaczył małego białego forda jadącego w kierunku narożnika strefy M, zbyt oddalonego od sklepów, żeby zostawiać tam samochód w sytuacji, kiedy parking świecił pustkami. To na pewno ona. Był tego pewien. Lecz z tej odległości widział tylko sylwetkę kierowcy, a i to niezbyt niewyraźnie.

W strefie L, do której miał w tej chwili bliżej, dwoje starszych ludzi biedziło się nadal z umieszczeniem swojego nabytku w bagażniku kombi. Pod wpływem impulsu, zamiast jechać dalej do strefy M, skręcił ostro we wjazd do L i skierował się w ich stronę. Biały ford zbliżał się już do baniaka i Bena ogarnęła nagle obawa, że jeśli Abbie go zobaczy, to może zawrócić i uciec. Było już zupełnie ciemno i jego samochodu raczej nie rozpoznała. Ale wolał nie ryzykować zbyt szybkiego zdemaskowania, skręcił więc i zaparkował między dwoma wysokimi SUV-ami. Wysiadł i puścił się biegiem.

Biały ford zatrzymywał się właśnie przy baniaku. Była w nim chyba tylko jedna osoba. Ben biegł szybko, nisko pochylony, zasłaniany przez kombi starszej pary stojące między nim a fordem. Sam widział jednak, jak drzwiczki od strony kierowcy otwierają się i ktoś wysiada. Mężczyzna. Abbie powiedziała Sarah, że to ona wysiądzie. To na pewno Rolf. Ależ byli głupi, że o tym nie pomyśleli. Że nie pozwoli jej tego zrobić. Że będzie chciał zrobić to sam. I jak mogli z góry zakładać, że odda pieniądze Abbie? Sukinsyn chce je sobie pewnie przywłaszczyć. Bena ogarnęła niekontrolowana furia.

Mężczyzna, rozglądając się dyskretnie, szedł jak gdyby nigdy nic w kierunku baniaka. Bena dzieliło już od niego jakieś dwadzieścia kroków. Kłusował pochylony jak małpa, zbliżając się do kombi. Kobieta zauważyła go i stukała męża w ramię. Myślała pewnie, że szarżuje na nich złodziej. Ben podniósł obie ręce, dając im do zrozumienia, że wszystko w porządku, z jego strony nic im nie grozi. Na szczęście nie podnieśli alarmu. Minął ich i zbliżał się od tyłu do Rolfa, który wyjął już z baniaka torbę z pieniędzmi i wracał do samochodu. Jeszcze dziesięć, osiem, pięć kroków...

— Uważaj! — krzyknął ktoś. Był to kobiecy głos i dobiegł z białego forda. Ben spojrzał w tamtym kierunku, zobaczył twarz w tylnej szybie i uświadomił sobie, że to Abbie. Nie zauważył jej wcześniej, bo leżała pewnie na tylnym siedzeniu.

Rolf obejrzał się, zobaczył nadbiegającego Bena i w dwóch susach dopadł drzwiczek od strony kierowcy.

— Stój! — wrzasnął Ben. — Stój, gnido zawszona!

Rolf wskoczył za kierownicę, ale zanim zdążył zatrzasnąć drzwiczki, Ben był już przy nim. Chwycił faceta za klapy skórzanej marynarki i próbował wywlec z wozu. Siedząca z tyłu Abbie darła się wniebogłosy.

— Wyłaź! Wyłaź! No wyłaź, kurwa twoja mać!

Rolf wyrywał się, okładając go pięścią jednej ręki i odpychając łokciem drugiej.

— Oddaj mi córkę, skurwysynu!

Samochód ruszył, ale Ben wskoczył szczupakiem do środka, złapał faceta za nogę i wykręcił ją tak, że stopa zsunęła się z pedału gazu. Chciał wyrwać kluczyk ze stacyjki, ale nie dosięgnął.

— Tato, nie! Nie rób tego!

— Abbie, do jasnej ciasnej! — wycharczał Ben. — Chcę tylko porozmawiać! Proszę!

— Puść!

— Abbie, proszę! Chcę tylko porozmawiać! Powiedz mu...

W tym momencie dostał pięścią między oczy. Zobaczył gwiazdy, a sekundę potem, wypchnięty z samochodu, walił już potylicą o beton. Drzwiczki śmignęły nad nim, zatrzasnęły się i samochód ruszył z piskiem opon, pozostawiając po sobie rozedrgany obłok bieli.

I ostatnim obrazem, jaki zarejestrowała gasnąca świadomość, była wypaczona przez gęstniejącą mgłę twarz, przyklejona do tylnej szyby, zwieńczona dziwnymi czarnymi włosami, a w tej twarzy patrzące na niego z góry, szeroko otwarte, przerażone oczy jego córki.

Rozdział 26

Ze wszystkich obrazów z tamtego wrześniowego poranka — wbijające się jak w masło samoloty, płomienie na tle błękitnego nieba, zapadające się wieże — najbardziej wrył się Eve w pamięć ten gęsty, skłębiony tuman kurzu, który ścigał i wchłaniał uciekające tłumy. Bo zdawał się toczyć tak bez końca, jakby miał spowić cały oniemiały świat, by potem, kiedy w końcu się rozwieje, ludzie wyłonili się z niego w jakiś sposób odmienieni.

Eve nie cierpiała krzykliwej inwazji porannych wiadomości czy też tego, co za nie powszechnie uchodzi. I w lecie oraz wczesną jesienią, kiedy Pablo przychodził ją budzić, włączała muzykę, otwierała drzwi na taras i wypuszczała na świat dźwięk, wpuszczając jednocześnie do sypialni słońce. Gust muzyczny miała kapryśny, choć determinowany z reguły tym, co akurat malowała. Tamtego poranka wybrałaby chyba Mozarta albo Toma Waitsa, Beth Nielsen Chapman albo chór tybetańskich mnichów. Zdecydowała się jednak na Bacha, *Wariacje Goldbergowskie*.

Pablo przystawił do wiśni krzesło, wdrapał się na nie i napełniał karmniki dla kolibrów. Eve, w samej koszuli nocnej, leżała na wznak na tarasie, rozluźniając jak co rano zdrętwiałe po nocy członki. W drzwiach stanął Ben. Słyszała wcześniej w tle przytłumione świergotanie jego komórki, ale nie zwracała na nie uwagi. Wyczytała z jego twarzy, że coś się stało, i od razu pomyślała o Abbie. Powiedział, że dzwoniła Sarah. Coś strasznego dzieje się w Nowym Jorku. Ewakuowano akademik Uniwersytetu Nowego Jorku przy Water Street, trzy przecznice od World Trade Center. Josh się nie odzywa, nie odbiera telefonu. Sarah jest bliska histerii.

Telewizja przekazywała na żywo rozgrywający się na oczach całego świata horror, a oni przez wieczność całą obdzwaniali wszystkich znajomych na Manhattanie w nadziei, że Josh się z kimś z nich skontaktował. Nikt nic o nim nie wiedział. Telefony komórkowe nie działały jak powinny. Do skutku dochodziło może jedno na dwadzieścia połączeń. W końcu, jakieś pół godziny po zapadnięciu się drugiej wieży, Sarah zadzwoniła znowu. Josh żyje. Kiedy w akademiku wszystkie szyby wyleciały z okien, każdy chwycił, co mu się nawinęło pod rękę, i wybiegł na ulicę. Josh poszedł zobaczyć, czy nie może w czymś pomóc, a potem dotarł na piechotę do Penn Station, skąd wreszcie udało mu się do niej dodzwonić Był podobno w samych bokserkach, cały oblepiony kurzem, kaszlał i krztusił się, relacjonowała Sarah. Ale dzięki Bogu jest cały i zdrowy. Wraca teraz pociągiem do domu.

Dopiero po wielu tygodniach Cooperowie zrozumieli, że chociaż los był na tyle łaskawy, że nie odebrał im tego dnia drugiego dziecka, to chyba ostatecznie przypieczętował utratę pierwszego. Tląca się jeszcze w nich iskierka nadziei, że Abbie może się opamięta i odda dobrowolnie w ręce policji, teraz zgasła. Do tej pory, przy odrobinie szczęścia, mając dobrego adwokata i trafiając na łagodnego sędziego, mogłaby jeszcze liczyć na wyrozumiałość, może nawet na odrobinę współczucia. Teraz jednak, kiedy świat pozbył się złudzeń, okopał i przygotowywał do wojny, o pobłażaniu nie mogło być mowy. Nie rozróżniano już odcieni szarości, był tylko wyraźny ostry podział na dobro i zło. I Abbie bezpowrotnie ugrzęzła po tej czarnej stronie.

Do Bena zaczęło to docierać, kiedy pewnego wieczoru

zadzwonił do niego Dean Kendrick. Ten telefon wytrącił go z równowagi. Po zwyczajowych uprzejmościach Kendrick zadał wiele rutynowych, jak to określił, pytań o możliwe powiązania Abbie z krajami arabskimi, czy może szerzej, muzułmańskimi. Czy wyjeżdżała kiedykolwiek na Bliski Wschód? Czy w szkole średniej albo na uniwersytecie przyjaźniła się albo kolegowała z osobami pochodzącymi z tych obszarów etnicznych albo wyznaniowych?

— Słuchaj, Dean — obruszył się Ben. — Weź na wstrzymanie, dobrze?

— Wiem, Ben, przepraszam. Ale faktem niestety pozostaje, że często występują związki między tymi rozmaitymi ugrupowaniami terrorystycznymi...

— Ugrupowaniami terrorystycznymi?!

— Ben, wiem, jak trudno ci myśleć o Abbie w tych kategoriach, ale ona jest terrorystką. Wypisywała na ścianach inicjały grupy terrorystycznej. To fakt. Sprawdziliśmy.

Od tamtego koszmarnego wieczoru w Newark Abbie już się nie odezwała. Ben miał przeczucie, że nie ma jej nawet w kraju, że uciekli z Rolfem do Kanady albo do Meksyku, albo jeszcze gdzieś dalej, i korzystając z pieniędzy, które im podrzucił, układają tam sobie nowe życie. Do Santa Fe wrócił jak bokser po walce — z podbitymi oczami i złamanym nosem. Eve jednak martwiły bardziej głębsze rany, jakie odniósł tamtego wieczoru.

Ale, o dziwo, z upływem miesięcy, kiedy nowy status Abbie terrorystki zaczął powszednieć, w Benie coś się jakby przestawiło. Z nią rzadko na ten temat rozmawiał, ale Eve wiedziała, że porusza go ze swoim psychoanalitykiem. Z tego, co przebąkiwał, wynikało, że wypadki tamtego wieczoru pomogły mu wykreślić swego rodzaju grubą kreskę. Powiedział jej raz, że twarz, którą widział wtedy w samochodzie, należała do kogoś innego, do obcej osoby, której nie uważa już za swoją córkę. Uświadomił to sobie dopiero, kiedy ją na własne oczy zobaczył. A ponieważ nie ma na to żadnego wpływu, wybór jest prosty:

albo podda się i zacznie rozdzierać szaty, zatruwając życie sobie i tym, których kocha, albo pogodzi z losem i zacznie żyć własnym życiem.

W dochodzeniu do siebie najbardziej pomagała mu chyba praca. Z początku nie było z tym najlepiej — dużo telefonów, bezproduktywnych spotkań i zleceń, z których nie było ani efektów, ani pieniędzy — ale teraz miał już kontakty i kilka ciekawych zamówień. Pewien młody hollywoodzki producent filmowy poprosił go o zaprojektowanie rezydencji na dwudziestu akrach pustyni za Tesuque z widokiem na góry. Ben, zanim zabrał się do pracy, przeczytał chyba wszystkie książki o architekturze południowego zachodu i o projektowaniu przyjaznym środowisku. Nigdy tego nie powiedział, ale Eve wiedziała, że chce wybudować dom, z którego byłaby dumna jego córka. Kiedy pokazał rysunki, młody producent piał z zachwytu. Budowa ruszyła wiosną. Eve nigdy nie widziała Bena tak podnieconego.

W lipcu po raz pierwszy przyjechał do nich Josh. Eve, co zrozumiałe, miała nieludzką tremę. Z tego, czego się nasłuchała o macochach, wiedziała jedno: najgorsze to przesadzić z podlizywaniem się (chociaż to akurat nie leżało w jej naturze). Obawy okazały się płonne. Josh, chociaż przyjechał tylko na przedłużony weekend, dał się poznać jako chłopiec zgodny i otwarty, co mile ją zaskoczyło, a Bena uszczęśliwiło do tego stopnia, że jeszcze przez wiele dni wspominał jego wizytę. Widziała wtedy Josha po raz pierwszy od tamtego przełomowego tygodnia w Divide i ledwie go poznała. Był wyższy i nie taki już misiowaty, jednym słowem zmężniał. I nie licząc nowej fryzury, która wyglądała tak, jakby strzygł go po ciemku mściwy komandos, wyglądał o wiele korzystniej, niż zapamiętała.

Pablo nie odstępował go na krok. Budził biedaka o siódmej rano i zanudzał, żeby grał z nim w piłkę albo w softball, albo we frisbee, albo łapał owady i jaszczurki w dżungli przy studiu Eve. Po sobotniej kolacji w Tesuque Village Market Ben zawiózł ich na budowę, żeby pokazać dom, który po niecałych trzech miesiącach zaczynał już nabierać spektakularnych kształtów. Josh był naprawdę pod wrażeniem. Powtarzał, jakie to wspaniałe, a po Benie, chociaż starał się zachować skromność, widać było, że z każdym takim komplementem rośnie o cal.

W ostatni wieczór pobytu Josha urządzili barbecue i siedzieli do późna na tarasie pod marmurkowo szarym księżycem, któremu do pełni brakowało jeszcze dwóch dni. Pabla dawno już zmorzył sen, a Ben, bez wątpienia celowo, żeby zostawić Eve z Joshem samych, wszedł do środka z talerzami. Wpatrywali się jakiś czas w jarzące się wciąż węgielki, a coraz chłodniejsze powietrze w ogrodzie rozbrzmiewało miarowym brzęczeniem owadów.

— Fajny ten Pablo.

— Dziękuję. On też cię polubił.

Uśmiechnęli się do siebie i znowu przenieśli wzrok na dogasający ogień. Wyczuwała, że Josh chce coś powiedzieć, ale chyba nie wie, jak zacząć.

— Widzę, że wam, tobie z tatą... dobrze ze sobą. Znaczy się, jesteście szczęśliwi.

— Jesteśmy.

— To się cieszę.

— Dziękuję, Josh. To wiele znaczy.

— Zauważyłaś, że wszyscy mówią, że są szczęśliwi albo nieszczęśliwi, tak jakby to było coś, co od nich nie zależy.

— Mhm.

— No a ja czasami sobie myślę, że tak nie jest, że może powinniśmy się zdecydować, no wiesz, wybrać, jak chcemy się czuć. Czy szczęśliwi, czy nie. Wiesz, o co mi chodzi?

— Doskonale.

Iris od pięciu minut obserwowała chłopca koszącego trawnik przed domem Sarah. Wyglądała przez otwarte drzwi na taras, ale trzymała się w cieniu, prawdopodobnie dlatego, żeby nie zauważył tego obiekt jej pożądliwego spojrzenia.

— Jezusiczku, spójrz tylko na te bicepsy — powiedziała z rozmarzeniem.

— Iris, praktycznie rzecz biorąc, mogłabyś być jego babcią, zdajesz sobie z tego sprawę.

— Nie opowiadaj.

— Na miłość boską, on ma siedemnaście lat.

— Naprawdę? Żartujesz.

— Nie, nie żartuję.

— Boże, co się porobiło z tą ludzką rasą. Żeby siedemnastoletni chłopcy wyglądali jak mężczyźni.

Jason, opalony, rozebrany do pasa blondyn, jeździł wprawnie na kosiarce John Deere wokół srebrnych brzóz, pozostawiając przy pniach wysepki wyższej trawy, tak jak prosiła Sarah.

— Chcesz jeszcze mrożonej herbaty? — spytała Sarah.

Iris jakby nie dosłyszała.

— Hej, Mrs Robinson. Dolać pani herbaty?

— Co? A, tak. Poproszę.

Wróciła do stołu i Sarah napełniła jej szklankę. Skończyły właśnie lunch. Było za gorąco, żeby jeść go na tarasie. Iris przyjechała dotrzymać jej towarzystwa na czas nieobecności Josha, który poleciał do Santa Fe w odwiedziny do Katalizatora. No i dobrze. Kiedyś musiało do tego dojść. Sarah sama się sobie dziwiła, że tak mało ją to obeszło. I fajny był ten weekend z Iris. Jak za starych dobrych czasów. Tylko one dwie, żadnych dzieci, żadnych mężów. Jadały trzy razy dziennie, spały w jednym łóżku, płakały nad lodami z wiórkami czekoladowymi, oglądając *Angielskiego pacjenta*, i rozmawiały do bólu szczęk. Głównie o małżeństwach, mężczyznach i niedorozwoju ludzkiej rasy. Ale również o przyszłości Sarah, która postanowiła w końcu sprzedać księgarnię. No, sprzedać to może za wiele powiedziane.

W zeszłym miesiącu Jeffrey wygłosił swoją okresową mowę z cyklu „czas odejść". Do tej pory wystarczała pochwała, obietnica podwyżki i Jeffrey spuszczał z tonu. Ale tym razem było inaczej. Briana znowu naszło, żeby jechać do Kalifornii, co, według Jeffreya, należało traktować tak samo poważnie, jak kwestię postaci ze sztuki Czechowa, która oznajmia, że chce jechać do Moskwy. Sarah bez chwili zastanowienia powiedziała mu: „Wiesz co, Jeffrey? To ty zostań, a ja odejdę". Z początku myślał, że żartuje. Powiedziała, że ponieważ od kilku lat praktycznie i tak to on prowadzi cały interes i ma już w nim czterdzieści dziewięć procent udziałów, to czemu nie miałby przejąć reszty. Oczywiście jeśli chce. Biedny Jeffrey nie wiedział, co powiedzieć. Bardziej dla jego dumy niż jej zysku ustalili, że odkupi od niej te pięćdziesiąt jeden procent za kilka tysięcy dolarów i dorzuci coś za, jak to określił, jej „konsultacje", do których zaliczył czytanie zapowiedzi wydawniczych, organizowanie spotkań z autorami i liczne lunche biznesowe. Według Iris upadła na głowę, ale Sarah jej nie słuchała. Pora była najwyższa, żeby zmienić coś w swoim życiu.

— No i co będziesz teraz robiła? — spytała Iris po raz chyba osiemnasty, pociągnąwszy łyczek mrożonej herbaty. Sarah zapaliła papierosa.

— Nie wiem. Podróżowała. Z tobą, jeśli wyrazisz taką chęć.

— A żebyś wiedziała. Na początek Wenecja.

— Umowa stoi. No i będę czytała. Może nawet sama spróbuję coś napisać. Wezmę się za siebie. Rzucę palenie...

— Nawiążę romansik z Jasonem Kosiarzem.

— Mhm. A jeszcze lepiej z jego młodszym bratem.

— Nie, poważnie, kiedy ostatnio uprawiałaś seks?

— Dzisiaj w nocy. Z tobą. Nie zauważyłaś?

— Sarah, ja mówię poważnie.

— Nie licząc tamtej nocy z Benjaminem?

— To sobie lepiej odpuśćmy.

— Żeby nie skłamać... jakieś trzy i pół roku temu.

— Boże.

— Brakuje mi nie tyle seksu, co towarzystwa.

— Wiem, ale... oż ty w życiu. Trzy i pół roku. Ja bym chyba jajo zniosła. Czemu nie szukasz sobie amatora?

— Iris, zejdź ty ze mnie.

— Wygląda mi na to, że się zasklepiłaś.

— I dobrze ci wygląda. Posłuchaj, jeśli trafię na właściwą osobę, to nie ma sprawy. Z miłą chęcią. Ale nic na siłę.

— Nawet z tym tam, w ogródku, tak dla higieny?

— No wiesz! Nie znałam cię od tej strony.

Tego popołudnia Iris wróciła do swojego Pittsburgha. A parę godzin potem przyjechał Josh. Zasypała go gradem pytań o Katalizatora, o jej dom, o synka i tak dalej. Odpowiadał półgębkiem. Frustrująca była ta jego oszczędność w słowach, szanowała ją jednak, chociaż nie miała pewności, czy wynika z tego, że nie chce sprawiać jej przykrości, czy z lojalności wobec ojca.

Przez tych piętnaście miesięcy, jakie upłynęły od podrzucenia pieniędzy, widzieli się z Benjaminem tylko dwa razy, ale rozmawiali kilkakrotnie przez telefon. Nigdy nie zapomni tego widoku. Stanął w drzwiach w porwanej koszuli, zakrwawiony, z zapuchniętymi oczami i obitą gębą neandertalczyka. A potem, kiedy siedział w kuchni, a ona przemywała mu rany i robiła okłady, powtarzał raz po raz, jaki był głupi, jak wszystko spieprzył, że gdyby tylko udało mu się wyrwać kluczyki ze stacyjki albo gdyby miał jakąś broń, albo przedziurawił opony...

Kiedy miesiąc później przyjechał do Josha na zakończenie roku szkolnego i rozdanie dyplomów, opuchlizna już zeszła, ale twarz wokół nabiegłych krwią oczu wciąż stanowiła całą paletę granatów, purpur i żółci, a bokserski garb zagościł na jego nosie prawdopodobnie już na zawsze. Przyjeżdżając, wykazał się wielką cywilną odwagą, bo wiedział, że na uroczystości będą rodzice Sarah. Traktowali go jak powietrze i zaraz po ceremonii wyszli. Wieczorem Josh poszedł na imprezę, a oni zjedli razem kolację, która, a jakżeby inaczej, upłynęła na rozmowie o Abbie. Ale było jakoś inaczej. Tak jakby po wypadkach tamtego wieczoru pod centrum handlowym coś się wyklarowało, wykrystalizowało. Takie stwierdzenie nie padło, ale chyba oboje pogodzili się już z myślą, że stracili bezpowrotnie swoją dziewczynkę. Kilka miesięcy później zostało to przypieczętowane telefonem pod dziewięćset jedenaście.

Sarah zdawała sobie sprawę, że nie wolno tak na to patrzeć, ale tamtego dramatycznego poranka, kiedy nie wiadomo było, co z Joshem, doszło do czegoś w rodzaju perwersyjnego przetargu: syn został oszczędzony, ale córkę straciła, i to prawdopodobnie na zawsze.

Ciekawa rzecz, jak ludzie próbują się czasem ratować chowaniem głowy w piasek, myślał Josh. Tak jakby niemówienie o czymś sprawiało, że to coś nie istnieje albo zniknęło. W takiej fazie byli teraz mama i tato. Przez te cztery dni, które spędził w Santa Fe, nikt nie wypowiedział ani razu imienia Abbie. Nie pamiętał też, kiedy ostatnio wspomniała o niej mama. A był przekonany, że przez cały czas o niej myślą. Może nie chcieli rozmawiać o niej przy nim, żeby go nie stresować. Cholera, kto wie, może nawet mieli rację. Zresztą z samego gadania nigdy nic nie wynika.

W Santa Fe nie było wcale tak tragicznie, jak się obawiał. Nawet mu się tam podobało, zwłaszcza to wygłupianie się z Pablem. Tylko dziwnie jakoś było patrzeć na tatę z nową rodziną, obejmującego Eve, tak jak kiedyś obejmował mamę, i bawiącego się z Pablem, tak jakby dzieciak był jego rodzonym synem. Aż dziw, że tak szybko mu to spowszedniało. I Eve okazała się równą babką, naprawdę równą. Nie wiedział z początku, jak go przyjmie. Czy nieufnie, chłodno, traktując jak wroga, czy może zacznie go obskakiwać, dogadzać, odgrywać przyjaciółkę, że do rany przyłóż. A tu ani jedno, ani drugie. Była po prostu na luzie, przyjazna, z niczym się nie narzucała. Naprawdę ją polubił. Jeśli zaś chodzi o prezencję, to już zupełna rewelacja. Teraz rozumiał — no, prawie — dlaczego tato zrobił, co zrobił.

Małą plamę dał chyba tylko raz, kiedy spytał, nad czym aktualnie pracuje, a ona zaprowadziła go do swojego studia

359

i pokazała te ogromne obrazy z nagimi mężczyznami i kobietami. Powiedziała, że zainspirowały ją erotyczne rzeźby z hinduskich świątyń, a on nie wiedział, co powiedzieć, i stał jak ten debil, starając się nie okazywać zażenowania. Miał wyrzuty sumienia, że nie powiedział mamie więcej, ale wydawało mu się, że tak będzie lepiej. No bo jakby się poczuła, gdyby powiedział, że Eve jest wspaniała i tato wyraźnie jest z nią szczęśliwy? A czy poczułaby się lepiej, gdyby powiedział, że Eve to jędza i oboje drą za sobą koty? Pomyślałaby pewnie, że po co to w takim razie było, albo jeszcze gorzej, obudziłaby się w niej nadzieja, że tato może wróci. Nie. Lepiej za dużo nie mówić.

Kiedy jedli kolację, zadzwonił Freddie i zapytał, czy wpadnie. Josh miał już powiedzieć, że nie, że dopiero co wrócił i chce zostać w domu i dotrzymać towarzystwa mamie, ale mama zawołała z kuchni, żeby szedł. Wziął więc prysznic, włożył czystą koszulę i pojechał do Freddiego.

Rodzice Freddiego Meachera byli naprawdę bogaci. Freddie miał nie tyle pokój, co cały apartament nad garażem, w którym jego ojciec trzymał swoją kolekcję odjazdowych samochodów, w tym dwa porsche i astona martina. Freddie robił zawsze co chciał. Rodzice wiedzieli dobrze, że eksperymentuje z narkotykami, ale nic nie mówili, wychodzili z założenia, że to jego życie i jak sobie pościele, tak się wyśpi. Od kiedy zaczęli obaj studiować, Josh nie widywał się już z nim tak często. Freddie pobierał nauki na University of Colorado w Boulder, najzajebistszym, według niego, mieście na ziemi, pełnym najrajcowniejszych dupeniek, jakie ludzkie oko macało. I sądząc po tych dwóch, które ze sobą przywiózł, wcale nie przesadzał. Z jedną z nich chodził. Miała na imię Summer, nogi do samej szyi i zniewalający, znaczący uśmiech.

Josha zżerała zazdrość. Jak dotąd miał okoliczność tylko z Katie, a i to tak dawno, że praktycznie się nie liczyło. Na Uniwersytecie Nowego Jorku studiowało mnóstwo ładnych dziewcząt i on też się niektórym z nich podobał, ale nie do takiego stopnia, na jakim by mu zależało. Starał się nie użalać nad sobą, ale chodziło mu po głowie, że to smutne, że seks u faceta w jego wieku — nie takiej znowu pokraki ani skończonej ofermy — sprowadza się nadal do ukradkowego zaglądania na pieprzne strony internetowe albo ślęczenia nad wymiętoszonymi stronicami „Hustlera".

Koleżanka Summer, Nikki (Josh gotów był się założyć, że zamiast kropki nad ostatnią literą swego imienia rysuje serduszko, kwiatuszek albo śmieszka), też była niezła, ale nie wzbudzała w nim aż takich wibracji. Po paru skrętach rozsiedli się we czwórkę na kanapie przed wielkim jak boisko, płaskoekranowym telewizorem Freddiego i oglądali na DVD jakąś nową wersję *Czasu apokalipsy* — zmontowaną przez fryzjera żony reżysera czy coś w tym stylu — i Josh przez kilka chwil, kiedy położyła mu głowę na ramieniu, myślał, że a nuż widelec może coś z tego będzie. Ale ona zwyczajnie zasnęła.

Potem wyszli popływać w basenie. Summer i Freddi kąpali się nago, a Josh udawał, że jest przeziębiony i nie chciał wejść do wody, bo bał się, że ten niesforny fiut znowu narobi mu obciachu. Usiadł na tarasie i grał na gameboyu Freddiego. Nikki (dzięki Bogu w bikini) podeszła, usiadła obok i wycierając ręcznikiem głowę, zaczęła go wypytywać o Abbie. Przyzwyczaił się już do tego, do roli brata słynnej Abbie. Brata swojej siostry grał zresztą od zawsze, tyle że teraz złota księżniczka przemieniła się w wielkiego złego wilka. A ton odpowiedzi, jakich udzielał, zależał od tego, kto zadawał pytania. Wobec Nikki próbował być możliwie najbardziej rzeczowy. Choć już nie tak prawdomówny.

— Kontaktowała się z wami?

— Nie.

— Jak to, nie napisała do rodziców ani nie zadzwoniła?

— Nie. Nigdy.

— Boże, to musi być dla nich straszne.

— Tak. Trudno im.

— I tobie, mój Boże.

Josh wysunął po męsku szczękę i kiwnął głową, ignorując głosik wewnętrzny, który strofował go cichutko: Ty łajzo, wykorzystujesz rodzinną tragedię, żeby przelecieć tę dziewczynę, tak nisko upadłeś?

Nikki pochodziła z Bostonu, ale jej rodzice przeprowadzili się do Kolorado, kiedy była jeszcze mała. Powiedziała, że bardzo jej się tam podoba — góry, piesze wędrówki, zjeżdżanie na snowboardzie. Niech tam kiedyś przyjedzie z Freddiem. Josh, nie chcąc wyjść na ograniczonego, nieobytego ani przesadnie mieszczuchowatego, pochwalił się wakacjami, które spędzali całą rodziną w Montanie, i zapewnił, że marzy o poszusowaniu na desce w Kolorado. W Vail albo innym takim znanym miejscu. Prawda była taka, że w życiu nie jeździł na snowboardzie. Czasami, zwłaszcza kiedy bardzo się starał nie patrzeć na dziewczęcy biust, wymykały mu się takie rzeczy.

Ale cóż znaczy jedno małe kłamstewko więcej? Kłamali teraz jak najęci całą rodziną. Abbie już się o to postarała. A największym kłamstwem ze wszystkich było to, co odgrywał dzień w dzień przed mamą i tatą. Bo niemówienie im czegoś, ukrywanie przed nimi takiej wielkiej tajemnicy, było tak samo niegodziwe, jeśli nie gorsze, jak mówienie nieprawdy. Abbie znowu się odezwała. Rozmawiał z nią dwa razy. I nikomu nie pisnął o tym słówka.

Nadal miał telefon komórkowy na kartę, który kazała mu kupić, i tak jak mu kazała, odsłuchiwał co rano pocztę głosową. Nazajutrz po tym, jak tato wrócił do domu w stanie sugerującym, że nadepnął na odcisk Mike'owi Tysonowi, była w niej wiadomość, dwa słowa, po ich odszyfrowaniu dostał numer, pod który ma zadzwonić. Poszedł do budki telefonicznej, dokładnie o wyznaczonej godzinie zadzwonił i przez dziesięć minut wysłuchiwał przeklinającej, pieklącej się oraz wyzywającej tatę od najgorszych Abbie. Powtarzała wciąż, że w torbie było tylko piętnaście tysięcy dolarów, „tylko zasrane piętnaście tysięcy dolarów, do kurwy nędzy!". Niewiele brakowało, a odwiesiłby słuchawkę, ale tego nie zrobił. Stał ze spuszczoną głową i słuchał pokornie, dopóki nie zeszła z niej wreszcie cała para. Na koniec Abbie powiedziała: „Dobra, dosyć o tym. Przekaż im ode mnie, że drugiej takiej okazji już nie będą, kurwa, mieli, słyszysz?". Mało brakowało, a byłby zapytał: „Znaczy, nie będą, dopóki znowu nie zabraknie ci gotówki?". Ale tego nie zrobił.

I w dalszym ciągu co dzień, sumiennie, odsłuchiwał pocztę głosową swojego tajnego telefonu — o którego istnieniu wciąż nie wiedział nikt prócz Abbie — i przez osiem miesięcy nic. Dopiero w dzień Bożego Narodzenia, u dziadków, kiedy wymknął się na kort tenisowy, żeby sprawdzić pocztę głosową, znowu usłyszał jej głos, tym razem już nie gniewny, nawet łamiący się, dyktujący dwa słowa. Zadzwonił nazajutrz i znowu słuchał przez dziesięć minut. Ale tym razem nie przeklinała ani nie mieszała nikogo z błotem. Tylko płakała. Chlipała przez dziesięć długich minut, żaląc się, jaka to jest samotna i przygnębiona i że zamierza ze sobą skończyć. Starał się ją pocieszać jak umiał, ale co miał powiedzieć? Powtarzał tylko „ojej, Abbie" i „nie, nie rób tego, wszystko będzie dobrze, to przez to Boże Narodzenie"... Też wymyślił!

Nie powiedział nawet, żeby wracała do domu, nie poradził, żeby się ujawniła, bo bał się, że na niego nawrzeszczy. Przynajmniej tym razem mówiła po ludzku. Odważył się jednak zapytać, gdzie jest, a ona odpowiedziała, żeby się nie wygłupiał. Tym razem nie była to budka telefoniczna, lecz telefon komórkowy z kierunkowym 704. Nic mu to nie dawało. Mogła rozmawiać skądkolwiek. I kiedy później, z duszą na ramieniu, spróbował zadzwonić pod ten numer jeszcze raz, usłyszał tylko komunikat, że abonent jest czasowo niedostępny.

Minęła już trzecia nad ranem, kiedy Josh wrócił od Freddiego. Nikki dała mu numer swojego telefonu, ale podejrzewał, że to wszystko, co od niej wydębi. Może kiedyś do niej zadzwoni. A może nie. Miał już przykre doświadczenie ze związkiem na odległość i nie miał chęci znowu się w taki angażować.

W pokoju mamy światło się jeszcze paliło. Zawołała go,

kiedy mijał na palcach jej drzwi. Siedziała na łóżku opierając się na poduszce, i czytała, na nocnym stoliku stała opróżniona do połowy szklanka mleka. Kiedy wszedł, uśmiechnęła się, zdjęła okulary i poklepała wymownie łóżko. Usiadł, starając się nie patrzeć jej w oczy. Nie czuł się specjalnie przyćpany, ale mógł na takiego wyglądać.

— Udała się impreza.

— Tak. Ale to nie była impreza. Gadaliśmy tylko.

— Co u Freddiego?

— W porządku.

— Jak mu idzie na studiach?

— Dobrze.

— No to się cieszę. Dobrze się czujesz?

— Dobrze. Tylko jestem zmęczony.

— Obejmij mnie.

Pochylił się, otoczył ją ramionami i trwali tak przez dłuższy czas. Bardzo wychudła, sama skóra i kości. Od dawna jej powtarzał, że musi więcej jeść, ale nie słuchała. Kiedy go wreszcie puściła, zobaczył w jej oczach łzy.

— Kocham cię, Joshie.

— Ja ciebie też.

Rozdział 27

Abbie opierała się obolałymi plecami o pobieloną wapnem ścianę stanowiska wagowego i patrzyła spod przymrużonych powiek na ogromne płaskie jak stół pole, na którym garbiła się jeszcze z setka postaci rzucających długie, czarne cienie w promieniach chylącego się ku zachodowi słońca. Od strony szosy nadjeżdżała ciężarówka, wlokąc za sobą warkocz jasnozłotego kurzu. Abbie zerknęła na zegarek. Dochodziła szósta. Spóźni się.

W kolejce przed nią czekało z tuzin zbieraczy, żeby zważyć ostatnie łubianki ze zbiorami i odebrać pieniądze. Ona swoją postawiła na spieczonej ziemi i w miarę posuwania się kolejki popychała nogą, dopóki jeden z nadzorców nie nawrzeszczał na nią, żeby ją podniosła. Sklęła go pod nosem, ale posłuchała. Obojętne, jak człowiek był zmęczony po dwunastu długich godzinach pracy w zgiętej pozycji, w upale, łubianek nie wolno było stawiać na ziemi, żeby truskawki się nie zabrudziły. Tak jakby nie były już dostatecznie zanieczyszczone tymi toksycznymi chemikaliami, którymi je spryskiwano. W życiu nie weźmie już do ust truskawki.

Był początek września i od trzech tygodni nie widziała Rolfa. Ale zobaczy go dziś wieczorem i na samą tę myśl serce zabiło jej szybciej. Miała mu coś ważnego do zakomunikowania. Nie robiła sobie testu, nie musiała. Okres spóźniał jej się już drugi tydzień, a dotąd miesiączkowała regularnie jak w zegarku. I dzisiaj rano po raz pierwszy poczuła mdłości. Nie wiedziała, jak on to przyjmie. Miała nadzieję, że znowu będzie między nimi lepiej. Jednego jednak była pewna. Niech się dzieje, co chce, obojętne, co powie, jaką presję będzie na nią wywierał, ona urodzi to dziecko.

Oczywiście, będzie musiała znaleźć odpowiedni moment, żeby mu powiedzieć. Może pojadą na wybrzeże, do Big Sur albo gdzieś, znajdą jakieś ładne miejsce, przepuszczą trochę zarobionych pieniędzy.

To Rolf wpadł na pomysł, że powinni przez jakiś czas od siebie odpocząć. Powiedział, że potrzebuje przestrzeni życiowej, a kiedy spytała, co to znaczy, wpadł w szał. Pracował na budowie we Fresno i zarabiał dwa albo i trzy razy więcej niż ona. Przynajmniej tak mówił, kiedy się ostatnio widzieli. Niewiele o nim teraz wiedziała. Nie miała już telefonu komórkowego, a zdarzyło się już trzy razy, że kiedy telefonowała do niego, nie odbierał. Mogła mieć tylko nadzieję, że tym razem będzie w lepszym nastroju, milszy dla niej, że nie zruga z byle powodu.

Miała trochę czasu na zastanowienie się, dlaczego tak się między nimi popsuło. Doszła do wniosku, że to raczej z jej winy. Była za bardzo zaborcza, za wścibska i zazdrosna. Po tym jak pierwszy raz, kiedy mieszkali w Chicago, odkryła, że ją zdradza, starała się bardzo nie przywiązywać do tego wagi, udawać, że nic takiego się nie stało. Skoro dla niego nie miało to większego znaczenia, to dlaczego miałoby mieć dla niej? Ale w Miami, kiedy naprawdę przyłapała go in flagranti, kiedy weszła do domu i zobaczyła go w łóżku z tą kubańską kurewką, szlag trafił całe jej szlachetne nastawienie.

Szczerze mówiąc, to od dawna wiedziała, że są inne kobiety. Rolf powiedział, że powinna dorosnąć, że jest ofiarą własnego żałosnego burżujskiego wychowania. Nie mają siebie na własność, tłumaczył, i jeśli chce mieć innych kochanków, to niech się nie krępuje, jemu to nie przeszkadza. To również ją zabolało, chociaż nie wiedziała dlaczego. Nie chciała nikogo innego. Zwłaszcza teraz. No nic, dziś wieczorem i jutro, i przez cały ten tydzień dołoży specjalnych starań i znowu się odnajdą, i wszystko będzie dobrze. A kiedy on dowie się o dziecku, wszystko się zmieni.

— Następny!

Jej nowa koleżanka Inez postawiła na wadze swoją łubiankę, a ten sukinsyn ze skwaszoną gębą po drugiej stronie zaczął oglądać zawartość, odrzucając truskawki, które w jego niepodważalnej opinii nie spełniały normy. Inez próbowała się z nim wykłócać o kilka wyglądających idealnie, ale on spojrzał na nią tylko obojętnie, wrzasnął odczytany ciężar do dwóch mężczyzn siedzących za nim przy drewnianym stole na kobyłkach, z których jeden prowadził księgę rachunkową, a drugi wypłacał pieniądze, i odstawił łubiankę z wagi na stos innych.

— Następny!

Abbie niepokoiła się zawsze na stanowisku wagowym. Czuła się tu jak na pocztach, w bankach i w każdym miejscu, gdzie sprawdzana jest tożsamość. Nie licząc garstki studentów (gdyby ktoś pytał, też zamierzała podawać się za studentkę), była tu jedyną nie-Latynoską i mężczyźni wypłacający pieniądze przyglądali jej się jakby uważniej niż innym kobietom. Czasami próbowali z nią flirtować, ale spuszczała wtedy oczy i nie podejmowała rozmowy. Wiedziała, że nic jej raczej nie grozi. Każdy z zatrudnionych tu zbieraczy pracował na czarno. Nikt nikomu nie zamierzał zadawać dociekliwych pytań. Tak czy owak dzisiaj faceta interesowały tylko jej truskawki.

— Całe zakurzone.

— Gówno prawda.

— Coś ty powiedziała?

— Że nie są zakurzone. A jak są, to przez tę ciężarówkę, która tędy przed chwilą przejeżdżała. Powinniście im powiedzieć, żeby zwalniali.

Facet, nie zważając na jej protesty, odrzucił większą część wierzchniej warstwy truskawek, spojrzał na nią spode łba i wrzasnął, ile wskazała waga.

— Następny!

Mężczyzna z księgą rachunkową zapytał ją o nazwisko.

— Shepherd.

Zapisał ciężar ostatniej łubianki, przebiegł palcami po klawiszach kalkulatora, i siedzący obok facet odliczył jej dniówkę: czterdzieści osiem dolarów i dwadzieścia centów. Pchnął pieniądze po blacie. Ann-Marie Shepherd z Fort Meyrs na Florydzie zgarnęła je ze stołu, schowała do kieszeni spódniczki i powlokła się za Inez do baraku z natryskami.

Angielski Inez był niewiele lepszy od hiszpańskiego Abbie, ale dziewczęta się zaprzyjaźniły. Poznały się pierwszego dnia pracy Abbie, kiedy ta nie miała jeszcze kwatery. Wieczorem Inez wciągnęła ją na zapchaną ludźmi skrzynię ciężarówki, którą dojechali na wzgórza nad doliną Salinas. Abbie nie wierzyła własnym oczom. Wiedziała, że to kraina Steinbecka, ale nie przypuszczała, że tak niewiele się tutaj zmieniło.

Znajdowało się tu całe obozowisko zbieraczy owoców, samych nielegalnych imigrantów z Meksyku koczujących w lesie. Szczęśliwcy znaleźli sobie jaskinie, gdzie mieli przynajmniej dach nad głową, ale większość spała pod gołym niebem, przykrywając się plastikowymi workami na śmieci dla ochrony przed rosą. Nie mogła się nadziwić serdeczności, z jaką została przez nich przyjęta. Znaleźli jej koc i matę do spania, i plastikowy worek, nakarmili i napoili. Zastanawiające, że ci, którzy mają najmniej, zawsze dają najwięcej. W nocy wycie kojotów przypomniało jej o Tyu.

Po paru dniach Inez udało się znaleźć dla nich kwaterę z prawdziwego zdarzenia, a do tego położoną bliżej pól truskawkowych. Był to garaż z własnym zlewem i toaletą. Dzieliły go z dziesięcioma innymi osobami, z których każda za ten luksus płaciła po cztery dolary za noc. Inez była tylko o rok starsza od Abbie, ale miała już dwójkę dzieci, które zostawiła pod opieką matki w Santa Ana. Bardzo za nimi tęskniła. Ich ojciec odszedł sobie w siną dal, kiedy ona była w ósmym miesiącu ciąży z drugim, ale nie miała o to do niego pretensji. — Mężczyźni — westchnęła pewnego rozgwieżdżonego wieczoru, kiedy siedziały pod garażem, paląc na spółkę papierosa. — Sami za sobą nie mogą trafić. Nie wiedzą, kim są ani po co ich Bóg stworzył. Nie można ich nienawidzić za coś, czego nie wiedzą, zasługują na współczucie.

Abbie nie powiedziała jej, że jest w ciąży, chociaż poranne mdłości utrudniały utrzymanie tego w tajemnicy.

Ponieważ był piątkowy wieczór i po wypłacie wszyscy czuli się bogaci, ktoś zorganizował półciężarówkę, która miała ich zawieźć do Salinas. Inez i Abbie umyły się, przebrały i wdrapały na skrzynię, gdzie tłoczył się już z tuzin innych weekendowych imprezowiczów, prawie samych mężczyzn. Abbie, żeby zrobić na Rolfie jak najlepsze wrażenie, włożyła ładną czerwono--czarną bawełnianą sukienkę, którą kupiła kiedyś na pchlim targu w Miami. Ostatnio rzadko spoglądała w lustro, ale tego wieczoru zrobiła to zmuszona przez Inez, i była mile zaskoczona. Zupełnie jakby patrzyła na kogoś, kogo nie widziała od lat. Nie farbowała już włosów, a te odrosły i zjaśniały od słońca, na którym spędzała teraz tyle godzin dziennie. Nigdy w życiu nie była taka opalona. Ten w sumie korzystny obraz psuł jedynie wygląd jej dłoni. Całe w odciskach, poszarzałe od ziemi, która się w nie wżarła, paznokcie połamane i obgryzione do skóry.

Inez też się wystroiła, podobnie jak trzej młodzi mężczyźni siedzący naprzeciwko. Podrywali ją. Abbie nie rozumiała, co mówią, ale czuła klimat. Jeden szczególnie jej się przyglądał. W pewnej chwili mruknął coś do kolegów, ci spojrzeli na nią taksująco i pokiwali głowami.

— Co on powiedział? — szepnęła Abbie do Inez.

— Że wyglądasz jak gwiazda filmowa.

Umówiła się z Rolfem o wpół do ósmej w barze na starym mieście, nieopodal kina Fox, ale od miejsca, gdzie wysadził ich kierowca półciężarówki, miała tam pół godziny drogi piechotą i zanim dotarła do baru, minęła już ósma. Rolfa nie było. Znalazła stolik przy oknie, żeby mieć widok na ulicę, zamówiła wodę mineralną i ze starej sportowej torby, w której mieścił się cały jej dobytek, wyjęła książkę. Minęła godzina, zmrok już zapadł, a Rolfa jak nie było, tak nie było. Mężczyźni w barze coraz nachalniej jej się przyglądali. W końcu, skrępowana tymi spojrzeniami, postanowiła się przejść. Kobiecie za barem powiedziała, że gdyby ktoś o nią pytał, to niedługo wróci.

Dochodziła dziesiąta, kiedy nie na żarty już zaniepokojona, zachodząc w głowę, gdzie będzie spała, zobaczyła wreszcie jego samochód zatrzymujący się po drugiej stronie jezdni — małego forda, którego kupili na Florydzie za resztkę pieniędzy dziadka. Przechodząc przez ulicę z telefonem komórkowym przy uchu, zobaczył ją w oknie baru, kiwnął głową, ale się nie uśmiechnął. Abbie wstała od stolika i wyszła mu na spotkanie. Zupełnie ją zignorował. Stała przy nim jak głupia na chodniku i przestępując z nogi na nogę, czekała pokornie, aż skończy rozmowę.

— Tak. Okay. Do miłego. Pa.

Złożył telefon, wsunął go do kieszeni kurtki, a ona zarzuciła mu ręce na szyję i pocałowała w usta.

— Już myślałam, że nie przyjedziesz.

— Musiałem czegoś dopilnować.

Nie pochwalił jej, że ładnie wygląda, właściwie to nawet na nią nie spojrzał. Po prostu odsunął ją od siebie, wszedł do baru, orzekł, że to nora i on tu siedzieć nie będzie.

Znaleźli małą restauracyjkę przy tej samej ulicy, bardziej kameralną, z drewnianymi boksami i czerwonymi świecami na stolikach. Usiedli w kącie i zamówili po piwie. Rolf wypił swoje duszkiem i poprosił o jeszcze jedno. Jedzenie było niesmaczne, ale Abbie wolała go nie drażnić swoją opinią. Opowiadała mu o zbieraniu owoców, o dobrych ludziach, których przy tej pracy poznała, i spartańskich warunkach, w jakich mieszkają. Rolf kiwał tylko głową, tak jakby o tym

wszystkim już wiedział. Słowem się jeszcze do niej nie odezwał,
a czasami odnosiła wrażenie, że wcale jej nie słucha.

— Wszystko w porządku? — spytała w końcu.

— Tak. Bo co?

— Sama nie wiem. Nic nie mówisz.

— Zmęczony jestem i tyle.

— Tęskniłeś za mną?

Westchnął pogardliwie i wzniósł oczy do nieba.

— Bardzo, kochaaanie, usychałem z tęsknoty.

Powiedział to z takim przekąsem, że przygryzła wargę i spuściła wzrok na talerz, nic jednak nie powiedziała. Łzy były dla
Rolfa jedynie oznaką słabości i tylko tego by brakowało, żeby
się przy nim rozpłakała. Chyba zauważył, że poczuła się urażo-
na, bo wziął ją za rękę.

— Przepraszam. Ale dobrze wiesz, co myślę o tych wszystkich burżujskich pierdołach.

— O tęsknocie za kimś, na kim ci zależy, też?

Przysunął się bliżej, objął ją i cmoknął w skroń.

— Jeszcze raz przepraszam. Tęskniłem. Już dobrze?

Kiwnęła głową, przełknęła z trudem i zdobyła się na uśmiech.

— Może gdzieś pojedziemy? Tylko na weekend?

— Gdzie?

— Nie wiem, gdzieś nad ocean. Mam ochotę pospacerować
po plaży.

— W niedzielę muszę być w Seattle.

— Mogę jechać z tobą?

— Nie.

Nigdy za wiele jej nie mówił, a ostatnio już zupełnie nic.
Abbie czytała jednak gazety i domyślała się, że jest prawdopodobnie zamieszany w opisywane w nich wypadki. Od
granicy z Kanadą po północną Kalifornię dochodziło teraz do
licznych podpaleń. Ofiarami padały głównie firmy specjalizu-
jące się w wyrębie lasów oraz w biotechnologii, a straty szły
w miliony dolarów. Twierdził, że jej udział w akcjach jest teraz
zbyt ryzykowny, ale Abbie podejrzewała, że prawdziwą przy-

czyną jest to, że zawiodła go w Denver, okazała się za słaba psychicznie i za bardzo podszyta tchórzem. Z początku raniła ją ta surowa opinia. Z czasem jednak jej przeszło. Prawda była taka, że Abbie nie miała już ochoty się w to angażować. Nadal podziwiała jego pasję i zdecydowanie. Ale działalność, która kiedyś wydawała jej się taka heroiczna, teraz uważała za bezproduktywną i niebezpieczną. A do tego przynoszącą odwrotny do zamierzonego skutek, bo rodziła współczucie dla zachłannych korporacji będących celami ataków. Tak czy owak Rolf znalazł sobie najwyraźniej jakąś inną młodą kobietę do pomocy. I prawdopodobnie do rżnięcia, ale tej myśli Abbie starała się do siebie nie dopuszczać. Potrzebowała go teraz bardziej niż kiedykolwiek.

— To pojedźmy gdzieś tylko na dzisiaj i jutro — powiedziała, całując go w szyję i kładąc dłoń na jego udzie. — Proszę. Tak dawno ze sobą nie byliśmy.

Pojechali na południe i po godzinie, przed samym Big Sur, lawirując nad urwiskami, zobaczyli mały motelik, z którego roztaczał się widok na ocean. W oknie palił się niebieski neon informujący o wolnych miejscach. Skręcili i zatrzymali się. W recepcji, przed telewizorem, drzemała starsza kobieta. Obudzili ją i wynajęli pokój.

Abbie postawiła swoją torbę na podłodze, odwróciła się i kiedy zamykał za sobą drzwi, zobaczyła w jego oczach błysk czegoś, czego nie rozpoznała.

— Rolf?

Zdarł jej z ramion sukienkę, rzucił twarzą na łóżko i wziął tak brutalnie i bez uczucia, że krzyczała, żeby przestał, ale on robił swoje. Kiedy udało jej się przekręcić na plecy i zaczęła go odpychać, wymierzył jej otwartą dłonią siarczysty policzek. Po raz pierwszy ją uderzył. A potem ścisnął za gardło tak mocno, że myślała, że ją udusi. Ogarnął ją taki strach — nie o siebie, o dziecko, które nosiła w łonie — że przestała się szamotać i pozwoliła mu robić ze sobą, co chce, aż się spuścił, stoczył z niej i znieruchomiał wypompowany.

Nie umiałaby powiedzieć, jak długo leżała, wsłuchując się w jego oddech. Kiedy w końcu nabrała pewności, że już śpi, zdobyła się na odwagę, odsunęła od niego ostrożnie, cal po calu, wstała z łóżka i cichutko pozbierała swoje rzeczy, martwiejąc co chwila, ilekroć się poruszył. Zabrała mu z kurtki kluczyki do samochodu i zwitek banknotów, komórkę po chwili namysłu zostawiła. Jego ciepła sperma ściekająca po udach przyprawiała ją o mdłości. Podkradła się na palcach do drzwi i wymknęła na zewnątrz, modląc się z każdym drżącym oddechem, żeby nie zaskrzypiały. I nie skrzypnęły.

Księżyc wiszący nisko na niebie oświetlał podest z pobielałych desek. Ubrała się pośpiesznie obok swojego cienia na ścianie i pobiegła boso po zimnym szarym żwirze do samochodu. Stał na wzniesieniu pod sosnami, jakieś pięćdziesiąt kroków od domku, na tyle blisko, że on mógł usłyszeć hałas zapuszczanego silnika, wybiec i jeszcze ją dopaść. Wiatr zupełnie zamarł, ciszę mąciło tylko dobiegające z oddali ujadanie psa. Wrzuciła torbę na tylne siedzenie, wsiadła za kierownicę, wrzuciła luz, i samochód, z chrzęstem żwiru pod oponami, zaczął się toczyć powoli ku szosie.

Kiedy koła dotknęły asfaltu, przekręciła kluczyk w stacyjce i silnik obudził się do życia. Na ocean, aż po horyzont, kładła się smuga księżycowego blasku. Abbie skręciła w stronę, z której przyjechali i lekko przyśpieszyła. Nie była pewna, ile czasu zajmie jej ta podróż. Ale wiedziała już, dokąd zmierza.

Jechała całą noc na północ. Dotarłszy do międzystanowej I 80 skręciła na wschód i obserwowała słońce wynurzające się zza Sierras, zamglone, czerwone, obojętne. Tuż za Reno chwyciły ją mdłości. Zatrzymała się na postoju dla ciężarówek, zwymiotowała i zmyła z siebie zaschnięte nasienie. Wróciła do samochodu, rozłożyła siedzenie i zasnęła. Obudził ją skwar i świecące prosto w oczy słońce.

Droga do Nevady zabrała osiem godzin. Abbie odczytywała w przelocie nazwy miejscowości na drogowskazach — Lovelock, Battle Mountain, Elko — obok wiła się i skrzyła Humboldt River. Od czasu do czasu, żeby zatankować, przekąsić coś albo po prostu odpocząć od hipnotyzującej monotonii autostrady, zjeżdżała z międzystanowej i przejeżdżała przez brudne, smętne miasteczka z zabitymi deskami witrynami sklepików, rozległymi postojami dla przyczep kempingowych i wypatroszonymi wrakami samochodów. W Utah, na prostej jak strzelił szosie ciągnącej się przez płaską pustynię jarzącą się różem aż po widnokrąg, zastała ją następna noc.

Tuż po północy minęła Salt Lake City i chociaż szyby miała opuszczone i nocne powietrze, chłodniejsze już, pachnące trawą, omywało twarz, powieki same zaczynały jej opadać. Musiała się zatrzymać. Zjechała z międzystanowej i znalazła mały motelik. Była tak skonana, że o mało nie podała swojego prawdziwego nazwiska. Zmitygowała się jednak w porę. Kiedy chłopak w recepcji spytał żartem, czy zapomniała kim jest, odpowiedziała, że tak, zapomniała.

Przejechała blisko tysiąc mil i studiując nazajutrz mapę, stwierdziła, że do przebycia ma jeszcze prawie drugie tyle. Przemknęło jej przez myśl, żeby zadzwonić, ale zreflektowała się. Ich telefony mogły być nadal na podsłuchu. A zresztą jego mogło nie być w domu, odebrałaby matka i Abbie nie wiedziałaby, co powiedzieć. Zresztą nie wiedziałaby też, co powiedzieć Tyowi po tych trzech długich latach, tych wszystkich zgryzotach i kłopotach, jakie na niego ściągnęła.

Wczesnym rankiem przecięła Wododział Kontynentalny i w Rawlins skręciła na północ, na Casper. A kiedy słońce zaczęło zachodzić za Bighorn Mountains, zjechała wreszcie z międzystanowej, kierując się na Sheridan. Przejechała powoli główną ulicą, mijając skwerek, na którym siedzieli kiedyś z Tyem i rozmawiali. Kowboj z brązu trzymał tam nadal straż z karabinem na ramieniu. Znalazła miejsce do zaparkowania i na karteczce zabranej z motelu zaczęła pisać liścik, który zamierzała wrzucić do skrzynki pocztowej u wylotu podjazdu. Dwa pierwsze podejścia zamazała. Przeprosiny brzmiały nieszczerze i nienaturalnie. Za trzecim razem skreśliła dwie proste linijki:

Ty, będę czekała pod kowbojem w poniedziałek w południe. Jeśli nie przyjdziesz, zrozumiem. Pozdrowienia, A.

Obawiała się, że po tak długim czasie nie trafi na ranczo i zabłądzi w labiryncie polnych dróg, ale, o dziwo, nawet w zapadającym zmierzchu wszystko jej się przypominało. Minęła nadjeżdżającą z przeciwka ciężarówkę z napisem McGuigan Gas & Oil na burcie i ta nazwa wywołała z zakamarków pamięci obraz człowieka umierającego na klęczkach przed płonącym domem. I jadąc przez opadający tuman kurzu wzbitego przez ciężarówkę, zachodziła w głowę, jak mogła popaść w tak żałosny stan umysłu i zniszczyć życie tylu ludziom.

Kiedy zatrzymywała się u wylotu podjazdu Hawkinsów, jej oko przyciągnął błysk bieli. Spojrzała w lewo i pod kępą osik zobaczyła obserwujące ją stadko jeleni, matki z młodymi. Myślała, że uciekną między drzewa, ale tego nie zrobiły, patrzyły spokojnie, jak podchodzi do skrzynki pocztowej. Zatrzymała się przed nią i postukując palcami o zaklejoną kopertę, obejrzała się na jelenie. I czy ośmieliły ją ich spojrzenia, czy przestraszyła perspektywa jeszcze jednej samotnie spędzonej nocy, w każdym razie zamiast wrzucić list do skrzynki, wróciła z nim do samochodu, wsiadła, zapuściła silnik i skręciła w podjazd.

Psy, jak to było do przewidzenia, wybiegły jej z ujadaniem na spotkanie. I zanim zatrzymała wóz, w oknie kuchni pojawiła się twarz, a na ganku zabłysło światło. Kiedy otworzyła drzwiczki, psy jakby ją poznały, bo przestały szczekać i podbiegły w podskokach. Wysiadła, przykucnęła i zaczęła je głaskać po łbach, a one lizały ją po twarzy. Na ganku rozległy się kroki. Podniosła wzrok i zobaczyła zbliżającego się Tya.

— Dobry wieczór, mogę w czymś pomóc?

Abbie wstała i dopiero teraz ją poznał. Zatrzymał się gwałtownie. Na jego twarzy malowały się szok i niedowierzanie.

— Boże — powiedział cicho.

— Przepraszam. Jeśli chcesz, to odjadę.

— Oczom nie wierzę.

— Nie wiedziałam, gdzie mogłabym... Słuchaj, odjadę.

Ale szedł już ku niej, a ona nie mogła się poruszyć, patrzyła tylko. Objął ją bez słowa. Zaczęła dygotać i upadłaby, gdyby jej nie podtrzymał. Głaskał ją po włosach i czekał, aż się wypłacze. Wymówiła tylko jego imię i powtarzała, jak jej przykro, jak bardzo przykro. Uciszył ją w końcu łagodnie i poprowadził powoli w stronę domu. Jego matka też stała już na ganku, ale Abbie, spojrzawszy na nią załzawionymi oczami, nie potrafiła odczytać z jej skrytej w cieniu twarzy, czy jest tu mile widzianym gościem. Po chwili jednak Martha ruszyła im naprzeciw, przejęła Abbie od Tya, przytuliła i zaczęła uspokajać jak własne dziecko.

— Biedactwo — mruczała. — Moje biedactwo.

To było coś niebywałego. Pierwsza od lat kąpiel w gorącej wodzie, czyste ręczniki, aromaty i odgłosy przyrządzanej kolacji, wszystkie te przyziemne rzeczy, znajome, lecz zapomniane, otworzyły jakiś schowek, w którym zamknęła wspomnienia o domu i rodzinie. Martha dała jej czyste ubranie i nałożyła na talerz tyle, ile Abbie do tej pory musiało starczać na tydzień. I dopiero kiedy zaspokoiła głód, kiedy stół został uprzątnięty i usiedli przy nim we trójkę, patrząc na siebie z czułością, ale i czujnym niedowierzaniem, przyszła pora na rozmowę o tym, co się wydarzyło i co w tej sytuacji może się jeszcze wydarzyć.

Abbie zdążyła zauważyć, że fotel Raya przed telewizorem jest pusty. Ty powiedział, że to już prawie dwa lata, jak ojciec zmarł, i że jego śmierć była dla nich wszystkich wybawieniem. Po udarze nie wymówił ani słowa. Abbie powiedziała, jak jej przykro i że żałuje, że nie mogła poznać go bliżej. Potem

376

wzięła głęboki oddech i zaczęła im opowiadać o tamtej nocy sprzed trzech lat w Denver. Starała się mówić zwyczajnie, bez usprawiedliwiania się, bez uszlachetniania motywów. Powiedziała po prostu, jakie przyświecały im intencje i jak zbieg okoliczności sprawił, że przybrało to taki tragiczny obrót.

Ty z matką słuchali uważnie, tylko od czasu do czasu wtrącając jakieś pytanie, wysłuchali również ocenzurowanej wersji jej życia po tamtych wypadkach, które jawiło się teraz Abbie jak mgła w dolinie, z której dopiero co się wynurzyła. I chociaż oszczędziła im najmroczniejszych szczegółów, a o Rolfie mówiła jak o zjawie z tej mgły, to zapewniła ich, że rozumie teraz, co to szaleństwo i nie chce już dalej tak żyć.

Potem Martha wstała od stołu, podeszła do kredensu i wróciła z grubym zeszytem.

— Mamo — jęknął Ty. — Nie teraz, proszę.

— Abbie musi to zobaczyć.

Położyła przed nią zeszyt, Abbie otworzyła go i już wiedziała, co to jest. Strona po stronie wklejonych wycinków z gazet i czasopism opisujących aresztowanie i uwięzienie Tya, jego zrobionych przez policję zdjęć z nazwiskiem i zawieszonym na szyi numerem. A obok fotografia roześmianej, szczęśliwej Abbie z dnia rozdania dyplomów. Nagłówki z pierwszych stron krzyczały: MORDERCA Z DENVER ARESZTOWANY, MĘŻCZYZNA Z SHERIDAN JEST KOCHANKIEM TERRORYSTKI ABBIE, TERRORYSTA TYLER ZATRZYMANY POD ZARZUTEM MORDERSTWA. Były też tam zdjęcia Raya i Marthy podejrzewanych o współudział. Nawet w ostatnich doniesieniach o zwolnieniu Tya — o wiele mniejszych, ukrytych na wewnętrznych stronach, bo to nie było już naturalnie takie ekscytujące — dało się między wierszami wyczytać, że jego niewinność nadal stoi pod znakiem zapytania.

Abbie zamknęła zeszyt i podniosła wzrok. Patrzyli na nią oboje. Nie mogła wydobyć z siebie głosu.

— Musiałam ci pokazać, co nam zrobiłaś — powiedziała Martha.

Abbie kiwnęła głową.

— Nie wiem, co powiedzieć.

Martha uśmiechnęła się ze smutkiem i wzięła ją za rękę. Ty przygryzał wargę. On też wziął Abbie za drugą dłoń i siedzieli tak przez chwilę zatopieni każde we własnych myślach, a zegar na ścianie odmierzał tykaniem przesycone smutkiem milczenie.

— Tak mi wstyd — odezwała się w końcu Abbie.

— Wiem, dziecko. Ty niech mówi za siebie, ale ja ci wybaczam. Teraz najważniejsze, jak z tego wybrniesz.

— Czy Ray wiedział?

Chodziło jej o to, czy aresztowanie Tya przyczyniło się do śmierci jego ojca, ale nie potrafiła zapytać o to wprost.

— Nie sądzę — odparł cicho Ty.

Martha wstała i zabrała zeszyt.

— Położę się już. Wy pewnie macie sobie jeszcze wiele do powiedzenia.

Pocałowała Abbie w czoło i wyszła.

Abbie musiała zaczerpnąć świeżego powietrza. Wyszli na podwórze, minęli stajnie i ruszyli przed siebie gruntową drogą biegnącą nad rozciągającymi się poniżej łąkami. Niebo nad doliną zachmurzyło się, zerwał się lekki wietrzyk. Omywał chłodem twarz Abbie i zwiastował nadciągającą jesień. Hen, nad górami, chmury rozbłyskiwały raz po raz na niebiesko, a po jakimś czasie dawał się słyszeć stłumiony odległością grzmot. Ty otoczył ją ramieniem i szli w milczeniu. Zatrzymali się przy bramie, oparli o górną żerdź ogrodzenia i zapatrzyli na konie stojące nieruchomo na łące u podnóża stoku, odcinające się wyraźnie ciemnymi sylwetkami od wypłowiałej na słońcu trawy.

Cichym głosem, nie patrząc na Tya, Abbie powiedziała, że chciałaby mu wynagrodzić wszystko, co przez nią wycierpiał, i może znajdzie na to jakiś sposób. Wie, ciągnęła, że jego matka chciałaby, żeby oddała się w ręce władz, i ona nosi się z takim zamiarem i zrobi to, ale jeszcze nie teraz, bo teraz czuje się jak małe dziecko stojące na urwisku nad oceanem, które bardzo chce skoczyć, ale się boi.

— W takim razie muszę cię ostrzec, że tu nadal nie jesteś bezpieczna — powiedział Ty, wpatrując się w mrok. — Nie wiem, jak bardzo się jeszcze nami interesują, ale na pewno o nas nie zapomnieli. Podejrzewam, że telefony mamy wciąż na podsłuchu.

— Jutro rano odjadę.

— Nie.

— Ty, muszę ci coś jeszcze powiedzieć.

Spojrzał na nią.

— Jestem w ciąży.

Nie odzywał się przez dłuższy czas. Widziała w jego oczach ból, ale też jakąś nową, rodzącą się dopiero emocję, której nie potrafiła rozszyfrować. Postąpił krok i ujął ją za ramiona.

— Przez te trzy lata nie było dnia, żebym o tobie nie myślał. Nie przestałem cię kochać nawet po tym, co się wydarzyło. I cokolwiek się stanie, zawsze możesz na mnie liczyć. To dobrze, że chcesz się ujawnić. Musisz to zrobić choćby dla dobra swojego dziecka. Ale poświęć mi przedtem kilka dni. Proszę cię, Abbie...

— Och, Ty, czy możemy...

— Tylko kilka, tylko my dwoje. Przemyślimy spokojnie plan działania, a potem od razu wprowadzimy go w czyn. Mam takie miejsce, gdzie nikt nam nie będzie przeszkadzał.

Rozdział 28

Freddie nic a nic nie przesadzał. Boulder było rzeczywiście zajebiste, prawdę mówiąc, to jak na gust Josha nawet aż za bardzo. Wszyscy byli tu tak nieziemsko urodziwi, że czuł się przy nich jak brzydkie kaczątko. Faceci jeden w drugiego wysocy, jasnowłosi, opaleni i napakowani, dziewczyny z idealnymi uśmiechami, diamencikami w pępkach i prezencją modelek, które właśnie zeszły z wybiegu. Istny przyczółek kolonistów z jakiejś kosmicznej superrasy. A może to tylko Freddi obracał się w takim towarzystwie. Tam do diabła, ofuknął się Josh w duchu. Jesteś tutaj, pogoda jak marzenie, Nikki — licho wie czemu — wciąż jakby tobą zainteresowana, a więc kompleksy na bok i cieszmy się życiem.

Z tą wyprawą do Kolorado na dwudzieste pierwsze urodziny Freddiego nie poszło wcale tak łatwo. Stoczył o nią poważną batalię z mamą. Kiedy się teraz zastanawiał, nie rozegrał tego zbyt mądrze. Zamiast najpierw spytać, co ona na to, oznajmił prosto z mostu, że wyjeżdża na cały tydzień. Bo na krócej się nie opłaca, a notatki ze wszystkich wykładów, które opuści, od kogoś sobie bez problemu pożyczy. I tak systematycznie je opuszczał, ale wolał się z tym nie wychylać. Mama stanęła okoniem i przez ostatni tydzień letnich wakacji prawie w ogóle się do siebie nie odzywali. W końcu poszli na kompromis. Josh poleci w czwartek i wróci na uniwersytet we wtorek.

Freddie wynajmował dom nieopodal Spruce Street na spółkę z trzema innymi chłopakami, tak samo jak on wyluzowanymi, bogatymi i przystojnymi. Miejsce to stało się sławne i znane było jako Świątynia Przeznaczenia z uwagi na mnóstwo kadzidełek, które tam palono, żeby zamaskować zapach trawki, orientalne draperie, statuetki oraz fakt, że w całym domu nie uświadczyło się ani jednego krzesła, a ich funkcję spełniały poduszki i materace rozłożone pod ścianami.

Był sobotni wieczór, wieczór imprezowy, chociaż tak naprawdę to impreza trwała już nieprzerwanie od dwóch dni, od kiedy Freddie, Summer i Nikki przywieźli go tu z lotniska w Denver. Dom pękał w szwach. Freddie, z sobie tylko znanego powodu, wynajął jakąś japońską firmę cateringową z kelnerkami poprzebieranymi za gejsze, które dreptały drobnym kroczkiem po pokojach, kłaniały się komu popadnie oraz częstowały sushi i ciepłą sake w małych miseczkach, których Josh wychylił już zdecydowanie za dużo. Efekt był nawet przyjemny, chociaż po piwie i skrętach krążących bez przerwy wśród obecnych mogło się to jeszcze zmienić. Przypominał nie tyle upojenie alkoholowe, ile atak postępującego paraliżu. Josh nie czuł już niektórych części ciała, a kiedy obracał głowę, twarz zdawała się pozostawać tam, gdzie była, i dopiero po chwili wsuwała się na swoje miejsce. Leżał na kupie poduszek z Nikki i jeszcze paroma ludźmi, z których wszyscy rozmawiali, śmiali się i bezsprzecznie dobrze bawili, a muzyka zaczynała przyprawiać go o mdłości i zlewał się zimnym potem.

— Dobrze się czujesz?

Nikki przyglądała mu się z zatroskaniem.

— Tak jakby.

— Blady jesteś jak ściana. Chodź, odetchniemy świeżym powietrzem.

Pomogła mu się podnieść, wzięła go za rękę i wyprowadziła przez zatłoczony pokój na korytarz, gdzie tłok panował nie mniejszy, ale było przynajmniej chłodniej.

— Słuchaj, nie chcę ci psuć zabawy — wymamrotał. — Sam wyjdę się przewietrzyć.

— Pójdę z tobą.

— Nie, naprawdę. Dzięki. Dam sobie radę. Przejdę się naokoło kwartału.

— Jesteś pewien?

— Jestem. Jak wrócę, to cię znajdę.

Znalazł kurtkę tam, gdzie ją zostawił zaraz po przyjeździe, na torbie wepchniętej pod łóżko w pokoju Freddiego, po czym przecisnął się do drzwi frontowych i zszedł po dwóch stopniach na ulicę. Górskie powietrze było chłodne i orzeźwiające. Odetchnął nim kilka razy głęboko i ruszył chodnikiem, starając się maszerować mniej więcej po linii prostej. Kiedy dotarł do centrum handlowego przy Pearl Street, w głowie już mu się trochę przejaśniło. Obszedł je dookoła, patrząc w witryny sklepów pełnych już kolorowej zimowej odzieży i sprzętu snowboardowego.

Czuł się zdecydowanie lepiej, ale ręce mu zmarzły i chowając je do kieszeni kurtki, wyczuł pod palcami stary telefon komórkowy na kartę, który z lojalności albo głupoty nadal wszędzie ze sobą nosił. Poczty głosowej nie sprawdzał od wyjazdu z Nowego Jorku i prawdę mówiąc, nie wiedział, czemu jeszcze zawraca sobie tym głowę. Abbie nie odzywała się od tamtego Bożego Narodzenia sprzed dwóch lat, kiedy płakała i mówiła, że targnie się na życie. Nie dałby głowy, że tego nie zrobiła, ale starał się o tym nie myśleć. Wyjął telefon z kieszeni, włączył go i po kilku sekundach, ku swojemu wielkiemu zaskoczeniu, usłyszał piknięcie i na wyświetlaczu pojawiła się ikonka sygnalizująca, że w poczcie głosowej jest dla niego wiadomość.

Tak dawno nie korzystał z tego cholernego szyfru, że go zapomniał. A karteczkę, na której był zapisany, zostawił w Nowym Jorku, wsuniętą między stronice starego słownika. Kiedy Abbie po raz drugi przeliterowała te dwa słowa, ogarnęła go panika. Pierwsze słowo reprezentowało numer telefonu, drugie datę i godzinę, o której ma pod niego zadzwonić. Tylko tyle,

cholera, pamiętał. Kilkakrotnie wybierał powtarzanie i odsłuchiwał wiadomość, ale nic to nie pomagało. I nagle komórka
zasygnalizowała, że wpłynęła druga wiadomość. To znowu
była Abbie. Powiedziała, że czekała na jego telefon i się nie
doczekała. Może nie sprawdza już poczty głosowej albo zapomniał szyfru. Podyktowała numer i poprosiła, żeby zadzwonił
w niedzielę o szóstej wieczorem. Głos miała jakiś słaby, niepewny. Ale już normalniejszy. Nie był napastliwy, rozkazujący ani
histeryczny jak dawniej.

— Mam nadzieję, że ta wiadomość do ciebie dotrze —
ciągnęła. — Jeśli się nie odezwiesz, znajdę chyba jakiś inny
sposób na skontaktowanie się z tobą. Proszę, zadzwoń. To dosyć
ważne. Mamie i tacie nic jeszcze nie mów. Kocham cię, Joshie.

W drodze powrotnej odsłuchał wiadomość jeszcze cztery
razy i znał ją już na pamięć. Co to mogła być za ważna sprawa?
Abbie pewnie znowu potrzebuje pieniędzy. No ale przynajmniej
żyje. Najbardziej zastanawiało go to „kocham cię" na końcu.
Nigdy mu tego nie mówiła, chyba że kiedy był mały. W domu
impreza straciła trochę na rozmachu. Gejsz już nie było. Rozejrzał się za Nikki. Zobaczył ją w towarzystwie jakiegoś chłopaka, jednego z tych blond bożków. Spytała, jak się czuje, mruknął, że już dobrze. Ktoś podał mu skręta. Przekazał go dalej,
nie pociągając dymka. I przez resztę nocy pił tylko wodę, żeby
nazajutrz, telefonując, mieć jasny umysł.

Każdego ranka, kiedy wychodziła z chaty i szła przez las nad
strumieniem do miejsca, gdzie teren opadał stromo, a ze szczytu
urwiska widziało się na wschodzie dolinę, a na zachodzie góry,
spodziewała się, że zastanie tam jakąś zmianę. Ale jeśli nawet
coś znaczyło upływ tych bezcennych dni, to niezauważalnie.
Może jaskrawszy o jeden ton odcień żółci drżących osik,
ostrzejsza biel ich pni w niepalącym już tak słońcu, więcej
śniegu na górach, ciemniejszy błękit nieba.
Ostatnie sto kroków szlaku pnącego się zygzakami ku chacie

było za strome i za kamieniste, żeby podjechać pod same drzwi samochodem, zostawili więc półciężarówkę Tya na dole między drzewami. Chata miała jedno pomieszczenie o powierzchni dwunastu stóp kwadratowych, pękaty piecyk i dwa małe okienka. W sumie skromnie, ale przytulnie — łóżko, mały stół i dwa krzesła. Prąd nie był tu doprowadzony, a wodę czerpali ze strumienia. Do jednej ze ścian przylegała przybudówka, w której rąbali i przechowywali drewno na opał oraz siodła i uzdy. A za chatą znajdował się mały corral, gdzie trzymali konie.

Jeździli na nich przeważnie wczesnym rankiem, a potem późnym popołudniem, kiedy słońce zalewało okolicę bursztynowym blaskiem. Czasami brali namiot i prowiant i jechali cały dzień w dziewicze góry, gdzie kanionami niosło się echo porykiwań łosi. W chłodny wieczór rozpalali ognisko, gotowali nad nim strawę, a potem siedzieli przytuleni, okryci kocem, zapatrzeni w płomienie i i iskry wznoszące się spiralami w bezkresne usiane cekinami gwiazd niebo.

Ponowne odkrycie czułości, i to nie tylko w nim, ale i w sobie, czasami niemal ją przytłaczało. Podtrzymywał ją za ramiona, kiedy wymiotowała rankami, i obejmował nocą, kiedy spała. Wiedziała, że ludzie cenią sobie najbardziej to, co wkrótce stracą. A może to tylko świadomość, że rozwija się w niej nowe życie, czyniła znośnymi powolny upływ tych skradzionych złotych dni i pierwsze oznaki nadciągającej zimy.

Chata stała na kilkuset akrach ziemi kupionej przed paru laty przez starzejącego się gospodarza telewizyjnego talk-show. Człowiek ten wybudował sobie piękny dom w dolinie i przylatywał tam każdego lata na dwa tygodnie z coraz to nową żoną albo przyjaciółką. Rezydencję tę miejscowi nazywali Ponderosa, bo przypominała dekorację do westernu, a właściciel, żeby nie było wątpliwości, że to autentyczne ranczo, sprowadził tam małe stadko bizonów i kilka rasowych koni, których ktoś musiał przecież doglądać. Zatrudnił więc Jessego Wheelera, przyjaciela Tya, i milę w głąb gór, na końcu krętego, kamienistego szlaku, wybudował mu chatę, której nie było widać z rancza.

Abbie pamiętała Jessego ze swojego ostatniego lata spędzonego w Divide, ale jak przez mgłę. Ty powiedział, że to spokojny chłopak i lubi samotność, ale nie przez pięćdziesiąt tygodni z rzędu, szuka więc co jakiś czas kogoś na zastępstwo, bo chce się trochę rozerwać. Kiedy Ty zadzwonił do niego z Sheridan, Jesse nie posiadał się ze szczęścia. Tego lata znalazł sobie wreszcie dziewczynę. Jeśli będzie miał dwa tygodnie na zaloty, powiedział, to może uda mu się namówić ją do małżeństwa. Ty dał mu trzy. Jesse zostawił klucz do chaty pod umówionym kamieniem i kiedy tam przyjechali, jego już nie było.

Z Sheridan wrócili osobno. Ty swoją półciężarówką, Abbie za nim samochodem Rolfa, który stał teraz ukryty w jednej ze stodół na ranczu. Abbie miała wyrzuty sumienia, że go ukradła, a poczuła się jeszcze gorzej, kiedy Ty, zajrzawszy do bagażnika, znalazł w zapasowym kole owinięty w ręcznik laptop Rolfa. Najchętniej jakoś by mu go zwróciła, ale Ty nie chciał o tym słyszeć. Powiedział, że są w nim pewnie dowody, które pomogą jej się wybronić, kiedy się ujawni. Zabrali go ze sobą do chaty i włączyli, ale na ekranie pojawiło się żądanie podania hasła. Ty zapakował komputer w plastikowy worek i schował w przybudówce.

Przez te dwa tygodnie, jakie już tu spędzili, jedynym źródłem napięcia między nimi był Rolf. Ty nie potrafił zrozumieć, jak mogła pokochać mężczyznę, który tak okrutnie ją traktował. Abbie nie powiedziała mu nawet połowy i czasami sama tego nie rozumiała. Dla Tya sprawa była jasna: ten facet to drań i ponosi winę za wszystko, co się stało. Zazdrościła mu takiego podejścia i może nawet by je podzieliła, gdyby nie to, co się działo w jej łonie. Dziecko, choć dopiero się kształtujące, zamazywało jej spojrzenie na teraźniejszość i przeszłość, zacierając nawet wspomnienie szoku, jaki przeżyła tamtej nocy, kiedy uciekła od Rolfa.

Obojętne, co Rolf zrobił, jaki bez serca i okrutny czasami bywał, nikt nigdy nie pieścił jej ani nie brał z taką pasją jak on. Rzecz jasna zdawała sobie sprawę, że poznała go, kiedy była w psychicznym dołku. Ale czy to wyjaśnia uczucie, które żywi do niego teraz, po ponad trzech latach? Faktem było, że nadal podziwiała jego zdecydowanie, zazdrościła mu odwagi i niezależności. I chociaż musiała obiektywnie przyznać, że jest w nim coś mrocznego, to na pewno fakt, że wciąż go kocha, sugerował, że i w niej coś takiego się czai. Ta jej ciemna cząstka widziała w nim nadal wojownika, którego nasienie teraz w niej dojrzewało. I to dziecko ich przerośnie.

Otwarta rozmowa z Tyem na tak drażliwy, bolesny dla niego temat była nie do pomyślenia. Ale sprawa ta kładła się cieniem na każdej z ich wielu dyskusji o tym, jak najlepiej przygotować linię obrony.

Abbie bardzo chciała zobaczyć się z rodzicami. I to nie przez szybę w pokoju widzeń jakiegoś bezdusznego więzienia. Musiała ich zobaczyć przed zgłoszeniem się na policję, musiała ich uściskać i przeprosić. Matkę oczywiście za wszystko, ale zwłaszcza za to, że w swojej wściekłości i rozżaleniu była taka samolubna i że tak mało ją wspierała po odejściu taty. Ale jego też. Za to, co się stało tamtego wieczoru pod centrum handlowym, i za to, że była dla niego taka okrutna wcześniej, zanim jej życie wypadło z zawiasów.

Ty patrzył na tę sprawę od bardziej praktycznej strony. Jego zdaniem, gdyby najpierw skontaktowała się z rodzicami, to może udałoby się dobić jakiegoś targu. Takie negocjacje są na porządku dziennym, mówił. Mając dobrego adwokata, mogliby dla niej wywalczyć, w zamian za ujawnienie się, obietnicę łagodniejszego wyroku. Niewykluczone również, że to, co znajduje się na twardym dysku laptopa, pomoże w zrzuceniu większej części winy na Rolfa. Ale zgodzili się, że po pierwsze należy zadzwonić do Josha.

Najbliższe miasteczko, Choteau, było za małe. Obcy mogli zwrócić tam na siebie uwagę mieszkańców. Pojechali więc do odległego o czterdzieści pięć minut drogi Great Falls, znaleźli automat i Abbie zadzwoniła na komórkę Josha, zostawiając w poczcie głosowej zaszyfrowaną wiadomość. Wrócili tam następnego wieczoru i czekali, ale telefon nie zadzwonił. Nie chcieli ściągać na siebie uwagi, znaleźli więc stację benzynową po drugiej stronie miasta, z automatem na zewnątrz, bez kamer systemu bezpieczeństwa, i Abbie zostawiła Joshowi pełniejszą, już niezaszyfrowaną wiadomość.

Przyjechali tam następnego wieczoru. Ty tankował, a Abbie stała przy automacie i przyciskając dyskretnie palcem widełki, udawała, że z kimś rozmawia. Punktualnie o szóstej automat zadzwonił i to był Josh. Wyznała mu, że zamierza się ujawnić. Bardzo go to podekscytowało. Powiedział, że słusznie robi i że już sobie wyobraża, jacy szczęśliwi będą tato z mamą, kiedy się o tym dowiedzą. Abbie poprosiła, żeby nic im nie mówił, dopóki sprawa nie zostanie zapięta na ostatni guzik. Powiedziała mu, gdzie jest, a on dopiero wtedy oświadczył, że dzwoni z Kolorado. Zaoferował się, że po nią przyjedzie, że pożyczy samochód i od razu ruszy w drogę, albo przyleci, albo wsiądzie w autobus, wszystko jedno, jakoś tam dotrze, nie ma siły, żeby nie dotarł. Abbie kazała mu nie wyłączać komórki i zapowiedziała, że oddzwoni za dwie godziny, i wtedy się konkretnie umówią.

Żeby zabić jakoś czas, pojechali do supermarketu i kupili kilka potrzebnych rzeczy, a potem spacerowali. Od zachodu nadciągały chmury i Ty powiedział, że czuje w powietrzu deszcz. Weszli do baru, żeby coś przekąsić. Kiedy skończyli, dochodziła już ósma. Abbie podeszła do automatu i ponownie zadzwoniła do Josha. Powiedział, że nie udało mu się wypożyczyć samochodu, zabukował więc miejsce w samolocie z Denver do Great Falls na jutrzejsze popołudnie. Podał jej numer lotu i godzinę lądowania, a Abbie powiedziała, że wyjdzie po niego Ty. Sama, przy tych środkach bezpieczeństwa stosowanych teraz na lotniskach, woli nie ryzykować, że zostanie rozpoznana.

— To do jutra — powiedziała.

— Okay. Hej, Abbie?

— No?

— Pokój blisko, stara.

— Pokój blisko.

Rozłączyła się i odwróciła. Ty rozmawiał w drugim końcu baru z jakimś starym kowbojem siedzącym przy sąsiednim stoliku. Sięgnęła znowu po słuchawkę. Może to jej jedyna szansa na wprowadzenie w czyn tego, o czym myślała od wielu dni. Nie wiedziała, czy zdobędzie się na odwagę. Ale on miał prawo wiedzieć zarówno o dziecku, jak i o tym, że postanowiła oddać się w ręce władz. Jeśli wpadnie w gniew albo będzie ją próbował zastraszyć, po prostu się rozłączy. Ale przynajmniej mu powie. Z walącym sercem wygrzebała z kieszeni kilka ćwierćdolarówek i wybrała numer komórki Rolfa. Odebrał, zanim przebrzmiał pierwszy sygnał.

— Tak?

— To ja.

— Boże. Gdzie jesteś?

— Rolf, posłuchaj...

— Tak się zamartwiałem. Wszystko u ciebie w porządku?

— Tak. Słuchaj, chcę ci coś...

— Odchodziłem od zmysłów. Kotku, przepraszam za tamto. Nie wiem, co we mnie wstąpiło. Byłem wkurzony na cały świat. Proszę cię, Abbie, wracaj. Błagam.

Słodki tembr jego głosu niemal ją rozbroił. Była przygotowana, że na nią nawrzeszczy.

— Nie mogę — powiedziała. — Zamierzam się ujawnić.

— Co?!

— Rolf, ja jestem w ciąży. I zamierzam się ujawnić.

Nastąpiła długa pauza.

— Chciałam ci powiedzieć tamtej nocy, ale...

— Boże, Abbie. Tak mi przykro. Słuchaj, muszę się z tobą zobaczyć.

Przełknęła z trudem. Nie odrywała oczu od Tya, który właśnie w tej chwili odwrócił się i spojrzał na nią przelotnie.

— To nie jest dobry pomysł.

— Proszę cię, Abbie. Musimy o tym porozmawiać. Może coś wspólnie wymyślimy. Na pewno wymyślimy. Gdzie jesteś, kotku?

— Rolf...
— Powiedz mi, proszę. Zaraz tam przyjadę.
— Nie. Wracam do domu. Josh przylatuje po mnie z Denver.
Za dużo powiedziała, ale tego nie podchwycił.
— Nie wrócisz do żadnego domu, wsadzą cię za kratki.
Albo jeszcze gorzej. Nie możesz rodzić naszego dziecka w więzieniu.
— Mogę. Mają tam odpowiednie warunki.
— Abbie, ja chyba też mam w tej sprawie coś do powiedzenia?
— Jeśli chcesz mnie jeszcze kiedyś zobaczyć, zrób to samo co ja. Ujawnij się. Powiedz im, jak było. Wszystko może być dobrze. Na pewno może.
— Abbie...
— Muszę już kończyć.
— Kotku, błagam...
— Kocham cię.
Odwiesiła słuchawkę. Łzy płynęły jej po policzkach. Nasze dziecko, powiedział. Odwróciła się szybko, wbiegła do toalety i obmyła twarz zimną wodą. Starała się uspokoić. Zrobiła, co musiała. Reszta należy już do niego. Ty czekał na nią z zaniepokojoną miną pod drzwiami toalety.
— Dobrze się czujesz?
— Tak. Trochę się tylko popłakałam. Josh mnie wzruszył. — Roześmiała się nieprzekonująco, ocierając oczy. — Boże, te hormony!
— Przyjeżdża?
— Jutro.
Kiedy wyszli z restauracji, niebo było już całkowicie zasnute chmurami, a z północy wiał zimny, porywisty wiatr. Kiedy dojeżdżali do Choteau, zaczęło padać.

Rozdział 29

Josh w życiu nie widział takiej ulewy. Istne oberwanie chmury. Prawie nic nie było przez nią widać. Ty przywiózł dla niego pelerynę, która sięgała mu do kostek. Gdy Josh wspinał się do chaty, przydeptał sobie połę i mało nie upadł. Przy tym ogłuszającym szumie i ryku potoku Abbie nie mogła ich słyszeć, ale pewnie wyglądała przez okno i zobaczyła latarkę Tya, bo kiedy byli już blisko, drzwi chaty otworzyły się i wybiegła im na spotkanie. Nie zaczekała nawet, aż ściągnie pelerynę, tylko objęła go, przytuliła i nie puszczała.

Izbę oświetlały świece, w piecyku było napalone i kolacja już się gotowała. Ty ustrzelił w weekend dwa jarząbki i Abbie udusiła je z warzywami i dzikimi jagodami. Josh od rana nie miał nic w ustach i zjadłby sam cały garnek. Przysunęli stół do łóżka, na którym usadowiła się Abbie. Ty z Joshem usiedli na krzesłach. Tyle mieli do omówienia, że żadne nie wiedziało, od czego zacząć, jedli więc i rozmawiali o niczym, o deszczu, o tym, jak przebiegł lot i o urodzinowej imprezie u Freddiego.

Abbie nigdy nie wyglądała piękniej. W niczym nie przypominała tamtej kruczowłosej jędzy z Nowego Jorku. Bił od niej jakiś blask. Josh słyszał gdzieś, że po tym można poznać, że kobieta jest w ciąży. Po tym oraz po rzyganiu i tendencji do chrupania całych brył węgla. Ty zastrzelił go tą nowiną w drodze z lotniska i dobrze, że to zrobił, bo Joshowi na dziesięć minut niemal odebrało mowę. Siedział jak ten debil, potrząsał głową i powtarzał w kółko: „O kurczę" i „O rany". Ty nie powiedział, co o tym myśli, ale smutek miał biedaczysko wypisany na twarzy. Co za cholerna tragedia. A ona promieniejąca i szczęśliwa w blasku świec. W ciąży i jedną nogą w więzieniu. Josh miał kłopoty z ogarnięciem tego wszystkiego.

Jarząbek był smaczny. Josh wpałaszował drugą porcję, obgryzł do czysta kości i w końcu zaczęli rozmawiać o poważniejszych sprawach. Ty z Abbie dokładnie już sobie wszystko obmyślili, zatem Joshowi pozostawało tylko uważnie słuchać, co mówią. Doszli do wniosku, że najlepiej będzie, jeśli Abbie ujawni się w Nowym Jorku, a ponieważ podróżowanie samolotami na fałszywych dokumentach jest dla niej ryzykowne, pojedzie z Joshem samochodem Rolfa. Ty już to dokładnie rozważył i był pewien, że uda im się dotrzeć bezpiecznie do celu. Zaproponował, żeby, jeśli chcą, wzięli jego namiot i śpiwory. Josh zawsze marzył o przejechaniu w poprzek całej Ameryki. Ale nawet gdyby fantazjował o tym i milion lat, to nie przyszłoby mu do głowy, że w tej podróży będzie mu towarzyszyła siostra ścigana za morderstwo.

Abbie powiedziała, że ponieważ telefony rodziny i znajomych mogą być wciąż na podsłuchu, nie wolno im nikogo powiadamiać, dopóki nie dotrą na miejsce. Ona zaszyje się w jakimś motelu czy gdzie tam, a Josh pojedzie powiedzieć mamie. Potem, kiedy z Santa Fe przyleci tato, zrobią rodzinną naradę, skontaktują się z prawnikami i całą resztą i zaczną działać. Josh zadał kilka pytań, ale na jego wyczucie plan miał ręce i nogi. Byle tylko ostrożnie jechali.

— To kiedy ruszamy? — spytał. — Jutro?

Abbie spojrzała na Tya, wzięła go za rękę i Josh odczytał z miny biedaka, jak trudno mu będzie znowu ją stracić.

— Postanowiliśmy zostać tu jeszcze jeden dzień — powiedział cicho Ty. — A i tobie nie zaszkodzi wypocząć. Masz przed sobą ładnych parę mil do przejechania.

Przygotowali już Joshowi prowizoryczne łóżko w kącie i pozmywawszy po kolacji, zdmuchnęli świece i położyli się spać. Josh, chociaż był zmęczony, nie mógł zasnąć. W głowie mu huczało od myśli, jak to będzie. Leżał więc wpatrzony w dogasający w piecyku żar i słuchał bębnienia deszczu o dach. Abbie krzyknęła raz przez sen: „Nie, nie chcę!" i Josh słyszał, jak Ty ją cicho uspokaja. Ten okrzyk wytrącił go z równowagi. Co też jej się przyśniło? Wyobraził sobie Abbie w kajdankach i błękitnym więziennym wdzianku, prowadzoną przez strażników w kierunku wielkich, stalowych drzwi długim korytarzem z kratami po obu stronach, i zakazane gęby wyglądające spomiędzy prętów. Bardzo się starał odpędzić od siebie tę wizję, ale przyczepiła się jak rzep, i kiedy zapadł wreszcie w niespokojny półsen, przeistoczyła się w jeszcze bardziej drastyczną, doprawioną scenami z filmów, gier komputerowych i zawartością co mroczniejszych zakamarków jego własnego umysłu. Obudził się zlany zimnym potem i przez chwilę nie wiedział, gdzie jest. Za oknem dniało. Ulewa ustała i słychać było tylko szum rwącego potoku.

Dzień był zimny i wietrzny, słońce wyglądało co chwila zza napływających nisko od północy chmur, których cienie sunęły dnem doliny niczym gigantyczne meduzy. Ty powiedział, że to pierwszy powiew zimy. Po śniadaniu dał Joshowi swoją kurtkę i wyszli z chaty nakarmić konie i przynieść drewna na opał.

— Chcesz z nami jechać? — spytał Ty. — Mogę sprowadzić dla ciebie jeszcze jednego konia z rancza.

— Wiesz co? Myślę, że lepiej będzie, jeśli spędzicie ten dzień tylko ze sobą. Ja pojadę do miasta kupić parę rzeczy na drogę.

— Nie musisz.

— Ale chcę. Zresztą nigdy nie był ze mnie dobry jeździec. W sportach na świeżym powietrzu Abbie zawsze biła mnie na głowę. Ja jestem taki bardziej miastowy.

Ty uśmiechnął się i położył mu dłoń na ramieniu.

— Dzięki, stary. Równy z ciebie gość.

— Mam nadzieję, że kiedyś tam wy dwoje będziecie mogli, no, wiesz...

Nie wiedział, jak skończyć, ale Ty chyba zrozumiał.

— Tak. Ja też.

Podrzucili koniom siana, oparli się o ogrodzenie i patrzyli przez chwilę w milczeniu, jak jedzą. Potem weszli do przybudówki, Ty wziął siekierę z krótkim styliskiem i zaczął rąbać na szczapy polana. Josh był pełen podziwu dla wprawy, z jaką to robił.

— Znasz się na komputerach? — spytał Ty.

— O tyle, o ile. A co?

— Nie wiesz czasem, czy da się złamać hasło zabezpieczające?

— Chyba można je obejść, jeśli się wie jak. Mój przyjaciel Freddie na pewno by wiedział.

Ty wbił siekierę w pieniek. Poszedł w kąt przybudówki i wrócił z jakimś przedmiotem owiniętym w czarny plastikowy worek.

— To laptop Rolfa. Są tu na pewno rozmaite informacje, które mogłyby pomóc w sprawie Abbie. Ona wciąż jest w niego zapatrzona i nie pali się do tego pomysłu. Lepiej jej o tym nie mówić, ale my bylibyśmy chyba ostatnimi durniami, gdybyśmy nie spróbowali się do nich dobrać. Może zadzwoniłbyś do tego swojego przyjaciela?

Josh wziął półciężarówkę Tya i pojechał do Great Falls. W centrum handlowym kupił ciepłą kurtkę, trochę prowiantu i napojów na drogę, a potem zadzwonił ze swojej legalnej komórki do mamy i powiedział, że jest już z powrotem w Nowym Jorku. Zdał jej pokrótce relację z przyjęcia u Freddiego, a potem nieco zaszarżował i — tonem trochę nadąsanym, ale bez przesady — poskarżył się, że na wykładzie, który właśnie się skończył, tak się wynudził, że nie wie, po co w ogóle na niego wracał. Kłamanie szło mu już tak dobrze, że aż strach.

Siedząc potem w kącie przyksięgarnianej kafejki z włączonym laptopem przed sobą, trzy razy próbował się dodzwonić do Freddiego i za każdym zostawiał wiadomość. Freddie oddzwonił dopiero w południe. Josh skłamał mu, że komputer jest własnością tępawego kolegi ze studiów, który zapomniał swojego hasła. Freddie zapytał o producenta, typ i przybliżony rok produkcji, potem kazał mu notować na wypadek, gdyby za pierwszym razem się nie udało, i prowadził go krok po kroku. Po pięciu minutach laptop wyświetlił ekran Windows i Josh był w programie. Freddie kazał mu jeszcze sprawdzić, czy poszczególne pliki nie są zakodowane. Nie były.

— Freddie, jesteś geniuszem.

— Wiem. Należy się dwa tysiące zielonych.

— Masz je jak w banku.

Przez następne dwie godziny Josh z walącym sercem przeglądał plik po pliku. Niektóre nie zawierały niczego, co by mu coś mówiło, ale większość owszem. Nazwiska, adresy, numery telefonów; informacje o firmach, ich oddziałach i magazynach, o tartakach i laboratoriach; notatki, najwyraźniej z przeprowadzonego na miejscu rozpoznania, o zabezpieczeniach, liniach telefonicznych i energetycznych; oraz, co najbardziej intrygujące, ukryty w alfabetycznej liście kontaktów pod G jak „Gliny", wykaz kilkudziesięciu nazwisk i numerów telefonów. Spróbował jeszcze dostać się do skrzynki pocztowej Rolfa, ale natrafił na kolejne żądanie podania hasła.

Kontynuowałby, ale dochodziła już szósta i trzeba było wracać. Abbie z Tyem pewnie się już o niego martwią. Ale chciał jeszcze sporządzić kopię tego, co widział. Na wypadek gdyby komputer zginął, zepsuł się albo został skradziony. Nie wyłączając go, wrócił biegiem do centrum handlowego, kupił nie większy od kciuka flash drive i przekopiował tyle, ile się w nim zmieściło.

Kiedy przejeżdżał przez Choteau, było już po ósmej i ściemniało się. Strzałka wskaźnika poziomu paliwa zbliżała się do zera, skręcił więc na stację benzynową i zatankował. Kiedy wszedł do środka zapłacić, dłonie miał tak zmarznięte, że upuścił monety, które rozsypały się po posadzce. Dziewczyna obsługująca kasę wyszła zza lady, uklękła i pomogła mu je pozbierać.

— Nie najlepsza dziś pogoda — zauważyła.

— Chyba że się jest polarnym misiem.

Roześmiała się. Kiedy płacił, zapytała, czy jest tylko przejazdem. Odparł, że tak, i nie wiedzieć czemu dorzucił, że jedzie z Kanady do taty. Kiedy wracał do półciężarówki, wiatr już ustał i zaczął sypać śnieg.

Chwytał też mróz. Dwa razy Josh wpadł w poślizg na oblodzonej miejscami szosie i z ulgą skręcał w drogę gruntową prowadzącą w góry. Raz na zbyt wielkiej szybkości wszedł w zakręt i o mało nie staranował stada jeleni. Potem zmylił drogę i musiał zawracać. Nie mógł sobie darować, że tak późno ruszył w drogę powrotną. Oni tam już pewnie chodzą po ścianach z niepokoju. Minął dom i zabudowania rancza i rozpostarł się przed nim biały krajobraz.

Milę dalej, tam gdzie szlak stawał się nieprzejezdny, zobaczył za zdziwieniem jakiś samochód stojący pod drzewami na miejscu, gdzie zamierzał zaparkować półciężarówkę Tya. Zatrzymał się za nim, wysiadł i zajrzał. W środku nikogo nie było, nie zauważył też nic, co pomogłoby mu się zorientować, kim jest właściciel. Poszukał w półciężarówce latarki, ale jej nie znalazł. Bez sensu byłoby chyba taszczyć siatki z zakupami pod górę do chaty, żeby rano znowu znosić je na dół. Zostawił wszystko, z komputerem włącznie, w półciężarówce i zamknął ją. Śnieg sypał bez ustanku i było bardzo zimno. Josh naciągnął na głowę kaptur nowej kurtki i ruszył szlakiem pod górę.

Wypatrywał odcisków stóp, ale było za ciemno, a zresztą nawet jeśli ktoś tędy przechodził, to jego ślady zasypał już pewnie śnieg. Zastanawiał się wciąż, czyj mógł być ten samochód. Nie wyglądał na policyjny, a zresztą gliniarze zjechaliby tu chyba całą gromadą, nie? Może wrócił ten przyjaciel Tya, Jesse? Tak, to pewnie on. Dopiero kiedy był już u szczytu wzniesienia i widział chatę, przemknęło mu przez myśl, że coś tu jest nie w porządku. Ktoś mówił podniesionym głosem. Potem w oknie mignęła mu jakaś postać. I nie był to ani Ty, ani Abbie.

Chodził tam i z powrotem po chacie, płomyki świec pochylały się, kiedy je mijał, rzucając na ściany rozchybotane, poszarpane cienie. Tamci dwoje siedzieli przy stole, tak jak im kazał, i wodzili za nim wzrokiem. Ty wyglądał na spokojniejszego, niż pewnie był w istocie. Abbie nie otrząsnęła się jeszcze z szoku.

— Jak śmiałeś?! Jak, kurwa, śmiałeś?!

— Posłuchaj — odezwał się Ty. — Powiedziałem już, że przepraszam. Jak on wróci, będziesz go miał z powrotem. Weźmiesz go sobie i odjedziesz.

— Nie pierdol.

Rolf znowu spojrzał na zegarek, potem wyjrzał przez okno, za którym zobaczył tylko sypiący gęsto śnieg. Na jego widok, kiedy o zmierzchu wprowadzali konie do corralu, Abbie omal nie zemdlała. Nadal nie wiedziała, jak ich tu znalazł, a była zbyt przerażona, żeby zapytać. Wyraz jego oczu w jednej chwili rozwiał wszelkie nadzieje na to, że przyjście dziecka na świat może coś zmienić. Musiała być niespełna rozumu, by łudzić się, że skłoni go do ujawnienia się.

Że też Ty tak się uparł, żeby sprawdzić, co jest w laptopie, i postawił na swoim. Wciąż nie mogła uwierzyć, że bez jej wiedzy wysłał z nim Josha do miasta i kazał zadzwonić do Freddiego, a jej powiedział o tym dopiero podczas przejażdżki, kiedy było już za późno, żeby Josha zatrzymać. Próbował udawać przed Rolfem, że nic takiego się nie stało, że komputer został w półciężarówce, i oddadzą mu go, jak tylko Josh wróci. Abbie widziała jednak, że Rolf tego nie kupił. Już sam widok Tya wprawił go we wściekłość, a brak komputera jeszcze bardziej rozjuszył. Nie uderzył jeszcze żadnego z nich, ale zapowiedź, że to tylko kwestia czasu, przebijała z każdego jego słowa, z każdego ruchu.

— Gdzie on, kurwa, tak długo marudzi?

— To pewnie przez ten śnieg — powiedział Ty. — Może drogi są zasypane.

Rolf znowu spojrzał przez okno i w tym samym momencie Ty po raz któryś z rzędu rzucił szybkie spojrzenie na łóżko i Abbie dopiero teraz zrozumiała. Trzymał pod nim naładowaną strzelbę. Było nawet widać koniec żebrowanej kolby. Spiorunowała go wzrokiem. Na miłość boską, chyba nie okaże się aż tak głupi?

— Dobra, dosyć tego — warknął Rolf. — Ubieraj się.

— Jak to? — wykrztusiła Abbie.

— Ubieraj się, powiedziałem. Spadamy stąd.

— Nic z tego — zaprotestował Ty, wstając.

— Do ciebie mówiłem? Ty zostajesz. Siedź na dupie i nie podskakuj.

Zerwał z wieszaka na drzwiach i rzucił Abbie czerwoną kurtkę narciarską.

— Ubieraj się!

— Posłuchaj — podjął Ty. — Bądźmy rozsądni...

— Stul ten cholerny dziób!

— Ona nigdzie z tobą nie pojedzie.

Ty postąpił krok w stronę Rolfa i ten odwrócił się do niego.

— Jak nie usiądziesz, to cię, kurwa, zabiję.

Abbie pośpiesznie wkładała kurtkę.

— W porządku, Ty, pojadę. Spotkamy po drodze Josha, dostanie ten swój komputer i rozstaniemy się.

— Nigdzie cię z nim nie puszczę. Dosyć krzywd już od niego zaznałaś.

— Powiedz może temu swojemu bohaterskiemu kowbojowi, żeby pilnował, kurwa, własnego nosa.

Rolf otworzył jednym szarpnięciem drzwi i chwycił Abbie za ramię. Ty rzucił się na niego, ale Rolf był na to przygotowany. Powitał go silnym ciosem w żołądek i odepchnął. Ty zatoczył się pod przeciwległą ścianę, przewracając po drodze stół wraz ze stojącą na nim świecą. Abbie krzyknęła. Ty z trudem łapał oddech, ale dźwigał się z podłogi.

— Na miłość boską! — wrzasnęła Abbie. — Pojadę. Przestań!

Za stojącymi otworem drzwiami sypał bezszelestnie śnieg. Ty przesuwał się bokiem w stronę łóżka.

— Ty, nie! — krzyknęła.

Nie powinna była tego robić. Rolf natychmiast przeniósł wzrok na łóżko i zobaczył wystającą spod niego kolbę. W tym samym momencie Ty rzucił się po nią szczupakiem, ale Rolf doskoczył, chwycił go za biodra i odciągnął. Dobry Boże, pomyślała, błagam, tylko nie to. Tarzali się teraz obaj po podłodze, okładając pięściami, dusząc, szarpiąc za włosy, a Abbie stała w drzwiach i wrzeszczała jak opętana, żeby przestali. W pewnym momencie Rolf podciągnął pod siebie kolana, zerwał się, odskoczył i z całej siły kopnął Tya w pierś, a potem chwycił kolbę strzelby i zaczął wyciągać ją spod łóżka.

Abbie nie od razu rozpoznała oblepioną śniegiem postać, która odpychając ją z drogi, wpadła do chaty. Josh skoczył Rolfowi na plecy, oplótł mu ramionami szyję i zaciskając chwyt, wykręcił głowę.

— Uciekaj, Abbie! — krzyknął Ty. — Wiej stąd! NO JUŻ!

Nie trzeba jej było tego dwa razy powtarzać. Nie mogła patrzeć, jak trzech mężczyzn, których kochała, rozdziera się na strzępy. Odwróciła się, wybiegła z chaty, skręciła za węgieł i zobaczyła konie przywiązane wciąż do ogrodzenia corralu, tam gdzie je zostawili, kiedy zobaczyli Rolfa. Siodła pokrywała gruba na cal warstwa śniegu. Abbie odwiązała swojego, wskoczyła na niego, odwróciła silnym szarpnięciem uzdy i dźgnęła piętami. Ruszył z kopyta jak koń wyścigowy z bramki startowej i pocwałował między drzewa szlakiem biegnącym pod górę.

Nie wiedziała, gdzie się kieruje i było jej wszystko jedno, a nawet gdyby nie było, to przez zalepiający oczy śnieg i zaślepiona rozpaczą mało co widziała. Pochyliła się nisko, przywierając policzkiem do ośnieżonej grzywy konia, i pozwalała mu się nieść. Orientowała się już dosyć dobrze w terenie, ale za dnia i nie podczas śnieżycy. Ponad stłumiony tętent kopyt konia galopującego niezmordowanie pod górę przebił się nagle głębszy, ostrzejszy odgłos, a potem przetoczyło się jego echo. Wypaliła strzelba. Abbie nie miała co do tego wątpliwości. Krzyknęła i ponagliła konia piętami do jeszcze szybszego biegu.

Szlak skręcał w lewo, zaczynał opadać i nagle runęli z pluskiem do strumienia. Koń, z grzechotem usuwających się spod kopyt kamieni, wspiął się z wysiłkiem na przeciwległy brzeg i chrapiąc, pokasłując jak przeżarty rdzą silnik, popędził dalej w dół coraz bardziej stromego stoku.

Wypadli spomiędzy drzew i teren zaczął się wyrównywać. Poniżej, po prawej, poprzez mrowie wirujących płatków śniegu widziała tylko otchłań nieprzeniknionej czerni i przemknęło jej przez głowę, że są na jakiejś grani czy może na skraju przepaści. Sekundę później kopyta zastukotały o skałę albo lód, albo jedno i drugie, i koń, poślizgnąwszy się, zaczął wierzgać z rżeniem w panicznej próbie utrzymania się na nogach. Wyleciała z siodła jak z procy i poszybowała poprzez ciemność. Spadła na zbocze i koziołkując, turlając się, tocząc, poleciała na łeb na szyję w dół. Płatki śniegu wdzierały jej się do ust, zalepiały oczy. Poczuła przeszywający ból w nodze, w barku chrupnęło, a potem uderzyła głową o coś twardego i świat zrobił się bielszy od śniegu, zwolnił bieg, a ona zsuwała się, zjeżdżała, ześlizgiwała... I ostatnie, co pomyślała, to to, że ta noc i cały świat jest jednym długim, nieważkim spadaniem na podobieństwo złamanego piórka, a zaraz potem wzięła ją z pluskiem w objęcia i zasklepiła się nad nią lodowata woda.

Część III

Rozdział 30

Słyszeli porykiwanie tych łosi przez cały poranek, ale dopiero teraz je zobaczyli. Całe stado — ze dwadzieścia klemp i wielki, stary pilnujący ich byk o imponujących rozłożystych łopatach — w dole, nad strumieniem, w cieniu doliny. Szeryf Charlie Riggs wstrzymał konia na grani, Lucy podjechała na swoim zgrabnym kucu, w nowiutkim siodle, i zrobiła to samo. Charlie wskazał palcem na stado.

— Spójrz — powiedział, podając jej lornetkę. — Widzisz?

Słońce świeciło im w oczy, zdjął więc kapelusz i ocienił ją nim.

— Widzę. Jejku, jaki wielki.

— No. Facet jak się patrzy, każda by takiego chciała.

— Ile ma wypustek na tych rosochach?

— Policz. Masz lepszy wzrok.

— Chyba po siedem.

Krążyli tu już od blisko trzech godzin i w miarę jak dolina wypełniała się cieniem, robiło się coraz chłodniej. Do wejścia na szlak dojechali samochodem z przyczepą i tam go zostawili. Pracujące weekendy były jedną z przyczyn, które doprowadziły do odejścia Sheryl, kiedy więc dzisiaj rano zabierał Lucy na konną przejażdżkę, wolał nie mówić, że wybierają się w góry, nad Goat Creek. Zresztą nie czuł się jak w pracy, a Lucy

403

pewnie też tak tego nie odbierała. Na pewno, jak wszyscy w okolicy, słyszała, że wczesną wiosną znaleziono gdzieś tutaj trupa młodej dziewczyny. Ale od tamtego czasu upłynęło sześć miesięcy i nikt już o tym nie wspominał. Córka nie wiedziała tylko — i Charlie ani myślał jej o tym informować — że łosie pasą się dokładnie w tym miejscu, gdzie wycięli Abbie Cooper z lodu.

Kiedy strumień pod koniec kwietnia odtajał, przeczesali całą okolicę w poszukiwaniu jakichś dowodów, ale nic nie znaleźli. I od tamtego czasu, przez całą wiosnę i lato, Charlie regularnie tu wracał. Czasami konno, z Lucy albo sam, czasami na piechotę. Nie wiedział, ile setek mil tak przemierzył, ale zaliczył chyba wszystkie szlaki i przylegające do nich bezdroża w promieniu dwudziestu mil, wypatrując na ziemi czegokolwiek, co mogło zostać zgubione, upuszczone albo ukryte. Ale nie znalazł niczego, co rzuciłoby choć promyk światła na okoliczności śmierci tej biednej dziewczyny.

W biurze żartowano już z jego obsesji na punkcie tej sprawy. Widział miny niektórych zastępców, kiedy prosił ich, żeby zbadali jakiś obiecujący trop albo coś, co podpowiadało mu przeczucie. Nawet bywalcy Grizzly Grill, kiedy Charlie wpadał tam na kolację, bo znudziło mu się samotne czytanie w domu albo zapomniał kupić coś do zjedzenia, zaczęli sobie z niego pokpiwać, pytając, czy schwytał już jej zabójcę. „Nie — odpowiadał. — Jeszcze nie, ale na twoim tropie już jestem, koleś". Prawda była taka, że nie miał czasu ani środków na prowadzenie takiej sprawy i prawdopodobnie powinien był ją już dawno przekazać ludziom ze stanowego DCI* w Helen.

— Po co jednemu samcowi tyle samic? — spytała Lucy.

— A skąd wiesz, czy nie jest odwrotnie? Może to one wzięły go w jasyr.

— Ta-ato.

---

* Division of Criminal Investigation — wydział dochodzeniowo-śledczy.

— Uczą was już w szkole o genach i tych rzeczach?

— Pewnie.

— No więc tak. Mówiąc krótko, rolą samca jest jak najszersze rozprzestrzenianie swoich genów, a więc te silniejsze starają się odpędzać inne od swoich samic.

— To niesprawiedliwe dla samic. Młodsze byczki są o wiele ładniejsze od tego starego paskudnego stwora.

— Owszem i pewnego dnia któryś z nich pokona go w walce i zajmie jego miejsce.

— A samice nie mają w tej sprawie nic do powiedzenia?

— Nic.

— To seksizm.

— Chyba tak. Ale bardzo ułatwia życie. Wracajmy, zgłodniałem.

Ruszyli dalej granią i zjechali powoli wijącym się szlakiem w cień drzew, gdzie powietrze było chłodniejsze i pachniało jesienią. W zeszłym roku mniej więcej o tej porze ścisnął mróz i sypnęło śniegiem. I Charlie, chociaż nie miał na to żadnego dowodu, podejrzewał, że właśnie wtedy mogła zginąć Abbie. Zima obfitowała potem w odwilże i ponowne ataki mrozów. Ale z tego, co słyszał od Neda i Val Drummondów oraz paru innych osób — myśliwych, strażników leśnych i tych, którzy lubili tu pojeździć na skuterach śnieżnych — tamten pierwszy śnieg i lód nigdy nie zostały tak do końca wypłukane ze strumienia.

I to chyba wszystko, co wiedział. Jak na sześć długich miesięcy dochodzenia nie był to efekt czyniący go kandydatem do nagrody detektywa roku. Wszystkie podjęte na początku tropy do niczego nie doprowadziły. Wbiwszy sobie w głowę, że dziewczyna zginęła podczas tamtej pierwszej śnieżycy pod koniec września, krążył po mieście i pytał, czy ktoś może widział tu wtedy jakichś obcych. Udało mu się ustalić, że wieczorem tamtego dnia, kiedy zaczął sypać śnieg, jakiś młody mężczyzna tankował do pełna na stacji benzynowej. Płacił gotówką i monety rozsypały mu się po posadzce. Kasjerce powiedział, że jedzie z Kanady do taty. Dziewczyna zauważyła też, że nie miał czubka palca wskazującego u prawej dłoni.

Charliego ogarnęło podniecenie, bo na stacji mieli kamery systemu bezpieczeństwa zainstalowane zarówno w środku, jak i na zewnątrz. Okazało się jednak, że zapisy z nich przechowują tylko przez miesiąc i tamte dawno już zostały skasowane. Kasjerka nie pamiętała, jakim samochodem przyjechał mężczyzna, ale zapewniała, że był bardzo sympatyczny i nie wyglądał na mordercę.

Przez jakiś czas Charliemu obiecujący wydawał się trop Tya Hawkinsa, chłopaka z Sheridan, którego FBI podejrzewało z początku, niesłusznie zresztą, że jest wspólnikiem Abbie. Charlie ustalił, że Ty przyjaźni się z Jessem Wheelerem, dozorcą z Ponderosy. Górska chata Jessego stała kilka mil na północ od Goat Creek, ale Charlie wybrał się tam mimo wszystko.

Opłaciło się. Podczas rozmowy Jesse był trochę speszony i niespokojny. Okazało się, że widział raz Abbie, mniej więcej przed sześcioma albo siedmioma laty, na jakimś ranczu turystycznym, gdzie pracował latem. Przysięgał, że od tamtego czasu jej nie spotkał, że z Tyem też od dawna się nie widział i że od trzech lat, odkąd pracuje w Ponderosie, Ty ani razu go tu nie odwiedził. Ale Charlie nie za bardzo mu wierzył.

Pojechał porozmawiać z Tyem do Sheridan i naprawdę bardzo mu go było żal. Charlie, sam miłośnik koni, znał Raya Hawkinsa i przed kilku laty widział go w akcji w jednej z jego słynnych klinik. Nie dość, że chłopak stracił ojca, nie dość, że w poszukiwaniu metanu podziurawiono im i zdewastowano ranczo, nie dość, że został niesłusznie wsadzony na kilka tygodni do więzienia i napiętnowany jako terrorysta, to najwyraźniej stracił miłość swego życia.

Kiedy mówił o Abbie, po jego oczach i głosie można było poznać, że jej śmierć złamała mu serce. Powiedział, że nie widział się z nią od lat. I Charlie w to wierzył. Instynkt mu podpowiadał, że chłopak prędzej zamordowałby własną matkę niż ją. Nie wyczuwało się w nim ani krzty zła. Ale formalności musiało stać się zadość. Pobrał od Tya próbkę DNA i wysłał ją do laboratorium kryminalistycznego w Missouli, żeby zbadano tam, czy nie jest czasem ojcem dziecka Abbie. I dzięki Bogu badanie dało wynik negatywny.

Byli już przy półciężarówce z przyczepą. Charlie patrzył, jak Lucy fachowo wprowadza kuca po pochylni, potem zrobił to samo ze swoim koniem. Kiedy wracali w zapadającym zmierzchu do miasta, ogarnął go smutek. Tak było zawsze pod koniec dnia spędzonego z córką, kiedy odwoził ją do matki. Jakie poplątane to życie, zwykła mawiać jego babcia. Jakie poplątane i beznadziejne.

Charlie co kilka tygodni, nawet jeśli nie miał im nic nowego do zakomunikowania (a miewał rzadko), dzwonił do Cooperów. Po prostu żeby być z nimi w kontakcie i pokazać, że sprawa jest wciąż otwarta i dochodzenie trwa. Polubił ich i podziwiał godność, z jaką przeżywali stratę córki. Raz napomknął o tym Benowi i nigdy nie zapomni krótkiej pauzy, jaka wtedy nastąpiła, ani odpowiedzi, którą usłyszał.

— Prawdziwą stratę ponieśliśmy przed czterema laty. Teraz przynajmniej wiemy, gdzie ona jest.

Charlie dzwonił do nich obojga, ale bardziej lubił rozmawiać z Sarah. Nie przyznawał się do tego przed samym sobą, ale to z jej powodu ociągał się z przekazaniem sprawy. Chociaż widział ją tylko raz, w Missouli, kiedy przyjechała po ciało, miał ją wciąż przed oczami. Lubił słuchać przez telefon jej lekko schrypniętego głosu, w którym można się było zakochać. Rozmawiali czasami przez pół godziny i dłużej, o wiele dłużej, niż potrzeba mu było na przedstawienie aktualnego stanu tak zwanego dochodzenia.

Podczas jednej z takich rozmów przed miesiącem wyciągnęła z niego jakimś sposobem, że jest zapalonym czytelnikiem, i okazało się, że mają kilku tych samych ulubionych autorów. Wyobrażał sobie, że jej gust jest o wiele bardziej wysmakowany niż jego, ale kiedy powiedział, że przepada za Elmorem Leonardem, Patem Conroyem i Cormakiem McCarthym, ożywiła się i powiedziała, że *Książę przypływów* i *Wszystkie ładne konie*, to jej ulubione powieści. Powiedziała też, że teraz żałuje, że sprzedała księgarnię, bo mogłaby mu przysyłać zapowiedzi wydawnicze i nowości.

Kiedy rozmawiali następnym razem, a było to dzień po tym, jak Charlie był z Lucy nad Goat Creek i widzieli łosie, Sarah zwierzyła mu się, że próbuje sama coś pisać. O Abbie. I że ma w planie podróż do Missouli, bo chce się wczuć w klimat tamtejszych okolic. Spytała go, czy bywa tam teraz, a on skłamał, że bardzo często. Zaproponowała wtedy, że mogliby się spotkać. Charlie powiedział, że bardzo chętnie, a potem, uznawszy, że nie zabrzmiało to wystarczająco profesjonalnie, dodał, że do tego czasu nastąpi może jakiś przełom w dochodzeniu i będzie miał okazję ją o nim poinformować.

Zadzwoniła kilka dni później, podała datę swojego przyjazdu, powiedziała, że zarezerwowała pokój w Doubletree, naprzeciwko uniwersytetu, po drugiej stronie rzeki, i zapytała, czy zjadłby z nią lunch albo kolację we wtorek. Zełgał znowu, mówiąc, że tego dnia ma mnóstwo pracy i na lunch się nie wyrobi, ale jeśli chodzi o kolację, to z miłą chęcią. Zapewnił ją jeszcze, że kuchnia w Doubletree jest pod każdym względem niezrównana. Przez następne dziesięć dni chodził z głową w obłokach.

Był w Missouli trzy kwadranse wcześniej i spacerował nad rzeką pod topolami, których liście złociły się w zapadającym zmierzchu, a potem z drewnianego mostka prowadzącego do kampusu obserwował trening uniwersyteckiej drużyny futbolowej na oświetlonym reflektorami boisku.

Poszedł do fryzjera i włożył swoją najlepszą marynarkę z beżowego zamszu, a do niej jasnobłękitną koszulę na zatrzaski. Początkowo wybierał się na spotkanie w mundurze, ale po zastanowieniu doszedł do wniosku, że za urzędowo by w nim wyglądał. Zamiast tego, żeby już całkiem nie wyjść na cywila, zabrał ze sobą neseser i wszedł do restauracji kilka minut spóźniony, niby prosto z jakiegoś ważnego spotkania, które się nieco przeciągnęło.

Wstała od stolika, uśmiechnęła się i pomachała mu.

— Witaj, Charlie. Jak dobrze cię widzieć.

Dłoń miała chłodną. Powiedział, że jemu też jest bardzo miło. Była w czarnych dżinsach, białej bluzce i rozpiętym granatowym kardiganie, szyję zdobił jej pojedynczy sznur pereł. Zauważył, że jest lekko opalona i chyba zmieniła fryzurę, ale może mu się tylko wydawało, bo kiedy ostatnio ją widział, włosy ociekały jej deszczem. Wyglądała olśniewająco. W życiu nie jadł kolacji z tak pełną klasy i piękną kobietą.

Jakie to miłe z jego strony, że pozostaje w kontakcie, myślała Sarah. Może to ich standardowa procedura, kiedy mają do czynienia z rodzicami ofiar. Z rodzicami przestępców pewnie się tak nie ceregielą. Abbie zmieniono, oczywiście, kategorię ze względu na jej tragiczną śmierć.

Opowiadał, jak podczas konnej wycieczki, na którą wybrał się przed dwoma tygodniami z córką, patrzył z urwiska w dolinę i dochodził do coraz większego przekonania, że Abbie właśnie stamtąd musiała spaść. Było oczywiste, że nie ma jej nic nowego ani istotnego do zakomunikowania, ale Sarah niczego takiego nie oczekiwała, nie była więc zawiedziona. Był bardzo sympatycznym facetem i dobrze się czuła w jego towarzystwie. Już dawno nie jadła kolacji z mężczyzną. Z tego, jak patrzył na nią tymi dobrymi, błękitnymi oczami, wynikało, że mu się podoba.

Spytał ją już, jak jej idzie wczuwanie się w klimat. Była tu od dwóch dni i rozmawiała z kilkoma wykładowcami i znajomymi Abbie. Wszyscy byli dla niej mili, serdeczni i uczynni, zwłaszcza Mel i Scott, którzy po zrobieniu dyplomów zostali na uniwersytecie. Przykro zrobiło jej się tylko wtedy, kiedy usłyszała, że Mel jest w piątym miesiącu ciąży. Mieli pobrać się ze Scottem w Święto Dziękczynienia.

Sarah nie mówiła Charliemu wiele o tym, co zamierza napisać. Po pierwsze, trochę się wstydziła, po drugie, sama jeszcze dobrze nie wiedziała. Iris nazwała jej próby pisaniem do szuflady i chyba miała rację.

— Lucy jest twoim jedynym dzieckiem?

— Tak, ale energii ma za dwadzieścioro. Prowadzi dom, od kiedy skończyła pół roczku. Jest bardzo rezolutna.

— Wiem. Abbie taka była.

— Przepraszam, nie chciałem...

— Charlie, proszę. Wszystko w porządku, zapewniam cię.

Był taki zakłopotany, że odruchowo pogłaskała go po dłoni.

— Opowiedz mi o niej.

Opowiedział, a potem, lekko tylko naciskany, zaczął mówić o swoim małżeństwie, o tym, jak się rozpadło i że wina leży głównie po jego, nie Sheryl, stronie. Powiedział, że gdyby można było cofnąć czas, inaczej by to rozegrał, bardziej się wszystkim interesował, częściej przebywał w domu. Potem, ni z tego, ni z owego, zapytał, co u Benjamina, i musiała mu odpowiedzieć, że właściwie to nie wie, ale chyba w porządku.

Prawda była taka, że od pogrzebu rozmawiali tylko dwa razy i za każdym dziwnie formalnie, trochę sztucznie. Sarah domyślała się dlaczego. Był to efekt tego, co powiedziała mu w samolocie, że Abbie zginęła przez niego. Sama nie mogła uwierzyć, że powiedziała coś tak strasznego. W ciągu tych dwóch dni w Missouli, po rozmowach o Abbie z Mel, Scottem i innymi, miała czas na refleksję i nastąpiło u niej pewne przewartościowanie. Nosiła się nawet z myślą, żeby do niego napisać i przeprosić.

— Ma teraz nowe życie, całkowicie nowy układ wspomagania, jeśli rozumiesz, o co mi chodzi?

— Przepraszam.

— Charlie Riggsie, jeśli w tej chwili nie przestaniesz przepraszać, to się na ciebie obrażę.

Uśmiechnął się. Dopiła swoje wino, a on napełnił jej ponownie kieliszek.

— Jesteśmy oboje rozwiedzeni i samotni — podjęła. — Rozmowa o tych sprawach nie powinna nas krępować.

— Absolutnie.

— Sheryl wyszła powtórnie za mąż. Dlaczego ty się nie ożeniłeś?

— Hmmm. Chyba praca mi w tym przeszkadza. Bo widzisz, mój rejon to prawie dwa i pół tysiąca mil kwadratowych. Od samego patrzenia na mapę można się zmęczyć. A poza tym nie ma tu wielkiego wyboru. Dużo bydła i innej zwierzyny, drzew i pustych przestrzeni, ale ludzi co kot napłakał.

Sarah uśmiechnęła się i przez chwilę patrzyli sobie w oczy.

— A ty? — spytał

Roześmiała się.

— Ile masz lat, Charlie?

— Czterdzieści cztery. Nie, pięć.

— A na ile oceniasz mnie?

— Od dzieciństwa mi wpajano, żebym nie spekulował na takie tematy.

— Nie krępuj się, zgaduj.

— Cholera... trzydzieści dziewięć?

— Aleś ty pełen...

Uśmiechnął się i upił łyczek wina.

— Za rok kończę pięćdziesiąt.

— Nie wierzę.

— Naprawdę. Czasami czuję się o wiele starsza, a czasami jak osiemnastolatka.

— A do ilu lat dzisiaj się poczuwasz?

— Mniej więcej do trzydziestu dziewięciu.

Roześmiał się.

— Cały ambaras w tym — ciągnęła — że wolni mężczyźni w moim wieku, to znaczy mężczyźni do rzeczy — a zapewniam cię, że takich ze świecą szukać — chcą się umawiać tylko z kobietami o dwadzieścia lat od nich młodszymi.

Zastanawiała się, co by mu odpowiedziała, gdyby jej zaproponował, żeby poszła z nim do łóżka. Oczywiście, nie spodziewała się po nim takiej propozycji. Była na to za dobrze wychowany. A szkoda, bo chybaby nie odmówiła. Gdyby któreś z nich miało wykonać pierwszy ruch w tym kierunku, to na niego nie było co liczyć. Ale ona nigdy w życiu czegoś takiego nie robiła. A gdyby nawet zdobyła się na odwagę, to pewnie potem by żałowała.

— Z drugiej strony — powiedział — nie da się ukryć, samotne życie ma też swoje zalety. Możesz zostawiać brudne talerze i nikt ci nie zmyje za to głowy, bałaganić i tak dalej. Czytać przez cały dzień, jeśli masz taki kaprys.

Podchwyciła tę aluzję (chociaż wątpiła, czy była zamierzona) i ewakuowała się ze strefy zagrożenia pytaniem, co aktualnie czyta. I przez resztę posiłku rozmawiali już tylko o książkach. Obiecała mu przysłać powieść pewnego młodego meksykańskiego pisarza, którą ostatnio czytała.

— Mam do ciebie jedną prośbę — powiedział, kiedy pozwoliła mu wygrać bitwę o to, kto ureguluje rachunek.

— Słucham?

— Chciałbym mieć jakieś lepsze zdjęcia Abbie. Zauważyłaś, że czasami ludzie zupełnie inaczej wyglądają? Na przykład pokazujesz komuś dwie różne fotografie tej samej osoby i ten ktoś rozpoznaje ją na jednej, a na drugiej nie. Gdybym miał ich więcej do pokazywania, może komuś coś by się przypomniało.

Sarah sięgnęła po leżącą na podłodze torebkę.

— Mam kilka takich zdjęć przy sobie.

Wyjęła małą plastikową kopertę, z którą się nie rozstawała. Było w niej z tuzin fotografii Abbie i Josha. Ale Benjamina już ani jednej. Charlie przejrzał je uważnie.

— To pewnie Josh, prawda?

— Mhm.

— Co teraz robi?

— Jest na ostatnim roku Uniwersytetu Nowego Jorku. Co dalej, hmmm, wszyscy czekamy w napięciu, aż raczy nas wtajemniczyć. Niełatwo mu było przez tych kilka ostatnich lat.

— Wygląda na sympatycznego młodzieńca.

— To mało powiedziane. Jest cudowny.

Charlie wziął kolejne zdjęcie. Przedstawiało Abbie i Josha na ostatnich wakacjach w Divide. Byli sfotografowani w zbliżeniu, uśmiechali się i oboje pokazywali znak pokój blisko.

— To też Josh, tak?

— Tak. Kiedy był mały, Benjamin przytrzasnął mu palec drzwiczkami samochodu i Josh stracił koniuszek. Ten znak pokoju to taki rodzinny żart. Pokój blisko.

Charlie pokiwał głową, ale nie odrywał oczu od zdjęcia. Potem uśmiechnął się pod wąsem i pobieżnie przejrzał resztę zdjęć.

— Kilka będzie w sam raz — powiedział. — Mógłbym zrobić z nich odbitki.

— Oczywiście, weź je. Bylebyś oddał.

— Dzięki — powiedział. — Jutro będziesz je miała z powrotem.

Rozdział 31

Josh miał nadzieję, że Nikki może zadzwoni, w związku z czym, chociaż na terenie uniwersytetu obowiązywał surowy zakaz wchodzenia na sale wykładowe z włączonymi telefonami komórkowymi, on miał swój włączony, ustawił go tylko na wibrowanie. Zajął miejsce na skraju ostatniego rzędu, przy samych drzwiach, żeby jeśli Nikki zadzwoni, wymknąć się z sali niby to do toalety.

Wykład dotyczył jakiegoś wieku oświecenia, w którym to temacie Josh pozostawał ciemny jak tabaka w rogu. Kobieta przynudzała od pół godziny, a on usiłował robić notatki, które już teraz, kiedy przebiegł je szybko wzrokiem, kompletnie nic mu nie mówiły. *Burzenie feudalnego porządku, doskonalenie się i postęp, ucywilizowany system teologiczny,* z czym się to, u licha, je? Josh wsparł się łokciami o pulpit i podparł pięściami ciążącą głowę, na wypadek gdyby niechcący przysnął.

— Diderot jednak uznawał dogmat religijny za absurd i przejaw ciemnoty — obwieściła teraz wykładowczyni.

Absurd i przejaw ciemnoty, zanotował Josh. I w tym momencie poczuł w kieszeni wibracje telefonu. Wyjął go ukradkowo, pewien, że to Nikki, ale na wyświetlaczu zamiast jej imienia widniał nieznany mu numer. Włączył pocztę głosową.

Wiadomość odsłuchał dopiero, kiedy jedząc kanapkę z sałatką z indyka, wracał w chłodne, ale słoneczne listopadowe popołudnie do akademika. O mało się nie udławił, kiedy usłyszał kto to. — Czołem, Josh. Mówi szeryf Charlie Riggs z Choteau w Montanie. Jestem w Nowym Jorku i byłbym ci niezmiernie wdzięczny, gdybyś poświęcił mi pół godzinki. Wydaje mi się, że możesz pomóc nam w wyświetleniu tego i owego w związku z okolicznościami śmierci twojej siostry. Oddzwoń do mnie pod ten numer. Sprawa jest z gatunku delikatnych, byłbym ci więc zobowiązany, gdybyś na razie nie wspominał o tym telefonie mamie, tacie ani nikomu innemu. Czekam na odzew. Do usłyszenia.

Josh miał wrażenie, że świat usuwa mu się spod nóg. O, jasny gwint, pomyślał. No to mamy przechlapane. Znaleźli ciało Rolfa.

Zadzwonił pod podany numer i dokładał wszelkich starań, żeby z jego głosu zamiast strachu przebijało zainteresowanie i chęć przyjścia z pomocą. Facet wydał mu się sympatyczny. Byle tylko za bardzo nie panikować. Próbowali się gdzieś umówić, ale on w głowie miał taki chaos, że nie potrafił niczego sensownego wymyślić, a więc tamten przejął inicjatywę i zaproponował most Brooklyński. Powiedział, że dotąd tylko raz był w Nowym Jorku, a słyszał od kogoś, że widok zachodu słońca z tego mostu jest wyjątkowo piękny. Co tu jest grane? — zastanawiał się Josh. Czyżby facet przyjechał w celach turystycznych? Umówili się o czwartej po manhattańskiej stronie południowego ciągu dla pieszych.

— Jak pana rozpoznam? — spytał Josh.

— Po gwieździe szeryfa i stetsonie.

— Fakt.

— Żartuję. Tym się nie przejmuj, wiem, jak wyglądasz.

Te słowa jeszcze bardziej wytrąciły go z równowagi. Niby skąd gość wie, jak on wygląda? Do czwartej pozostawały jeszcze dwie godziny i Josh przeczekał je w swoim pokoju. Mieszkał w starej ruderze niedaleko wschodniego Broadwayu z trzema kolegami z uniwerku, których nawet lubił, ale z którymi nie był specjalnie zaprzyjaźniony. Na szczęście żadnego nie było w domu. W pierwszym odruchu chciał zadzwonić do Freddiego, rozmyślił się jednak. Powiedział mu trochę, ale tylko trochę. To, co naprawdę stało się z Rolfem, zachował dla siebie. Ty musiał sypnąć. To by było to. Może do niego zadzwonić? Zaraz, przecież mogli mu założyć podsłuch i tylko czekają, aż to zrobi. Jezu, jęknął w duchu. O Jezusie.

Dlaczego to zrobił, sam właściwie nie wiedział, ale o trzeciej trzydzieści, kiedy włożył już kurtkę i szedł do drzwi, zatrzymał się nagle i zawrócił do biurka. Ukląkł, sięgnął pod nie i namacał małą paczuszkę przyklejoną taśmą za szufladami. Oderwał ją, schował do kieszeni i dopiero teraz wyszedł.

Charlie opierał się o barierkę i patrzył, jak słońce zsuwa się powoli ku linii horyzontu. Miasto wyglądało bajkowo — to słońce odbijające się w szklanych klifach, te światła zapalające się w oknach drapaczy chmur. Starał się zorientować, gdzie dokładnie wznosiło się World Trade Center, ale nie znał za dobrze topografii miasta.

Zobaczył nadchodzącego Josha. Nawet z odległości stu kroków, przy gasnącym słońcu widać było, jaki biedak jest wystraszony. Miał na sobie czarną kurtkę i czerwoną wełnianą czapkę naciągniętą na czoło. Kiedy się zbliżył, w jego pobladłej twarzy Charlie dostrzegł podobieństwo do Sarah. Ruszył mu naprzeciw z wyciągniętą ręką.

— Czołem, Josh.

— Cześć.

Uścisk dłoni chłopca był słaby, niepewny. Nie uczą już młodzieży, jak się należy witać przez podawanie ręki. Josh, nie patrząc mu w oczy, szybko schował ręce do kieszeni kurtki. Charlie wskazał ruchem głowy zachodzące słońce.

— Ale widok, nie?

— Tak.

— Staram się właśnie zorientować, gdzie stały te wieże...

— Tam. — Josh pokazał palcem w bliżej nieokreślonym kierunku.

— Przejdziemy się?

— Możemy.

Ruszyli ramię w ramię drewnianym pomostem. Z dołu dolatywał monotonny szum rzeki samochodów, w szparach między deskami migały czerwone tylne światła.

— W jakiej sprawie chciał się pan ze mną spotkać?

— Widzisz, od paru dobrych miesięcy staramy się ustalić okoliczności śmierci Abbie. Skąd się wzięła tam, gdzie ją znaleźliśmy, z kim mogła wtedy być, tego rodzaju szczegóły. A wydaje mi się, że ty mógłbyś nam w tym pomóc. Mam rację?

— Powiedzmy.

— Dobrze znasz Tya Hawkinsa?

— Nie za bardzo. Był kowbojem na ranczu, na które co roku jeździliśmy z rodzicami. Przez jakiś czas kręcił z Abbie.

— Tyle wiem.

— A policja opacznie to sobie wytłumaczyła i zarzuciła mu udział w tej aferze w Denver.

— Mhm. Kiedy ostatnio widziałeś się z Tyem albo z nim rozmawiałeś?

Josh wzruszył ramionami, patrzył przed siebie.

— Nie pamiętam.

— Mnie więcej.

— Parę lat temu.

— Naprawdę?

— Tak. A co? On mówi coś innego?

Charlie nie odpowiedział. Starał się wywrzeć na chłopcu wrażenie, że wie o wiele więcej niż w istocie. Nie wiedział nawet, dlaczego zaczął od pytania o Tya, ale wyglądało na to, że chyba trafił w czuły punkt.

— Kiedy on ostatnio widział się z twoją siostrą?

Zauważył, jak Josh przełyka nerwowo ślinę.

— Też kilka lat temu. Jak wszyscy.

— To co robiłeś w Choteau pod koniec września zeszłego roku?

Josh wreszcie na niego spojrzał, ściągając brwi i kręcąc głową, tak jakby czegoś nie rozumiał.

— O czym pan mówi? Nic nie robiłem, bo mnie tam nie było.

— Owszem, byłeś.

Josh milczał. Wesoła grupka japońskich turystów robiła sobie zdjęcie na tle zachodu słońca. Było coraz chłodniej. Charlie z Joshem obeszli Japończyków.

— Josh — odezwał się Charlie, kiedy oddalili się od nich na kilka kroków — jeśli nie będziesz ze mną szczery, sprawa dla nas obu się skomplikuje. Widzisz, ja mam dowody, że byłeś wtedy w Choteau... i w Great Falls.

Josh milczał.

— Josh — podjął łagodnie Charlie. — Widziałem billingi twoich połączeń z telefonu komórkowego.

Chłopiec przymknął na chwilę oczy, najwyraźniej klął się w duchu.

— I wykaz lotów, które odbyłeś. Przyleciałeś z Denver. Kamery na lotnisku zarejestrowały, jak spotykasz się tam z Tyem Hawkinsem. Sfilmowała cię też kamera na tej stacji benzynowej, gdzie rozsypałeś monety. Dziewczyna, która pomagała ci je zbierać, rozpoznała cię na zdjęciu. Oszczędźmy więc sobie czasu i przestańmy się czarować, zgoda?

Charlie zatrzymał się. Josh przeszedł jeszcze kilka kroków i też to zrobił, ale się nie odwracał. Ręce trzymał wciąż w kieszeniach kurtki.

— Opowiedz mi, Josh, jak to z tym było.

Czy jest sens iść dalej w zaparte? Wszystko wskazuje na to, że facet i tak wie prawie wszystko. A dalsze kłamanie może mu tylko wyjść bokiem. I nie tylko jemu. Ani myślał powtarzać błędu Abbie. Gdyby od razu zgłosiła się na policję i powiedziała, że nie chcieli zabijać syna tego McGuigana, może nadal by żyła. Przygarbił się, podszedł do barierki, oparł się o nią i zapatrzył na rzekę i zatokę. Charlie Riggs zbliżył się i zrobił to samo. Josh wziął głęboki oddech i zaczął.

— Abbie chciała się ujawnić. Kiedy się zorientowała, że jest w ciąży, uciekła od Rolfa. Powiedziała Tyowi, że ten facet bardzo źle ją traktował, bił ją i... i w ogóle. Przyjechała do Tya i oboje ukryli się w takim domku w górach, niedaleko Choteau.

— W chacie Jessego Wheelera?

— Widzę, że Ty wszystko już panu powiedział.

— Chciałbym to usłyszeć jeszcze raz od ciebie. Wszystko. Jak długo tam przebywali?

— Nie wiem. Ze dwa tygodnie. Zastanawiali się, jak rozegrać to oddanie się Abbie w ręce władz, żeby jak najwięcej na tym zyskać, no, wie pan, żeby dać jej szansę na złagodzenie wyroku. Zapewniam pana, że była zupełnie inną osobą niż wtedy, kiedy poprzednio się z nią...

Uświadomił sobie, że potknął się o kłamstwo, którym przed chwilą uraczył szeryfa Riggsa.

— Kiedy poprzednio się z nią widziałeś? A kiedy to było?

Josh westchnął ciężko. Niech się dzieje, co chce.

— Wiosną, przed jedenastym września. Tutaj, w Nowym Jorku. Potrzebowała pieniędzy. Zachowywała się jak pomylona. Zupełnie jej nie poznawałem. W każdym razie zadzwoniła do mnie we wrześniu zeszłego roku. Byłem wtedy u kolegi w Kolorado. No i przyleciałem do Great Falls i... no, wie pan.

— Czego od ciebie chcieli?

— Żebym ją zawiózł do domu. Do Nowego Jorku. I zorganizował spotkanie z tatą i mamą. Wymyślili, że wynajmą dobrych prawników i w ogóle, i spróbują wytargować coś u władz. Tak ładnie wyglądała. To była znowu dawna Abbie.

— Jak zamierzałeś ją tu dostarczyć?

— Samochodem Rolfa. Wtedy już jej samochodem. Tym, który zabrała, uciekając od niego.

— Widziałeś kiedyś tego Rolfa?

Josh roześmiał się gorzko i odwrócił wzrok. Stało się. Doszedł do punktu, zza którego nie ma już odwrotu. Może lepiej się tu zatrzymać?

— Josh?

Spojrzał na szeryfa i napotkał jego twardy wzrok. Ten Riggs wyglądał mu na porządnego faceta. Prawdopodobnie wiedział wszystko.

— Tak. Widziałem go. Tamtego wieczoru, kiedy tak sypnęło śniegiem. Zjawił się nie wiadomo skąd. Diabli wiedzą, jak nas tam znalazł. Bo to przecież zupełne pustkowie. Ty podejrzewał, że Abbie mogła do niego zadzwonić. Albo dowiedział się skądś, że przylatuję z Denver i przyjechał za nami. Chyba nigdy się tego nie dowiemy.

— Słucham dalej.

— Ty znalazł w bagażniku samochodu komputer tego faceta. Wziąłem go i pojechałem do Great Falls, spróbować wejść do programu. Złamać hasło.

— I pomógł ci w tym twój kolega Freddie?

Josh rzucił mu spłoszone spojrzenie.

— Josh, widziałem billingi rozmów z twojego telefonu, rozumiemy się?

— O kurczę, tylko nie czepiajcie się Freddiego. On nic nie wiedział. Naprawdę.

— Jeszcze do tego wrócimy. Słucham dalej.

— Kiedy wróciłem do chaty, walił już śnieg, a pod drzewami stał jakiś samochód. Potem okazało się, że jego. On czekał w chacie, aż wrócę z tym cholernym komputerem. Jezu, jak się pieklił. Wychodził z siebie. Chyba to, że znalazł Abbie z Tyem, tak go wkurzyło. No i ten komputer. Oni udawali, że zabrałem go przez przypadek, bo leżał w półciężarówce, ale on czuł, że kręcą. Według mnie wiedział, że chcemy go przeciwko niemu wykorzystać. Mówię panu, to był świr. Zachowywał się jak wariat, wrzeszczał, klął...

A potem chciał zabrać Abbie. I wtedy Ty mu się postawił, a ja rzuciłem się na pomoc. Rolf wyciągał właśnie spod łóżka strzelbę Tya. Skoczyłem mu na plecy i zaczęła się wolnoamerykanka. Tarzaliśmy się we trzech po podłodze, okładaliśmy pięściami, kopaliśmy, gryźliśmy, no, wie pan, wszystkie chwyty dozwolone...

— Co robiła Abbie?

— Ty krzyknął do niej, żeby uciekała, wszystko jedno dokąd, byle tylko wzięła nogi za pas. Pobiegła do corralu, wskoczyła na konia i...

Poczuł, że łzy napływają mu do oczu. Cholera! Nie chciał płakać, ale nie mógł się powstrzymać.

— W porządku, Josh. Mamy czas.

Szeryf położył mu dłoń na ramieniu. Josh odetchnął głęboko. Słońce chowało się za horyzontem w pomarańczowoczerwonej pożodze.

— No więc jej ucieczka jeszcze bardziej go rozjuszyła. A silny był, mówię panu. Ty to też silny gość, ale Rolf... cholera, jakby coś w niego wstąpiło. Czepialiśmy się go ze wszystkich sił, a on wlókł nas obu za sobą przez drzwi, po śniegu, za węgieł chaty. Wywrzaskiwał wciąż imię Abbie, widać było, że chce ją gonić. Ja siedziałem mu na plecach i dusiłem go, a Ty walczył z nim o strzelbę, obaj ją sobie wyrywali. W pewnej chwili Rolf obrócił się gwałtownie i wyrżnąłem plecami o ogrodzenie corralu z taką siłą, że żerdzie połamały się jak zapałki.

Chyba mnie na chwilę zamroczyło, bo tu na moment film mi się urywa. Kiedy się ocknąłem, leżałem w śniegu, a oni dwaj dalej wyrywali sobie strzelbę przy przełamanym ogrodzeniu. Potem Rolf podstawił Tyowi nogę i Ty, padając, puścił broń... nie, nie mogę.

— Spokojnie, synu. Nie śpiesz się.

— Chciał go zabić, to było widać. Ty leży na ziemi, a on opuszcza lufę, celuje w niego i naciska spust. Przysięgam na Boga. Ale strzelba była zabezpieczona i kiedy szukał tego wihajstra do odbezpieczania, Ty złapał go za nogę, a ja się zerwałem z ziemi i zaszarżowałem. Kiedy na niego wpadłem, zatoczył się w bok, tak jakoś obrócił i poleciał do tyłu. I strzelba wypaliła. To cud, że nikt nie oberwał. Ale Rolf...

Josh miał teraz wszystko przed oczyma. I wszystko słyszał. Facet nadziewający się plecami na żerdź, ten straszny chrzęst przebijanego ciała, ta jego zmieniająca się raptownie twarz, to niedowierzanie w oczach zmieszane z przerażeniem.

— Nie chciałem tego, przysięgam. On się tylko tak nieszczęśliwie przewrócił. Tam gdzie przełamało się ogrodzenie, został ostry kikut żerdzi przybity nadal do słupka, sterczał jak dzida. I on się na niego nadział plecami i... i przez chwilę nie wiedzieliśmy, co się stało. Znieruchomiał. Potem zobaczyliśmy krew na przodzie jego koszuli i... i sterczący mu z piersi czubek. O Jezu.

Zaczął szlochać i upłynęła dłuższa chwila, zanim mógł kontynuować.

— Ściągnęliśmy go z Tyem z tego kikuta, Ty pobiegł po ręcznik i próbowaliśmy zatamować krwotok, ale wszystko na nic. Mogliśmy tylko stać i... patrzeć, jak umiera.

Drgające ciało, wyciągająca się nie wiadomo po co ręka o zgiętych jak szpony palcach, niedający się zatrzymać potok krwi.

Szeryf trzymał mu wciąż dłoń na ramieniu i cierpliwie czekał.

— A jak to było z Abbie?

— Nie wiemy. Koń wrócił bez niej. Przez resztę nocy jeździliśmy po okolicy i wołaliśmy, wołaliśmy. Ale śnieg sypał tak gęsto, że nic nie było słychać ani widać. Żadnych śladów, nic. Szukaliśmy jej następne dwa dni. Bez rezultatu. Jak kamień w wodę.

— A co zrobiliście z Rolfem?

— Owinęliśmy go w plastikową płachtę i upchnęliśmy do jego samochodu, tego, który stał ukryty w stodole. I ta krew na śniegu, kurczę, mówię panu. Nagotowaliśmy wody, Bóg jeden wie, ile galonów, i próbowaliśmy go stopić. Potem usypaliśmy w tym miejscu hałdę świeżego śniegu, ale czerwone wciąż spod spodu wyłaziło. Ty przypomniał sobie, że dwadzieścia mil na południe jest takie duże jezioro czy staw. W górach, w jakimś kanionie. Mówił, że jest naprawdę głębokie.

— Wiem, o które chodzi.

— No i trzeciej nocy, kiedy zrezygnowaliśmy już z szukania Abbie, wysprzątaliśmy chatę, naprawiliśmy ogrodzenie, poustawialiśmy wszystko, jak było, a krew przestała w końcu przesiąkać przez śnieg, pojechaliśmy tam. Ja prowadziłem półciężarówkę Tya, a on samochód z trupem w bagażniku. Jakimś cudem przebiliśmy się tam przez te śniegi. I zepchnęliśmy samochód z urwiska do wody.

Rolf ten wóz, którym przyjechał do chaty, wypożyczył na lotnisku w Great Falls. Odstawiłem go tam następnego dnia, wsiadłem w samolot i wróciłem do domu. I to wszystko.

Przez długi czas patrzyli przed siebie w milczeniu. Tam gdzie schowało się słońce, horyzont płonął cienką linią ognia. Odbijały ją wszystkie budynki. Pod deskami pomostu migotało i szumiało. Wieczorny szczyt, ludzie wracali do domów. Josh ciekaw był, co facet teraz powie. Bo że go aresztuje, to pewne.

— Kto, poza tobą i Tyem, o tym wie?

— Tylko pan.

— Nikomu się nie zwierzałeś?

— Nie jestem taki głupi.

— Nawet mamie i tacie?

— Żartuje pan? Wyobraża pan sobie, jaki to by dla nich był cios, gdyby się dowiedzieli? Nie dość, że jedno, to i drugie ich dziecko jest mordercą?

— Mnie to nie wygląda na morderstwo, synu.

— Wystarczy, że jedno.

Milczeli przez dobrą minutę.

— A co się stało z komputerem?

— Wrzuciliśmy go do bagażnika.

Josh wyjął z kieszeni paczuszkę, którą odkleił spod biurka. Był to flash drive. Wręczył pakunek szeryfowi.

— To kopia tego, co w nim było.

Charlie przeleżał całą noc w łóżku, wsłuchując się w odgłosy ulicznego ruchu dolatujące zza okna pokoju małego hoteliku na przedmieściach, i obserwując wędrującą po suficie i zmieniającą się bez ustanku mozaikę światła i cienia. Zawsze miał kłopoty z zaśnięciem w mieście, ale dzisiaj mógł mieć o to pretensję tylko do tego, co działo się w jego skołatanej głowie. A przypominało to grę na jednorękim bandycie w kasynie, w której, ilekroć pociągniesz za dźwignię, te same myśli przetasowują się w rozmaitych kombinacjach i żadna nie wygrywa. Wiedział, oczywiście, co nakazuje mu obowiązek. Jego rola tu się kończyła. To, co ustalił w trakcie dochodzenia, powinien przekazać machinie wymiaru sprawiedliwości, niech prowadzi sprawę dalej. Od tego w końcu jest i on zawsze tak robił. Wyłowiono by z jeziora samochód z ciałem, aresztowano Josha i Tya i oskarżono ich o zabójstwo. Istniały szanse, że sąd potraktowałby ich łagodnie. Gdyby dano wiarę relacji Josha z przebiegu wypadków, byłoby to działanie w samoobronie i obaj zostaliby prawdopodobnie uniewinnieni.

Ale nigdy nic nie wiadomo. Sprawa zostałaby nagłośniona, tak jak wtedy, gdy znaleziono ciało Abbie. Jakiś sprytny, ambitny prokurator mógłby zwietrzyć swoją szansę na zyskanie sławy albo zbicie politycznego kapitału w przedstawieniu faktów w zupełnie innym świetle. A w panującej obecnie atmosferze strachu, bratu i ekskochankowi notorycznej terrorystki łatwo by było przykleić tę samą łatkę — o czym Ty przekonał się już raz na własnej skórze. Biedak i tak był załamany. Czy zniósłby kolejną taką próbę? I co z Cooperami? Co z Sarah? Czy nie dość już wycierpieli?

Charlie nie mógł sobie teraz darować, że zostawił tak Josha. Zeszli z mostu i złapali taksówkę. Umówili się na jutro rano i Josh wysiadł pod domem, w którym mieszkał. Charlie potrzebował czasu na przemyślenie sprawy. Ale Josh nie potrzebował czasu na przemyślenia. Był już dostatecznie przerażony. A jeśli ucieknie albo, nie daj Boże, coś sobie zrobi?

Dosyć tego. Jeszcze trochę i oszaleje. Wstał, wyjął telefon i chciał już wybrać numer Josha, ale zorientował się, że jest czwarta nad ranem i wyłączył komórkę. Ubrał się, nałożył płaszcz, wyszedł przez jasno oświetlony hol na ulicę i ruszył przed siebie. Przecznica za przecznicą, światła za światłami, *Stój, idź,* z każdym krokiem przez głowę przelatywały mu coraz to nowe możliwości.

Po dwóch godzinach, kiedy niebo na wschodzie, za jego plecami, już jaśniało, znalazł się znów nad wodą i zapatrzył na czarny brzeg po drugiej stronie Hudsonu. I już wiedział, co zrobi. Otóż nic nie zrobi. Znał staw, do którego zepchnęli samochód. Woda w nim była zielona, nieprzejrzysta i głęboka. Facet w bagażniku zasłużył sobie na to, co go spotkało. Niech tam zostanie.

Charlie namacał w kieszeni płaszcza mały flash drive, który dał mu Josh. Zdawał sobie sprawę, że powinien sprawdzić, co na nim jest. Ale czy warto? Wyjął go i obejrzał. A potem wziął szeroki zamach i cisnął przed siebie. Nie zobaczył rozprysku wody ani nie usłyszał plusku.

Rozdział 32

To Iris wpadła na pomysł, żeby wspólnie wyprawiły swoje pięćdziesiąte urodziny. Sarah wcale nie planowała ich obchodzić, zamierzała przeczekać tę straszną datę z głową schowaną w piasek. I z początku odrzuciła propozycję. Za wiele zachodu i stresu. A zresztą, gdzie tu sens? Iris wszystkich swoich przyjaciół ma w Pittsburghu, a ona w Nowym Jorku. To żaden problem, powiedziała Iris. Przyjęcie wyprawi się w Nowym Jorku. Ona ma za dużo osób, które wypadałoby zaprosić, a dzięki temu sprytnemu fortelowi kilka odpadnie jej już w przedbiegach. Prosiła, groziła i w końcu Sarah dla świętego spokoju się zgodziła.

Ustaliły datę — po Święcie Pracy, w sobotę wypadającą dokładnie między dniami ich urodzin. W czerwcu Iris przyjechała do niej w odwiedziny i przeczesały cały okręg Nassau w poszukiwaniu odpowiedniego lokalu, ale każdy z tych, które by im odpowiadały, był już zarezerwowany. Rodzice Sarah zaproponowali swój dom w Bedford i obrazili się, kiedy grzecznie podziękowała. Tam można było obchodzić dwudzieste pierwsze urodziny, a ona była już dorosła. Kiedy rodziła się już w niej nadzieja, że z braku odpowiedniego miejsca cała impreza zostanie odwołana, napatoczył się Martin Ingram z propozycją nie do odrzucenia.

Budował właśnie restaurację, rodzaj piwiarni, na przepięknej działce w Oyster Bay, i był nie tylko autorem projektu, ale zamierzał również wejść w ten interes z pięćdziesięcioprocentowym udziałem. Jeśli nie wydarzy się jakaś katastrofa, a Martin rzadko padał takich ofiarą, to na początku października lokal będzie już gotowy, ale jeszcze nieotwarty. Była tam cudowna klonowa podłoga i ogromne półpiętro z panoramicznym oknem wychodzącym na ocean. Restauracji dobrze by zrobiło, gdyby ludzie ją sobie obejrzeli i rozreklamowali, powiedział Martin, i udostępnią im ją nieodpłatnie. Sarah musiała przyznać, że dla ich celów nadaje się idealnie.

Zaangażował zawodowego organizatora przyjęć, niejakiego Juliana McFadyena, który był tak przystojny i inteligentny, że Iris niemal mdlała za każdym razem, kiedy spotykały się z nim, żeby omówić szczegóły. Zajął się wszystkim, z rozesłaniem zaproszeń włącznie. Poszło tak gładko, że Sarah ze zdziwieniem stwierdziła, że nie może się już doczekać tego dnia. Sen z powiek spędzało jej tylko jedno.

Zaraz po Święcie Pracy przyleciała Iris, żeby sfinalizować kilka spraw z uroczym Julianem, który, czego ona nadal nie chciała przyjąć do wiadomości, okazał się gejem. Wczesnym wieczorem siedzieli u Sarah na tarasie i Julian, który poruszył właśnie temat toastów i okolicznościowych przemówień, wyczuwszy jakąś różnicę zdań, taktownie się wycofał, żeby mogły to ze sobą przedyskutować.

— A po co nam w ogóle te przemówienia? — spytała Sarah.

— Bo taka jest tradycja. Kochanie, jak często miewasz okazję słuchać w obecności setki ludzi, jaka to jesteś niezwykła? Zresztą jeśli nawet powiem Leo, że nie będzie mógł niczego wygłosić, to on to i tak zrobi.

— No dobrze. A co ze mną? Kto wypowie się na mój temat?

— Josh by mógł. Albo Martin. Tam, do diabła, ja bym mogła.

— Och, Iris.

— Słuchaj, nie róbmy z tego problemu. Poproszę Lea, żeby ułożył coś treściwego i słodkiego.

— Leo i treściwość, o słodyczy już nie wspominając!

— Ustawimy zegar jak w teleturnieju. Trzy minuty, i bing!

— Wszyscy będą mi tylko współczuli. Nie wytrzymam tych szeptów po kątach, tych stroskanych spojrzeń — *biedna stara Sarah, lata lecą, a ona wciąż bez pary.*

— Oj, nie przesadzaj.

Sarah zdusiła w popielniczce papierosa.

— Nie chcę, żeby Martin o mnie mówił.

— To poproś Josha. Wąs już mu się sypie.

— Sama wiesz, jaki jest nieśmiały.

Josh poleciał do Santa Fe spędzić kilka dni z ojcem. Sarah obiecała, że poprosi go, kiedy wróci.

Josh odebrał wiosną dyplom i zaraz potem wprawił wszystkich w osłupienie, oświadczając ni z gruszki, ni z pietruszki, że chce zostać prawnikiem. Ostrzygł się, kupił sobie garnitur i przez całe lato pracował jako praktykant w kancelarii Alana Hersha. Przyjeżdżał regularnie do domu i opowiadał z przejęciem o sprawach, klientach i ezoterycznych wykładniach prawa, które nic Sarah nie mówiły, ale musiała udawać, że wie, o co chodzi. Niedługo mieli mu zacząć płacić i powierzać rozmaite okołoprawnicze zadania pomocnicze. I jak wszystko pójdzie dobrze, to w przyszłym roku rozpoczyna studia w szkole prawniczej. Teraz dorabiał sobie w weekendy, pomagając Jeffreyowi w księgarni. Jego obecne zaangażowanie i zapał z jednej strony cieszyły, z drugiej zastanawiały Sarah. Chodziło jej czasami po głowie, że przeoczyła może jakiś statek kosmiczny lądujący na trawniku przed domem.

Benjamin powiedział to samo. Ostatnio częściej rozmawiali. Od jakiegoś czasu dzwonił do Josha nie tylko na komórkę, ale również do domu, i wtedy zwykle odbierała Sarah. Jakby mniej się jej teraz bał, pewnie dlatego, że nie była już wobec niego taka oschła. Oboje nie mogli się nadziwić, jak transformacja Josha pomogła im się ponownie zbliżyć.

— Gdzie myśmy popełnili błąd? — spytał wczoraj wieczorem. Dzwonił, żeby ją poinformować, o której ląduje samolot Josha.

— Nie rozumiem.

— W najgorszych koszmarach nie śniło mi się, że będę miał syna prawnika.

— Już wiem. Może trzeba nam było patrzeć bardziej przez palce na jego pociąg do marihuany.

— Nie sądzę, żeby w tej dziedzinie zbyt wiele go ominęło. Bardziej bezpośrednim powodem ocieplenia, jakie między nimi nastąpiło, był list Sarah. W Boże Narodzenie napisała do Benjamina, że przeprasza za to, co powiedziała, za obarczenie go odpowiedzialnością za śmierć Abbie. Były to słowa, pisała, które wymknęły jej się w chwili skrajnej depresji i rozpaczy. Kilka dni potem dostała od niego pocztówkę — pogodny widok nieba nad oceanem. Treść była zwięzła: „Dziękuję, kocham zawsze, Benjamin".

Oczywiście, pomogło również to, że wiedział już o Charliem Riggsie. W czerwcu Sarah była z Charliem na tygodniowym urlopie. Pojechali do Kolorado i zatrzymali się w przeuroczym hoteliku w górach. Jeździli konno po łąkach obsypanych kwiatami, przemierzyli pieszo odcinek szlaku Wododziału Kontynentalnego do źródła, z którego tryskały dwa strumienie i jeden spływał na wschód, a drugi na zachód. I zostali w końcu kochankami. Sarah bardzo go lubiła. Na ile to poważne, jeszcze nie wiedziała, i żadne z nich nie naciskało. Zaprosiła go na przyjęcie. Wziął ją najpierw w krzyżowy ogień pytań, upewniając się, czy naprawdę życzy sobie jego obecności, potem obiecał, że przyjedzie.

Josh, nie wiedzieć czemu, bo przecież go nie znał, gorąco popierał ten związek i był bardziej niż ona przekonany, że coś z niego wyjdzie. Dzięki temu nie tylko na nim spoczywałby ciężar opieki nad biedną, samotną, starą mamą. Musiała mu przypomnieć, jak sam powtarzał kiedyś w kółko, że związki na odległość umierają śmiercią naturalną. Poradził jej, żeby w takim razie przeniosła się do Montany. Roześmiała się drwiąco, zupełnie jakby nie nosiła się już od jakiegoś czasu z tym zamiarem.

Leo od dwudziestu minut rozwodził się nad wyjątkowością Iris i chociaż niektóre z historyjek, które przytaczał, były nawet zabawne (zwłaszcza ta, jak Iris narobiła mu wstydu przed

429

kolegami, ściągając go siłą z pola golfowego), to, jak mawiała Iris, czas minął. Josh widział, jak słuchacze wymieniają ukradkowe spojrzenia. Z drugiej strony dawało mu to pretekst do ograniczenia swojego wystąpienia do minimum.

Przyjęcie chyba się udało. Freddie, który z Summer i Nikki stał nad nim, na półpiętrze, oparty o barierkę, orzekł już, że na takim byczym zlocie wapniaków jeszcze nie był. Żarcie, że paluszki lizać, chwalił, i nawet kapela niczego sobie.

Kiedy Leo dobijał do brzegu ze swoją osiemnastą historyjką, Josh przejrzał jeszcze raz notatki. Miał tu chyba wszystko. Aż dziw, jak poprawiła mu się pamięć i koncentracja, od kiedy przestał popalać trawkę. Rozejrzał się po sali za mamą. Stała z Martinem i Beth Ingramami i z Charliem Riggsem. Miała na sobie czarną jedwabną suknię odsłaniającą ramiona i wyglądała absolutnie nieziemsko. Przez cały wieczór nie odstępowali się z Charliem na krok. Dobrze było widzieć ją taką szczęśliwą.

Charlie i Josh, kiedy ich sobie przedstawiała, wymienili uścisk dłoni tak, jakby widzieli się po raz pierwszy.

— Mama dużo mi o tobie opowiadała — powiedział Charlie.

— I nawzajem.

— Co u ciebie?

— Nie narzekam. Dziękuję.

Przez tych dziesięć miesięcy, jakie upłynęły od ich wspólnego spaceru po moście, Charlie dzwonił do niego chyba z tuzin razy i pytał, jak mu się wiedzie. Nigdy nie robił z tego jakiegoś wielkiego halo, wtrącił zawsze jakiś żarcik albo opowiedział coś zabawnego. Ostatnio dzwonił w czerwcu, tuż przed urlopem, na który wybierał się z mamą Josha do Kolorado. Wyraźnie miał do niego jakąś sprawę i nie bardzo wiedział, jak zagaić. Dopiero po chwili Josh zorientował się, że chodzi mu o jego błogosławieństwo i oczywiście mu go udzielił.

Patrząc teraz na nich, jak stoją obok siebie w głębi sali i słuchają pochwalnej mowy Lea, Josh stwierdził, że dobrana z nich para. Życzył im z całego serca, by coś z tego wyszło. Mama poczuła chyba na sobie jego wzrok, bo odwróciła się, spojrzała na niego, uśmiechnęła się i dyskretnie skrzywiła, dając do zrozumienia, że najwyższa już pora, żeby ktoś odciągnął Lea od mikrofonu. Na szczęście nie było to konieczne.

— A teraz, panie i panowie, chociaż ja mógłbym tak do rana... — z sali posypały się okrzyki: „Prosimy, nie, już starczy!" — oddaję głos temu tam przystojnemu młodzieńcowi, którego wszyscy znacie — a jeśli nie, to wierzcie mi, wkrótce poznacie — pan Joshua Cooper!

Przy akompaniamencie burzy oklasków i pohukiwań Josh przeszedł przez salę i Leo oddał mu mikrofon, a Iris cmoknęła go w policzek.

— Wyglądasz rewelacyjnie — szepnęła. — Powal ich na kolana, mały.

Na sali zaległa pełna wyczekiwania cisza i Josh poczuł przypływ tremy. Zerknął na notatki, wziął głęboki oddech, odchrząknął. Wzbudzony mikrofon wydał cichy pisk, ale zaraz się uspokoił.

— Dzięki, Leo. Zabawnych momentów z tych lat spędzonych z mamą nie przypominam sobie zbyt wielu. Dorastanie pod jej skrzydłami nie było wcale takie śmieszne.

Po sali rozeszły się chichoty, ale nie był to efekt, jakiego oczekiwał.

— Opowiedziałbym wam, jak jej obrzygałem pierwsze wydanie *Czuła jest noc*, ale miałem wtedy dwa latka i prawdę mówiąc, nie pamiętam, żebym to zrobił.

Teraz się roześmiali. No, już lepiej.

— Albo jak raz kluczyki do samochodu wpadły jej pod K Mart do studzienki ściekowej, przyjechała straż ogniowa, wykuła wielką dziurę w jezdni, a potem odwiozła nas do domu samochodem strażackim.

Wybuch śmiechu.

— Co tu kryć, to był najwspanialszy dzień w moim życiu.

Ryknęli. To nie było wcale takie trudne. Zerknął na półpiętro. Uśmiechnięta Nikki posłała mu całusa. Josh wepchnął notatki do kieszeni.

— To prawda, dorastanie pod skrzydłami mamy nie było śmieszne, było po prostu szczęśliwe. Każdego dnia bez wyjątku. Prowadziła księgarnię, prowadziła dom, pomagała nam w odrabianiu lekcji. Pomagała to mało powiedziane. W moim przypadku praktycznie odrabiała je za mnie. Jedyna ocena celująca, jaką dostałem w swojej karierze, właściwie jej się należała. W rezultacie wszystko, czego nie wiem o literaturze, zawdzięczam mamie. Do wszystkiego podchodziła z humorem. Podejrzewam, że nawet wtedy, kiedy wcale nie było jej do śmiechu.

Zawiesił głos i spojrzał na nią. Uśmiechała się, widać było, że z trudem powstrzymuje łzy. Przemknęło mu przez myśl, żeby opuścić następny fragment, ale uznał, że nie ma co. Upiory, choćby nie wiadomo jak starało się je ignorować, nie przestają straszyć.

— I Abbie, gdyby tu dzisiaj z nami była, powiedziałaby to samo.

Ciszę, jaka zapadła, można by ciąć nożem.

— Kochała mamę całym sercem. Tak jak ja. Bo takiej mamy jak nasza każde dziecko mogło nam tylko pozazdrościć. Piękna, wesoła, a do tego nieprawdopodobnie mądra i inteligentna. I ma największe z wszystkich mam serce. Zawsze mogliśmy na nią liczyć. Zawsze. I nadal tak jest.

Jezu, wszyscy teraz płakali. Jemu też niewiele brakowało. To by dopiero był obciach. Miał powiedzieć o jeszcze jednym upiorze w zamku, o sprawie taty. Żadnego dramatyzowania, tylko napomknąć, ale może wystarczy. Zerknął w bok i Julian McFadyen wręczył mu dyskretnie lampkę szampana.

— No więc. Jeśli wszyscy mają kieliszki, to wznieśmy toast. Za te dwie wspaniałe, niewiarygodnie stare i niewiarygodnie cudowne kobiety. Za Iris i Sarah.

Wszyscy powtórzyli chórem toast, sala rozbrzmiała owacjami i Josha otoczył nagle falujący tłum. Obcałowywano go, obściskiwano, poklepywano po plecach i tak co najmniej przez pięć minut. W końcu ludzie się rozstąpili i zobaczył mamę. Łzy płynęły jej po policzkach. Otworzyła ramiona, a on podszedł, objął ją i stali tak długi czas przytuleni.

— Kocham cię — szepnęła. — Nawet nie wiesz jak bardzo.

Leżąc później w łóżku z pochrapującą obok Nikki, zmęczony po przyjęciu, ale wciąż podminowany, Josh dochodził do wniosku, że dziwni są ci ludzie. Mają tyle obliczy, tyle sprzecznych emocji nimi miota. Miłość i nienawiść, radość i rozpacz, odwaga i strach. Zupełnie jakby byli jakimiś wielkimi wirującymi dyskami o wszelkich możliwych do wyobrażenia kolorach, po których wciąż przesuwa się i tańczy światło. Przypomniał sobie wszystkie te twarze, stare i młode, wzruszone i śmiejące się, które widział, wygłaszając swoją mowę. Nieważne, ile ma się lat, siedemnaście czy siedemdziesiąt, ten dysk wciąż tam jest, wciąż wiruje. Może tylko z biegiem czasu łatwiej odróżnia się te kolory i wie, co każdy może oznaczać.

Takie myśli przychodziły mu do głowy od czasu, kiedy odstawił tabletki, które w zeszłym roku, po tym, co stało się z Abbie, przepisał mu lekarz i które nadawały światu ospałej jednolitości. Josh wolał już te wirujące dyski. Szkoda tylko, że gorzej teraz sypiał.

Podejrzewał, że odpowiedzialny za to jest lęk przed tym, co może mu się przyśnić. W dzieciństwie miał całą listę rzeczy, którą recytował przed zaśnięciem — czarownice, wilkołaki, pani O'Reilly (sprzątaczka z przedszkola, która miała wąsy i szklane oko) i tak dalej. Wierzył, że kiedy to zrobi, nie nawiedzą go we śnie. I co najmniej przez sześć miesięcy od powrotu jesienią z Montany, nawet po tym, jak odwiedził go Charlie Riggs i powiedział, że nie nada sprawie biegu, że rozmawiał już z Tyem i pozostanie to ich tajemnicą, Josh co wieczór z rozmysłem wspominał Rolfa podrygującego i wykrwawiającego się na śmierć w śniegu, a potem wyobrażał go sobie wyłażącego powoli z jeziora z gnijącą, na wpół zeżartą przez ryby twarzą.

Może dzięki temu nie miał nigdy takiego snu i zarzucił niedawno ten cowieczorny rytuał. Charlie obawiał się, że brzemię tajemnicy może mu za bardzo ciążyć, ale chyba niepotrzebnie. Widok rodziców tak szczęśliwych w swoich nowych związkach był wystarczającą rekompensatą.

Sen w końcu nadchodził. Josh zastanawiał się przez chwilę, czy nie obudzić Nikki. Powinna już wrócić do pokoju gościnnego. Ale doszedł do wniosku, że byłoby to zbyt okrutne, a poza tym miło mieć ją obok siebie. Zresztą mama nie była już w tych sprawach taka pruderyjna i na pewno się nie zgorszy, jeśli ją tu zastanie. Zamknął oczy i z dyskiem życia wirującym bez ustanku w głowie, ale teraz nieco wolniej, i stopniowo gasnącym, zapadł wreszcie w błogi sen.

Ben mógłby jechać tą trasą z zamkniętymi oczami. Ale przez sześć lat, od kiedy tu już nie mieszkał, jakieś zmiany jednak nastąpiły. Centrum handlowe rozrosło się o nowe sklepy, przy Jackson Avenue stanął nowy biurowiec, szkoła średnia miała nową ładną bramę. Wzdłuż chodnika biegnącego skrajem parku zasadzono wiśnie — każde drzewko otoczone palisadą z palików i owinięte do wysokości kolan białą folią dla ochrony przed jeleniami.

Widział już dom, który przed laty zbudował, ukryty wśród przybierających barwy jesieni klonów, które wspólnie sadzili. Dereń koreański przy podjeździe jakby trochę zmarniał. Może zamiast niego należało posadzić magnolie. Dom nie był wcale taki brzydki, chociaż teraz zaprojektowałby go inaczej. Zobaczył w oknie Sarah i zanim zaparkował małą, wypożyczoną na lotnisku hondę, ona stała już w otwartych drzwiach. Wysiadł i ruszył jej na spotkanie.

Wyglądała prześlicznie. Błękitna płócienna spódniczka i kremowy kaszmirowy sweterek z dekoltem w serek. Trzymała bukiet białych lilii. Ben miał taki sam. Zostawił go na tylnym siedzeniu.

— Ładnie wyglądasz — zagaił.

— Ty też.

Położyła mu dłoń na ramieniu i pocałowała w policzek. Zauważył, że używa innych perfum niż te, które kupował jej zawsze pod choinkę.

— Wszystko gotowe? — spytał.

— Mhm.

Otworzył przed nią drzwiczki od strony pasażera, ale zwlekała jeszcze z zajęciem miejsca. Patrzyła ze ściągniętymi brwiami na dereń.

— Cholerne drzewo — mruknęła. — Trzeba je będzie zlikwidować. Chyba posadzę w tym miejscu magnolie. Co ty na to?

Ben pokiwał w zamyśleniu głową.

— Tak. Pasowałyby tutaj.

— Tylko że one tak długo rosną. No wiesz, zanim jest na czym zatrzymać oko.

Wsiadła i zatrzasnęła za sobą drzwiczki.

Cmentarz znajdował się po drugiej stronie miasteczka, ale poranny ruch nie był duży, a słońce takie, że nawet te gorsze uliczki Syosset wyglądały sennie i spokojnie.

— Słyszałem, że Josh zrobił na przyjęciu furorę.

— Powalił wszystkich na kolana. Mówię ci, jeśli on jest tak samo dobry na sali sądowej, to będzie z niego nie lada prawnik.

To Josh wybrał ostatni dzień września na formalną datę obchodzenia rocznicy śmierci Abbie. W ten dzień przed dwoma laty Montanę nawiedziła wielka śnieżyca i wszyscy się zgodzili, że będzie to data bardziej wyrazista niż przypadkowy w sumie dzień pogrzebu. Ten okropny dzień, którego wszyscy woleliby raczej nie wspominać. Ten rozpychający się łokciami i wywrzaskujący durne pytania tłum fotoreporterów i ekip telewizyjnych, kiedy szli z Sarah w deszczu przez parking do czekającego na nich czarnego sedana, ta zasłonięta woalką twarz Sarah, mokra od łez i bielsza niż twarz córki, którą przed chwilą pochowali.

Dzisiaj parking świecił pustkami. Wysiedli i z dwoma bukietami lilii weszli przez bramę, mijając umundurowanego strażnika, który uśmiechnął się i powitał ich skinieniem głowy.

Zraszacze wirowały na idealnie zielonej murawie, rozsiewając w słońcu tęcze i rysując owale wilgoci na ścieżce prowadzącej na wzgórek, do mogiły Abbie.

— Co u Eve?

Ben myślał, że się przesłyszał. Po raz pierwszy o nią zapytała.

— Dobrze, dziękuję.

— Pobieracie się?

— Jeszcze nie wiem. Może. Na razie wiele o tym nie rozmawiamy.

— Ale w ogóle rozmawiacie?

— Hej, co to ma znaczyć?

Roześmiała się i wzruszyła ramionami.

— W porządku. Nie moja sprawa.

— Dziękuję, że to mówisz.

— Nie ma za co.

Szli przez chwilę w milczeniu. Młody ogrodnik przycinający róże pozdrowił ich z uśmiechem, kiedy go mijali.

— Boże, co on z nimi wyprawia — wyszeptała Sarah. — Dlaczego nie uczą ich fachowego przycinania krzewów?

Ben roześmiał się.

— A jak tobie układa się z szeryfem?

Zerknęła na niego.

— Z szeryfem? Jest miły. To dopiero początek.

— Jestem szczęśliwy za ciebie.

Wzięła go pod rękę i już do samego grobu milczeli. Josh zajrzał tu już po drodze do pracy. O prosty granitowy nagrobek stały oparte jego różowe róże. Położyli po ich obu stronach lilie i trzymając się wciąż pod ręce, patrzyli na nie w milczeniu.

— Josh ci powiedział, prawda? — spytała cicho.

— O tym telefonie? Tak.

Przed dwoma dniami Josh zadzwonił wieczorem do Bena do Santa Fe. Powiedział, że ma mu coś ważnego do przekazania, że już dawno zamierzał to zrobić, ale nie chciał ich denerwować. Z mamą już rozmawiał, teraz musi pogadać z nim. Chodzi o Abbie. Przed śmiercią zadzwoniła do niego i powiedziała, że uciekła właśnie od Rolfa i chce się zgłosić na policję. Przepraszała ich wszystkich za to, co im zrobiła. A zwłaszcza Bena, że była dla niego taka okrutna.

— Zastanawiam się, czy nie zmyślił sobie tego, żeby poprawić nam samopoczucie — powiedziała Sarah.

— Nie wiem. Nie sądzę.

Otoczył ją ramieniem, a ona objęła go w pasie i przytuliła się.

— Widzisz, co on tam napisał? — spytała.

Ben założył okulary i przykląkł przy bukiecie Josha. Na przymocowanym do niego bileciku widniało jedno słowo: Pokój.

W NASTĘPNYM ŻYCIU
Marc Levy

Niespodziewana wiadomość od przyjaciela wywraca życie młodego historyka sztuki Jonathana do góry nogami. Peter informuje go, że w londyńskiej galerii sztuki wystawiono na sprzedaż pięć obrazów Vladimira Radskina, genialnego, acz niedocenionego za życia malarza rosyjskiego, zmarłego pod koniec XIX wieku. Jednym z nich może być ostatni, najwspanialszy obraz namalowany tuż przed śmiercią – „Młoda kobieta w czerwonej sukni" – o którym krążyły legendy, choć nikt go nigdy nie widział. Właścicielką obrazu jest piękna Clara, nosząca przypadkowo to samo imię, co zamordowana przez cara żona Radskina. Jonathan angażuje się w fascynujące badania autentyczności obrazu, podążając jego śladami z Londynu do Florencji i paryskiego Luwru. Odsłanianie tajemnic, jakie kryje płótno, ujawnia długi łańcuch intryg i zbrodni, ciągnący się od dziewiętnastowiecznego Londynu po dzisiejszy Boston. Łączy się on z historią wielkiej, ponadczasowej miłości. Marc Levy jest autorem bestsellera JAK W NIEBIE, sprzedanego w 3 milionach egzemplarzy i niedawno sfilmowanego z Reese Witherspoon w roli głównej.

SUITA FRANCUSKA
Irène Nemirovsky

Najgłośniejsza powieść francuska ostatnich lat, napisana w latach 1941–42, po raz pierwszy wydana w roku 2004. Uznana za arcydzieło. Zdobywczyni prestiżowej nagrody Renaudot, kandydatka do nagrody Goncourtów. Pomyślana jako „francuska Wojna i pokój". Z planowanych pięciu części autorka (zamordowana w Oświęcimiu) zdołała ukończyć dwie.

Akcja Czerwcowej burzy toczy się w czasie masowej ucieczki mieszkańców Paryża, przerażonych pogłoskami o zbliżających się okupantach. Losy bohaterów splatają się w niezwykle barwnym obrazie chaosu, egoizmu i wygodnictwa, tworząc prawdziwą tragikomedię obyczajów. W części drugiej – Dolce – poznajemy mieszkańców małego miasta, w którym stacjonuje niemiecki pułk. Nawiązują się przyjaźnie, intrygi, rodzi się miłość. Młoda Francuzka, niezbyt szczęśliwa w małżeństwie, i przystojny Niemiec z arystokratycznej rodziny, czują do siebie pociąg...